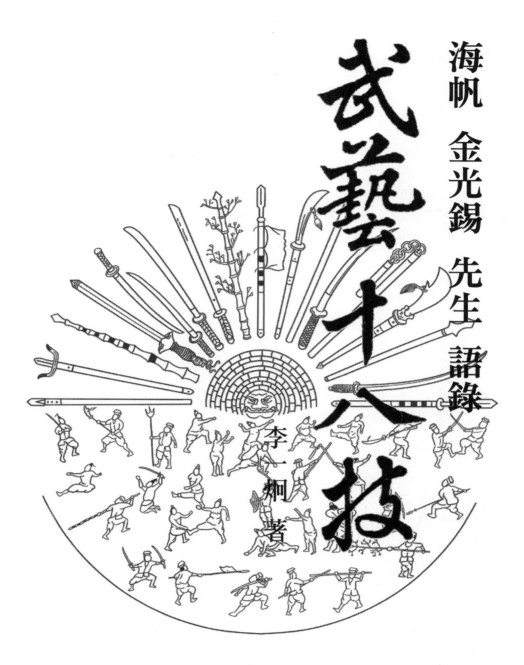

海帆 金光錫 先生 語錄

武藝十八技

李烔 著

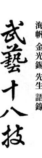

海帆 金光錫 先生 語錄

武藝 十八技

초판 1쇄 발행 2022. 11. 30.

지은이 이일형
펴낸이 김병호
펴낸곳 주식회사 바른북스

등록 2019년 4월 3일 제2019-000040호
주소 서울시 성동구 연무장5길 9-16, 301호 (성수동2가, 블루스톤타워)
대표전화 070-7857-9719 | **경영지원** 02-3409-9719 | **팩스** 070-7610-9820

•바른북스는 여러분의 다양한 아이디어와 원고 투고를 설레는 마음으로 기다리고 있습니다.

이메일 barunbooks21@naver.com | **원고투고** barunbooks21@naver.com
홈페이지 www.barunbooks.com | **공식 블로그** blog.naver.com/barunbooks7
공식 포스트 post.naver.com/barunbooks7 | **페이스북** facebook.com/barunbooks7

ⓒ 이일형, 2022
ISBN 979-11-6545-942-0 93690

海帆 金光錫 선생님의 武藝 세계를 돌아보며

한국무예韓國武藝의 무학종사武學宗師인 해범海帆 김광석金光錫 선생님의 가르침이 무예어록武藝語錄의 형식을 빌려 세상에 나오게 된 것은, 필자가 학생이었던 어느 날, 문득 "선생님, 훗날 후학後學들을 위해 선생님의 가르침에 대한 어록을 만들면 어떻겠습니까?"라고 여쭌 것이 계기가 되었다. 선생님께서는 조금 생각하시더니 "그렇게 한다면 후학들을 위해 좋겠지……." 하고 말씀하셨다. 또 "무예武藝를 한 사람만이 무예 이야기를 정리할 수 있다. 〈십팔기十八技〉 후학들에게 기준이 된다. 뿌리가 깊어진다."라고 하셨다. 그로 인해 선생님의 뜻을 받들어 이 어록이 나오게 된 것임을 여기에 밝힌다.

해범 김광석 선생님은, 근대 일본의 침탈로 인한 한국무예의 단절을 극복하고, 아무도 돌아보지 않던 《무예도보통지武藝圖譜通志》의 〈무예 십팔기武藝十八技〉를 최초로 펼침으로써, 삼국시대로부터 조선 말기에 이르기까지 조상의 슬기가 담긴 우리 전통무예傳統武藝의 원형과 그 우수함을 발표하고 후학들을 길러 오신 분이다.

《무예도보통지》는 조선이 양란兩亂을 겪은 후에 무비武備의 중요성을 절감하고 편찬한 무예서武藝書다. 하지만 무武를 경시하던 조선이 외세에 의해 나라를 빼앗긴 후 혼란한 근현대사를 거쳐 오면서, 우리 무예武藝는 어느덧 마음과 손끝에서 단절되어 기억의 저편으로 사라진 것이 되어버렸다. 《무예도보통지》는 역사의 서가書架에서 한낱 먼지만 쌓여 가는 옛 유물이 될 뻔했지만, 그러나 실전된 것 같았던 우리 무예가 선인先人들에 의해 면면히 이어져 전승되어 온 사실이, 선생님으로 인해 비로소 확인되었던 것이다.

과거 우리나라 무예武藝의 흐름은 도가무예道家武藝, 불가무예佛家武藝, 그리고 군사무예軍士武藝 등으로 분화되어 흘러왔다. 그 가운데 비전되어 온 도가무예의 맥은, 수양의 도구로써 무예武藝의 근根과 원源을 온전히 보존하고 이어온 상승무예上乘武藝의 영역이었다.

해범 선생님은 본래 도가道家의 수양인修養人으로 세상에 당신을 드러내는 것을 원치 않으셨지만, 한국무예의 실전失傳과, 자발적 수용이 아닌 일제日帝의 강압에 의한 외래무술의 이식으로 인해 우리 것이 다른 것으로 대체되어 가는 것을 안타까워하여, 우리 무예武藝의 본래 모습과 정신을 후손들에게 전하여 다시는 잃어버리게 하지 않으려는 뜻으로 《무예도보통지》의 〈무예 십팔기武藝十八技〉를 세상에 드러낸 것이다.

언젠가 선생님께서는 한국무예의 연원淵源과 그 정신에 대하여 다음과 같이 말씀하셨다. "사도 세자思悼世子(현륭원顯隆園)가 명명命名한 〈십팔기十八技〉는 조선시대 우리나라 정부에서 국가와 민족의 안위가 무비武備에 달려있음으로 인해 정리하고 체계화시킨 무예. 세계적으로 유일무이한 무예서武藝書를 가진 국민이 그것의 존재조차 망실하고 있기에, 한국무예韓國武藝 〈십팔기十八技〉를 지켜주려고 지금까지 해 왔는데 이제 지킬 필요가 없다. 사람들이 우리 것임을 알게 되었으니 내가 할 일은 다 했다.", 또한 "무예를 가지고 사대事大에 젖어서는 안 된다. 나라를 지키던 것이기 때문이다. 그러나 내 것만 고집해서는 발전이 없다. 무예의 교류는 상대의 장점을 배우는 것이지 정신까지 배워오는 것이 아니다. 각 국가의 무예는 자기들만의 무예정신武藝精神을 가지고 있다. 따라서 다른 나라의 무술을 배우면 불가피하게 그 나라, 그 민족의 정신까지 배우게 된다. 즉 정신을 빼앗기는 것이다. 우리나라 사람으로 태어나 다른 나라의 정신에 물들면 되겠는가! 사람은 자기 나라 것을 최고라고 생각한다. 그렇게 생각하지 않는 사람들은 어느 나라 사람들인가! 무예인으로서 우리 무예를 지키는 것이 자기의 정신을 지키는 관건이 되는 것이다……."

우리는 "무예武藝란 무엇인가?"라는, 역사적 단절과 망각의 기억을 담고 있는 질문에서부터 우리 무예의 진정한 모습에 대한 답을 찾으려 해야 한다. 무예의 본질을 파악하기 위해서는 역사의 흐름 속에서 형성되어 온 무武의 외형적 발전 구조와 함께, 내재된 무예 정신을 이해하는 것이 중요하다.

무예武藝는 외부의 침략에 대응하여 국가 혹은 개인의 방어와 생존의 수단이었기에, 무비武備의 수준을 높이기 위해 필연적으로 흡수해 온 요소들과 함께, 시대를 관통하며 그 생명력을 유지하기 위해 노력해 온 경험적 결과들을 망라하고 있는, 국가와 민족의 존립에서 떼놓을 수 없는 하나의 운명체로서 성장해 온 것이다. 그로 인해 무예는 실전實戰에서 얻은 정련된 기예技藝들과 각 시대의 문화적 유산을 포함하는 것은 물론, 양생養生을 위한 의학, 당대의 과학과 사상 등을 받아들이며 발전해 온 것으로, 외세의 침략이 있어 국가와 민족을 수호하는데 이르면 충忠으로써 나아가고, 평화가 도래하여 자신을 지키는데 이르러서는 수양修養으로써 들어간다. 따라서 무예는 생사를 가름하는 기예로 그 실체가 드러나지만, 무예의 본질 안에는 심신心身의 수양이라는 분명한 가치관이 그 중심에 있다. 그것을 찾아 밝혀 무예를 하는 사람들의 초석으로 삼아야 한다.

무예武藝에서 요구하는 것은, 자신의 욕망을 다스리고 언제나 삶의 밝은 쪽에 서며(숭덕崇德), 무예를 연마하는 것에 대한 노력(상무尙武)을 게을리하지 않는 것이다. 이는 모두 '사람됨'의 정신(柔·信)과 의지(綱·誠)의 올바른 발현을 말하고 있는 것이다. 또한, 온전한 마음(전심全心)(性)과 기신氣身(命)을 지켜나가는 것이다.

무덕규범武德規範은 상무숭덕尙武崇德 정신을 말한다. 수양이 아니라 무예인의 도덕규범이며 무예계가 지키는 신앙이다. 그러나 그것 역시 안으로의 수양의 기틀 위에서 지켜져 온 것이다. 시대의 변화와 관계없이 한국무예의 근根과 원源이 존속되고 지켜질 수 있었던 것은 오로지 수양의 도구로서의 무예가 존재했기 때문이다. 고금을 통해 무예의 궁극적 정의와 목적에 대한 다른 관점은 단언컨대 없으리라.

무예武藝를 이루는 것에는 오랜 수련이 요구되기에 생生의 대부분의 시간과 노력을 쏟아야 할 수도 있다. 그럼에도 그 동기가 순수하지 못함은 스스로 어리석은 삶을 사는 것에 다름 아니다. 다시 말하면 추구하는 것에 대한 본질에 가닿지 못한다는 것이다. 삶에 있어, 이르러 미치지 못하면 결국 공허함만 남을 뿐이다. 그러므로 훌륭한 가르침은 빛처럼 강력한 것이다. 올바르게 배운 사람은 자신의 삶뿐 아니라 세상을 바꿀 수 있는 능력을 갖춘다. 무예武藝 역시 바른길을 찾아 배우는 것을 강조해야 함은 말할 필요가 없다.

삶이라는 배움의 여정에서, 앞서간 사람들의 실수와 무지는, 다만 그것을 고쳐나갈 수 있는 방법을 찾게 해 줌으로써 다음 세대에게 그 역할을 한다. 또한, 진정한 스승은 단지 길을 가리키는 사람이다. 잘못된 점을 보여주고 그것을 고치도록 고무하는 사람이다. 온전함이 그것을 배우는 사람에게 달려있기 때문이다. 그런 이후에도, 진리는 순수한 동기로 그것을 전심全心으로 노력해 찾으려는 사람 앞이 아니면 그 모습을 드러내지 않는다. 세상사가 그러할진대, 무예武藝를 하는 사람은 부디 자신을 내세우지 말며, 결코 오만해서는 안 된다. 그럼으로써 길이 아니면 가지 않는 삶이 결국 수양修養의 길을 걷는 것이 되지 않겠는가.

무예어록武藝語錄이라는 누구도 시도해 본 적 없는 작업을 계획하면서, 지난 시간 마음으로 받아들여 깨달은 무예원리武藝原理와, 수련을 통해 몸이 습득한 기억들을 모아서 분류·정리하고, 그려본 적 없는 그림을 수백 장씩 직접 고쳐 그리며, 스쳐 가듯 하신 말씀 가운데 선생님이 강조하신 요결要訣을 찾기 위해 고심했다. 문장의 뜻과 맥락을 살리고, 당시의 가르침이 살아있는 표현이 되도록 평소 선생님의 말씀을 많이 윤색하지 않아 글이 다소 매끄럽지 못하고 두서가 없는 곳이 많지만, 몸이 표현하는 의미를 글로 전달하기 위한 노력의 결과로 이해해 주길 바란다.

일찍이 선생님은 "내가 터득하지 못한 것은 제자들에게 가르치지 않았다."라고 하셨다. 알지 못하는 것을 알은체하는 것을 지극히 싫어하셨기에, 가르침 가운데에 필자가 보고 듣고 익혔으나, 그 깊지 못함의 우愚를 외람되이 드러내는 것은 아닐까 송구스럽고 무거운 마음을 금할 수 없다. 선생님이 계셨더라면 분명 호통을 치실 일이 아니겠는가.

무예武藝는 평생의 고련苦鍊 속에서 그 의미가 드러나는 것이고, 한두 번의 몸동작으로 체득할 수 있는 것이 아니다. 무엇보다 스승의 가르침이 없이는 터득할 수 없는 것이 무예 공부의 절대적인 속성이다. 무예는 글로써 전할 수 없는 것임에, 여기에 실려 있는 무학이론武學理論과 도해圖解는 단편적이고 전체를 전달할 수 없는 한계가 있지만 본 어록이 기록의 가치를 넘어서 해범 선생께서 펼치신 한국무예의 외연이 넓어지고, 그 길을 가는 무예인들에게 조금이라도 도움이 된다면 더 바랄 것이 없을 것이다.

한편, 무예武藝란 언제나 함께 땀 흘리는 상대가 있어야 발전을 말할 수 있으니 어찌 홀로 가는 길일 수 있겠는가. 돌아보건대, 청운靑雲의 뜻은 품지 못했어도 지금 허무하지 않은 것은, 온전함을 바쳐 무덕武德을 숭상하고 기예技藝를 닦으며 함께 걸어온 무예 동지武藝同志들이 있어서가 아니겠는가. 특히, 지난 시간 뜻을 같이하며 예藝를 연마해온 다정한 도반 김재호金在浩 사범師範에게 고마운 마음을 전한다.

지난날 선생님은 "오늘날, 무예武藝는 사라졌다!"라고 말씀하셨다.
애달피 하신 말씀으로, 무예武藝는 민족과 국운이 함께 한다는 뜻이다.
삼가, '해범 김광석 선생님의 무예어록'은 그 사라진 무예武藝를 기리는 마지막 헌사獻詞로 남겨질 것이다.

李 一 炯

◉序文

차례

【일러두기】

◎ 본서는 해범海帆 김광석金光錫 선생의 저서 《무예도보통지실기해제武藝圖譜通志實技解題》·《권법요결拳法要訣》·《본국검本國劒(조선검법교정朝鮮劍法敎程)》·《조선창봉교정朝鮮槍棒敎程》 등을 참고하였다. 내용의 이해를 돕기 위해 반드시 해범海帆 선생의 저서들을 함께 연구하기를 권한다.

◎ 본서는 어록語錄이라는 특성상, 특히 무예武藝 동작을 설명하는 부분에서 정제된 문장을 기술할 수 없는 부분이 많으므로, 문장의 간결함보다는 요점을 전달하기 위한 맥락을 살리는 데 주력했다. 반복적으로 강조하는 표현이 있거나, 같은 설명을 중복해서 말하는 것처럼 보이는 곳이 많지만, 자세히 살펴보면 모두 맥락이 다른 설명이라는 것을 알 수 있다. 따라서 문장을 연결하기보다는 자주 줄을 바꿔 기술하여 좀 더 정확하게 의미가 전달되도록 했다.

◎ 본서 내용 중 해범海帆 선생께서 당신을 표현하실 때 '나'라고 말씀하신 부분은 특별한 경우를 제외하고는 '선생'이라는 말로 대신하여 적었다. 그리고 본문 중 따로 설명해야 하는 부분이나 내용에 대한 개괄은 【참고】라고 쓰고 기술했다.

◎ 무예武藝 동작을 설명하는 도보圖譜로는 완전한 신법身法을 표현할 수가 없다. 본서의 도해는 도식적인 그림일 수밖에 없지만, 설명과 그림에서 단서를 찾아 의미를 이해할 수 있도록 최대한 정밀하게 表現하려고 노력했다. 특히, 공방攻防에 대한 도해圖解는 신법을 고려하면서 동작을 해석해야 한다. 두 사람 이상의 동작을 설명할 때는, 검은 띠 흰 띠로 구분하여 나와 상대, 혹은 갑과 을로 구분하여 표시했다. 위에서 보는 그림은 좌, 우와 하, 상을 갑과 을, 또는 나와 상대로 설명했다.

◎ 〈병장기예兵仗技藝〉에 대한 내용은, 병기兵器의 기본으로 반드시 수련해야 하는 곤봉棍棒과 장병기長兵器의 대표격인 창법槍法에 대한 것을 간략히 싣고, 단병기短兵器로는 조선검법24세朝鮮劍法二十四勢(銳刀)와 본국검本國劍에 대한 내용만을 실었다.

◎ 해범海帆 선생의 가르침 가운데 〈정공靜功(호흡)〉에 대한 방법론, 심법心法 등 수양修養에 대한 부분들이 있지만, 《권법요결》의 〈내공內功〉과 〈용호비결龍虎祕訣〉 편에서 이미 결론적인 내용들을 드러내었고, 그것으로 인해 글로써 표현할 수 있는 것의 한계가 되므로 〈정공靜功〉에 대한 내용은 약간의 형태적인 것 외에 수록하지 않았다. 호흡수련(心法)은 내적內的인 것으로 주관적인 것이고, 보편적 개념으로 설명할 수 없는 것이기 때문이다. 또한, 문중門中에 흐르는 약공藥功에 대한 것도 제외했다. 인체에 대한 원리, 질병의 예방, 증상을 판별하고 그것에 대한 치료와 처방을 내는 법, 그리고 《동의보감東醫寶鑑》 등 옛 의서醫書를 분석하고 공부하는 법까지, 모두 도가의학道家醫學에 해당하는 부분으로서, 본서의 논지와는 맞지 않기에 다루지 않았다.

第一章

序

【한국무예韓國武藝의 정의】

〈세체洗體〉와 〈탈환脫換〉은 한국무예韓國武藝의 전체 정의定義를 말해놓은 것이다.

〈세체洗體〉는 마음(心)을 닦고, 모든 잡념을 없애고, 진순심眞純心에 이르는 길을 말한다. 순純은 완전할 순, 돌아올 순, 천진할 순이다. 본래의 내 마음으로 돌아온다. 따라서 마음을 닦는다(씻는다). 그러면 진순심에 도달한다. 세체洗體, 즉 진순심은 원래의 본本 자리로 돌아가는 것이다. 그것이 '무예武藝의 수양修養'이다.

〈탈환脫換〉은 몸(身)을 다스리는 운동으로서는 최대한 '완전完全하게 · 완정完整하게 · 완벽完璧하게 · 가장 높은 곳'으로 들어간다. 건강과 양생養生에 기준을 둔 것으로, 과거의 몸에서 새로운 금강체金剛體로 바꿔나가는 것이다. 그것을 위해 '근골육신筋骨六身을 완전히 바꾸는 무예武藝'를 뜻한다.

심신 단련心身鍛鍊을 한다고 말들 한다. 다시 말하면 마음을 닦고 몸을 기른다는 것이다. 그러나 심신 단련의 본래의 뜻은 그것이 아니다. 세체洗體와 연관된 말이다. 마음을 닦으면 그것이 몸에 드러나야 한다. 즉 언행일치言行一致를 말한다.

옛 어른들이 말한 심신 단련의 뜻은 지금 사람들이 말하는 뜻이 아니다. 마음 수양이 되면 몸에 행동이 나타나야 한다. 심신이 일체가 되어야 한다. '마음 따로, 행동 따로'가 되면 안 된다. 마음이 닦아진 것 같이 몸도 닦아져서 행동이 나와야 한다. 마음이 닦아진 데로 몸에 빛이 나야 한다.

몸과 마음은 하나다. 마음과 행동이 다르면 마음이 둘이다. 생각하는 마음과 행동이 같아야 한다. 그래서 몸과 마음을 닦는다. 몸뚱이와 마음 전체를 씻어내는 것이다. 마음만 닦는 것이 아니다. 몸도 똑같이 닦는다는 것이다.

마음은 닦을 수 있지만, 몸은 '닦는다'라고 표현을 할 수 없다. 그런데 마음은 몸과 같은 것이므로 세체洗體(몸을 씻는다)라고 했다.

마음이 하나라는 것은 '말과 행동이 일치한다'라는 것이고, 마음이 둘이란 것은 '행동하는 마음과 닦는 마음이 다른 이중인격'을 말한다.

무엇이든 안다는 것은 행동하지 않으면 아는 것이 아니다. 내가 완전히 깨닫고 한 것이 아니면 남에게 말해봐야 전달이 안 된다. 그래서 언행일치다.

무예武藝의 정의를 말할 때, '무예를 안다'라고 하는 것은 무덕武德의 이론을 아는 것이고, '무예를 한다'라고 하는 것은 실제 실천하는 것을 뜻한다.

무덕武德이란, 무武는 몸을 말하고 덕德은 사랑을 말한다. 심신心身, 즉 몸과 마음이 포함되기 때문에 몸과 사람을 기르는 것이다.

무예武藝는 철학과 사상이 있어야 한다. 그것이 없이는 성립이 안 된다. 따라서 무예에서 얻은 것이 있어야 한다. 무예인의 관점에서 몸과 마음이 건강하게 일생을 살아가려면 무예는 절대적이다. 즉 자연自然으로 살아야 한다.

무예武藝의 목적은, 〈자기방어와 조국 수호·건강·사람됨〉에 있다.

무예武藝는 몸과 마음의 끝없는 수양修養이다.

무예武藝는 깨어있는 것이다.

무예武藝는 자기를 보호하는 것이다.

● 강강剛·유유柔·성성誠·신신信

〈도道는 체體요, 강剛·유柔·성誠·신信은 용用이다〉. 수양修養이란 닦고 기르는 것, 그릇을 바꾸는 것을 의미한다.

〈강剛〉은 연기수련練氣修鍊(목적)의 지속성을 말한다. 곧고 바름이고, 세상사를 버리고 애욕을 버리는 자세다. 이것이 바로 서야 도道를 얻는 기본이 된다.

〈유柔〉는 강기彊氣를 유柔로 승화함을 말한다. 자퇴自退, 자굴自屈이며 마음속으로부터 스스로 겸손한 것이다. 상식을 지키며 살아가는 것이 유柔다. 이것이 첫 번째다.

〈성誠〉은 오직 정성스러움이다. 이것이 없으면 아무것도 이룰 수 없다.

〈신信〉은 인생의 근본根本, 행동과 말의 일치를 말한다. 인의예지仁義禮智는 신信이 없으면 무너진다. 인간人間의 근거, 기초, 기본, 근본이다.

집을 짓는 것으로 비유한다면 강剛은 기둥이요, 유柔는 대들보에, 성誠은 서까래며, 신信은 방에 비유하여 말할 수 있다.

〈강剛·유柔·성誠·신信〉은 수양의 길, 무예 수련의 길, 그리고 세상을 살아가는 길에서 각기 그 해석과 실천이 달라진다.

◎ 군자君子는 회덕懷德을 생각하고 소인小人은 회토懷土(재물)를 생각한다.

수양인修養人은 회형懷刑(法)을 생각하고 소인은 수혜受惠를 생각한다.

사람의 법도法道, 천지天地의 법도를 지켜 가야 한다. 사람은 사람의 가치를 벗어나면 사람이 아니다.

◎ 올바른 무예武藝로 들어가면 두 가지가 된다. 즉 마음과 몸이다.

자기완성의 길로 가는 전신全身(심신心身) 수양의 도구다. 그 도구로써 옛날 수양하는 분들이 했다. 말로만 수양하고, 고요한 곳 찾아가고, 앉기만 한다고 되는 것이 아니다.

삶의 목적(세상사)과 자기 인생의 가치는 따로 존재한다. 무예武藝를 한다는 것은 '욕구가 충족'되는 것이다. 자연히 수양을 하게 되어있다. 옛날에 인재人才란, 큰 그릇으로 담는 인재를 뜻했다. 한 번 움직여서 천하를 다스리지만, 자신의 때가 아니면 걸인처럼 산다. 자연을 따라서……

◎ 정精과 기氣가 아我다. 기氣에도 음양陰陽이 있다. 여기에서 정신精神이 나온다. 심신心身은 심신 수련의 의미다. 심心은 본마음, 신身은 정精·기氣·신神을 뜻한다.

〈몸을 단련한다〉는 의미는 오장육부五臟六腑와 뇌腦·막膜·근筋·골骨·피皮를 철석같이 단련한다는 뜻이다. 무예武藝는 근본 목적이 몸과 마음을 닦는 것이다. 심신단련心身鍛鍊이다.

〈몸을 기른다〉는 의미는 첫째 올바른 행동을 하는 것, 둘째 건강한 정신을 갖는 것을 말하는데, 이 두 가지가 몸에 해당한다.

〈마음을 단련한다〉는 의미는 성품을 단련, 덕성을 기르며, 인격도야로 가는 것을 말한다.

정신수양이란 내가 완전인完全人이 되어가는 수양을 하는 것을 뜻하며 그러한 것을 '수양한다'라고 한다. 그러므로 심신단련心身鍛鍊과 '몸을 건강하게 하고 자기를 지킨다'라는 말은 다른 말이다.

〈무예武藝는 끝없는 수양修養이다〉.

기예技藝를 잘하고 못하는 것 따지지 말라. 무예는 '사람됨'에 가치가 있다. 실력의 우열에 있지 않다. 무예인은 무예정신武藝精神으로 자기의 길을 헤쳐 나가야 한다. 결단력을 가지고 올바르게 가야 한다.

〈무예武藝는 인체人體의 이론이다〉.

자연히 의학醫學도 들어가 있다. 무예 수련은 순리順理대로 하라. 무예는 자연스러운 것을 확고하게 하는 것이다. 예를 들면, 걸음 걷는 것이 자연스럽지 못하니까 고쳐서 수련하는 것이다. 또는 허虛와 실實이 본래 자연스러운 것인데, 안되니까 허실虛實을 분명히 하라고 하는 것이다. 허와 실은 인위적으로 무엇인가를 만들어 내는 것이 아니다. 따라서 무예는 원칙(法)대로 해야 한다. 남이 보기에 어수선하게 보여도 그렇게 해야 확실하게 이룰 수가 있다.

● 도가무예道家武藝의 공부

도가道家는 기록하지 않는다. 도가무예道家武藝는 형태는 남길 수 있지만, 내부로, 세부적으로 남길 도리가 없다. 정신수양精神修養, 인격수양人格修養의 도구다. 양생養生을 위한 무예는 정밀하다. 양생에 어긋난 움직임이 없다. 즉 전신全身 수양의 문화다. 건강과 나를 보호하는데 기준을 두고 있다. 그러므로 드러낼 필요가 없다. 무사문화武士文化가 아니다. 무사문화는 이와 다르다.

무사문화는 상대와 대적하는 데 기준을 둔 것이고 입신立身의 도구이다. 예로 써 일본의 무사도武士道 같은 것이다.

옛 도가道家, 또는 무가武家에서는 처음에 체질 공부를 먼저 한다. 혈맥血 脈부터 공부하고, 오장五臟을 다스리는 법, 문중에 흘러오는 의약醫藥 공부, 그리고 호흡수련(토납법吐納法)을 시킨다. 그다음 기본 단련을 시키면서 무예 를 수련한다.

도가道家에서는 근본을 찾아서 수련한다. 어릴 때 뒤꿈치로 걷는 것, 호흡 하는 법 등을 가르친다. 이런 것들이 인체의 본성이기 때문이다.

인체에 있어서 운동은 필수다. 멈춰있는 것은 소멸한다. 양생養生의 목적은 첫째, 강화强化하는 것이고 둘째, 순환循環시키는 것이다.

문중에 전해 오는 약공藥功은, 과거에는 스스로를 치료해야 했기에 배워야 했다. 지금도 병원이 있어도 질병에 대한 예방은 스스로 해야 한다. 선조宣祖 의 명命으로 《동의보감東醫寶鑑》을 편찬할 때, 북창北窓 정렴鄭磏 선생의 아 우 유의儒醫 정작鄭碏선생이 참여했다. 즉 도가道家의 의학이 많은 역할을 했 다. 〈동의보감집례東醫寶鑑集例〉에서 허준許浚은 다음과 같이 말한다.

『道家以淸靜修養爲本, 醫門以藥餌鍼灸爲治. 是道得其精, 醫得其粗也. 도가道 家에서는 청정淸靜과 수양修養을 근본으로 삼고, 의문醫門에서는 약이藥餌와 침구鍼灸로 병을 치료하니, 도가는 그 정밀함을 얻은 것이고 의문에서는 그 대강을 얻은 것입니다.』

◉ 무예武藝의 연공법鍊功法

무예武藝는 연공법鍊功法에 있어서 공공이 높은 스승에게 지도받지 않으면 몸을 상상하는 예가 많다. 보통 일반 무술은 연공법에서, 장용법杖舂法(막대기 등 단단한 것을 치는 것)이나 기구를 사용하는 단련을 많이 한다. 많은 사람이 짧은 시간 내에 효과를 얻고자 하는 면도 있고, 상승법上乘法은 만나기도 어 렵거니와 법법을 만나더라도 인내력을 필요로 하며, 수양修養의 예도藝道라야 하기 때문이다. 도가무예道家武藝는 상승무공上乘武功으로 입문入門함이다. 그 래서 무예武藝라 한다.

심법心法에 의한 공공이나 상승무예上乘武藝는 도가공부道家工夫에 있어서 근본이 된다. 도가道家에서 그 법을 연구, 계발했다. 즉 수도修道를 위해 심법心法인 공부법을 정립하고 체계화한 것이다. 그것은 양기養氣, 양생養生, 운기조식運氣調息(호흡), 외적동작外的動作(실기무예로서 몸을 강건하게 하고 보호하기 위한 수단) 등이다.

일반 무술은 장법杖法이나 단수單手로 외적인 강강强强에 의존하며, 후일後日 유유柔를 원하지만 얻을 수 없다. 무예武藝를 단단한 것을 격파하고 힘을 단련하고 하는 것이라 생각하는 것은 무예의 본질을 몰라서 그렇다. 단련 자체의 힘은 있지만 둔한 힘이다. 무예에서 요구하는 힘이 아니다. 근筋·골骨·막膜을 단련하는 것이 무예의 수련이다. 예를 들어, 무거운 칼로 수련하다가 가벼운 것으로 하면 칼이 빨라진다는 생각을 하지만, 일시적 효과다. 다시 무겁게 느껴진다. 이것이 체육의 관점이다.

무예武藝는 유유柔에서 강강剛을 하나로 이룬다. 무예에서 유유柔는 모두 관절에 있다. 무예의 수련은 손과 피부가 손상이나 마비가 되지 않고 고운 피부를 유지하며⋯⋯, 영기靈氣는 충만하고 유유하다.

〈무예武藝는 정공靜功과 동공動功 수련을 원칙으로 한다.〉

〈동공動功〉은 동작 자세에 공공을 심고, 오법五法을 행하면서 경경勁이 되고, 그것이 탄경彈勁(가볍게 쏘는)으로, 원칙 수련(침견수주沈肩垂肘, 힘의 안배, 쾌만快慢, 자연스러운 정확한 동작과 속도)으로 동공을 이룬다. 규칙적인 움직임을 반복하는 것을 동공이라고 한다. 동공은 삶이 끝나는 날까지 지속해야 한다.

〈정공靜功〉이 어려운 것이다. 그런데 또 쉬운 것이다. 선생이 있다면 쉬운 것이다. 백지 한 장 차이다. 자기 자신을 얻는 공부工夫인데 말할 것이 없다.

도가道家의 흐름이 흐르고 있는 곳이 있다. 현대인에게는 아무 소용이 없다. 본래 삶을 즐기고 자연스럽게 만족하는 사람들만 가는 길이다. 옛날에는 무예계武藝界 안에서도 상승무예上乘武藝는 무예인들의 우상이었다. 예로부터 원래 추앙받는 것이다.

본래 무예武藝에서 호흡수련(토납법吐納法)은 반드시 해야 하는 수련이다. 그것은 무예의 내적인 영역이다. 중국을 예로 들면, 태극권은 장원무술莊園武術이다. 지역을 지키던 무술로써 장원무술에는 내적인 것이 없다. 내적인 것은 상승무공上乘武功인 도가무예道家武藝가 아니면 없다. 소림少林, 무당武當 등만 상승上乘이었다. 무예의 외적인 면, 즉 기예技藝면에서 상승무공의 특징의 예를 들면, 곧 신법身法을 모르면 상승이라 하지 않는다. 신법이 상승으로 가는 것은 극히 드물다. 또한, 상승무공上乘武功은 막膜을 단련한다. 요결은 속도에 달려있는데, 강유剛柔가 분명해야 한다. 상승무예로서 우리 무예는 몸이(손과 발이) 부드러운데 생사를 좌우시킨다. 근육으로 치고받는 것이 아니고 급소를 치는 것이다. 급소는 단련할 수 없는 부위다.

현대 무예는 과거 무예 틀에서 보면 체조하고 있는 것이다. 무예를 가지고 건강을 추구하는 체육을 하고 있다. 현대는 무예가 없다. 시대가 무예를 필요로 하는 때가 아니기 때문이다. 다만 지키는 사람은 있다. 수양으로써 지켜야 한다. 그래야 변형되지 않고 지켜진다. 그렇지 않으면 한 세대만 넘어가도 근본이 틀어져 다른 것이 되어버린다. 비록 조금 돌아가 당대의 고수高手가 될 수는 있을지라도 무학武學을 모르면 제자를 기를 수 없다.

● 법法의 의미

법法의 의미를 알아야 한다. 예를 들면, 토납법吐納法으로서 호흡을 한다. 과거엔 호흡을 토납법이라 했다. 또 권법拳法으로서 맨손체조를 한다. 즉 권술拳術이 아니다. 법法을 붙이면 그 안에 법法이 있다는 뜻이다. 기초수련과정이나, 바르게 이해해야 하는 동작의 원리 등, 즉 기본을 법法이라 한다.

〈무예武藝의 법法은 기본基本과 원칙原則을 말한다〉.

● 무예武藝의 심법心法

무예武藝는 첫째 평정심平靜心을 잃지 않아야 한다. 평정심이란 좋고 나쁘고에 치우치지 않고, 편안하면서 안정된 마음으로 판단하여 정도正道를 벗어나지 않는 마음, 빠져들지 않는 마음이다. 희로애락은 누구에게나 있다. 그것은 평정심과는 관계가 없다. 사람은 흥미 본위가 되어 무엇이든 과용한다.

무예武藝는 상대와 대적하면서 가장 편안해야 한다. 신선神仙이 노니는 것과 같아야 한다. 이러하다면 일상생활에서는 얼마나 수양이 되겠는가! 자기 마음을 잃어버리는 것이 무예의 가장 금기禁忌이다. 무예계武藝界의 절대 금기가 심란心亂해지는 것이다. 마음은 절대 안정되어 있어야 한다.

첫째, 복수심으로 하지 말라.
둘째, 욕심으로 하지 말라.
셋째, 자연과 일치一致(합일合一)해야 한다.

연검鍊劍을 하면 검우일치劍宇一致가 되어, 내가 취醉하면 보는 사람도 취하고…. 무예는 스스로 자신의 리듬에 취하고 주위와 동화되어 모두 취한다.

심법心法은 안법眼法에 속하며, 내적인 것이다. 심법心法은 〈담력膽力・침착沈着・내경內勁・신속迅速〉 등 사법四法을 뒷받침해 준다.

첫째, 담력膽力은 현란한 환경에 흔들림이 없는 것이다. 즉, 의지가 견고한 것, 곧 〈의경意勁〉이다. 무예에서 상대와 대적對敵 시 절대적인 것이다.

둘째, 침착沈着은 〈기침단전氣沈丹田〉을 말하며, 의意는 기氣에 의지해야 한다. 기氣가 없으면 의意가 없다. 기氣가 상기上氣되지 않고 아래로 내려 마음을 편안히 해야 상대의 움직임이 보인다. 살펴보고 내 생각이 나오고 여유가 생겨야 상대가 보인다. 절대적인 말이다.

셋째, 내경內勁의 〈경勁〉은 곧 힘이다. 둔하고 울퉁불퉁하지 않고 힘이 가지런하고 고른 것이다. 내경은 정경定勁되어야 한다.

넷째, 신속迅速함은 움직임을 이끈다〈형形〉.

눈은 마음을 의지하고 마음은 기氣에 의지하고 기氣는 몸에 의지한다. 숙련된 기술, 이것을 '몸을 움직이는 것이다'라고 한다. 의意・기氣・경勁・형形은 노선, 규격, 의식의 흐름을 정확하게 한다. 즉 오법五法이다.

〈오법五法〉을 모르고 무예武藝를 나갈 수 없다. 《권법요결拳法要訣》에 〈오법五法〉에 대하여 원原 글을 잘라서 꼭 필요한 것만 수록했다. 흘릴 말이 없다. 다른 것에는 없다. 안眼·수手·신身·보步·퇴腿에 심心을 넣어 육법六法이라 한다.

◉ 정중동靜中動·동중정動中靜의 원리

정중동靜中動·동중정動中靜의 원리는, 즉 양중陽中에 음陰이 있고, 음중陰中에도 양陽이 있다는 원리고, 음양陰陽은 홀로 존재할 수 없다고 하는 것이다. 이는 생리生理와 심리心理의 이치다. 생리는 외부 육체를 말하고 심리는 내부의 정신을 말하는 것이다. 생리가 움직이면(즉 육체를 움직이면), 심리는 반대로 조용해진다. 반면에 심리가 움직이면 생리가 부동不動이다. 이것을 정신통일에 기준을 두면 도가道家의 움직임이고, 건강에 기준을 두면 체육 운동의 움직임이 된다. 도가무예道家武藝는 수양의 방편으로 동중정動中靜을 이용하는 것이다.

모든 수양체계修養體系가 생리와 심리의 상관관계를 무시하고 단편적으로 정신 하나만 가지고 목적을 달성하려고 하기에 바르게 되지 않는다. 즉 몸과 마음이 하나라는 것을 잊어버린 것이다. 정좌靜坐를 할 때 호흡에 기준을 두니까 정신이 조용해진다. 정신은 육체에서 양陽의 작용을 한다. 그것은 항상 연기처럼 흩어지려는 본성이 있다. 그래서 육체의 방편을 쓴다. '정신을 모으는 것'이 도가공부道家工夫다. 이른바 '뭉쳐져 간다'라고 한다. 옛사람들에게 있어 육체를 이용하지 않는 정신수련법精神手練法은 없다.

도인법導引法의 움직임은, 〈외부(身)는 고요한 파도(바다)처럼 움직이는데 내부는 폭풍(호흡)이 친다〉. 즉 정중동靜中動이다.

기예技藝를 할 때는, 〈내부(心)는 깊은 바닷속처럼 고요한데, 외부의 동공動功은 파도가 치듯이 움직여야 한다〉. 즉 동중정動中靜이다.

이는 우리 문중門中의 구결句訣이다. 문중의 비결祕訣이다. 춤과 같다. 예를 들어 〈포가권抛架拳〉 초식招式에서, 상대 발차기를 막고 횡권橫拳을 칠 때 파도가 치듯 발을 살짝 막고 살짝 친다. 즉 신법身法을 말한다. 파도가 치듯이 율동이 있으면서 춤추듯 신법이 움직여야 한다. 다시 말하면 상대 발을 막으면서 허보虛步의 오른발은 앞으로 나가고 있다(발의 신법).

기예技藝에서 신법은 단계로 나뉜다. 보통은 제자리에서 발을 움직이며 상대 공격을 막고, 내가 한번 치더라도 그다음 공격을 할 때는 내 발이 나가면서 쳐야 한다. 그다음 단계로는 상대 주먹을 막고 그 손으로 계속 공격할 때, 수비하는 처음부터 발은 앞으로 나간다. 공수일체攻守一體가 되어야 한다. 무예는 방어밖에 없다. 방어가 곧 공격이기 때문이다. 그러나 억지로 본인이 이런 규격을 만들면 안 된다. 다른 길로 가게 되고 옹색해진다. 배운 대로 숙련되고 나중에 고칠 때 고쳐서 해야 바르게 갈 수 있다.

◉ 무예武藝의 발전

무예武藝는 자기가 가진 몸의 기능을 최대로 활용할 수 있도록 하는 것이다. 무예를 가르칠 때, 힘을 빼고 느리게 하라고 한다. 그러면 나중에 고치기 쉽다. 힘 빼고 한 상태에서 숙련이 조금 되어야 고치는 시점이 온다. 무예는 몸이 기억해야 한다. 고쳐주는 부분을 수련해야 기억한다. 무예는 숙련이 되어가면서 고쳐져야 하므로 시간이 걸리는 것이다.

예를 들어 '단권 4로'에서 손바닥을 펴고 수련하라고 한다. 힘을 빼기 위해서다. 이때 힘의 기준은 〈외용세外勇勢〉 수련 때보다 힘을 적게 준다. 늘이는 힘만 준다. 자연적인 힘이다. 최대 힘을 10성成으로 보면 3~4성만 들어가야 한다. 보통 권법 수련을 할 때 있는 힘을 다 주고 한다. 잘못된 것이다. 3~4성成의 힘은 '단권 4로' 수련 때 손을 펴고 하는 정도의 힘이다.

무예는 숙련이 안 되면 잘못된 것이 안 고쳐진다. 숙련이 어느 정도 되어야 바른말을 들으면 이해가 되고 고칠 수 있다. 따라서 선생이 필요한 것이다. 선생이 눈으로 봐야 고쳐진다. 정기적인 가르침이 아니면 변형된다. 체질은 노력이다. 그러나 터득은 노력으로 안 된다. 선생 없이는 아무것도 안 된다.

무예武藝는 숙련되어야 풍격風格과 운치韻致가 나온다. 숙련되면 충족된다.

숙련은 적은 것으로 하며, 숙련되면 마음을 잊게 되고 풍격과 특색이 나오며 정확해진다. 움직이는 가운데 가볍기가 바람과 같고, 고요하기가 산악山嶽과 같다. 예술, 즐거움, 묘妙가 나온다.

무예武藝의 숙련은 신법身法과 보법步法이 되어야 한다. 서너 시간씩 움직여도 땀만 흐르고 숨도 안 차면서 즐겁다. '정신을 뭉치는 것'이다. 이렇게 되어야 정좌靜坐가 된다. 무예를 제대로 알게 되면 도道를 얻게 된다고 했다. 처음에 1단계가 무예武藝요, 다음 1단계가 수양修養이며, 그다음 1단계가 눈이 밝아지는 것이니(開眼)…….

무예武藝를 어찌 다 전해주지 못할까 생각하면 안타깝다!

무예武藝는 사실이 단순하다. 공식公式이 뻔한 것이다. 그러나 처음부터 공식을 알게 되는 것이 아니다. 알려줄 수도 없다. 되어가는 만큼 말해줘야 이해한다. 수련해서 터득해야 한다.

◉ 무예武藝의 결론

〈힘·속도·정확성〉이 무예의 결론이다. 그 안에 모든 것이 포함되어 있다.

이것이 공방攻防의 요점이다. 신속함을 얻기 위해서 빨리 수련한다고 되는 것이 아니다. 빨라질 수 있게 하는 기본 수련이 중요한 것이다. 느리게 수련해야 빨라진다. 힘과 정확성은 방법을 배우지 않으면 할 수 없다.

무예武藝에서 완전수完全手는 없다. 어린애가 덤비는데 '화경化勁을 써서 어떻게 한다'라고 이야기할 수 있겠는가. 모든 것은 상대에 따라 움직인다.

무예武藝에서는 상대가 있어야 움직임이 나온다. 상대가 앞에 없으면 무극無極이다. 상대가 앞에 있으면 비로소 태극太極이 시작된다. 무엇이 있어야 생生한다. 〈태극太極은 조화造化, 가르는 것이고 끊어지지 않는다〉.

〈본국검本國劍〉에서 칼을 들고 도는 것은 신법身法이기 때문에 한다가 아니고, 다 필요해서 한다. 무엇이든 완전수란 것은 없다. 그러면 안 해도 되는 것 아닌가? 아니다! 다 필요해서 한다.

◉ 무예武藝를 배우고 남에게 전할 때

모든 것이 그렇듯이, 무예武藝 역시 내 것을 모르고 남의 것을 가져오면 그 것으로 동화되어 버린다. 그러나 내 것을 지키면서 남의 것을 가져오면 그것을 승화시켜 내 것으로 만든다.

어떤 무예든 가르치는 선생은 무예 정신武藝精神을 심어줘야 한다. 무예의 첫째 조건은, 사람이 먼저 되는 것……, '나'라는 것을 없애야 하고…….

무예武藝 이론은 과거 사람이 보나, 지금 사람이 보나, 미래의 사람이 보거나 이치가 같아야 한다. '~일 것이다.'는 안 된다. 분명한 것만 쓴다. 수련하면서 《권법요결》을 계속 공부해야 한다. 자의적인 해석은 안 된다. 《권법요결》에는 허황된 말은 하나도 없다. 다 이루어지는 것을 말했다. 따라서 '~이다.'라는 표현만 썼다. 무예 동작을 배우면 항상 의문을 가지고 물어봐야 한다. 자기 생각대로 흘러가면 안 된다.

무예武藝를 배울 때 〈수양과 자기만족, 건강과 자신의 보호〉 외의 목적을 가지면, 그것은 무예인의 자세가 아니다.

〈무예武藝는 평생을 연마研磨해도 한 사람을 이길 수 없다〉.

세상에는 언제나 나보다 뛰어난 사람이 있는 법이다. 세상에는 더 큰 수준이 있다고 생각해야 한다. 마음속으로부터 겸손해야 한다.

무예武藝는 평생 한 사람을 보고 수련한다. 본本이 되는 고수高手를 만난다면 그 사람을 보고 수련하는 것이다. 예로부터 고수의 움직임은 보기 힘들었다. 옛날, 무예가 살아있을 때는 한 번 보기 위해(배우기 위해) 천리 길을 마다하지 않고 찾아갔다. 보지 않으면 상상을 못 한다. 보면 깨닫는다. 그래서 고수의 움직임을 보려고 노력했다.

◎ 선생이 가르쳐 준 내용과 《권법요결拳法要訣》을 중심으로 사람 체질에 맞춰 가르쳐야 한다. 세세한 것보다 가장 큰 중요성을 띤 동작부터 차근차근 고쳐야 한다. 시간이 더 가면 굳어지기 때문이다. 무예武藝는 요령과 꾀로 되

는 것이 아니다. 노력해서 한만큼 되는 것이다. 또 무예는 한 번에 많이 한다고 되는 것이 아니다. 평소처럼 꾸준히 쉬지 않는 것이 중요하다.

체질에 따라 가르치는 것이 달라야 한다는 것은, 예를 들면 무거운 사람에게는 뒤꿈치 붙이라고 할 필요 없다. 자연히 붙기 때문이다. 가벼운 사람은 자꾸 기氣가 뜨니까 자세 낮추고 뒤꿈치 붙일 것을 강조해야 하는 것이다.

무예武藝는 몸에 맞추어 수련하는 것이다. 건강해야만 할 수 있는 것이 아니다. 몸이 아프면 아픈 대로 조화가 이루어지게 하는 것이다. 억지로 해서는 안 된다.

◎ 〈내장세內壯勢·외용세外勇勢·정좌靜坐〉, 이것이 기본 바탕이다. 즉 먼저 해야 한다. 과거에는 제자에게 나무하고 일을 시키는데, 그것이 모두 신법身法이다. 그러므로 체조와 몸을 늘이는 것부터 먼저 시킨다. 권법拳法은 기예技藝(기술)에 들어가는 것이다. 그전에 몸을 다듬은 다음에 권법을 하는 것이다.

〈내장세內壯勢〉는 내공內功, 〈외용세外勇勢〉는 외공外功이다. 반드시 수련해야 한다. 그리고 힘을 빼고 수련하지 않으면 무예武藝가 원하는 부드러운 몸동작이 안 나온다. 그리고 내기內氣가 살아나지 않는다.

◎ 〈무예武藝란 병장술兵仗術을 말한다〉.

본래 무예武藝는 권법拳法 → 곤봉棍棒 → 병장기兵仗器 순서로 수련한다. 예로부터 권법拳法은 무예라 하지 않는다. 그러나 병장기를 하려면 반드시 권법을 해야 하고, 그중에 제일 어려운 것이 권법(拳掌術)이다. 기본적인 몸의 틀(機)이기 때문이다.

무예 수련에서 가장 중요한 것은 기본 틀이 잡혀야 한다. 그것이 안 되면 아무리 해도 이룰 수 없다. 그런데 무예의 기본은 구전심수口傳心授가 아니면 배울 수 없다. 뛰어난 재질이 있어도 스승을 못 만나면 소용없다.

무예의 기본 틀은 절대 문중門中이 중요하다. 무예의 기본(法)은 문중 안에만 있기 때문이다. 그 틀 위에서 어느 정도 가야 기술技術 문제로서 선생이 필요하다. 계속 배워야 한다. 거기서 만족하면 끝이다. 즉 어느 정도 가면 몸이 궁금한 것을 찾게 된다. 그럴 때 선생이 필요하다.

◎ 제자弟子를 볼 때 심성心性과 재질才質을 기본으로 본다. 그중에 노력은 가장 큰 자질資質로 본다. 노력 없이는 안 된다. 노력은 자기 마음대로 열심히 하는 것이 아니라, 선생이 시키는 것을 성실하게 하는 노력을 말한다. 그 다음에 심성을 본다. 골격骨格은 골격으로서만 보고 자질로는 안 본다.

제자를 가르치는 것은……,
첫째, 성품性品에 따라 가르쳐 주는 것이 다르다.
둘째, 항심恒心에 따라 가르쳐 주는 것이 다르다.
셋째, 체질體質(골격骨格)에 따라 가르쳐 주는 것이 다르다.

선생이 자질資質을 보는 것은 그냥 안 본다. 먼저 얼마나 열심히 하는가 하는 항심恒心을 본다. 다음으로, 배우는 사람 욕심은 똑같다. 옆에서 열심히 하면서 심덕心德(사람됨)이 어떤가를 본다.

무예武藝는 덕德이 없으면 안 된다. 모든 것을 귀貴하게 생각해야 한다. 사람 마음이 자연히 그렇게 되어야 한다. 덕德이 없으면 힘자랑하고, 힘으로 다른 사람을 억압한다. 심덕心德이 없는 사람, 즉 문중에 욕될 만한 일을 할 사람은 안 된다. 자기 이익만 추구할 사람도 안 된다. 무예의 깊이(이해도)를 모르는 사람도 안 된다. 이유는 구전심수가 안 되기 때문이다. 가르쳐도 받아들이지 못한다.

무엇이든 익혀서 숙련되면 쉬워 보이는데, 모를 때는 오묘奧妙한 것처럼 느껴진다. 다른 것에 욕심이 있는 사람들에게는 오묘한 진리가 안 들어간다. 이치를 말해도 안 들어간다. 그러므로 발전된 말을 해도 받아들이지 않으면 말하지 않는다. 무예 수련에는 단계가 있다. 다음 단계는 배우기 전에는 모른다. 배우는 사람은 동기를 분명히 하고 스스로 노력을 해야 한다. 가르치고 배우는 과정에서 글로 쓰지 못하는 것이 얼마나 많던가! 예로부터 구전심수란 말을 쓰는 까닭이 그것에 있다.

구하고자 하는 마음이 자기완성의 노력으로 연결되어야 한다. 간절히 모르는 것을 물어왔을 때 답을 찾는다. 한 동작 하면 그 사람이 깊이 할 것인지 안 할 것인지가 판단이 난다. 무예는 원리를 알고 나면 체득은 몸으로 한다. 그러므로 책으로 남길 수가 없다. 구전口傳으로 전할 수밖에 없다.

옛날부터 가르치고 배우는 것은 모두 구전심수였다. 무예武藝는 어려운 것이 아니다. 지금은 운동 삼아 해서 어려운 것이다. 과거엔 한학漢學 공부로써 인간, 도덕을 배웠다. 하루 한두 시간 공부하고 나머지 시간에는 무예를 했다. 10년 정도 하면 어지간히 되고, 나이가 들수록 노련해졌다. 3년이면 소성小成이고 틀을 잡는다. 5년이면 중성中成, 10년이면 대성大成이다. 3년, 8년, 18년의 세월이 걸린다. 소성小成 3년 수련 시, 의학醫學, 무예武藝, 천문지리天文地理 등을 공부하며 수양에 목적을 둔다. 하루도 쉼 없이 3년을 수련하는 것이다. 그 이후는 연마研磨 시기로 들어간다. 옛 스승은 제자 한 사람만 길렀다. 10년의 세월이 걸렸다.

소성小成이란 수양修養의 한 단계를 이룬 경우에 국한되어 지칭하는 것이지만, 수양의 한 분야를 이룬 경우를 말할 때도 있다. 예를 들어 무예武藝를 이루었거나, 또는 정공靜功을 이룬 것을 말한다. 무예에서 소성을 이루었다는 것은, 동공動功으로 이룬 기氣와 자신의 원래 기氣를 교체시킨 상태를 말한다. 동공으로 기공氣功의 최고단계까지 갈 수 있다.

◎ 〈모르는 것을 안다고 하지 말라〉.

남을 가르칠 때는 자기가 이룬 것만 말하는 법이다. 이루지 못한 것은 말하지 말라. 내게 들은 말들은 지금은 이해가 안 되어도 세월이 갈수록 알게 되고 터득이 된다. 가면 갈수록 선인先人들이 무예武藝의 기본을 무궁무진하게 잘 만들어 놓았구나 하는 생각이 든다. 우리 무예의 자긍심이 저절로 생기게 된다. 숙련이 되어야 묘妙가 나온다. 즉 효과가 나온다.

◎ 무예武藝를 가르칠 때 주의할 점으로는, 무엇보다 몸을 늘여주는 데 중점을 둔다. 그 기간을 약 7개월 정도로 본다. 처음부터 틀을 정확하게 잡으면 발전이 없다 예를 들어, 허보虛步를 가르치는데, 엉덩이를 뒤로 빼면서 앉으라고 하면 평생 해도 소용없다. 그냥 앉으라고 해야 한다. 또는 처음부터 발가락을 움켜잡으라고 하면 안 된다. 몸이 굳어버린다. 자세와 모양을 만드는 것부터 먼저 해야 한다.

〈가르치는 것은 자연自然에 맡겨야 한다.〉

처음 초학자를 가르칠 때는 쉽고 편하게 해야 한다. 〈말을 많이 하는 것은 절대 금물이다〉. 자연自然에 벗어나면 안 된다. 즉 인위적으로 틀을 만들게 해선 안 된다. 그러므로 남을 가르치려면 가르치는 방법을 확실하게 배워야 한다. 투로套路 순서만 알면 다 되는 줄 안다. 사람의 특징이 다르기 때문에 무예武藝는 같을 수가 없다. 체질을 알아서 가르쳐야 한다. 또한, 남을 가르치는 사람은 도량이 넓고, 희생을 한다고 생각해서는 안 된다. 그러면 그 보답이 온다. 덕德을 베풀어야 한다.

◎ 무예武藝를 배움에 있어 문제점은, 먼저 주먹 하나 찌르는 것도 몸이 되어가는 정도에 따라 이야기해야 알아듣는다. 이해하지 못하면 배우지 못한다. 둘째로, 사람의 심리는 먼저 배운 것을 진짜로 생각한다. 즉 선입견이다. 사람의 마음은 진실이 뭔지 알지 못한다. 선입견은 진리를 배우는 데 걸림돌이 된다. 자신을 비워내지 않으면 배우지 못한다.

선생의 움직임을 보면서 배워야 한다. 보는 눈이 없으면 잘 못 배운다. 또 그 수준이 안되면 전할 수도 없다. 과거에는, 원래 법도法度가 묻기 전에는 말하지 않는다. 선생이 옷을 갈아입고 가르치지 않았다. 무예는 스스로 묻고 깨달아야 한다. 100년을 같이 있어도 묻고 배우려 하지 않으면 하나도 못 배운다. 벙어리가 다 귀머거리다. 들을 줄 모르면 못 배운다. 물을 줄 모르면 못 배운다. 무예를 투로 순서 가르쳐주는 것이라면 무예라고 하지도 않았다! 선생이라고 하지도 않았다. 본질을 모르는 것이다.

과거에는 스승의 허락이 있든 없든 문중 밖으로 무예武藝가 못 나갔다. 인연이 되면 한두 초식招式은 변형되어 나간다. 절대 지금처럼 투로가 나가지 않는다. 그 까닭은, 무예학武藝學은 외부에 누설하면 고하高下가 없어진다. 자기 문중이 다른 문중보다 뛰어나야 하는데, 또한 독특한 기예技藝가 있어야 하는데 다른 곳에서 가져가 버리면 고하高下가 없어지고 문중의 빛이 나지 않는다. 그러므로 책에는 동작의 비급祕笈이 있지만 구전심수는 직계 제자가 아니면 전하지 않는다. 무예가 사라진 지금 시대는 과거의 무술로써 건강체조하고 있는 것이다.

옛 어른들이 말씀하기를, 무예武藝에서 첫째 조건이 노력이라 했다. 타고난 체질이 노력을 못 따라간다. 또한, 옛 말씀에, 아무리 무예를 하고 싶어도 무예는 무조건 스승을 만나야 한다고 했다. 무예는 많은 것이 필요치 않다. 숙련이 중요하다. 주야晝夜로 3년은 해야 기초가 된다.

본래 한 문중에 권법拳法으로는 1~2개 밖에 없다. 그것을 평생 수련하는 것이다. 우리 문중처럼 기예가 많지 않다. 현시대에 자기 수련은 매일 2시간도 많은 것이다. 요要는 고련苦鍊해야 한다. 항심恒心을 가지고…….

◎ 우리 무예武藝의 기본자세를 아주 쉽다고 말했다. 그리고 몹시 어렵다고도 말했다. 쉬운 것인데 몸으로 단련을 해야 쉬운 것이다. 몸으로 단련하는 것이 어렵다. 단련을 이룰 때까지는 엄청 어려운 것이다. 단련을 이루었다는 말은 이해했다는 말이다. 자유롭게 가르쳐 준 대로 하면 는다. 그러나 규격대로 기계적으로 하면 늘지 않는다.

무예는 몸으로 체득할 때까지가 어려운 것이다. 말로는 아주 쉽다. 호흡수련도 마찬가지다. 단련이 이루어져야 성공成功이 이루어진다. 수련의 터득을 말할 때, 무림비급武林祕笈을 3년 만에 터득, 또는 10년 만에 터득했다고 한다. 사람마다 다르다.

수준에 따라 이야기가 달라진다. 그래서 배워야 한다. 그러므로 스승이 옆에서 함께 수련하는 것이 가장 큰 복이다. 스승이 옆에 있는 것이 가장 큰 복이다. 〈무예란 저항 근육을 없애고 자기 몸을 다스려 나가면 된다〉. 그것이 길이다. 무예는 부지런히 할수록 느는 것이다.

◉ 무예武藝에는 무훈武訓이 있다.

존사중도尊師重道, 효제위선孝悌爲先.
살신구난殺身求亂, 억강부약抑强扶弱.
고련공부苦鍊功夫, 체득선현體得先賢.
내무내문乃武乃文, 연기인신練氣人神, 존호일심存乎一心.

과거에 군君은 나라를 뜻하고, 사師는 사람을 기르시고, 부父는 나를 낳으신 것을 뜻했다. 군사부君師父라 했다. 큰 예禮로서, 부모父母가 제일 먼저고 스승이 그다음이고 나라가 또 그다음이다. 즉 효孝가 우선이고 가장 큰 것이다. 〈예禮〉는 공손하고 삼가는 태도이고, 절제와 공경하는 규범이다. 또 세상의 질서 속에서 자기의 역할을 다하는 것이다.

내무내문乃武乃文, 무武가 곧 문文이요, 문文이 곧 무武다. 문무文武는 마음과 모든 것, '사람됨'을 의미한다. 덕德과 무武를 겸비해야 한다. 문文이란 글이나 학식이 아니고 '사람됨'을 문文이라 한다. 무예武藝 안에 문文이 있다. 닦아가는 것 중에 문文이 있다. 무예武藝 사회의 질서는 상무숭덕尙武崇德에서 나온다.

〈존사중도尊師重道・내무내문乃武乃文〉, 이 두 가지는 어겨서는 안 된다.

무술지광武術之光, 즉 무예武藝는 모든 것을 비춰야 한다. 많은 사람에게 평화롭게 비춘다.

◉ 동양권 무예武藝의 이해

한국韓國의 무예武藝는 대개 일본 강점기 이전에는 도가道家, 불가佛家, 병장무술兵仗武術로 흐른다고 본다. 중국은 장원무술莊園武術(지역의 방어를 위한 무술)도 있다. 태극권, 당랑권, 팔괘장 등이 장원무술이다.

동양권의 무예武藝는 크게 도가무예道家武藝(문중무예), 무가무예武家武藝, 군사무예軍士武藝로 나눌 수 있다.

군사무예軍士武藝는 군사훈련을 위한 무예를 말한다. 전투를 통해 소모되는 무예다. 기예技藝나 수양修養이 없다. 명령에 따라 죽음을 무릅쓰고 나간다. 따라서 몸이 손상되어도 괜찮다고 생각했다. 나라를 지키는 데 있어 불가결했지만 무지한 것이다.

무가무예武家武藝(兵家)는 세상에 인연을 두었고 입신立身을 위한 것이었다. 도덕과 수양이 있지만, 기예에 중점을 두고 상대를 이기는 데 목적을 뒀다. 명가名家들이 있었다.

문중무예門中武藝(道家)는 무예武藝가 수양의 방편이었다. 몸의 건강과 수양에 치중했다. 따라서 정밀하다. 그러므로 그 무예 또한 절기絶技에 이른다. 예를 들어, 중국의 소림少林이나 무당武當은 수도修道하는 집단으로 무예는 건강과 자기 보호를 위한 방편이었다. 인체에 관한 공부, 내 몸을 지키는 의학醫學 등을 정밀하게 추구하고 들어간다. 세상과는 인연이 없다. 자기 수양의 길이 있을 뿐이다.

고대古代의 권법拳法은 완벽하다. 고칠 곳이 없다. 무당武當, 소림少林 등 명가名家들은 기본이 비슷비슷하다. 동양 삼국三國의 무예武藝 특징을 한마디로 표현한다면,

한국의 무예는 골격骨格이다. 무엇이든 수용할 수 있다. 중용中庸이다.
중국은 수數를 위주로 한다. 광대한 영토로 인해 과거 5대 문門이 있었다.
일본은 입보立步를 위주로 한다.

중국의 5대 문문, 즉 소림少林·무당武當·화산華山·아미峨嵋·곤륜崑崙 등은 세상에 그들의 무예武藝가 알려지지 않았다. 어떤 연고로 인해 외형만 일부 알려졌다(태극권, 소림 간가권 등). 모두 도가道家의 수양 단체로서, 세상에 자신들을 드러내지 않았기 때문이다(소림도 도가道家에 속한다). 입문하여 한번 들어가면 평생 나올 수 없었다. 따라서 문중의 계보系譜를 모른다. 현대에 와서 문화혁명 이후 봉건시대의 잔재로 탄압받아 모두 사라졌다.

도가무예道家武藝는 방편이다. 몸 건강을 위한 법법法法이 있고, 자기를 지켜야 하고, 맹수로부터도 보호해야 했다. 그들은 세상 체험을 위해 아주 소수의 뛰어난 제자를 강호江湖에 일정 기간 내보내는 것 외에는 평생 나가지 않았다. 문중 안에는 고수高手가 구름처럼 많았다고 하지만, 장문제자掌門弟子, 즉 입실제자入室弟子는 몇 사람 두지 않았다. 도가무예道家武藝는, 과거에 전설 속의 문화였다. 보려고 해도 볼 수 없었다. 넓은 땅에 비하면 몇 사람 정도만 한 것이었다. 현대에 와서 우슈(武術: 스포츠) 등을 만들어 무예 부흥을 꾀하고 있지만 맥맥脈이 다 끊어졌다. 상승무학上乘武學이 사라지면 무예도 사라지는 것이다.

중국의 무술 계보는 장원무술莊園武術(문파무술門派武術: 담퇴, 당랑, 태극, 팔괘, 팔극, 형의 등)에만 있다. 그러나 그 계보도 믿을 수 없다.

장원莊園은 씨족氏族 문중이다. 외부 방어와 젊은이들의 교육을 위해 무술武術를 중시했다. 그 안에는 무협武俠의 사상이 있다. 우리나라에서는 무협의 개념을 이해하지 못한다. 중국은 장원(집) 문밖을 나가는 것을 '강호江湖로 나간다'라고 했다. 객지를 떠돌면 강호인, 또는 스승과 살다 밖으로 나가면 강호인이라 했다.

문문이란 문중門中을 뜻하는데, 원래 큰 것을 의미한다. 예를 들면, 소림少林도 소림문少林門으로 불러야 한다. 무당武當 역시 무당문武當門으로 칭한다. 본래 문문은 자기들 무예武藝, 그리고 자기들 선생을 의미한다. 스승의 계통을 뜻한다.

　도가道家의 문중은 스스로 외부에 문중을 말해선 안 된다. 소림少林이나 무당武當도 스스로 일인자一人者라고 하지 않는다.

　문중 안에서는 큰 변화, 힘을 쓰는 것을 가지고 있다. 외부로 나간 것은 그렇지 않다. 문중 안에서는 수양으로 가는 곳이 있는데, 지금은 사라졌지만 중국에는 과거에 5대代 문門이 있었다. 정밀하고 깊었다.

　장원무예莊園武藝나 문중무예門中武藝라는 개념은 무예인들의 사적인 표현이다. 무예계武藝界에서는 장원도, 문중도, 모두 가치가 있고 서로를 인정한다.

　무예武藝에 관한 중국 우월주의로, 우리는 스스로를 낮추고 있다. 이는 우리 민족의 오랜 문제점이다. 그 이유 중의 하나는 정치적인 이유로, 조선 시대朝鮮時代에 궁시弓矢만 무예로 정정定하고 다른 병장기兵仗技는 잡기雜技로 취급했다. 이 태조李太祖가 활을 잘했으므로 궁시만 무예로 남겨두었다.

　조선이 변질된 유교 사회가 되어감에 따라 무예를 펼칠 수 있는 것을 막았다. 무武를 의식적으로 천시했기 때문이다. 그 결과 우리나라는 역사 자료에서 대외적으로 무예 문중武藝門中이 드러나지 않았다. 근대에 와서 무주공산이 된 이 땅에 일본 무술이 들어와 정착한 것도 그런 이유다. 그런 역사가 오늘날 사람들의 무예에 대한 인식 부족을 가져온 것이다.

　후대에 전란을 겪은 다음 국방의 중요성을 깨닫고 《무예도보통지武藝圖譜通志》를 만들었다. 《무예도보통지》는 움직이는 동작(圖譜)으로 아주 자세하게 되어있다. 틀린 곳도 부분적으로 있다. 그러나 그 당시나 지금이나 무학武學을 모르면 그 내용을 알 수 없다.

　《기효신서紀效新書》에는 고대古代 무예의 씨앗이 기록되어 있다. 즉 문자文字다. 고대의 비급祕笈이다. 그것으로 투로를 만든다. 《기효신서》에는 문자만 기록되어 있다는 말은, 이를테면 기룡세騎龍勢는 문자다. 하나의 기술이다. 따라서 이것을 깨달은 사람의 운용에 달려있다. 다섯 가지 변화가 그 안에 담겨있다 해도 투로에 다 넣을 수는 없다. 따라서 한 가지 변화만 넣어 문장文章

(투로)을 만든다. 예를 들어 당파鐺鈀를 하려고 하면 그 문자를 벗어나서 운용할 수 없다. 그러나 《무예도보통지》를 예로 들면, 조선朝鮮의 검법劍法은 문자로뿐 아니라 세법勢法으로도 완벽한 것이다. 단어와 문장으로서 완벽한 것이다. 즉《무예도보통지》는 문자를 가지고 단어와 문장을 만든 것이다. 《기효신서》의 문자만 기록된 것과는 범주가 다른 것이다. 그것이《무예도보통지》의 우수성이다. 예를 들면, 선조宣祖 때 한교韓嶠 훈국랑訓局郎이《무예제보武藝諸譜》6기技를 문장화文章化하는 데 3년이 걸렸다.

무예武藝에서는 '문자를 사용해서 문장을 만들었다'라고 하지 않는다. 문자를 말하지 않는다. 따라서 중국에서 '기효신서 무예'라고 하는 것이 나온 것이 없다. 그러면서, 어디에서 유래된 것인지도 모르면서 그 문자를 응용한 무예는 하고 있다. 무예 문자는 무예 언어에서 이미 정립된 것으로 그것을 가지고 논하지 않는다. 즉《기효신서》에 기록되어 있다고 중국에서 기원했다고 하지 않는다. 무예 문자는 고대古代에 누가 만든 것인지 알 수 없기 때문이다. 우리 문중처럼 그 문자를 완전히 알고 수련하고 있다면 무예의 뿌리를 가지고 있는 것이 된다. 즉 종주宗主가 되는 것이다. '큰집'이라고 한다.

전통무예傳統武藝란 조상의 슬기를 바탕으로 되는 것이다. 《무예도보통지》가 문헌으로 남아 있다. 문헌이 남아 있다는 것이 그렇게 중요한 것이다. 그렇지 않다면 누가 〈십팔기十八技〉를 전통무예라고 믿겠는가?

나라에서 제도를 세워서, 이 땅을 보전하고 민족의 안위를 지키기 위해 국가 차원에서 만든 무예를 정통무예正統武藝라고 한다. 〈십팔기十八技〉는 우리나라의 전통무예이자 정통무예다. 예를 들어 중국의 장원무술은 정통무예가 아니다. 지역적으로 구분되는 민속民俗 전통무예다.

《무예도보통지》의 〈십팔기十八技〉는 군사무예軍士武藝로서 행하던 것이다. 군사 무예는 전쟁을 위해 군사를 훈련 시키는 목적을 가진 것으로, 정련精練되게 수련할 수 없는 부분이 있고, 그것이 오늘날 한국무예韓國武藝의 기본 이치 위에서 〈무예십팔기武藝十八技〉가 정밀하게 살아난 것이다.

《무예도보통지》의 내용은 무예의 씨앗(문자)을 가지고 도보圖譜를 창안하여 군사들을 훈련하게 한 것이지 군사무예가 따로 있는 것이 아니다. 그것을 가지고 누가 하느냐에 따라 수준이 결정되는 것이다. 즉 도가道家에서 하면 도가무예道家武藝가 되고, 무가武家에서 하면 무가무예武家武藝가 된다. 따라서 《무예도보통지》 무예武藝의 운용기술은 그 사람의 수준에 따라 달라진다. 예를 들어 《무예도보통지》에는 잘못 기술된 부분이 있는데, 특히 창법槍法은 잘못된 것이 많다. 무학武學에 어긋나는 것이 많다는 뜻이다. 도보圖譜에 나와 있는 설명과 그림처럼 수련하면 평생 해도 창법이 안된다. 당시 창법을 문장화할 때 무학武學에 정통한 사람이 없었다는 뜻이다. 〈기예질의技藝質疑〉를 보면 창법에 대한 무학을 어렵게 구하는 것이 나온다.

고대의 무예서武藝書는 어느 것이나 기본(法)에 대한 것이 쓰여 있지 않다. 즉 기본수련에 해당하는 단세單勢나, 또는 몇 세勢 합쳐서 운용하는 것만 수록되어있다. 그 이유는 무예의 기본은 문중 안에서만 전해지고 문외門外로 나가지 않기 때문이다. 그래서 책을 봐도 모르는 것이다.

《무예도보통지》〈권법拳法〉인 〈현각권懸脚拳〉은 권법의 문자이기 때문에 그것으로부터 수백 가지로 응용되어 나온다. 그런데 기본에서 모든 동작이 좌우된다. 따라서 소림권少林拳을 당랑문파螳螂門派에서 가져가 수련하면 당랑권螳螂拳이 된다. 그 이유는 당랑권의 기본 때문이다.

기본의 관점에서 각 문파門派의 차이점은 첫째, 신법身法이 다르고, 둘째, 단련법이 다르다. 단련법은 그 문파의 신법 운용에 맞게 짜여 있다. 만약 '소림간가권少林看家拳'을 우리가 수련한다면 소림법少林法으로 하는 것이 아니다. 우리 문중의 단련법과 신법으로 돌아가는 투로로 변화해서 하는 것이다. 자신의 내기內氣나 자기 문파에 정통하지 못하면 타 문파를 배워도 자기 것이 안 된다. 우리 무예는 타 문파가 가져가서 변형하지 못한다. 그러므로 어떤 무예가 원래 나온 곳에서 실전되고, 다른 문중이 그것을 가지고 가서 무학武學이 전승되고 있다면 그곳이 종宗이 되는 것이다.

〈십팔기十八技〉는 호국무예護國武藝다. 왜란과 호란으로 전란을 겪으면서 200년에 걸쳐 국가 안위를 대비하기 위해 만들었기 때문이다.

〈무예도보통지서武藝圖譜通志序〉에는 다음과 같은 기록이 있다.
『顯隆園志而十八技之名始此肆. 현륭원(사도세자思悼世子)의 뜻에 따라서 십팔기十八技의 명칭은 여기서부터 시작되었다.』,
〈병기총서兵技總叙〉에도 다음과 같은 글이 있다.
『顯隆園志予帛阼初元聿追先志始命並前十八技肄習試取. 이는 현륭원의 뜻으로 내(正祖)가 저술코자 하는 것은 곧 선세자先世子의 뜻을 따른 것이니 앞서 십팔기十八技를 익히도록 하여 시취試取하도록 명했었다.』,
『○三十五季小朝代聽庶務命纂武藝新譜增八,竹長槍旗槍銳刀倭劍交戰月刀挾刀雙劍提督劍本國劍拳法鞭棍十二技幷原譜六技定爲十八技本朝武藝十八般之名始此.
○영조 35년(1759) 소조小朝(사도세자思悼世子)께서 서무를 대청하실 때 무예신보武藝新譜를 편찬하도록 명하시고, 죽장창, 기창, 예도, 왜검, 교전, 월도, 협도, 쌍검, 제독검, 본국검, 권법, 편곤 12기技를 더 넣고 원보原譜 6기技와 아울러서 십팔기十八技를 정정하였다. 본조(李朝) 무예武藝 십팔반十八般의 명칭이 여기서부터 시작되었다.』

이상에서 보듯이, 〈십팔기十八技〉의 명칭의 시작과 그 이름으로 무예를 익히도록 하여 시험을 치르고, 〈십팔기十八技〉를 조선의 무예로 명명命名했다는 기록이 적혀 있다. 《무예도보통지》에는 우리 무예의 전형全形이 형성되는 과정에서 시간의 흐름에 따라 6기, 12기, 18기, 24기 등, 기예의 가지 수가 나오지만, 우리 무예의 이름은 기예의 가지 수가 아닌, 고유명사로서 〈십팔기十八技〉로 정하고 있다는 것이 분명히 기록되어 있다. 따라서 그것이 선조들이 정정定한 우리 무예의 이름이므로 마땅히 《무예도보통지》의 무예를 〈무예십팔기武藝十八技〉라고 하는 것이다.
사람이 몸짓으로 하는 것은 몇 사람 넘어가면 전해준 사람도 모르게 변해버린다. 따라서 문서, 즉 《무예도보통지》는 큰 동아줄이다. 책이 있고 무학武

學이 전해졌는데 어떻게 맥이 끊어질 수가 있겠는가! 무예武藝는 과학이지 춤사위가 아니다. 그 전해지는 형태가 변하지 않는다.

《무예도보통지》를 편찬할 때, 《기효신서紀效新書》와 《무비지武備志》 등을 참고했다. 그 외 수많은 책을 참고했다. 그러므로 그림도 화식華式, 금식今式, 일식日式으로 분별해 놓았다. 예를 들어《무예도보통지》의 검劍은 환도還刀를 쓴다. 그래서 환도의 장점을 기술해 놓았다. 환도는 직도直刀를 의미한다. 자루 끝의 모양으로 환도(문화재 용어)라고 명명命名하는 것은 잘못된 것이다.

환도는 짧고, 허리에도 차고 등에도 짊어지고, 가볍고 얇고 한쪽 날이지만 검의 한쪽에만 날이 있는 것과 같은 것이다. 환도를 최고의 병기兵器로 써놓았다. 즉 도刀와 검劍의 장점만 차용한 것이다. 창槍도 석반石盤까지 갖췄다. 석반은 일종의 호구護具인데 칼은 호구가 필요하니까 달아 놓았다. 따라서 찌르는 것만이 아닌 단검短劍의 역할을 할 수 있게 했다. 곤봉棍棒 역시 단검을 달아 놓았다. 그러므로 창의 기법을 다 쓸 수 있을 뿐 아니라 베고, 자르고 다양하게 쓸 수 있도록 더 발전적으로 해놓았다. 따라서 우리의 창봉槍棒은 운용의 폭이 훨씬 넓은 것이다.

《무비지武備志》는 고대 무술의 원문자原文字만 수록한 것이다. 무학武學을 아는 자가 지은 것이 아니라 사해四海에 널리 자료를 수집해서 만든 것이다. 병기의 재질과 무게, 도량형을 지금은 모른다. 시대마다 다르기 때문이다.

〈본국검本國劍〉은 당시 사도세자가 사대주의 극복을 위해 본국本國이란 말을 사용한 것으로 본다. 〈예도銳刀〉를 비롯한 검劍의 본국本國이 우리나라임을 밝힌 것이다.

〈신검新劍〉은 새로 만들었다는 뜻으로, 황창랑黃倡郎의 보譜가 전해지지 않았기 때문에 보譜를 새로 만든 것이다. 즉 검법劍法은 행하고 있었으나 보譜가 없었다는 뜻이다. 무예는 무보武譜가 중요하다. 무예의 확실한 근거는 무보가 있어야 한다. 다시 말하면, 역사적인 증거인 명칭名稱과 보譜가 있어야 한다.

혹자或者는 《무예도보통지》가 중국 책을 가져와 만든 것이라고 말하는데, 그것은 무예武藝의 기본조차 모르고 하는 소리다. 우리나라 무예의 주먹 지르기는 중국의 주먹 지르기와 형태가 달라야 한다는 주장과 같은 무지한 생각이다. 사람이 팔과 다리로 할 수 있는 동작은 한정되어 있다. 그러므로 어떤 무예라도 비슷한 보형을 취하고, 수법手法 역시 거의 공통된 모양을 가지고 있다. 즉 주먹 지르기의 형식은 어느 문파나 같거나 비슷하지만, 그 안에 흐르는 무학武學이 다른 것이다. 따라서 같은 형식의 주먹을 찔러도 상대보다 숙련이 되거나, 신법身法·보법步法 등, 무학武學의 깊이가 깊은 쪽이 더 우세한 동작과 힘이 나오게 되는 것이다.

〈무예武藝는 기본과 무학武學이 차이를 낳는다.〉

예컨대 무예를 하는 사람이 어떤 무보武譜를 접하면, 무예의 기본이 숙련되고 무학武學을 알아야만 그것을 풀어서 운용할 수 있다. 무학을 모르면 세勢와 도보圖譜를 얻어도 아무 소용이 없다. 《무예도보통지》를 찬술할 당시 무예 문자를 가지고 도보를 만들어 운용했다는 것은 우리 무예의 기본과 무학이 뛰어난 것을 반증하는 것이다. 그러므로 우리 것이 보다 우수하다는 말은 무엇으로 설명할 수 있는가? 동양권에 《무예도보통지》와 같은 무예서武藝書가 있는지 찾아보라. 병서兵書와 실기實技를 다룬 무예서는 다른 것이다. 무예서로는 세계 최고다. 《무예도보통지》로 인해 우리나라 무예는 이미 뛰어난 독창성을 드러내고 있다. 가지고 있는 것이 빼어난 것도 모르면 되겠는가!

다른 비유를 들어 중국의 서화書畵가 우수한 면이 많지만, 우리나라의 글과 그림이 더 좋다는 식의 주관적인 문화 인식 차이가 무예에서는 적용되지 않는다. 또는 고대 벽화의 그림이나 옛 기록에 나오는 단어 하나를 가져와, 우리에겐 다른 나라에 없는 고유한 어떤 것이 있다는 말을 무예에서는 할 수 없다. 단편적인 것은 전체가 아닐뿐더러 무예는 분명한 것만 말해야 한다.

무예는 생사生死를 가르는 기술이다. 상대가 뛰어난 무기武技를 가졌다면 우리는 반드시 그것을 극복할 수 있는 기법技法을 갖춰야 한다는 것이 무예가 추구해 온 길이다. 무학武學이 왜 비급祕笈으로 전해져 왔는지 이유가 거기에 있는 것이다. 결론적으로, 동양권에 있어 무예의 유사성은 지피지기知彼知己에서 나오고, 나라마다 무예의 독창성은 계승과 발전에서 나오게 된다.

정기신精氣神, 즉 육체와 호흡, 그리고 정신精神이 사람이다. 무예는 그것을 가지고 수련을 통해 인체의 잠재력을 기르는 과학이므로 신비화神祕化할 것이 없다. 근거 없는 주장을 통해 무예를 포장하여, 다른 목적을 위해 본질을 비켜가려는 환상에서 벗어나야 한다.

무예武藝는 문화일 수는 있으나 문화재文化財일 수는 없다. 《무예도보통지》를 말할 때, 문헌적 유산으로서 문화재는 가능하지만, 그 내용에 대한 것은 무예 문화武藝文化로서 이해해야 한다.

지금까지 〈십팔기十八技〉가 우리 문화인 줄도 모르지 않았느냐! 우리나라 국민으로서 우리 것을 모르고 사는 것이 잘못된 것이다. 내 문화를 내가 모르고 문화재 운운한다는 게 말이 안 된다. 무예는 상품이 아니다!

무예는 본래 스포츠화하지 않는다. 예를 들어, 얼굴이나 목, 그리고 사타구니 등 인체의 관절이나 급소에 대한 공격이 없으면 무예가 아니다. 규칙을 만들고 이것저것 떼고 나면 기예技藝가 다 없어진다. 예외로서 옛날에도 실전實戰에서 여자들 유근乳根(가슴)과 성기를 치지 않는 것은 규칙이었다.

예로부터 무예계 사람들이 길거리 나가서 무예를 파는 것은 있을 수 없는 일이었다. 가장 천한 것이다. 단 어떤 사연이 있는 경우에는 예외였다. 원수를 찾는다든가…….

현대에 와서 발표회로 시연試演하는 것 외에, 무예는 보여주기 위해 하는 것이 아니다. 현대인들은 무예를 놀이문화로 알고 있다. 무예는 놀이문화가 아니다. 남에게 보여주고 즐겁게 해주는 것이 놀이문화다. 무예의 가치를 그러한 것에 둬서는 안 된다. 시범示範도 하물며 명분을 가지고 하는 것이다.

국가, 민족의 역사와 함께 흘러온 것이 무예다. 다시 말하면, 무예는 겨레의 운명과 떨어질 수 없다. 그렇게 큰 덩어리가 문화재가 될 수 있겠는가!

전통을 구분하는 중요한 기준으로, 조상의 슬기가 담기지 않은 것은 전통무예가 아니다. 《무예도보통지》는 당시에 무예를 하는 장령將領이 도보圖譜를 보고 바로 응용하여 군사를 훈련 시켜 실전에 적용하라고 만든 것이다. 그것을 가지고 연구하라고 만든 것이 아니다. 한마디로 전승傳乘이 없으면 전통傳統도 없다.

세상의 모든 것은 그 뿌리가 있고 본래의 깨끗함이 있다. 따라서 먼저 난삽하고 어지러운 것에서부터 근根과 원源을 찾고, 지枝와 류流를 살펴, 근지根枝와 원류源流가 혼입混入된 것을 두루 살펴야 잘못된 것을 버리고 훗날 바른길을 갈 수 있다. 무예적 관점에서는 형식, 곧 겉모습(몸동작)이 전해져 내려가는 것을 무예 전통이라고 하지 않는다. 무예는 그 수준에 있어 깊고 얕음이 있다. 진실을 말한다면, 〈전통傳統은 대중에 의해 보존되지 않는다. 그 맥脈은 오직 한 사람에 의해 이어지거나, 오직 한 사람에 의해 단절된다〉.

《무예도보통지武藝圖譜通志》의 〈무예십팔기武藝十八技〉는 우리나라의 전통무예傳統武藝요, 정통무예正統武藝며, 호국무예護國武藝다.

● 현시대의 무예武藝 수련의 목적

도가道家에서는 양생養生을 위해 무예武藝를 한다. 공방攻防이 내포되어 있지만 나를 지키는 것을 위주로 한다. 즉 〈방어 속에 공격이 있다〉. 젊을 때는 단련 위주로 무예를 하고 60대代가 되면 몸 관리로 무예를 한다.

옛날에 "지금 병장기 수련을 할 필요가 있습니까?"라고 질문한 기자가 있었다. "필요 없지!"라고 말했다. 그런데 기사記事로 하지 말고 들어보라고 했다.

『무예武藝를 하는 데는 몇 가지 가치성이 있다. 병기兵器는 옛 전쟁 무기로 현재는 필요치 않다. 옛날에는 몸으로 하는 과학이었다. 그러나 현대에 와서 꼭 해야만 하는 가치를 말한다면,

첫째, 지금 사람들은 운동이 필요하다. 필요로 하는 운동 중에 무예는 오랜 세월의 지혜가 축적되어 있고(바르게 한다는 전제하에), 우리 몸의 건강과 근골

筋骨이 이롭게 흘러갈 수 있도록 정밀하게 정리되어있는 것이다. 그런 도구로 운동을 한다면 얼마나 좋겠는가.

둘째, 무예는 정신 수양이다. 무예는 성품을 가지고 인격 도야, 자기완성을 추구하는 수양이다. 그 수양의 가치가 그렇게 중요한 것이다. 예로부터 '몸과 마음을 닦는다' 하지 않는가. 몸을 건강하게 하고 마음을 닦는 것이다. 무武는 몸을 길러주고, 덕德은 사람을 길러준다. 인간에게 더 이상의 가치가 없다.

셋째, 병장기兵仗器와 맨손은 구분이 없다. 병장기를 들면 손의 연장, 손이 길어진 것이다. 병장기를 놓으면 손이 짧은 것이다. 따라서 놓고 하나 들고 하나 마찬가지다.

넷째, 우리 무예는 나라와 민족의 역사와 같이 해왔다. 따로 해온 것이 아니다. 그것이 내 문화文化다. 내가 내 문화를 습득하고 알아야 만이 그 정신과 몸, 즉 우리 것을 보전하는 가운데 남의 것을 잘 살펴, 받아들일 만한 것을 받아들일 수 있되, 우리 것을 모르면 남의 것에 동화되어 버린다.』

◉ 한국무예韓國武藝의 운명運命

한국무예韓國武藝는 국운國運과 함께 어렵게 왔다. 구한말舊韓末 군대 해산 이후 근전僅傳하여 재흥再興했다. 즉 겨우 전승되어 지금에 다시 일어난 것이다. 무예武藝는 민족과 국운이 같이하는 것이다. 애달픈 사실이!

《권법요결拳法要訣》에 〈용호비결龍虎祕訣〉을 수록해 놓은 이유는 한국무예韓國武藝의 뿌리가 그것에 있기 때문이다. 다시 말하면, 한국 도가무예道家武藝, 즉 문중무예門中武藝의 근거를 밝혀 놓은 것이다. 드러나지 않고 흘러온 수양의 무예, 도가道家의 수단지도修丹之道의 방편으로 비전되어 온 무예학武藝學으로 인해 오늘날 〈무예십팔기武藝十八技〉가 그 본모습이 완벽하게 드러날 수 있었던 것이다.

만약 우리나라 전통무예인 〈십팔기十八技〉가 실전되지 않고 국가가 보호해왔거나, 혹은 어떤 무예인武藝人에 의해 전승되고 있었다면, 〈십팔기十八技〉를 펼치는 것에 나서지 않았을 것이다. 찾아보았지만 그런 사람이 없었다. 그랬다면, 안으로 조용히 수양하며, '오공도晤空道'라는 이름으로 도장道場을 내려고 했다. 명칭을 '오공무예晤空武藝'로 나갔을 것이다.

《본국검本國劍》에서 말했듯이, 『우수한 문화유산은 모두 계승과 발전의 관계 속에서 크게 발휘되는 것이다. 우리 무예武藝를 배우고 익히는 것도 이와 같다. 바람직한 계승이 없으면 발전을 논할 수 없으니 계승과 발전의 관계를 정확하게 처리하는 것은 무예인武藝人들의 주요 과제이다.』

이제 선생이 할 일을 했으니 이는 모두 후학後學들에게 달려있다.

정신과 호흡, 그리고 기예技藝가 합쳐진 것이 무예武藝다. 현대에 와서도 무예의 의미는 옛날과 똑같다. 지금은 무예가 더 필요한 시대다. 본래 그런 시기에 사람들은 무예를 더 싫어한다…….

第二章

鍛鍊斗 三節法

【단련鍛鍊과 기예技藝】

무예武藝는 단련鍛鍊과 기예技藝를 구분해야 한다. 단련은 틀에 얽매여서 하는데 응용은 자유롭다. 예를 들면, 공방攻防의 기예가 투로套路다. 그전에는 단련이다. 단권單拳도 기예를 하기 위한 단련이다. 따라서 투로를 수련할 때 보형步型을 연습하려고 하지 말라. 수법手法과 신법身法에 기준을 둬야 한다. 보형은 약간 좁아야 수법과 신법이 제대로 된다. 허공에 투로를 해도 좋지만, 감각을 익히기 위해 권법대련拳法對鍊을 한다. 칼도 단련과 투로가 다르다.

단련은 가벼운 것부터 시작해 목검으로 나무 치기 등을 한다. 격자격세擊刺格洗 16세勢가 능숙하도록 연습한다. 이런 것은 무예 수련이라 하지 않고 단련이라 한다.

〈양생養生은 단련鍛鍊에 있고 기예技藝는 숙련시켜야 한다.〉
〈단련鍛鍊은 원칙原則을 철저히 지켜야 한다.〉

원칙은 무예武藝에서의 법이다. 단련이 되어있어야 비급祕笈을 받으면 바로 응용할 수 있다. 한 번만 가르쳐줘도 자기 것으로 만든다. 단련이 되어있지 않으면 아무리 해도 응용할 수 없다.

내공內功과 외공外功은 무예武藝를 하기 전에 하는 필수 단련법이다. 도인법導引法도 마찬가지다. 도인법은 양생법養生法이므로 몸을 윤활하게 한다.

기본 단련은 신체단련身體鍛鍊을 말한다. 처음부터 기예로 들어가는 것이 아니다. 기술을 배울 수 있는 몸이 되어야 한다. 기본 단련은 여러 가지를 하다 보면 기초가 안 된다. 몇 가지를 정련해서 단련해야 한다.

내공內功인 정좌靜坐를 제외한, 반드시 해야 할 기본 수련은 3가지로서 〈보형步型·발차기(腿法)·단권單拳〉, 이것이 기본 틀(機)이다. 여기에 권법대련拳法對鍊을 더한다. 내공內功과 외공外功, 그리고 역근易筋수련으로는 〈내장세內

壯勢・외용세外勇勢・오금수희五禽獸戲〉 3가지이고 여기에 도인법導引法은 부가된 것이다. 〈좌공坐功〉과 〈와공臥功〉은 별개 수련이다. 이 6가지를 벗어나지 못한다. 원무예原武藝를 하려면 반드시 해야 할 기본 수련이다. 여기에 덧붙일 수 있지만 최소한의 수련을 말한다. 그 외의 기본은 권격拳擊으로, 초식招式의 기초를 단권單拳으로 잡는다. 수련순서는 〈자세 → 발차기 → 단권 → 외용세 → (권법대련) → 내장세(+도인법) →오금수희〉 순으로 한다. 특히 외용세는 반드시 수련해야 유연함을 얻는다.

　기본이 첫째다. 기본이 안 되면 기예技藝가 안 된다. 기본을 몇 년간 해야 한다. 이것이 어지간히 되어야 기예가 받아들여진다. 그렇지 않고 기예(拳法)부터 배우면 안 된다. 이루지 못 한다.

〈내장세內壯勢〉는 폐, 심장 등 오장五臟을 단련하고 호흡을 윤활하게 한다. 안으로 단련하는 것이다. 오장은 힘을 만드는 엔진이다. 근筋・건腱・골骨이 그 힘을 발출한다. 따라서 오장의 힘을 키워야 한다.

　〈외용세外勇勢〉는 외공外功에 속한다. 저항근육과 뼈, 관절을 늘인다. 무예武藝를 위한 외공으로 사지四肢를 펴준다. '외용外勇 1세勢'의 궁보弓步는 자세 형태 자체를 늘이는 것이므로 넓게 벌려도 된다. 그래서 상체를 앞으로 기울이면서 손을 찌른다. 관절을 그렇게 만드는 것이 외공이다. 외공은 한없이 부드러운 것이다. 단단한 것이 아니다. 무예는 근골筋骨을 부드럽게 단련하는 데, 사용할 때는 쇠창살 같다.

◉ 반드시 매일 해야 하는 수련

① 목 운동, 장掌 운동, 허리운동, 압퇴壓腿
② 보형步型
③ 내장세內壯勢 - 오장육부五臟六腑(內)
④ 외용세外勇勢 - 근골筋骨(外)

무예武藝를 하기 위해 중요시해야 하는 내용이 몇 가지 있다.

첫째, 강유剛柔가 이루어지도록 수련해야 한다.

둘째, 숙처宿處와 허실虛實이 분명해야 한다.

셋째, 완정完整된 동작이 나오기 위한 요결要訣은 다음과 같다.

① 자세(동작)의 요점: 예를 들어, 나갔다 회수하는 주먹은 돌리면서 잡는 것을 쉬지 않고 가져오면서, 숙처宿處까지 오는 것이 정확해야 한다.

② 자세(동작)의 방법(運行): 충권衝拳을 예로 들면, 힘 있게 주먹을 찔러 손을 풀어서 돌리면서 주먹을 쥐면서 가져오는 것이다.

③ 기氣를 기르는 힘: 힘은 바르게 했을 때 길러진다. 바르게 하면 자연히 기氣가 길러진다. 예를 들어 기마보騎馬步가 바르게 되면 대퇴부의 힘이 길러진다. 그것의 요점은, 다리의 힘은 발을 움켜쥐는 데 있다. 그래야 상체의 자세가 제대로 만들어진다. 그것의 방법은, 모양을 제대로 만드는 것에 있다.

④ 활용: 그 바른 동작에서 활용이 나온다.

◉ 수련법과 단련鍛鍊

무예武藝의 원래 수련은 기본이 하나씩 숙련되면, 그 동작의 응용법을 계속 더하면서 숙련시켜 가는 것이 원칙(法)이다. 즉 단련鍛鍊을 계속해나가면서 숙련되는 정도에 따라 그것을 더 발전시켜 기예화技藝化 되도록 하는 방법을 취한다. 예로써, 보형步型을 단련해 숙련이 되면 보법화步法化하면서 수련한다.

궁보弓步를 한 다음 제자리에서 뒤로 돌면서 반대로 하는 것은 보형 자체를 흐트러지지 않도록 정확하게 수련하기 위해서 하는 것인데, 그다음 숙련이 되면 걸어가면서 궁보 수련을 한다. 즉 좌궁보左弓步를 한 다음 양손을 허리로 가져오며 동시에 우족右足이 나가면서 양손도 우궁보右弓步 손 모양을 만들며 나간다. 걸어 나가면서(1足) 막고 찌르는 수련이 된다. 삼절三節이 분명하도록 해야 한다. 다른 예를 들면, 허보虛步 자세를 잡을 때 허보를 만드는 움직임 가운데 어느 위치에서 골반에 힘이 들어가야 한다. 자세가 숙련되면 필요한 힘을 주는 법을 알아야 한다. 좌공坐功 수련 때 앉아서 등은 펴고 아랫배는 자연스레 세우고 항문을 오므리면 양 엉덩이에 힘이 들어간다. 이것이 골반 힘주는 법이다. 의도하지 않아도 저절로 그렇게 된다. 허보에서도 같은 형태의 골반 힘이 들어가야 한다. 그렇게 해야 상하초上下焦가 모두 연결되어 힘이 길러진다.

◉ 외공外功

외공外功이란 몸을 단련하는 것을 의미한다. 즉 신체 단련이다. 〈외용세外勇勢〉도 외공이다. 기예技藝를 두고 내공內功, 외공外功을 말하지 않는다. 기예의 차이는 외공이 좌우한다. 예를 들어, 소림少林은 외공 위주고, 무당武當은 내공 위주라는 생각은 잘못된 것이다. 소림과 무당의 움직임이 서로 다른 것은 외공의 차이로 인한 것이다. 내공은 다 하고 있는 것이다. 외공의 차이에 의해 기예도 달라진다. 즉 외공이 달라지면 같은 기예지만 몸 움직임이 다르게 된다. 외공을 닦을 때 어떤 형태로 닦느냐에 따라 기예의 차이가 나온다. 즉 '연鍊'에 있는 것이다. 내가內家니, 외가外家니 하는 것도 마찬가지다. 예를 들어 기구를 이용한다면 다음과 같은 결과가 나올 수 있다. ㉮ 몸이 둔해진다. ㉯ 몸이 둔해지면서 손이 빠르다. ㉰ 몸이 둔해지면서 속도가 느리지만, 파괴력이 커진다. 일반적으로 외공의 차이에 의해 역도선수는 치는 힘이 없다. 반면에 무예武藝에서는 상대적으로 쥐는 힘이 없다.

기본자세, 발차기도 외공이다. 그런 것은 기예가 아니다. 그러나 안 하면 안 된다. 외공이지만 기공氣功이다. 그러므로 내공을 위한 정좌靜坐를 못하더라도 기공氣功인 〈내장세內壯勢〉 정도는 하면서 호흡 수련을 대신해야 한다.

◉ 내공內功

내공內功 수련은 30~40%는 움직임으로, 60~70%는 호흡으로 구성된다. 뭉쳐진 기氣(호흡에 의한 축기蓄氣)를 사지四肢로 보내는 수련이 중요하다. 아니면 뭉쳐진 기氣를 의도한 대로 옮기지 못한다.

인도법引導法 : 호흡이 동작을 이끈다. 즉 내장세內壯勢는 내공 수련이다.

도인법導引法 : 호흡이 동작을 따라간다. 동작이 주가 되어 몸을 푸는 수련이다(解).

권법拳法은 내공內功 수련에 포함되지 않는다. 기예技藝다. 내공을 많이 한 사람은 힘이 있어서 빠르긴 한데, 신법身法을 잘 쓰진 못한다. 내공이 된 사람이 신법을 쓰면 엄청난 것이다. 예로부터 〈내공內功을 하지 않으면 무예武藝를 한 것이 아니다〉. 내공을 하지 않으면 '무예를 했다.'고 말하지 않았다. '무예의 그림자를 했다.'고 하였다.

지금 하는 기본공基本功에 호흡 수련이 되어야 내공을 하는 것이다. 아니면 힘이 없어서 내공 수련을 한 사람의 상대가 되지 않는다. 내공을 어느 정도 한 사람은 내공이 아주 높은 사람과 대적해도, 기예가 더 뛰어나다면 기예(신법과 유공柔功)를 운용하여 이길 수 있다. 우리 무예는 내공內功을 위주로 수련해야 한다. 내기內氣가 없으면, 즉 기氣를 못 다스리면 안 된다.

내공의 결과 감각(神)이 온몸에 살아나야 한다. 내공이 쌓이면 몸이 아주 가벼워진다. 힘이 생기니까 가벼워지는 것이다. 힘이 있어야 깃털처럼 움직일 수 있다.

◉ 무예武藝에서의 힘의 분류

① 내경內勁: 어떤 동작을 꾸준히 반복하면 나름대로 그 동작에서 생기는 힘을 말한다. 즉 숙련된 동작에서 나오는 힘이다. 따라서 잘못된 동작도 꾸준히 하면 그 동작에 대한 경勁이 생긴다.

② 내기內氣: 선천적인 기氣를 말한다. 무예武藝에서는 그것을 길러서 운용하는 것을 포함한다. 호흡과 연기법練氣法으로 형성된 내기內氣를 운용한다.

③ 내공內功: 기氣를 쌓는 것을 말한다(蓄). 호흡과 동작으로 뭉쳐진 기氣를 사지四肢로 운용한다. 그러기 위해 막론膜論을 알아야 한다. 오장五臟의 기氣를 단련하는 것은 호흡으로써 하고, 그 단련된 기氣가 쌓여서 발출發出된다.

기氣가 쌓여서 발출되는 것은 역호흡逆呼吸과 관계가 있다. 예를 들어 상대 공격을 막을 때 배를 내밀면서 호흡(순호흡順呼吸)하면 힘이 다 흩어진다. 역호흡으로 해야 힘이 모인다. 공격할 때는 '밭은 호흡'을 한다. 그래야 기氣가

뭉친다. 역호흡은 인위적으로 하는 것이 아니고 권법拳法을 하면 자연히 그렇게 된다. 공방攻防, 권법에서는 모든 동작이 역호흡이다. 권법 등에서 축蓄을 할 때도 역호흡이다. 내기內氣가 충만하거나, 내공內功을 수련해서 기氣가 큰 사람은 강한 힘이 역호흡에 실려 발출되고, 기氣가 작은 사람은 상대적으로 힘이 약하게 발출된다. 〈공기는 유형有形이고 기氣는 무형無形이므로 호흡과 의意에 기氣를 의지하는 것이다〉.

몸의 어느 한 부위라도 힘이 들어가면 기氣가 막힌 것이다. 몸 전체가 미미한 힘이 균일해야 한다(영기靈氣). 예를 들어 어깨가 굳으면 기氣가 손끝으로 못 간다. 또한, 힘을 가지고 있다가 상대와 부딪히면 변화를 못 한다. 그러나 힘을 가지고 있지 않다가 상대와 부딪히면 변화할 수 있다. 즉 힘을 쓰는 것이다.

만력蠻力으로는 내경內勁을 못 기른다. 만력이 내경을 방해한다. 몸에 힘을 줘서는 내경이 길러지지 않는다. 숙련된 힘과 신법身法이 이루어져야 내경이 나온다. 한 세勢 한 세勢 맞춰 신법이 이루어져야 숙련된 힘이 발휘된다. 다르게 말하면, 삼절三節이 완전히 되어야 신법이 이루어진다.

허리의 힘이 다리로 내려가 뒤꿈치에서 다시 허리로 올라와서 어깨를 통과해 주먹으로 가는 것인데, 발에 집(室, 勁)이 없는데 기氣가 가겠는가! 내기內氣가 저절로 내려갔다가 반탄反彈되어 올라가야 한다. 몸은 한 번에 움직이지만, 일부러 힘의 흐름을 만드는 것이 아니다. 역호흡으로 폐기閉氣할 때 허리의 경勁이 발로 내려간다. 기감氣感을 느끼지 못해 알지 못하는 것이다. 그래서 밭은 호흡으로 기氣가 반탄反彈된다. 그것은 인위적인 것이 아니고 호흡과 동공動功에 의해 순차적인 힘의 흐름이 자연히 그렇게 되어있다. 그렇게 되도록 동공이 되어야 한다. 그래서 경론勁論을 기술론技術論이라 하는 것이다.

〈동공動功이란 모든 무예 동작의 지침指針을 말한다〉.

동공動功과 호흡은 반드시 내동內動과 외동外動이 있어야 한다. 《권법요결拳法要訣》, 〈내공內功〉편에 『내동內動은 인체 내부의 의意·기氣·경勁 세 가지의 움직임을 말하고, 외동外動은 인체 외부의 형태 변동을 가리킨다. 외동은 내동에 의지해서 움직이므로 안이 움직이지 않으면 밖은 발發할 수 없으며, 내동은 외동을 통해 밖으로 드러나므로 밖이 움직이지 않으면 나타낼 수 없게 된다.』고 하였다. 〈외동내정外動內靜〉은 일을 하면 안이 고요하고, 〈내동외정內動外靜〉이란 생각을 골똘히 하면 하던 일을 놓는다. 호흡 수련은 외동이다. 외동이 없으면 내동이 크다.

오법五法(안眼·수手·신身·보步·퇴腿)의 배합과 내적內的인 것(의意·기氣·경勁)과의 합일이 되기 위해서는 지극한 수련이 요구된다. 의意는 담력과 속력이며, 기氣는 침전沈澱, 침착, 경勁은 숙련된 기술, 즉 숙련의 묘妙다. 숙련되면 정확해진다. 그러면 마음이 그것을 잊는다. 마음은 손을 잊고 손은 검劍을 잊는다. 마음은 산악과 같이 고요하다.

무예武藝는 단련해서 물리物理가 터져야 한다. 그렇지 않으면 소용없다. 투로套路는 오법五法에 맞게 창안된 원권原拳이다. 여기에 삼절三節이 맞도록 움직여야 신神이 나온다. 그렇게 해야 물리가 터진다. 정精을 단련하여 기氣가 단련되고 기氣가 단련되면 신神이 단련된다. 기氣를 단련한다는 말은 경勁이 익혀져 삼절三節을 하나로 만드는 것이요, 신神을 단련한다는 말은 단련된 것을 의도한 대로 성공시켜 가는 것이다. 손발이 가고자 하는 대로, 즉 〈와도 가고 안 와도 간다〉는 차경借勁의 경지를 말하는 것이다.

◉ 鍛鍊과 技藝

【강유剛柔】

● 문중무예門中武藝에서 선생이 전傳하는 무예의 강유剛柔

강剛은 경勁을 익힘을 말하고, 유柔는 관절을 유로 다스리는 수련을 말한다.
강剛이 없으면 유柔를 이룰 수 없고, 유가 없으면 강을 얻지 못함이다.
즉, 강유剛柔가 서로 화和함을 아는 수련이 되어야 한다.
이 오묘한 이치를 말로써 전하기는 어렵구나…….

〈강은 경을 익힘을 말하고, 유는 관절을 유로 다스리는 수련을 말한다.〉에서 강剛은 수련 방법을 논한 것이다. 경勁은 숙련된 힘. 유柔는 부드러움이다. 이는 관절을 꺾어 바른 동작을 만들어 내는 것을 의미한다. 즉 관절 수련이다. 관절은 절대 힘이 생기면 안 된다. 관절이 딱딱해지면 안 된다. 선생이 고치도록 하는 것은, 관절을 유柔로 다스리도록 수련시키는 것이다.

〈강이 없으면 유를 이룰 수 없고, 유가 없으면 강을 얻지 못함이다.〉의 뜻은, 강剛은 숙련되게 수련하는 것을 말하고 유柔는 관절의 운영에 있다는 것이다. 이 두 가지는 분리되어 있으면서 하나다.

〈즉, 강유가 서로 화함을 아는 수련이 되어야 한다.〉에서 강유剛柔는, 목적은 둘이었는데 본래 둘이 아니고 하나이며, 화和함을 아는 수련이 말하는 의미는, 강유를 이루기 위해서는 위의 두 가지 논리에 맞춰 수련해야 한다는 뜻이다. 이는 움직이는 것에서 강유가 서로 화和함이 있다는 뜻이다. 예를 들어, '손목과 구수鉤手는 강유를 끌어모은다'.

〈이 오묘한 이치를 말로써 전하기는 어렵구나…….〉 이는 답답함을 표현한 것이다. 강유剛柔의 이치는 힘과 기예技藝를 얻을 수 있는 공식公式이다.

강유剛柔는 무예의 핵核이었는데, 그것이 바로 문중무예로서 선생의 정실제자正室弟子의……. 요要는 〈경勁은 강剛이므로 기技에 속하고 유柔는 완전한 신법身法의 신神에 속한다〉. 그 두 힘이 합쳐서 기술과 힘이 조화를 이루어 전체적인 힘을 좌우한다. 이는 배워야 알 수 있는 것이다. 경勁은 기예技藝에 속한 힘을 말한다…….

반복 수련은 강剛이고, 경勁을 익힘은 반복 수련을 의미하며, 올바른 수련을 하는 것은 관절을 유柔로 만드는 것이다. 강剛은 반복을 말한다. 반복을 통해 유柔를 만들어 강한 경력勁力이 나온다. 즉 숙련된 힘이다.

예로써, 발차기는 천천히, 발등에 힘주고 수련하여 사용할 때는 통나무 같은 힘이 나온다. 모든 수법手法은 손목의 힘이 없이는 탄경彈勁이 안 나온다. 구수鉤手 수련으로 탄력이 강하게 양성된 상태에서 힘이 나온다. 착 붙으면 끝난다. 상대 팔이 손바닥 10cm 안쪽으로만 들어오면 움직이지 못 한다.

강유剛柔를 말할 때 구수鉤手를 예로 들면, 엄지, 검지, 중지를 모으되 한 점點에 모으지 않고, 손가락은 구부리지 않으며, 쫙 펴서 힘이 있어야 할 곳에 힘이 있어야 한다.

구수鉤手를 하게 되면 손목의 강유剛柔가 완전해진다. 손목이 윤활해져야만 수법手法을 쓰는 것이다. 구수 수련 자체는 강剛을 수련함이요, 관절을 움직이는 것은 유柔를 수련하는 것이다. 수련 방법에 따라서 관절 자체를 크게 움직이면서 함으로써 유柔를 수련하는 것이다.

선생이 고쳐주는 것도 강유剛柔에 맞추어서 하는 것이다. 관절이 그렇게 중요한 것인데 관절을 파괴하고 있다. 일반적인 수련은 강剛도 못 얻고 유柔도 못 얻는다. 또한, 일반적 수련이 숙련되면 강剛만 얻게 되고 유柔는 없어진다.

〈손목의 강유는 구수와 장掌, 발목의 강유는 앞차기와 회심퇴로 수련한다.〉

강유剛柔 수련이 완성되어야 수법手法에서 상대 공격을 아주 가볍게 넘길 수 있다. 손이 유柔하면 발이 강强하다. 이치를 깨달아라. 즉 유柔로 상대 손을 받으면 발이 편해진다. 허실虛實의 이치다. 상대는 솜뭉치를 치는 것처럼 느낀다.

발의 강유剛柔에서 발을 손처럼 써야 한다. 발의 강유도 손처럼 모여야 한다. 〈범신공帆身功(좌공坐功)〉 수련에서 '발목 펴기'와 '종아리 수련' 등이 중요하다. 좌공과 외용세外勇勢, 발차기(腿法)는 유柔 수련의 발전이다.

발차기는 차는 것에 기준을 두지 말고, 늘이는 것에 기본을 두고 해야 한다. 즉 의식의 차이가 다르다. 그것을 동공動功, 즉 '연기법練氣法'이라 한다. 연기법은 기氣를 보냈다 가져왔다 하는 연기練氣 수련이다. 그래서 유柔가 단련되는 것이다. 연기법으로 단련한 발차기는 빠르다. 힘이 실려야 빨라지기 때문이다. 고수의 발차기는 힘없이 가서 상대에 적중할 때 힘이 들어간다.

힘은 관절이 유柔하지 않으면 절대 숙련된 힘이 나오지 않는다. 끊어치는 것은 관절이 유柔가 안 된다. 그래서 소용없다. 선생이 가르친 권법拳法하는 형태가 강유가 화和하게 되도록 수련시키고 있는 것이다. 끊어지면 안 된다. 늘이면서 탄력이 나간다. 유柔로써 강剛을 얻느라고 그렇게 수련한다.

팔과 다리와 더불어 허리와 엉덩이 관절이 부드러워야 한다. 유柔 수련을 통해 그렇게 되어야 한다. 유柔로 관절을 다스리는 것이 잘되어야 뻣뻣함이 없어진다. 관절이 자유롭게 움직일 수 있도록 관절 수련이 되어야 한다.

유柔가 빠른 것이다. 힘을 주면 엄청 느린 동작이 되는 것이다. 유柔가 없으면 빠르지 않다. 속도는 유柔가 아니고 결국은 강剛이 낸다. 즉 오래 수련해야 유柔가 형성되므로 결국 강剛이다. 유柔가 극한까지 수련되어야 한다.

고수高手들이 젓가락으로 파리를 잡는다. 엄청나게 빠른 유柔다. 유柔는 상대 위주로 움직이기 때문에 빨라지는 것이다. 즉 유柔하기 때문에 상대 위주로 움직일 수 있다. 물이 형상을 만나면 변하는 것과 같다. 강유剛柔가 이루어질 수 있는 기본이 안되어 있는 경우에는, 오래 하다 보니 강剛은 이뤄지되 유柔가 이뤄지지 않는다. 그러면 반 토막 무예다. 강유剛柔는 분리할 수 없다. 모든 움직임에 포함되어 있어야 한다.

무예武藝 수련을 할 때 가지고 있는 힘이 얼마나 된다고 그것으로 힘을 쓰려고 하느냐! 새로운 힘을 길러야 한다. 통나무처럼 팔, 다리에 힘을 키워라! 수법手法이 처음과 결정될 때까지 속도가 일정해야 수련이 된다. 유柔를 수련하는 법은, 〈힘 빼고·일정한 속도로·천천히·늘이면서〉 수련할 때 관절이 '유柔'하게 된다. 그렇게 해야 양생養生도 된다. 온몸이 저항 근육이 없이 부드러워야 한다. 발가락은 땅을 움켜쥐고……

〈수련은 힘을 빼고 자연스러운 힘으로만 해야 한다.〉
〈수법, 퇴법에서 손목과 발목에만 힘을 주고 다른 부위는 힘을 빼야 한다.〉

가장 중요한 말이다. 천천히 자연스럽게 서서히 이루어져야 한다. 힘을 주고 10년이 걸려 도달할 것을 힘을 빼고 수련하면 1년 만에 도달한다. 즉 내경內勁이 길러진다. 힘을 주는 정도와 속도가 모든 것을 좌우한다. 일상에서 서서 움직일 때도 손, 발에 힘이 있어야 한다(의식이 가는 힘).

◉ 연기법練氣法

연기練氣 수련은 기氣를 목적한 곳까지 보낸다. 발 찰 때 발가락을 구부려야 힘이 발끝까지 도달한다. 발차기는 저항근을 없애가면서 힘을 쓰는 것, 힘을 기르는 것이다. 발차기(腿法)와 단권單拳은 연기법이다. 기氣를 몸 끝까지 보내는 수련이다. 따라서 천천히 하라고 하는 것이다. 비교하자면, 요가(Yoga) 수련은 관절에 힘이 안 잡히고 유柔하게 만들기 때문에 안 된다. 무예 관점에서 보면 필요 없는 동작을 어렵게 하고 있다. 우리 무예는 관절에 힘을 잡으면서 부드럽게 늘인다. 몸이란 강剛과 유柔밖에 없다. 다시 말하면 몸이 얻을 수 있는 것은 강剛과 유柔뿐이다. 관절을 부드럽게 하는 수련을 유柔라 한다. 무예의 강유剛柔에서 강剛은 숙련이고, 유柔는 관절을 부드럽게 하는 것이다. 관절은 유柔해야 힘을 쓴다. 뻣뻣하면 기氣가 막혀서 안 된다.

역근易筋은 달마대사達磨大師의 요가인데, 동작은 같은데 힘이 길러지는 것이 다르다. 역근은 동작에 힘을 넣어서 하되 관절을 만드는 것이다. 관절에 힘을 준다. 예를 들어 손가락을 힘주어 쥐는 것이다. 이때 손가락을 풀지 않고 하면 소용없다. 풀어주는 것이 역근에 있어서 유柔 수련이다. 푸는 것(解)은 주무르는 것으로, 주물러 주는 것은 첫째 골骨에 생기生氣를 만들고(막膜 단련), 둘째 근육筋肉과 건腱도 풀어주고, 셋째 관절을 풀어준다.

◉ 역근易筋 수련

걸으면서 손의 힘을 기르는 수련을 하는 등, 평소에 역근易筋 수련을 해야 한다. 주먹을 새끼손가락부터 쥐는 것은 상대 공격을 잡을 때 또는 벽劈으로 치는 경우의 수련이고, 주먹을 검지·중지·엄지 순으로 쥐는 것은 주먹으로 상대를 가격할 때를 위한 수련이다. 이때 4, 5지指도 같이 따라 움직여야 한다(늦게 오므리지 말 것).

◉ 손(초절梢節)의 힘을 기르는 법

① 양쪽으로 팔을 벌리며 주먹을 쥔다(팔을 등 뒤로 벌리지 말 것). 새끼손가락부터 주먹을 감는다.

② 신법身法을 써서 좌左로 돌면서 왼손은 새끼손가락부터, 오른손은 검지 중지 엄지를 힘주면서 연습한다. 왼손은 상대 공격을 나拿하고 오른손은 공격 하는 주먹이 되므로 쥐는 것이 신법에 따라 달라진다. 좌우 교대로 연습한다.

③ 구수鉤手도 신법과 연결하여 연습한다.

①

②

◉ 힘을 주는 법

힘을 기르는 것과 힘을 주는 것은 다르다. 공방攻防에서 힘을 쓸 수 있어야 한다. 충권衝拳을 칠 때 주먹을 바르게 해야 팔꿈치에 힘이 생긴다. 손목을 기준으로 주먹이 올라가지도 내려가지도 않아야 한다. 손등과 손가락 뿌리 부위가 초절梢節이다. 즉 힘주는 곳이다. 팔꿈치를 통과한 힘이 끊어지지 않고 전달되도록 모든 주먹은 그렇게 힘이 들어가야 한다. 손가락은 힘이 들어가지 않게 한다.

격중擊中될 때 손등(拳背)에 힘을 주고 팔뚝에 힘이 들어가야 주먹을 쓴다. 전완前腕에 힘이 안 들어가면 힘을 못 쓴다. 보통 붕권崩拳부터 연습한다. 그러면 힘 잡기가 쉽다. 팔, 다리가 통나무가 되어야 한다.

힘을 기르기 위해서는 호흡뿐 아니라, 동작 자체를 힘을 기르는 동작 노선으로 수련해야 한다. 예를 들면 반주盤肘를 칠 때 힘을 기르는 팔꿈치 노선이 있다. 팔꿈치가 너무 낮으면 안 되고 거의 수평이 되어야 한다. 그러나 약간 낮게 해서 수련해야 힘이 길러진다.

권법拳法 수련을 할 때 힘은 들어가야 한다. 그러나 최대 7성成의 힘이 넘어가면 안 된다. 수련할 때 힘을 주면 막히는 힘이 된다. 투로套路는 기예법技藝法이다. 충권衝拳을 말한다면, 주먹을 쥐는 힘으로 결정점(타격점)에 가는 것이다. 그렇지 않으면 손을 다친다. 주먹을 쥐는 힘은 팔뚝 힘과 다르다. 즉 팔뚝 힘을 쥐야 하지만 팔뚝 힘으로만 치는 것이 아니다. 권拳을 찌를 때 반半 주먹을 쥐고 주먹을 찔러서, 결정되면 반드시 주먹을 꼭 쥐어야 한다. 습관이 안 되면 실전에서 힘을 못 쓴다.

충권衝拳은 힘을 넣어서 튕겨 쳐야 하는데, 만력蠻力은 쓰지 않아야 한다. 허리에서 느슨하게·虛하게·비벼서·튕겨서 친다. 기술을 연마하는 수련이다. 만적蠻的인 힘은 잔뜩 힘을 넣는 법인데, 이룰 수 없다.

숙처宿處의 주먹이 나가면서 반半 주먹이 되면, 허리를 통해 올라온 경勁이 가슴을 지나 어깨를 통해 팔의 근절根節로 흐른다. 따라서 자연히 경勁이 손끝까지 도달할 수 있게 되는 것이다. 주먹을 꼭 쥐고 나가면 허리의 경勁이 팔의 근절根節로 흐를 수 없다.

〈숙처宿處의 권拳은 반 주먹으로 나가서 결정될 때 주먹을 쥔다.〉

문중門中의 비급祕笈이다. 그렇게 하지 않으면 선생의 제자가 아니다.

반 주먹으로 나가서 마지막에 손끝, 주먹, 또는 장掌으로 변한다.

권拳은 반드시 허리에서 출발 후, 주먹을 풀었다가 가면서 쥐어야 한다.

장掌은 반드시 주먹을 잡았다가, 가면서 풀어서 마지막에 다 펴야 한다.

권拳은 주먹을 쥐는 힘으로 치고, 장掌은 주먹을 펴는 힘으로 친다.

권拳이 장掌으로 장掌이 권拳으로 변한다. 따라서 상대 팔을 잡았다가 장掌을 치려면, 반드시 다시 주먹을 쥔 다음 나간다.

◉ 힘의 사용

원무예原武藝에서는 기마보騎馬步, 궁보弓步를 설 때 손 모양(手形)에서 주먹을 쥐지 않고 수련한다. 주먹을 쥐면 하초下焦의 힘이 위로 분산된다. 저절로 뚝심을 못 쓰게 가르치는 것이 되는데, 〈외용세外勇勢〉에서 주먹 쥐고 움직이는 것은 '외용 3세'의 하벽下劈 밖에 없고 나머지는 모두 손을 펴서 수련한다. 이렇게 하면 자연히 뚝심으로 수련할 수 없게 만든다.

권법拳法 수련에서도 힘을 빼고 늘이는 수련 과정을 거쳐야 하는데, 힘을 완전히 빼는 것은 아니다. 도인체조導引體操처럼 영기靈氣가 살아있는 정도의 힘을 쥐야 한다. 또한, 느리게 해야 빨라짐의 수련이 된다.

참공站功은 평소에 자주 해야 한다. 하체 수련이 쌓인 후에 상체가 움직여야 한다. 기본공基本功에서 정확하게 힘을 기른다. 투로套路를 할 때도 자세에 신경 써야 한다. 발차기는 연기練氣 수련이므로 주로 아래 방향으로 한다.

실전實戰에서의 힘의 운용은 허虛와 실實의 조화가 있어야 한다. 즉 힘도 쓸 때 써야 한다. 상대 공격을 방어하고 공격하는 경우에 힘의 변화는,

① 방어할 때는 방어할 만큼만 힘을 준다(부드러운 힘).

② 다음에 몸이 최대한 빨리 움직여 들어갈 정도만 힘을 쓴다(힘이 없다).

③ 칠 때 다시 힘을 준다(발경發勁).

힘을 팔 전체에 두고 수련해야 한다(靈氣). 그 상태에서 팔의 한 부위에 상대가 부딪히면, 그 점에 힘이 다 모여야 한다. 수법手法 단련은 상하좌우를 근본으로 한다. 손 모양은 무엇을 하든, 자신의 숙련된 손이 되어야 한다.

◉ 물속에서의 수련

공기는 물보다 더 유柔하지만, 그 유柔를 감지하지 못하므로 몸이 자각하지 못하지만, 물은 오감五感으로 느낄 수 있다. 그 느낌 속에서 유柔 수련이 된다.

첫째, 물속에서는 손이 나가면 몸이 나간다. 지상에서는 손만 나가고 몸이 잘 나가지 않는다. 따라서 물속에서 몸의 움직임을 정밀하게 궁구窮究해 보면 삼절三節의 의미를 깨달을 수 있다.

둘째, 지상에서보다 힘을 더 빼야 유柔를 느낄 수 있다. 물에 몸을 맡겨야 하므로 유柔가 된다. 이 두 가지가 장애가 없이 수련된다. 외적인 힘을 주지 않는다는 의미를 알 수 있다. 몸의 긴장이 최대한 없어진다.

〈물속 수련법〉의 예를 들면,

① 양팔을 들고 구부려 반주盤肘를 좌우로 한다. 이때 발 모양이 중요하다. 발은 반주와 반대로 젖힌다. 반주 방향과 연합해 상대 발 사이로 들어가 상대 발(다리)을 걸어 넘기는 동작이 된다.

② 손을 장외연掌外沿과 함께 보자기처럼 만든 자세로 평영平泳의 움직임으로 수련한다. 양팔이 벌어지는 모양에 따라 손가락 하나하나에 물의 저항을 느낀다. 공방攻防의 예로는, 상대 우수를 내 좌수로 위에서 덮어 좌측 바깥으로 벌린다. 동시에 우수는 철형처럼 공격하지만, 바깥으로 벌리는 힘이다. 양팔이 벌어지는 세勢다.

③ ②번과 같지만, 이번에는 구수鉤手로 벌렸다 장掌으로 모은다. 공기 중에서는 상대가 공격하는 손목을 내 손등 부위로 걸쳐 막을 때, 지상에서는 손목이 완전히 구수처럼 구부려져 움직이지 않는다. 어느 정도 손목을 편 상태로 상대를 막게 되는데, 물속에서 이 수련을 하면 손목이 구수 때처럼 완전히 구부려져 움직이게 된다. 유柔가 완전하게 된다.

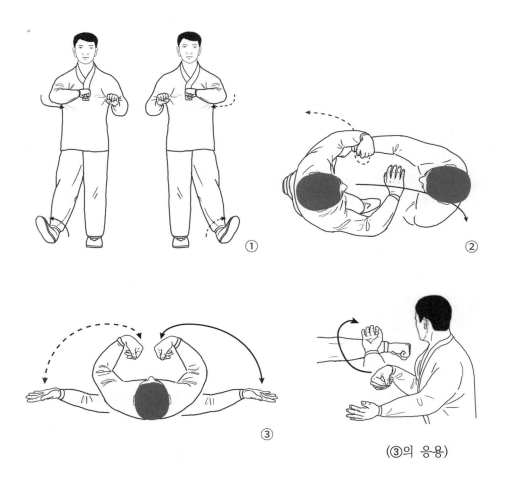

①

②

③

(③의 응용)

　④ 배영背泳을 하면서 양손을 장掌으로 교대로 민다. 또는 같이 민다. 발은 회심퇴懷心腿로 민다.

　⑤ 옆으로 수영하면서 구수鉤手와 장掌으로 팔을 움직이고 다리는 가위치기를 한다. 발목 수련이다.

　⑥ 물에 떠 있으면서 발목을 물갈퀴처럼 움직인다.

　물속에서 다양하게 수법手法, 신법身法, 퇴법腿法을 수련, 연구해야 한다. 그렇게 하여 공기 중에서 손이 나갈 때 물속에서처럼 몸이 나간다. 더불어 발의 근절根節이 나간다. 뒷발이 강하게 땅을 잡은 상태에서 이루어진다.

물은 유柔하다. 유한 것은 강强을 만나면 파괴적인 힘을 가한다. 그러나 유柔한 것이 유柔한 것을 만나면 스스로 피해 간다. 즉 물속에서 몸을 유柔하게 하면 물(파도)이 갈라져서 지나간다. 걸을 때 땅에서 떨어진 발이 유柔로 변하는 것을 느껴야 한다. 물속에서 실험해 보면 안다. 이것이 물속에서 하는 경신공輕身功의 기초다. 물속에서 감각을 익힌 후, 공중에서 공기 중의 자연 감각을 계속 익혀야 한다. 물에 비해 공기가 너무 유柔하여 터득을 잘하지 못하기 때문에 '상대와 부딪히는 감각이라도 부지런히 익혀라!' 하는 것이다.

〈공기와 부딪히는 감각을 익혀라.〉

그렇게 되어야 상대 움직임을 신神이 파악할 수 있다. 《권법요결拳法要訣》에 『무예武藝의 의식意識은 무예武藝 동작의 〈신神〉이 된다.』고 하였다. 신神은 쉽게 말하면 '감각을 포함하는 의식'이다. 몸 전체에 신神이 있다. 그것이 마치 눈으로 보는 역할을 한다. 〈손가락 하나하나에도 눈이 있다〉는 말이다.

신神에 대한 것은 오법五法에 다 되어있다. 《권법요결拳法要訣》의 〈오법〉에는 다음과 같이 설명한다. 『마음이 밝지 못하면 신神이 어둡고(심요명心要明), 눈이 맑지 못하면 의意가 어지러우며(안요청眼要淸), 손이 빠르지 못하면 돕고 호위함이 둔하게 된다(수요쾌手要快). 또한 몸을 낮추지 못하면 기락起落을 할 수 없고(신요하身要下), 걸음이 고르지 못하면 진퇴進退의 세勢를 잃게 된다(보요준步要準), 무가武家에서는 이를 모두 병폐로 여겨 싫어하는 것들이다.』

오법五法은 가볍게 쓰는 것이다. 움직이면서 그렇게 되어야 한다.

〈손이 숙련되어야 마음이 고요해진다. 변화무궁해진다.〉

수쾌手快, 즉 상대가 움직이기 전에 내가 먼저 움직인다. 눈으로 살폈기 때문이다. 움직이면 변화한다. 변화하면 목적함에 도달한다. 이는 보법步法에 의해서다. 즉 눈이 가면 이미 목적함에 간다. 이것이 오법五法의 배합이며 빠름이다. 모두 신神이 하는 것이다.

【발 단련】

발(足)은 무예武藝에서 제 1이다. 그 이유는 발이 땅을 완전히 잡지 않으면 상체를 원하는 대로 움직일 수 없기 때문이다.

발로 땅을 잡는 것은, 필요할 때 잡고 한편은 느슨하게 한다. 발차기는 서로 잡는 것이 교환되면서, 그리고 단권單拳은 걸어가면서 잡는다.

발은 외연外沿 단련이 중요하다. 발의 외연으로 걷는 연습을 자주 하라. 즉 새끼발가락으로 힘주는 것을 연습해야 한다. 구수鉤手를 잡듯이 발가락이 잡혀야 한다. 특히 뒤꿈치가 흔들리면 안 된다.

발 움켜쥐는 것이 관절을 보호하는 것이다. 그러기 위해서 용천혈湧泉穴이 공空해야 한다(足心空). 발은 엄지발가락을 움켜쥐는 것을 주主로 하라. 외연外沿으로 밟고 뒤꿈치로 누르고, 구수鉤手를 하듯 발도 단련되어 사용해야 한다.

발 움켜잡는 것이 안 되어 중심이 안 잡히면 상승기예上乘技藝를 못한다. 발가락으로 땅을 잡아 중심이 완전해져야 상승기예를 익힐 수 있다. 걸어가며 발차기할 때 중심 잡는 연습을 할 수 있는데, '땅이 꺼져라!' 하고 발가락을 잡으며 중심을 잡아야 한다. 나무처럼 뿌리를 박고, 상체 신법身法은 바람 부는 데로 움직이는 가지가 되어야 한다. 모래 위에 심어진 나무가 되지 말라! 뿌리를 단단한 데 심어야 한다.

발의 수련은 〈외연外沿 · 뒤꿈치 · 발가락〉이 동시에, 삼합三合 수련이 되어야 한다. 발 수련은 기본동작과 자세의 모양이 숙련된 후에 배운다.

발가락을 움켜잡아야 골골骨과 연결된다. 사람이 태어날 때 가장 약하게 태어나는 장臟이 신장腎臟이다. 용천혈湧泉穴을 띄우고 엄지발가락에 힘을 주어 수련을 하면 힘이 길러진다. 뼈를 보호해준다. 발가락 수련은 하체의 골골骨을 수련하는 것이다. 발목에 힘이 생긴다. 발바닥이 땅에 닿으면 무조건 움켜잡아야 한다. 걸어갈 때 뒤꿈치가 땅에서 떨어져도 발가락은 마지막까지 잡고 있어야 한다. 신발을 신은 상태에서는 신발 바닥을 움켜잡는다.

발 수련의 핵심은 발목이다. 발목은 위, 아래를 의지하고 있으므로 발 수련, 대퇴大腿 수련을 하는 것이다. 발목을 느껴야 한다. 발목 감각을 못 느끼면 안 된다. 발목 힘이 있어야 한다. 그런데 먼저 발이 되어야 발목이 된다. 의지할 곳이 흔들리면 안 되기 때문이다. 발목에 힘이 들어가야 뒤꿈치에 힘이 들어간다. 걸을 때나 수련할 때나, 잊어버려도 자연스럽게 되어야 한다.

다리는 나무뿌리처럼, 몸의 움직임은 수양버들처럼 되어야 한다. 발이 되어야 수법手法을 사용하기 위한 신법身法 연습을 터득할 수 있다.

평소에 걸음을 걸을 때, 뒤꿈치를 땅에 박고, 그 상태에서 외연外沿을 힘주어 잡고(외연이 단련되지 않으면 중심이 안 잡힌다), 발가락으로 땅을 잡는다. 손은 발이 보조하고, 발은 손이 보조해서 같이 움직인다.

처음에 발바닥 밟는 것은 의식적으로 한다. 그러다 숙련되어 무의식적으로 되어야 한다. 발은 원칙대로 계속 밟고 쥐다 보면 저절로 된다. 즉 의식하지 않아도 된다.

◉ 발 단련법

바닷가 모래를 찾아야 한다. 모래의 굵기 정도, 발가락이 파여 들어가는 깊이, 모래가 물을 품고 있는 정도 등을 살펴서 찾는다. 모래가 맞지 않으면 수련이 안 된다. 바닷가 모래 위에서 각도, 걸을 때 감각, 자세 등을 모두 익혀야 한다. 더운 여름철, 삼복三伏에 수련해야 한다. 물이 차가워지면 수련할 수 없다.

발을 모래에서 움켜쥐는 것은 발가락과 발볼 사이에 모래를 채우는 것과 발가락을 빗자루로 쓸 듯이 움켜쥐는 것이 함께 되어야 한다.

뒤로도 걷는다. 이때 머리 뒤에 눈이 있다고 상상하고(눈을 상상으로 만들어서) 뒤로 걷는다. 사람의 신경은 모두 몸의 전면前面에 몰려있다. 무예인武藝人은 앞만 신경 써서는 안 된다.

〈엄지·새끼발가락·외연·뒤꿈치 순으로 수련한다.〉

뒤꿈치를 누르면서 발을 딛고, 외연外沿을 누르면서 새끼발가락을 움켜쥔다. 엄지, 검지에 의식을 두지 말고 소지, 약지, 중지를 의식해 밟는다. 그러나 엄지가 뜨면 안 된다. 바로 한 걸음 디뎠는데 엄지는 약하게 자욱이 나고, 외연에 힘주며 소지가 꽉 쥐어지는 것이 보여야 한다. 양발이 가면서 균형이 똑같아야 한다. 세게 연습하면 안 된다. 사뿐사뿐 걸어가듯이 하면서 자욱이 나도록 한다. 억지로 힘주어서 하면 안 된다. 발 안쪽보다 바깥쪽 측면이 약하므로 발목을 삐기 쉽다. 또한, 걸을 때 기우뚱거리기 쉽다. 따라서 약간 경사진 곳은 외연 위주로 수련한다. 15도 정도 경사진 곳에서 외연을 연습한다. 평소 평지에서 외연 수련을 안 하면 경사진 곳에서 외연 수련이 안 된다.

가장 중요한 발 수련은 뒤꿈치와 외연外沿이다. 발가락 잡는 수련은 보통 하는 수련이다. 그러나 완성을 위해서 모래 위에서 연습한다. 외연外沿 수련 때 땅(모래)이 평평해야지 새끼발가락을 수련할 수 있다. 새끼발가락은 짧으므로 평지에서 잡아도 잡히지 않는다. 그래서 새끼발가락 수련을 따로 한다. 그러면 그것에 연결된 외연 수련이 저절로 된다.

팔자八字 걸음은 외연外沿이 잘못된 것이다. 일자一字로 걸어야 한다. 평소에는 발 사이를 약간 8자로 벌리는 것이 편하다. 뼈 구조가 그렇게 되어있다. 그러나 무예 단련에서는 일자一字로 선다. 단련이므로, 단련은 모으려고 한다. 첫째, 일자一字로 걷는 것은 수련이다. 즉 호보虎步다. 둘째, 보법步法 때 절대 양발 사이가 벌어지게 걷지 않아야 한다. 그리고 셋째, 걸을 때 엉덩이를 눌러야 골반에 힘이 들어간다. 자세 잡을 때만 누르는 것이 아니다. 이렇게 걸어야 중심이 흔들리지 않으면서 힘을 쓸 수 있게 되고 빨라진다.

주의해야 할 점으로는, 먼저 외연外沿 수련은 새끼발가락 쪽 위주로 잡으면서 발가락이 아니라 외연 전체(새끼발가락도 외연으로 생각)로 잡아야 한다. 평소에 권추圈捶 수련을 할 때는 권추가 가서 반대 손에 부딪혀야 발의 외연外沿이 수련된다.

그리고 용천湧泉을 의식하라. 용천을 띄우라는 말이다. 용천을 들라는 말이다. 발가락으로 힘을 잡아야 용천이 뜬다. 2, 3지指로 땅을 쥔다. 용천을 뜨게 만드는 법이다. 발가락 잡고 뒤꿈치를 살짝만 안쪽으로 들어도 용천이 떠야 한다. 너무 들지 말고 자연스럽게 용천만 지면에서 떨어지게 든다.

뒤꿈치가 원래 허虛한 곳이다. 그러나 장딴지를 통해서 맥脈이 흐르는 곳이다. 단련이 되어야 한다. 뒤꿈치 수련은 힘을 기르는 수련이다. 힘이 땅에 딱 잡히도록 하려면 모래를 밟아야 한다. 숙련되면 가볍게 움직인다.

옛날, 내공內功이 된 사람은 땅을 잡았다. 내공內功이 된 고수高手들끼리의 대결에서는 땅이 파인다. 그것으로 공력功力이 부족하다거나, 기예技藝가 뛰어나다거나 하는 등으로 판단했다.

● 발뒤꿈치 단련

첫째, 걸을 때 또는 발을 찰 때 회심퇴懷心腿 감각으로 익힌다. 회심퇴 찰 때 뒤꿈치로 밀면서 찬다. 또는 상대 정강이 등을 발가락 아랫부분(발볼)으로 찬다. 이때는 앞차기의 힘이 아니고 뒤꿈치로 차는 회심퇴의 힘으로 찬다.

둘째, 궁전보弓箭步를 설 때 약간 보폭을 좁게 서서 뒤꿈치가 땅에 붙는 감각을 익혀야 한다.

셋째, 기마보騎馬步를 설 때 뒤꿈치 감각이 가장 잘 습득된다.

바로 섰을 때 허리가 편안해지는 지점에서, 그때 눌러지는 중압감으로 뒤꿈치 누르고 발가락을 움켜쥔다. 바르게 섰을 때 뒤꿈치가 눌러진다. 또 기마보로 섰을 때 허리의 편안함이 나와야 한다. 허리는 중절中節이므로 편안해야 한다. 즉 힘이 들어가면 안 된다. 일좌보一坐步나 좌반보坐盤步를 설 때, 외연外沿이 불안하면 발 안쪽이 불안해진다. 발뒤꿈치, 발가락의 신경이 따로 간다. 따라서 뒤꿈치도 움직여서 잡는다. 발가락 끝만 대고 있어도 중심을 다 싣는 힘이 살아있어야 한다.

궁보弓步에서 앞무릎을 앞으로 더 구부리지 않으면 발가락을 잡지 않은 것과 같다. 뒷다리 엉덩이를 낮추지 않으면 뒤꿈치를 눌러 잡지 않은 것과 같다. 모든 움직임에서 궁보 앞의 무릎이 흐트러지지 않는다. 상체가 숙어지지도 않는다. 뒷발 뒤꿈치가 안 떨어진다. 상체 움직임은 아주 자연스럽고 잘 돌아가고 있다. 이때 보폭만 살짝 넓혀주면(낮아야 단련된다) 완벽해진다. 이런 상태가 몸 전체의 조정을 위해 고쳐줘야 할 것들이다.

외연外沿과 외연 쪽 발가락으로 움켜쥐어야 엄지에 무리한 힘이 안 가고 편안하게 움켜쥘 수 있다. 외연과 새끼발가락을 주主로 하고, 그 외 발가락에 힘을 주고 걸어라. 뒤꿈치·외연·엄지가 균일한 힘이 되게 밟는다(누른다). 뒤꿈치 각을 세워 꽉 밟는 것이 아니다. 외연外沿을 움켜쥐면 내연內沿은 저절로 움켜쥐게 된다. 발가락 하나하나, 외연, 뒤꿈치가 모두 힘이 균일해야 한다. 어느 한 부분도 힘이 달라지면 안 된다. 발의 단련은 〈엄지·외연·뒤꿈치〉 순으로 완성된다. 이렇게 몸을 세운 자세가 정좌靜坐를 할 때 그대로 이용된다.

균형이 잡힌 것의 확인은 모래에 찍힌 모양을 본다. 엄지가 작게 찍히고 외연外沿, 새끼발가락이 많이 찍히는 발자국이 죽 나와야 한다. 그다음에 강하게 밟는 습관을 없애고 전체를 잡으면서 살짝살짝 밟고 가는 수련을 한다.

땅을 잡을 때 뒤꿈치는 밟고, 발가락의 볼살 부분으로 살짝살짝 잡는다. 발바닥 근육 힘이다. 발바닥의 근육 힘이 살아나야 한다.

힘을 쓰려면 앞꿈치(陽)가 힘을 쓴다. 발가락을 움켜잡아야 한다. 앞이 허술하면 힘을 못 쓴다. 뒤꿈치(陰)는 받쳐준다. 양陽이 강하고 음陰이 무르기 때문이다. 뒤가 받쳐주어야 앞이 쥐어진다.

〈음양론陰陽論〉에서 무학武學과 《황제내경黃帝內經》의 내용은 전혀 다르다. 예를 들어, 뼈는 받치니까 양陽이다. 즉 장근掌根으로 치는 것은 뼈로 치는 것이다. 그러므로 양陽이 된다. 또한 〈본국검本國劍〉에서 자검刺劍을 할 때 느슨하고 틀어지는 것이 허실虛實로(음양陰陽으로) 들어간다. 허실虛實이 같이 있도록 들어간다. 강유剛柔(음양陰陽)가 겸해야 한다. 즉 음양론陰陽論이다.

〈발 중심이 몸 중심이 되게 수련하라.〉
〈몸의 중심은 발의 앞과 뒤꿈치, 외연을 움켜쥐는 것으로 잡는다.〉

　몸이 흔들리고 있으면 안 된다. 결국, 발가락·뒤꿈치·외연을 수련해야 몸의 중심을 정확히 잡을 수 있다. 궁보弓步에서 앞발의 앞꿈치를 들고 뒷발의 뒤꿈치를 들면 중심이 잡히지 않는다. 앞발의 무릎을 굽혀야 앞꿈치가 움켜잡아지고 뒷발을 펴야 뒤꿈치가 눌러진다. 궁보弓步 충권衝拳은 자신의 몸 중심을 향해 찌르는 것이다. 그러므로 궁보에서 앞발을 안쪽으로 돌려 서는 것은 몸 중심을 향해 돌리는 것이다.
　발의 외연外沿은 걸어가면서 수련해야 한다. 제자리걸음으로는 안 된다. 하루에 500보步씩 천천히 걷는 연습을 하라. 수시로 지속적으로 수련하라. 노력 없이는 안 된다. 발가락 잡고 걷는 것은, 건강에도 중요하고 평소 안전에도 중요하다. 특히 위장에 좋다. 머리, 정신건강에 좋다.

〈수족手足의 외연外沿은 문중門中의 비급祕笈이다.〉
〈수족手足의 외연外沿을 움켜잡는 것은 무예武藝의 비밀祕密이다.〉
〈보법步法은 발가락에 달려있다. 수법手法은 구수鉤手에 달려있다.〉

　발의 외연外沿이 안 되면 절대 땅을 잡을 수 없다. 손은 구수鉤手의 외연外沿이 수련되지 않으면 절대 수법手法을 쓸 수 없다. 이것이 보법步法과 수법手法의 요결要訣이다.
　발과 마찬가지로 손의 외연外沿이 단련되어야 상대 팔을 수비할 수 있다. 상대 팔을 나拿한 상태에서 좌수로 누르고 우수로 찌를 수도 있고, 우수로 누르고 좌수로 찌를 수도 있다.

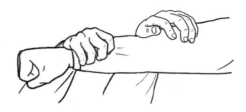

(손의 외연의 사용)

◉ 걷기 수련

① 발의 외연外沿 수련은 4, 5번째 발가락 두 개를 주로 하여 수련한다. 새끼발가락을 잡아야 수련이 된다. 이때 뒷발 뒤꿈치를 뒤로 밀면서 걷는다. 발이 몸의 받침대 역할을 하게 하는 수련이다. 걸으면서 새끼손가락 쪽이 주가 되어 주먹 쥐기를 함께 한다.

② 발 전체를 밟는 수련은 엄지와 검지 발가락 두 개를 주로 하여 수련한다. 이때 걸으면서 손은 구수鉤手를 잡는다. 다리 내측선을 따라 엄지부터, 발목 안쪽, 무릎 안쪽(음경락陰經絡)으로 느낌이 와야 한다. 발바닥이 넓어진다. 딛는 면적이 넓어진다(크기는 같아도). 발바닥이 오리발처럼 넓어진다.

③ 서 있거나 걸을 때 조금만 몸이 앞으로 숙어지면 무릎 안쪽 선에 무리가 온다. 바르게 서야 그곳이 편안해진다.

④ 발힘이 없으면 손에 힘이 없다. 걸을 때 중심 잡는 것을 확실하게 한다.

⑤ 발가락은 억지로 땅을 움켜잡으면 안 된다. 자연스럽게 땅을 딛고 살짝 가볍게 쥐면서 걷는다. 뒤꿈치를 분명하게 지면에 붙이는 것이 중요하다.

● 발 단련

【보법步法】

　발은 몸을 싣고, 활발하게 움직일 때 빨리 변화에 따라야 한다. 발은 안정, 평온하면서 몸을 지탱시켜 줘야 한다. 이것이 발의 사명, 의무이다.

　발 수련은 보법步法으로 연결된다. 보법은 신법身法에 포함되는 것이다. 보법의 의미는 몸으로 친다는 것이다. 몸이 들어가면서 가슴(중절中節)으로 밀면서 팔꿈치(초절梢節의 중절中節)로 밀어친다. 나올 때도 같다. 상대와의 거리는 몸으로 적절하게 조절한다. 이때 발은 가지런하면서, 묘妙가 있으면서, 신법과 수법手法이 적절히 나와야 한다. 이것을 보법이라고 한다. 즉 들어가고 나오는 것을 말한다.

　보법步法이 중요한 이유로는,

　첫째, 〈무예武藝는 근골筋骨을 단련하고 일반운동은 근육筋肉을 단련한다〉. 다시 말하면, 걸음은 그냥 걸으면 육肉이 움직이고, 움켜쥐고 걸으면 골骨이 움직이기 때문이다.

　둘째, 〈무예는 보폭步幅이 전체를 좌우한다〉. 즉 너무 크게 벌리면 다음 동작과 연결이 어색해지고, 너무 적게 벌리면 안정되지 않는다. 본래 기본 수련이 완성된 후에 권법을 수련하는데, 권법은 신법身法과 수법手法만 보기 때문에 보폭의 넓이는 의식하지 않는다. 즉, 수법에 따라 보폭이 좁아졌다가 넓어졌다 한다. 그러나 근본 보형步型은 자기 몸의 균형만큼 잡아야 한다.

　예를 들면, 〈반뢰권磐擂拳〉에서 우각右脚 우반주右盤肘를 하고, 좌각左脚이 나가면서 신권세神拳勢로 찌를 때, 반주를 칠 때는 보폭이 좁으며 신권세는 한 초식招式의 마지막 세(결정세決定勢)이므로 보폭이 넓다. 수련은 내 몸 위주라서 낮게 해야 힘이 잡힌다. 실전은 상대 위주라서 자세가 높아진다.

　상대와의 거리는 신법身法으로 맞춘다. 상대가 물러나면 같은 위치에 다리가 서 있더라도, 상체(중절中節)가 상대 물러난 거리만큼 따라 들어가는 것이 그 예다. 따라서 상체의 움직임을 원활하게 하도록 보폭이 좁아지더라도 엉덩이는 낮게, 뒷발에 힘이 들어가게 수련해야 한다. 상대와의 거리를 맞추는 연습은, '단권單拳 1로路'의 삼충권三衝拳을 한쪽 사람이 걸어 들어가면서 찌르고 상대는 권拳을 막아주면서 연습하는데, 공격과 수비 모두 상대와의 간격을 맞추면서 움직여야 한다. 옆으로 돌면서도 막고, 후퇴하면서도 막고, 공격자는 계속 따라붙어야 한다. 발 수련이 되면 다리 신법이 저절로 된다. 삼절三節에 맞게 된다.

신법身法이란 발에서 무릎 아래까지는 고정되어야 하고 그 위쪽은 자유롭게 움직임을 말한다. 따라서 발은 움켜잡는 것만 주의하면서 몸통이 움직인다. 예를 들어 앞으로 나아갈 때는 발가락은 움켜잡고, 뒤꿈치 힘으로 신법을 움직이며 나간다. 발은 미끄러지듯 들어간다. 몸으로 발을 이끈다. 몸이 손, 발을 끌고 가야 한다. 보법은 신법과 함께 가장 중요한 수련 영역이다.

〈발의 신법身法은 상대에게 떨어지지 않고 붙어가는 것이다.〉

보형步型과 보법步法은 서로 다른 것이다. 그러나 보형에 힘이 없으면 보법도 힘이 없다. 예를 들어 궁보弓步는 발바닥이 견고하게 움켜잡아야 발목에 힘이 생기고 자세가 견실해진다. 그리고 허리 신법은 버들가지 같아야 한다.

보법은 움직이는 것이고 활발해야 한다. 평소에도 움직일 때 좌, 우 방향에 따라 발가락을 잡으면서 움직이는 것이 보법과 신법이다. 앉아서 움직일 때도 골반骨盤이 발 역할을 하면서 온몸이 다 움직여야 한다. 보법은 내 몸을 짊어지고 다니는 역할을 한다. 발은 싣고 가고, 손은 일을 한다. 그러므로 수법手法의 문제는 보법이 안 되는 것에 있다.

〈땅 움켜쥐고 뒤꿈치에 중심을 두는 것이 보법步法의 기본이다〉.

천지天地를 다녀도 없는 말이다. 걸을 때의 발의 음양陰陽은, 뒤꿈치는 음陰으로 회심퇴懷心腿의 힘으로 밀면서 나간다. 앞꿈치는 양陽으로서 앞차기 때의 의미와 같다. 발가락으로 잡는다.

　수법手法과 신법身法을 잘 맞춰주는 것이 보법의 역할이다. 5가지 보형步型으로 균형을 낮춰 신법, 수법이 잘 운용되게 해주는 것이 보법이다. 신법, 수법 수련이 권법拳法이므로 권법 자체가 보법 수련이다. 따라서 권법을 잘못 배우면 보법도 못 고친다. 기둥을 중앙에 세우고 원을 돌며 걷는 것도 보법이 아닌 수법에 기준을 삼고 움직인다. 단권單拳도 걸어가지만, 수법 연습이다.

〈신법身法 없이 걷는 것은 없다.〉

　이 내용은 문중門中의 묘수妙手로 들어가기도 하고, 단련으로도 들어간다.
　보법步法은 따로 배우는 것이 아니다. 움직이는 권법拳法(투로套路)이 보법 수련이다. 투로套路를 할 때 손발이 같이 움직여야 한다. 보법이 중요한 것이 아니다. 신법身法과 수법手法이 중요하다. 보법은 단지 싣고 다닌다. 몸을 잘 받치고 움직일 수 있는 것을 '보법을 잘한다'라고 한다. 투로를 하는데 '보법이 훌륭하다'라고 하는 말은 '신법이 훌륭하다'라는 말이다. 신법과 수법을 잘 할 수 있도록 몸을 잘 싣고 다녀야 한다.
　보법步法은 다 변화하는 것이다. '단권 4로'도 제자리에서 변화가 되어야 한다. 보법의 기본은 4로에서 연습한다. 몸이 나가는 방향으로 발을 이동해야 한다. 공방攻防에서 몸은 앞으로 나가면서 발은 사선으로 나가면 안 된다. 투로 역시 일직선으로만 해서는 안 된다. 제자리에서도 하고 다른 방향으로도 자유롭게 하는 것을 두고, 보법, 신법 수련을 한다고 하는 것이다. 이런 방법으로 보법을 터득해야 한다. 오래 수련하면 다 된다. 고정된 틀에서 벗어나야 한다.
　보법步法은 몸을 잘 싣고만 가면 된다. 의지를 둘 것이 없다. 다리의 삼절三節은 보형步型에 의지해서 해야 한다. 그래서 보형 수련을 한다. 대부분 들어가고 나올 때 다리가 뒤에 들어간다. 보법이 틀렸다는 말이다. 발은 쉬지 않고 움직이며 끊어지지 않아야 한다. 수법手法은 어렵다. 잘못되면 못 고친다. 초절梢節(수법手法) 신법이 가장 어렵기 때문이다.

5가지 보형步型은 틀이다. '균일한 걸음으로 한다(均步)'는 것은 실전처럼 걸어 다니면서 투로를 하라는 것이다. 그러나 '보형에 의지한다'라는 말은, 예를 들어 복호세伏虎勢를 하려면 보형의 틀이 들어갈 수밖에 없는 것이다.

보형에서 보폭은 자세 수련을 위해 크게 원식대로 수련하지만(힘을 기른다), 발차기, 단권, 권법을 수련할 때는 보형이 신법이 된다. 즉 보법은 신법에 포함되므로 폭을 적당히 벌린다. 조금 좁아진다. 보폭이 좁아져야 상체가 원활하므로 보형이 신법이 되는 것이다. 예를 들어 '단권 1로'에서 주먹 찌를 때는 허리가 편하게 느껴지는 정도의 보폭으로 서야 한다. 움직이기 때문이다. 움직이면 벌써 보법으로 들어가는 것이다.

〈권법의 보형步型은 모두 신법身法 때문에 만들어지는 것이다.〉

예를 들어 〈반뢰권磐擂拳〉의 마지막 초식에서 우수우각右手右脚으로 발을 차면서 장掌으로 치고 상대가 받으니까 좌수로 걷어서 들어 올리며 우권右拳을 지르는데, 허리 신법으로 돌며 측신側身으로 치니까 발은 자연히 기마보騎馬步처럼 되는 것이다. 기마보를 의도적으로 만들며 지르는 것이 아니다.

1. 발 수련과 보법步法

최대한 앞 발끝을 뒤로 젖혀서 딛는다. 뒤꿈치를 땅에 깊이 박기 위한 것이다. 발로 힘주어 당기지 않아도 몸이 저절로 앞으로 간다. 단, 앞의 발가락도 똑같은 힘이 있어야 한다(뒤꿈치에만 의지하지 말 것). (그림1)

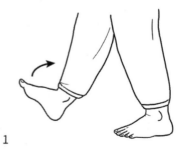

앞발 뒤꿈치 밟고, 발가락 잡고, 그 상태에서 뒷발 뒤꿈치를 떼며 걸어간다. 뒷발의

1

볼살은 땅을 누르고 있어야 한다. 발이 땅에서 떨어지기 전에는 발가락 힘을 풀면 안 된다. 이것으로 도약과 빨리 걷고 하는 것이 된다. 발이 나아가면 반드시 앞발 외연外沿으로 지탱하는 힘을 잡아야 한다. 뒷발만 신경 써서는 안 된다. 발바닥 밟는 것도 모두 천천히 해야 터득이 된다.

- 앞에 디딘 발의 힘으로 뒤의 발이 움직여 나간다.
- 걸을 때는 대퇴大腿로 걷고, 발은 차듯이 나간다.
- 엄지는 방향을 잡고, 소지小指는 중심을 잡는다.
- 허리 펴고 배를 들고 걷는다.
- 손과 발이 정확하게 같이 움직여야 한다.

평소 보행을 할 때 잘 익혀서 그것이 무예보법武藝步法이 되어야 한다. 걸을 때는 독립보의 힘과 같다. 땅에 붙은 발은 공중에 뜬 발이 다시 땅을 밟을 때까지 단단하게 잡아야 한다. 빠르게 걸어도 자세가 흐트러지지 않게, 그래야 앞발이 바르게 쭉 펴지면서 걷게 된다. 이렇게 걷는 것이 보법步法이다. 발을 움켜잡는 힘이 없으면 대퇴로 걷지 못한다. 다리는 대퇴의 힘이 있어야 한다. 자세 또는 발차기 때 발목과 무릎에 힘주고 차는 것 등, 다리 수련을 통해 힘을 길러야 한다. 발은 앞부리를 잡지 않으면 뒤꿈치가 상상傷한다.

도인체조導引體操의 뒤꿈치를 드는 자세에서는, 엄지와 둘째 발가락에 힘을 쓰고 나머지 3개의 발가락은 받친다. 대적對敵 시에도 그렇게 움직인다.

기룡세騎龍勢를 예로 들면 몸을 오른편으로 돌리며 오른발이 나가서 기룡세를 만들 때, 이때는 오른발의 오른쪽 3개 발가락이 힘을 쓰고 엄지와 검지는 받쳐준다. 그때 상황에 따라 발가락 운용이 변한다.

허리, 엉덩이, 발 등의 자세에 의해 힘이 달라진다. 발의 외연外沿에 힘을 키우는 것은 권추圈捶로 길러야 한다. 권추는 적절히 쳐야 단련이 된다. 오래 수련하면 가슴이 울려서 세게 안 때린다. 권추를 받는 손은 장掌 단련이다. 발차기할 때 몸을 지탱하고 중심 잡는 발은 '땅이 꺼져라!' 하고 잡아야 한다.

진각震脚은 땅에 발을 박아넣어 그 반탄력을 이용하는 것인데 발 공부가 안되면 할 수 없다. 발이 몸을 이겨내지 못하면 발 공부가 안된 것이다.

몸의 중심이 잘 잡혀야 발을 잘 움켜쥐게 된다. 중심이 없으면 힘이 없다. 딛는 발의 뒤꿈치가 지면에 붙지 않으면 중심이 잡히지 않고, 중심이 잡혀야 힘이 길러진다. 발가락 수련이 되면 힘을 쓰는 발 근육이 달라져 보행이 달라진다. 그것이 보법步法의 기초가 된다.

〈발이 느리면 손이 느리다.〉
〈허리와 가슴(초절과 중절)이 수련된 뒤에라야 보법 수련을 할 수 있다.〉
〈발이 가벼워야 몸이 가벼워진다.〉

따라서 손을 빨리 움직이려면 발도 같이 빨리 움직여야 한다. 제자리서 상대를 신법으로 수비하고 공격하더라도, 발을 그 자리에서 뗐다가 붙이는 움직임을 반드시 해야 한다. 제자리에서 몸을 번신飜身할 때도 항상 발을 움직이면서 해야 한다. 한번 움직이면 꼭 손과 발이 같이 움직여야 한다. 손은 공격하더라도, 발은 상대에게 허점을 보이지 않으려고 하면서 움직인다.

궁보弓步에서 기마보騎馬步 또는 그 반대로 신법을 움직일 때 발바닥으로 움직이지 말고 무릎을 먼저 움직여라. 그래야 발이 가볍게 움직여진다. 보행 연습에서도 무릎이 초절梢節이라고 생각하고 걸어라. 이때 무릎에 힘주고 걸어라, 발차기 때도 마찬가지다. 운전은 중절中節이 한다.

발이 가볍다는 말은 발볼과 발가락으로 딛고 걷는다는 것이다. 뒤꿈치가 뜬다. 몸이 가벼워지는 것은 발로 인해 신법이 빨라진다는 것이다. 처음에는 뒤꿈치로 딛는 수련 후 발 전면으로 딛고 걷는 수련을 보조해야 한다.

2. 궁보弓步 수련

궁보弓步자세로 제자리에서 권拳과 장掌을 지르는 수련에서 중요한 것은,

'중심 잡기'를 수련하는 것이다. 손이 움직이고 허리가 움직이면 몸이 중심에서 흩어진다. 이때 궁보 자세의 다리 힘으로 발바닥, 발목 등으로 중심이 흩어지지 않게 수련을 해야 한다. 땅에 착착 달라붙어 있는 힘을 기르는 것이 궁보 수련이다. 뒷발 뒤꿈치는 움켜잡고 앞발은 체중(몸)을 실어 받쳐주고 있는 느낌이 와야 한다. 실전에서 궁보를 가장 많이 쓰기 때문에 보법步法이 이루어지려면 궁보가 되어야 한다. 궁보弓步와 기마보騎馬步를 잘 서면 다른 보형步型은 쉽다. 즉 중심이 흔들리지 않게 하는 수련이 되어야 한다.

기마보는 절대 몸을 앞으로 숙이면 안 된다. 실전實戰에서 아무것도 안 된다. 실전에서 선 자세로 정면으로 공격하거나 선 자세로 측신側身으로 움직이는 것은 모두 궁보와 기마보의 응용이다. 이럴 때 중심이 순간순간 흩어지면 안 된다. 이렇게 중심이 잡혀 있어야 발을 내가 의도한 곳으로 움직여 나갈 수 있다. 보법이 제대로 될 수 있다. 다시 말하면, 〈몸의 중심은 다리를 따라간다. 몸의 중심은 발을 따라가야 한다〉. 따라서 발이 수련되지 않으면 안 된다. 몸의 균형과 선線이 바르게 되어야 한다. 그래야 힘을 넣었다 뺐다 자유롭게 된다. 허실虛實이 조화를 이룬다.

상승무공上乘武功의 신법身法은, 예를 들면 궁보弓步에서 충권衝拳을 지를 때 허리를 돌려라. 가슴 다음 허리를 돌려라. 손이 갈 때 허리를 먼저 움직인다. 즉 내기內氣를 쏟는다. 무리하지 말고 자연스럽게 되어야 한다.

발이 꽉 쥐어져야(實), 허리를 틀면서 나간다(虛). 그리고 권拳, 장掌에 힘을 준다(實). 허虛와 실實이 조화를 이룬다. 즉 틀면서 허虛해야 빠른데, 전사纏絲로 돌아가야 한다. 상대 손을 막을 때도 힘을 빼고 전사로 젖힌다. 나拿하고 나면 손이 스르륵 풀려야 한다. 허虛하지 않으면 실實하지 못 하다. 즉 잡고 채지 못한다. 상대를 챈 다음 다시 허虛해졌다가, 칠 때 부딪히면 다시 실實해진다. 무의식적으로 되어야 한다. 힘을 쓰는 순간은 짧다. 권拳은 허리만 틀면 나간다. 손·발·허리가 같이 떨어진다. 골반은 제 위치에 가는 것으로 역할을 다 한다. 발이 틀려져야 골반이 돌아간다. 따라서 발과 골반은 그대로 두고 허리를 튼다. 즉 발과 골반을 그대로 두면 자연히 허리가 돌아간다.

3. 공방攻防에 있어서 보법步法의 변화

권법拳法 수련 때 발을 끌면 실전에서 발이 땅에 걸려 넘어진다. 발을 들고 나가면서 걷되, 높게 들어서도 안 된다. 시간이 지체된다. 자연스럽게 살짝 들었다 놓는다. 발을 끌듯이 평보平步로 움직이는 보법은 좌, 우로 움직일 때, 또는 요보拗步로 걸을 때 사용한다(편섬보偏閃步, 기룡보騎龍步 등).

예를 들어, 발의 힘이 확실하면, 상대가 충권衝拳을 질러올 때 허보虛步로 상체만 약간 물러나면 받을 수 있다. 그러나 상대 힘이 강한 경우, 한발 물러나서 상대 공격을 당겨 받지만, 몸은 물러나지 않고 밀고 들어가며, 이때 물러난 뒷발의 무릎을 들면 뒤꿈치가 들리고 앞 발가락으로 받치며 공격한다.

(보법의 변화)

1

2   3

만약 충권衝拳을 한 초식으로 공격한다면, 상대방 공격을 좌수로 막으면서 좌궁보左弓步로 우수를 찌를 때 우각右脚(뒷발)에 힘이 들어간다. 다음 왼발 (앞의 발)에 힘을 주면서 좌수를 찌르고(이때 좌각左脚이 앞에 있지만, 뒷발이 된다), 다음 뒤에 있던 우각이 앞으로 나가면서 우수를 친다(이때도 좌각이 뒷 발이 된다). 두 번째 공격 때 왼발에 힘을 주니까, 세 번째 오른발 나갈 때는 발이 가볍게 나간다. 또는 좌각우수左脚右手로 찌른 다음 우각을 들고 나가며 (撃步) 좌수를 찌르고 우각을 놓으면서 우수를 찌른다. 체보撃步로 치는 것은 멀리 칠 수 있다. 순보順步와 요보拗步, 그리고 체보에서의 힘과 몸의 중심의 이치를 알아야 한다. 공격할 때 발은 뒤꿈치가 눌러지며 발가락을 움켜쥘 때 발發한다. 그리고 발힘이 빠져도 중심을 그대로 유지한다. 즉 힘을 주었다가 다시 자유로워지고 칠 때는 다시 발에 힘을 주고 해야 한다.

공방攻防에서 연속으로 걸어 들어가며 공격하는 것에 익숙해져야 한다. 무 예에서 일보一步는 두 걸음(二足)을 의미한다. 1보步는 좌우 한 발, 1족足은 한 발, 반보半步도 한 발이다. 들었다 놓아도 한 발이다. 발차기도 한 발이다. 쌍보雙步는 네 걸음, 즉 네 번 발이 움직인다. 예를 들면 '권추대련'은 1보 수 련이다.

1보步(二足)가 어렵지만 2보(네 걸음)는 더 어렵다. 단권 4로는 1보 수련이 다. 1보에 한 초식招式, 즉 2타打 또는 3타打 연습부터 되어야 한다. 1족足 1타打는 어렵다. 권법 투로가 본래 1족足 1타打 수련이다.

1보 연습부터 하라! 예를 들면 한발이 나가며 상대 손을 걸고, 연이어 뒷발 나가면서 2타, 3타 연습하는 것이다. 그것이 숙련되면 1족足 1타打 수련으로, 순보順步로 1족足씩 걸어나가면서 1권拳, 요보拗步로 1족足씩 걸어나가면서 1권拳을 연습해서 완전히 숙련되어야 한다. 발은 연속으로 잘 차는데, 손은 연속공격을 잘 못 한다.

또 다른 수련법은, 수법手法 한 동작마다 걸음(一足)을 더하여 나가면서 연 습한다. 한 걸음(一足)에 1권拳, 두 걸음(二足)에 1권拳, 세 걸음(三足)에 1권 拳……, 초서草書로 움직이는 것이다. 수법이 중간에 멈추지 말고 계속 나가면서 두세 걸음을 걸어 나가야 한다. 실전實戰에서 사용할 수 있어야 한다.

　1보步는 연결되어야 한다. 1족足이 나갈 때 뒷발도 같이 뛰어서 계속 나가야 한다. 지면에 붙어있으면 둔하다. 뒤꿈치 보법으로 걸으면 둔하다. 손과 발이 같이 나가야 하므로 발이 느리면 손도 느리다. 따라서 앞 발가락 보법으로 나가야 빠르다. 발가락에 힘주어 튕기고, 뒤꿈치는 대개 지면에서 떠 있어야 한다. 앞 발가락으로 모두 움켜쥔다. 그렇게 움직여야 빠름이 나온다.

　〈현각권懸脚拳〉에서 기고세旗鼓勢와 중사평세中四平勢(中平一刺)는 1족足 1타打다. 도삽세倒插勢 후 1족足 빠지면서 일삽보세一霎步勢는 1보步다. 요단편세拗單鞭勢는 나갈 때 오른손 채면서 뒷발은 튕겨서 나간다. 신권세神拳勢에서 붕권崩拳치고 신권神拳으로 연결되는 것, 이것도 1보步다. 붕권崩拳 칠 때 뒷발은 튕겨서 나간다. 〈반뢰권磐擂拳〉의 반주盤肘 후 신권神拳도 1보步다. 반주盤肘 칠 때 뒷발을 들며 나간다.

　병장기兵仗器 수련도 뒤꿈치가 계속 고정되면 안 되고, 상지上肢의 초절梢節이 움직일 때 같이 움직여야 한다. 다만 뒤꿈치로 중심 잡는 것과 걷는 것이 먼저 숙련되고 나서다.

　평보平步가 어려운 것이다. 발 전체를 들고 밟는 것이다. 발 수련이 다 되어야 할 수 있다. 발에 힘이 있어야 가능하다. 중심과 균형도 맞아야 하고, 평보로도 움켜쥐어야 고수高手다.

　고수高手의 움직임은, 공격할 때 뒷발 뒤꿈치를 지면에 붙여 한 번 발경發勁되면, 상대에게 공격이 가닿기 전에 뒤꿈치가 땅에서 떨어져 다른 목적으로 움직인다. 걸어가면서 뒷발이 공중에 뜰 때 이미 반탄력(경勁이 내 몸에 갇혀 있다가 그 힘이 발출만 되는 것이다)이 이루어진 것이다. 그리고 앞발에 중심 쏟고……,

　고수는 상대를 끌어들여서 친다. 그러나 보步가 활발하므로 상대가 뒤로 물러가면 그 힘을 타고 들어가 친다. 고수는 상대를 몰아서 공격한다. 못 빠져나가게 좌우로 강하게 들어가면서 구석으로 몰아친다. 모두 보步가 하는 것이다.

1보步가 익숙해질 때까지 연습하라. 그래야 1족足 1타打, 체보掣步로 1족足 2타打가 능숙해진다. 〈반뢰권磐擂拳〉에서 회심퇴懷心腿와 장장掌의 조합은 1보步 수련이다. 독립보獨立步로 뒷발을 들면서 친다. 실전에서 좌수左手로 상대 좌수 공격을 감아 우장右掌으로 상대 상완上腕을 치고, 독립獨立으로 뒷발(右脚) 들며 좌장左掌으로 상대 오른편 옆얼굴치고, 우각右脚 놓고 뒷발(左脚) 들면서 우장右掌으로 몸통치고…….

장장掌의 높이와 모양을 신법身法과 함께 방향과 각도를 자유자재로 들어가면서 친다. 1보步는 동작이 연결되어야 하고 끊어지면 안 된다. 수련할 때 권拳을 장장掌으로 펴는 힘, 발로 차는 힘, 나간 손을 쥐는 힘이 같이 떨어져야 한다.

무예武藝를 측정하는 데 있어서, 삼장법三掌法은 한 번 출수出手에 장장掌을 3번 치는데, 각 장장掌이 똑같이 힘이 있게 출수出手가 되어야 한다. 삼장三掌은 1초식招式이다. 한 번 움직여 3장掌·6장掌·9장掌·13장掌까지 들어간다. 4초식招式이다. 마지막 13장掌은 거두어들이는 장장掌이다. 장장掌은 손(手)을 말하는 것으로 문헌에는 권拳, 장장掌으로 표현되어 있다. 권을 치고 상대 몸이 변하는 데 따라 권을 비벼서 장을 치고 연이어 권으로 올려치면 3장掌이다. 상상을 못 한다. 신법과 보법이 안 되면 되지 않는 것이다.

4. 진각震脚

진각震脚이 다리에 힘을 기르는 수련인 줄 알고 있다. 그렇게 안다면 무인武人이 아니다. 진각은 몸의 신법과 도약, 그리고 탄력을 키우는 수련법이다. 그것이 진각을 하는 이유다. 지면을 발로 강하게 내려치는 것은 틀린 것이다. 발과 무릎이 다 상한다. 본래 살짝 땅을 눌러도 탄력적인 힘이 나오도록 만드는 것이다. 진각으로 걸어야 뒷발이 번개처럼 따라 나간다.

진각을 하려면 진흙땅을 만들어야 한다. 본래 연무장은 진흙땅으로 만든다. 진흙 바닥을 해놓고 진각을 해야 한다. 2m 정도 땅을 판다. 그곳에 진흙을 넣는다. 진흙이 마르지 않도록 소금을 붓고, 그 위에 다시 진흙을 쌓고 해서 지면까지 올라오도록 몇 겹을 쌓는다. 그러면 충격을 흡수하는 완충력이 생긴다. 아침에 소금을 뿌리고 오후에 수련한다. 이런 땅에서 진각 수련을 한다. 예를 들어 권법 중에는 뛰는 곳이 많다. 스프링처럼 탄력 있게 뛰어나가는 신법을 수련하기 위해서 한다.

〈본국검本國劍〉에서도 발초심사撥艸尋蛇·표두압정豹頭壓頂과 맹호은림猛虎隱林, 용약일자勇躍一刺 등은 진각의 탄력으로 돌아야 한다. 칼과 앞발이 같이 떨어지면서 칼이 들어갈 때 뒷발에 힘이 들어가야 하고 다리에 힘이 잡혀야 한다.

'단권 4로'의 독립보에서 걸어나가며 벽권劈拳을 칠 때, 몸이 나가며 팔은 아래로 내려친다. 튕기듯 친다. 즉 몸이 나가며 팔은 아래로 내려 펴니까 실제로는 앞으로 치는 힘이 나온다. 수평까지만 내려친다. 이때 나가는 앞발은 진각이다. 그래야 다음 공격이 힘을 받고 빨라진다.

〈포가권抛架拳〉에서 전신우등퇴轉身右蹬腿를 하고 발이 떨어질 때 우각右脚을 지면에 진각으로 밟는다.

〈맹호권猛虎拳〉에서 우각右脚으로 내파각內擺脚을 차고 지면에 놓으면서 우권右拳 지르고, 좌우각左右脚이 걸어나가며 좌, 우를 두 번 찌를 때 파각을 차고 놓는 발이 진각이다. 1초식이다. 연결되어야 하고 끊어지면 안 된다.

지면에 발(뒤꿈치)이 닿은 다음 발가락으로 잡는 것이 발을 밟는 일반적 과정으로 순식간에 되지만, 실전에서는 더 빨리하기 위해 미리 발가락에 힘주고 평보平步를 만든 다음 진각을 한다. 평보는 발가락 힘이 없으면 안 된다. 발을 상상傷한다.

5. 보법步法과 수법手法과의 관계

보步를 움직일 때, 팔의 움직임과 보步의 방향이 똑같이 움직여야 한다. 만약 상대 공격을 나의 우수로 오른편 바깥에서 왼편으로 밀어 막는다면 이때 팔꿈치(팔의 중절中節)가 왼편으로 방향을 틀기 때문에 앞으로 나가는 발(우각右脚)의 무릎도 왼쪽으로 돌려야 한다. 다시 막은 손을 바르게 펴 공격하게 되면 왼쪽으로 움직이던 앞발 무릎이 다시 정면으로 방향을 바꾸어 나가야 한다. 다시 말하면 팔꿈치와 무릎이 합해져야 한다.

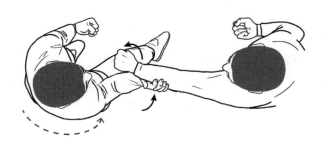

(중절中節의 합습)

내가 우각우수右脚右手로 나가며 오른 주먹으로 공격하면 상대가 팔을 들어 올려 막는다. 그러면 나는 내 오른손으로 상대가 방어한 팔을 걸어서 당기며 앞으로 나가는데, 이때 앞에 나간 발(우각右脚) 앞꿈치로 땅을 잡아당기면서 몸이 같이 나가야 한다. 걸어서 당길 때, 손은 상대 힘을 당기고 발은 나를 앞으로 당긴다. 즉 앞발은 땅을 잡아당긴다.

내 주먹이 들어가면 발도 들어가고, 상대 공격을 내 손으로 눌러 걸어 뒤로 당기면 발도 눌러 뒤로 당겨야 한다. 즉 앞 발가락에 힘주어 땅을 당기듯 하는 것이다. 뒤로 움직이는 것은 아니지만 뒤로 가는 힘이 발 안에 있다.

만약 내가 왼발 왼손으로 공격하면 벌써 다음 움직임을 위해 오른발이 들려서 나갈 준비를 해야 한다.

6. 신법身法에 따른 보법步法의 연습

보법步法의 수련에서 대표적인 것은, 한 사람을 중심에 세워두고 원圓을 그리며 걷는 방법이다. 일반적으로 8보步 수련과 4보步 수련을 채용하는데, 8보는 팔괘八卦를 의미하고 4보는 사괘四卦를 의미해서 수련하는 것이다.

8보 수련은 반원半圓을 걷는 동안 여덟 걸음을 걷고, 4보 수련은 반원을 걷는 동안 네 걸음을 걷는다(陰陽). 한 바퀴에 모두 16걸음과 8걸음을 걷는데 좌우 교대로 연습한다. 손과 눈은 원의 중심 쪽으로 향한다. 이때 다리가 먼저 걸어 나가면 틀린 것이다. 그러면 몸 따로 다리 따로가 되어 다 끊어진다. 즉 다리가 나가는데 몸은 멈춰있게 되어 소용없다. 보법은 삼절三節의 일치를 요구한다.

보법步法은 신법身法에 의해 자연히 형성되는 걸음의 형태로서, 보법이 따로 정해진 것은 아니다. 소위 〈오행보五行步〉·〈칠성보七星步〉 등은 모두 신법의 변화로 만들어지는 것이다. 즉 어떤 정해진 신법을 표현할 때 자연히 나오는 보법이다. 보법이 따로 있는 것이 아니다. 따라서 그런 보법의 구조를 연습하는 것은 소용없다. 신법에 따라 그렇게 걷는 모양이 나오는 것이다. 몸은 중절中節이므로 근절根節인 다리보다 먼저 움직인다. 즉 신법이 우선이다. 보步가 먼저 움직이는 것은 잘못된 것이다.

보법의 변화는 하나의 초식招式에 대한 변화가 중요하다. 한 초식이 완성되면 보법의 변화가 다시 시작되기 때문이다. '오행보五行步(기룡보騎龍步)'를 예로 들어 실전에서의 신법에 따른 보법의 운용을 살펴본다.

①　을이 삼충권三衝拳(한 초식招式)으로 들어올 때 갑이 기룡세騎龍勢로 받는 보법步法으로, 이때 삼충권으로 공격해 들어가는 을은, 피하는 갑의 보법을 따라가며 공격한다. 갑은 삼충권에 맞서 빠지는 보법으로 움직인다. 기룡보騎龍步는 좌반보가 아니다. 궁보弓步로 걸어가며 요보拗步로 걷는 것이다.

상대 공격을 기룡騎龍으로 받을 때는, 몸은 축기蓄氣하며 움츠러들며 받아야 한다. 상대 공격은 주로 가슴, 얼굴로 향해 오므로 가슴과 얼굴로 오는 공격을 가장 주의해야 한다. 두 사람이 호흡을 맞춰 수련하는 것이 중요하다.

① 갑과 을은 병보竝步로 마주 보고 선다.

② 을이 우족을 앞으로 나가며 우궁보右弓步로 우권右拳을 지른다. 갑은 우족右足을 좌측 앞으로 나가며 기룡으로 을의 공격을 받는다. 연이어 좌족左足을 우족 옆으로 가져간다.

③ 을은 상대 중궁中宮 쪽으로 몸을 돌리며 갑의 방어와 측면 공격을 빠르게 빠지면서 좌족을 한 걸음 나가며 좌권左拳을 지르고, 우족이 나가며 우권右拳을 지른다. 갑은 우족을 뒤로 한 걸음 물리고 이어서 좌족을 다시 한걸음 뒤로 물러선다.

④ 을이 다시 좌족이 한 걸음 나가며 좌권으로 지른다. 갑은 우족을 편섬偏閃으로 옆으로 빠지며 공격해 들어간다. 상대 공격에 일보一步(두 걸음) 이상은 양보하지 않는다. 상대의 재차 공격을 받으면 옆으로 빠지며 공격한다. 편섬은 옆으로 피하는 것이다. 편섬은 단순히 피하지 않는다. 공격하면서 피한다. 본래 기룡은 방어 후 반드시 연이어 공격해야 한다. 보법에서 측면으로 피해 나가는 것이 가장 귀하고 중요하다.

갑이 뒤로 두 걸음 물러날 때 번개처럼 물러나야 한다. 상대 공격을 기다려 물러나면 당한다. 전진하는 걸음보다 물러나는 걸음이 늦기 때문이다.

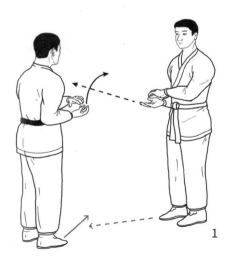

1

2

●步　法

3

4

5

6

[2] 을이 삼충권三衝拳으로 들어올 때 갑은 을의 공격을 기룡세로 받되 뒤로 물러나지 않고 신법身法으로 바로 막고 공격할 때의 보법.

① 갑과 을은 병보竝步로 마주 보고 선다.

② 을이 우족을 앞으로 나가며 우궁보로 우권右拳을 지른다. 갑은 우족을 좌측 앞으로 나가며 기룡으로 을의 공격을 받는다. 연이어 좌족을 우족 옆으로 가져간다.

③ 을은 갑의 중궁中宮 쪽으로 몸을 돌려, 우궁보로 좌권左拳을 찌른다. 갑은 우족右足을 오른편으로 나가며 좌우족左右足을 우右로 비비며 우수로 을의 좌수 공격을 받아 올리며 좌장左掌으로 을의 우측 기문혈期門穴을 공격한다. 이어서 좌우족을 좌左로 비비며 좌수로 을의 우수를 찾아서 나拿하고 우장右掌으로 을의 좌측 장문혈章門穴을 공격한다. 제자리에서 신법身法으로 발을 좌우로 비비며 치는 것이다. 요퇴腰腿가 함께 움직여야 한다.

만약 을이 좌각左脚을 한 걸음 걸어 나오며(좌궁보) 좌권左拳을 찌른다면, 갑은 우족을 살짝 뒤로 물리는 것과 동시에 을의 공격을 받아들이며(摯步), ③과 같은 공격을 할 수 있다.

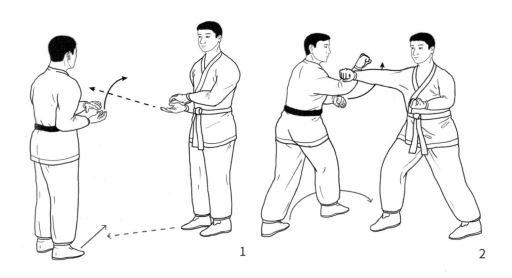

1　　　　　　　2

3

4

5

③ 을이 삼충권三衝拳으로 들어올 때 갑이 기룡세로 받되 상대 팔을 끊어 들어가면, 을이 갑의 공격을 받을 때 운용하는 보법.

① 갑과 을은 병보竝步로 마주 보고 선다.

② 을이 우족을 앞으로 나가며 우궁보로 우권右拳을 지른다. 갑은 우족을 좌측 앞으로 나가며 우수로 기룡으로 을의 공격을 받는다. 동시에 을의 우수를 갑은 우수로 나拿하며, 좌수로 을의 우수 팔꿈치 활절을 끊어친다.

③ 을은 갑의 공격을 좌수로 받는다. 이때 갑은 앞으로 나간 우족을 뒤로 빼면서, 동시에 을의 좌수를 갑의 좌수로 나拿하며, 우수로 을의 좌수 팔꿈치 활절을 끊어친다. 혹은 갑이 우족을 뒤로 빠지는 대신 우족을 들어 을의 대퇴, 무릎 등을 공격해도 된다. 갑의 우족이 꼬여 요보拗步로 되어있어 을이 갑의 약한 부위로 공격해 올 수도 있지만, 갑은 우족을 뒤로 빼거나 혹은 바로 퇴법腿法으로 연결할 수 있으므로 약한 부위가 아니다.

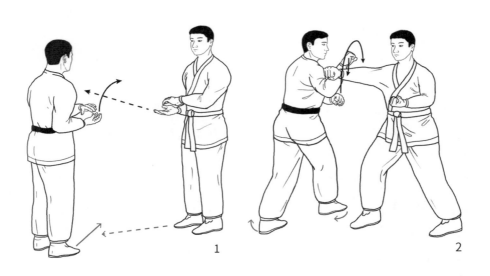

1   2

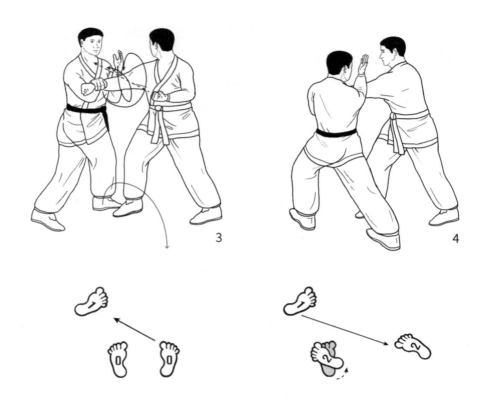

3

4

④ 을이 삼충권三衝拳으로 들어올 때 갑이 기룡세로 받고 신법으로 상대 공격을 어거御車한다. 보법과 수법이 조화되게 움직여 상대를 얽어서 갇히게 만든다.

① 갑과 을은 병보竝步로 마주 보고 선다.

② 을이 우족右足을 앞으로 나가며 우궁보右弓步로 우권右拳을 지른다. 갑은 우족을 좌측 앞으로 나가며 기룡으로 을의 공격을 받는다. 연이어 좌족左足을 우족 옆으로 가져간다. 계속해서 갑은 을의 우수를 나拿하여 을의 왼편으로 살짝 돌려 중심을 흩트린다(化). 너무 많이 돌리면 을의 다음 공격을 유도할 수 없다.

③ 을은 갑의 중궁中宮 쪽으로 몸을 돌리며, 우궁보右弓步로 좌권左拳을 지른다. 갑은 좌족을 원래 위치로 한 걸음 물리고 좌반坐盤으로 앉으면서 좌수

를 들어 을의 좌수 공격을 받아 나拿하며 동시에 우수로 횡붕권橫崩拳으로 을의 몸통을 공격한다. 이때도 을의 좌수를 을의 오른편으로 살짝 돌리면 을의 중심이 흩트려진다. 을의 공격을 어거御車하여 중심을 잃게 해 갑의 원권圓圈에서 벗어나지 못하게 한다.

7. 발의 신법身法

발의 신법身法은 몸의 신법을 따른다. 예를 들어,

1) 상대와 대적 시 우수우각右手右脚이 나가며 반배장反背掌으로 찔러 들어간다. 상대를 교란하려는 목적이고, 상대 손을 끌어내는 목적이다. 이어서 좌족左足이 정면을 향하여 한 걸음 나아가고 몸을 오른쪽으로 돌리는 것과 동시에 상대 손을 나拿한다. 우족右足은 몸이 오른편으로 90° 도니까 같이 90° 돌리며, 좌족은 정면으로 똑바로 전진한다. 몸은 돌고 좌족은 바르게 간다. 계속해서 몸을 왼편으로 돌리는 것과 동시에 우족도 다시 90도 좌左로 틀면서 우권右拳으로 찌른다. 전진과 함께 상대 수법을 흘리기 위한 신법이다. 발이 주먹 나가는 방향과 같아야 힘을 쓴다. 골반이 쪼여 들어야 한다.

(발의 신법)

3

4

2) 상대 공격을 측신側身으로 틀며 받을 때, 기마보로 서는 듯하면서 뒷발이 몸과 같이 90° 가깝게 오른편으로 돌리며 막는데, 이때 기마보 때의 힘을 발에 실으면서 반드시 발이 움직여야 한다. 모양만 잡아서는 안 된다. 뒷발로 몸의 회전을 단단히 받쳐야 한다. 막고 나서 우권右拳을 치면서 우각右脚을 들어 같이 찬다. 이때 우족은 상대를 막았을 때 기마보 힘을 풀지 말고, 그 힘의 탄력을 살려 튕겨 올려 찬다. 힘을 뺐다가 다시 차면 안 된다.

3) 좌궁보左弓步에서 순보順步로 좌수를 찌를 때도 우족이 바르게 돌아가면서 찔러야 한다. 즉, 몸은 우로 회전하는데 우족은 좌로 회전한다.

2)

3)

4) 상대 발차기가 들어오면, 발을 들어 막을 수도 있고 발 신법만으로 피할 수도 있다. 몸을 살짝 돌려 발을 허보虛步처럼 만들어 상대 차기를 피한다. 주먹을 몸 신법으로 피하듯 상대 발도 그런 식으로 피한다.

5) 체보掣步는 발을 이동하면서 방어한다. 예를 들어 독립보獨立步는 상대 발 공격을 경계하면서 보步를 움직여 들어간다. 움직여 들어가면서 발과 손이 함께 들어간다. 숙련되면 무의식적으로 된다. 체보掣步는 들어가는 사람이 한 걸음에 두 번 공격한다. 예를 들어 '철형대련'에서 상대의 철형공격 다음에 중사평을 찔러오는 것을 막는 경우는 체보로 막고, 다음 걸음은 몸이 빠지는 것이다. 이때 공중에서 발이 멈추면 안 된다. 약속 대련이니까 상대에게 맞춰주는 것이다. 원래는 공격자가 한걸음 가면서 두 번 치는 거니까 번개 같은 것이다. 〈조선검법朝鮮劍法 24세勢〉의 보법인, 진보進步, 퇴보退步, 체보掣步 중 체보가 가장 중요하다. 걸어가면서 검법劍法을 하는 것이다.

상대가 움직이면 내가 움직이는데, 몸과 함께 두 손이 다 가서 체보로 들어가면, 옆에서 보면 선 자세인 것 같은데 상대는 물러가야 하고 나는 들어가기 때문에 몇 걸음도 밀고 들어갈 수 있다. 상대는 물러나기 바쁘다.

〈체보掣步를 제대로 하려면 반탄력을 사용해야 한다〉. 위로 힘을 받아 올리면서 걸어간다(掤). 체보는 무예에서 중요한 것이다. 힘도 체보에서 나온다.

6) 우족右足을 들어 좌족左足 앞으로 요보拗步로 걸어갈 때 좌족은 자연스럽게 오른편으로 돌아가고, 우족은 건너간 다음 발바닥 전체로 땅을 밟는다. 또는 우족을 들어 좌족 뒤로 건너갈 때 우족을 약간 몸 뒤쪽으로 발을 옮겨 딛되 뒤꿈치로 밟아 나간다. 즉 평보平步다. 반면에 발끝으로만 들어가는 경우는 몸을 빠르게 움직여 나갈 경우다.

8. 경신법輕身法

몸이 가벼워지는 것은 동공動功을 이루면 된다. 다른 연습 방법 없다. 기경공氣輕功이란 이기각, 선풍퇴, 파각 등을 가볍게 이루는 것을 말한다. 손으로 받으며 발을 찰 때는 무릎 관절이 상하지 않을 정도로 가볍게 발을 친다.

발 수련이 된 다음, 호흡으로써 걷는 수련이 경신법輕身法의 기초이다. 4, 8, 12족足(4의 배수)의 조합으로 걷는다. 한 호흡에 12걸음을 뛰지 않고 걷는 것이 된다면 아주 빠른 것이다. 몇 걸음의 호흡이냐가 중요하다. 일 호흡에 8, 16, 24걸음 등 하루 천보千步씩 수련한다. 그러나 무리해선 안 된다.

권법拳法에서 뛰어들면서 붕권을 칠 때 둔한 이유는, 상체를 끌어올리지 못하기 때문이다. 발에 탄력을 주면 발에만 의지하므로 둔해진다. 상체(허리)가 들어 올려지고 다리는 끌려가게 해야 한다. 〈맹호권猛虎拳〉에도 탄력 주는 자리는 상체를 들어 올려 움직여야 한다. 다시 말하면 경신輕身이 되어야 한다.

벽을 탈 때 한 손은 손바닥으로 벽을 누르고(밀고), 다른 손으로는 장근掌根으로 벽을 당긴다. 이런 것이 경신공輕身功이다. 실전에서도 예를 들어 상대가 우충권右衝拳으로 찔러오면 나는 신법身法으로 상대 우측면으로 돌아나가 좌수左手는 상대 어깨를 잡아당기고 우수右手로는 상대 손목을 나拿하여 오른쪽 바깥으로 밀어 막는다. 즉 상대 공격을 밀고 당겨서 상대를 제압하는데, 상대는 무겁지만 나는 가볍게 이루어진다. 멀리 뛸 때도 벽을 누르면서 뛴다.

옛 무예武藝를 흉내 내서 지금 할 수 없다. 과거에는 생활 자체를 그렇게 하다 보니까 누가 보면 안 된다. 예를 들면, 발바닥 단련법으로 '땅이 꺼질 듯이 움켜쥐어라'라고 한다. 무인武人으로서는 당연히 움켜쥐고 걷기 때문에 본래 말하지 않는다.

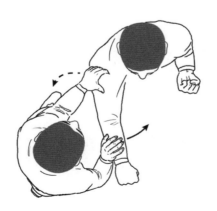

(수법의 운용)

◉步　法

【안법眼法】

무예武藝의 최고 가치가 방어다. 즉 자기를 지키는 것이다. 눈이 방어의 시작이다. 〈안법眼法은 바르게 보는 것이다〉. 앞으로 기울여 봐도 안 되고, 뒤로 젖혀서도 안 되고, 바르게 봐야 하는 것이 안법이다. 상대가 공격해 오는 손이 눈 깜박이는 것처럼 빠른 것이다. 따라서 눈을 뜨는 것이 중요하다.

안법眼法은 목(頸)이 부드러워야 한다. 목이 돌아가면서 보는 것이다. 눈만 돌아가는 것이 아니다. 〈어느 한 곳이 둔하면 몸 전체가 둔해진다〉. 눈이 빠르기 위해선 호고虎顧 · 조신鳥伸 · 웅경熊經 등 목 수련을 해야 한다. 목이 부드러워야 한다.

상대의 움직임을 보는 것이 안법眼法이다. 처음부터 상대 몸 전체가 보이지 않는다. 따라서 상대 눈(인당혈)부터 시작해서 어깨, 그리고 몸 전체로 나아간다. 상대의 눈을 보는 것이 숙달되면, 눈과 함께 어깨까지 봐야 한다. 어깨는 뿌리고 손은 아직 아래에 있다. 뿌리가 손보다 먼저 움직인다. 뿌리 움직이는 것 보고 내가 먼저 들어간다. 다리도 어깨와 함께 골반(뿌리)이 먼저 움직이고 다리가 들어온다. 차기 위해서 반드시 어깨가 먼저 움직인다. 나는 상대의 골반이 움직이는 것과 같이 시작해 움직이므로 상대보다 빠르다.

상대의 어깨 움직임에서 바로 들어올 것인지, 돌아서 올 것인지, 옆으로 올 것인지가 파악이 되어야 한다. 즉 상대 팔의 움직임은 〈어깨 → 팔꿈치 → 손〉의 순이고, 다리는 〈골반 → 무릎 → 발〉의 순으로 움직인다. 어깨와 골반은 같이 움직인다.

· 눈에서 정보를 얻어내고,
· 어깨에서 정보를 얻어내고,
· 전신全身에서 정보를 얻어내야 한다.

전신全身은 발끝까지 보라는 말이 아니고 몸통만 보라는 것이다. 골반은 몸통 안에 있으므로 다리 끝까지 움직임을 간파할 수 있다.

〈상대 뿌리가 움직이면 같은 시점에서 움직임을 시작해야 한다.〉

그래야 느린 동작으로써 상대가 제압된다. 안법이 되어야 그렇게 된다. 외적外的으로 보는 것을 넘어서 내적內的으로 볼 수 있어야 한다. 상대 수준을 본다는 뜻이다. 무인武人이 아니면 상대 실력을 못 본다. 고수高手는 어깨가 움직이면 벌써 상대에게 적중한다. 수법手法이 나가면서 상대 몸에 닿기 전까지는 어깨를 움직이지 않기 때문이다.

〈안법眼法은 중간 과정을 척척 보는 것이다.〉
〈눈과 손은 선후先後가 없이 같다.〉

《권법요결拳法要訣》의 〈안법眼法〉에서 『눈(眼)은 마음(心)을 전하는 기관으로 신의神意를 표현하는 〈창窓〉이다. 마음(心)이 움직이면 눈동자가 바로 그것을 전한다. 사람의 몸은 그 운용이 모두 마음(心)에 있고, 그 전신傳神은 모두 눈(眼)에 있으니 반드시 정신精神을 모아 주시해야 한다.』라고 하였다. 또 〈용호비결龍虎祕訣〉에 이르길 『눈을 기치旗幟로 삼아 기氣의 승강升降에 있어 전후좌우前後左右 모두 뜻대로 보내는 것이다.』라고 하였다. 눈이 기치가 된다는 뜻은 유형체有形體(몸)를 끌고 다니는 깃발이 눈(眼)이다는 뜻이다. 마음은 무형체無形體이면서 마음(心)이 가면 기氣가 간다. 유형체는 무형체가 끌어간다. 이 말은 〈눈이 가면 손도 이미 그곳에 간다〉는 뜻이다. 눈과 공격의 완성은 동시에 이루어진다. 이것은 신神이 결정한다. 머릿속으로 재서 하지 말라. 상대에 맞춰서 하는 권법 대련도 눈이 보여야 한다. 공방 시 시야는 상대 움직임 전체를 알고 있어야 한다.
　안법眼法은 2가지가 기본이다. 첫째, 몸이 움직일 때(身法) 눈이 상대 쪽으로 돌아가는 경우이고 둘째, 몸이 움직일 때 눈이 그대로 고정되는 경우의 예는, '단권 1로'에서 주먹 찌를 때, 허리와 가슴은 돌아가지만, 눈은 상대를 계속 보는 것이다.

신법身法에 의해 몸이 기울어지면서 고개를 살짝 기울이면 시야가 대각선이 되어 확장된다. 상대의 사각지가 모두 보이게 된다.

권법 수련 때 시선은 항상 손, 발을 움직이는 쪽으로 응시한다. 앞에 상대가 있다고 생각하고 하므로, 눈으로 응시하지 않고 깜박이면 안 된다. 또한, 눈은 마음(意)을 반영한다. 권법 수련 때 초고수超高手를 상대로 대적한다고 상상하면서 수련해야 한다. 오래되어 익숙해지면 허공에서 상대의 빠른 손을 잡을 수 있다. 중요한 수련 방법이다. 초식의 의미를 모르면 심법心法으로 수련할 수 없다. 몸이 빨리 움직여도 마음(心)은 편안해야 한다. 연습해야 한다. 마음이 동작에 맞춰 급히 움직이면 호흡이 급해지고, 허점투성이가 된다.

눈이 밝다(眼晴)는 것은 상대의 모든 변화의 움직임을 보는 것이다. 이것이 눈의 역할이다.

●眼　法

【신법身法】

몸은 움직이며 변화한다. 즉 신법身法이며 영활靈活하다고 한다. 몸은 숙련이 될수록 빠르다. 즉 신령身靈함은 부드러움과 관계없이 변화가 있어야 한다. 숙련에서 나온다.

신법身法의 중요성은, 권법拳法, 병기兵器는 모두 중절中節(몸)이 이끌고 발은 몸을 싣고 다니는 데 있다. 신법의 요결要訣은 〈정확·빠름·힘〉이 이루어지도록 몸을 움직이는 것이다. 기초가 잘 수련되어 힘이 길러져야 빠르다.

〈신법身法과 수법手法이 기예技藝 수련이다.〉

신법은 중절中節이다. 보법步法은 따라다니는 것이다. 보법도 신법에 들어간다. 신법, 수법은 하루아침에 되는 것이 아니다. 꾸준히 수련해야 한다. 부분부분 신법이 완성되어야 기예技藝를 배운다. '앞차기' 등도 적敵과 마주한 것처럼 신법으로 수련해야 한다. 허리(中節)와 신법이 합쳐 방향을 제시한다.

신법이 없으면 힘이 나가지 못한다. 내기內氣를 발휘하지 못한다. 뒷발에서 힘이 나가는데, 신법으로써 뒷발 힘이 나간다. 권법을 또박또박하는 것은 보법은 있지만, 신법은 없다는 뜻이다. 동작이 딱딱하다는 것은 숙련되지 못한 것, 자유롭지 못한 것, 억지로 틀을 짜는 것이다.

신법의 제1의 조건은 허리가 먼저다. 막고 치는 것은 몸으로 막고 몸으로 친다. 즉 허리 신법을 말한다. 그다음에 손 신법, 발 신법을 알아야 한다.

공방에서 〈상대의 손이 내 손이 되어야 한다〉. 신법은 손목, 팔꿈치 어깨 등 마디마디 다 있다. 안전하고 변화가 있게 움직여야 한다.

《권법요결拳法要訣》의 〈신법身法〉편에, 『신법身法에는 수收·종縱·반反·측側 등의 법법法法이 있다. 수收는 렴斂으로 거두어 모으는 경勁이고 종縱은 방放

으로 뻗어 나아가는 힘이다. 몸을 웅크리거나 가슴을 모으는 등의 방법은 모두 수收의 운용이고, 뛰어나가거나 격타 등의 방법은 모두 종縱의 운용인 것이다. 반反과 측側은 몸을 뒤집어 뒤를 돌아보고, 몸을 기울여 좌우左右를 보는 것을 말한다. 반측反側의 법법은 전신의 협조를 요구할 뿐만 아니라, 가볍고 영활하며 빠름에 중점을 두어야 한다.」라고 하였다. 그러므로 모든 동작에 신법(蓄, 發)을 응용해서 움직인다.

축蓄은 수收의 운용으로 허리를 모든 방향으로 틀면서 할 수 있다. 허리를 돌리지 않는 경우는 정면으로 상대 공격을 받아서 축蓄을 한다. 단 정면으로 축蓄한 다음 발發할 때는 반드시 허리를 돌리면서 발發한다.

축蓄을 할 때는 배에 주름이 지고 허리는 펴고 있어야 한다. 무예武藝에서 허리를 구부리면 신법을 쓸 수 없다. 축발蓄發의 신법은 적절해야 한다. 즉 과하지도 모자라지도 않아야 한다. 축발蓄發의 묘妙는 몸이 스프링처럼 자유롭게 적재적소에서 늘어나고 줄어드는 데 있다. 축발蓄發은 체조 수련 등을 통해 자연히 익혀지게 된다. 나머지는 깨달아야 한다.

축蓄은 기氣를 모으고 호흡을 들이마신다. 의식을 두고 하는 것이 아니다. 자연히 하는 것이다. 절대 의식적으로 해선 안 된다.

◉ 신법身法의 기락起落

〈기起는 횡橫이고 락落은 순順이다.〉

〈기起는 횡橫이 된다〉는 말은 옆으로 돌면서 일어난다는 뜻이다. 무예 동작 중, 일어서는 어떤 자세도 그대로 일어서는 자세는 없다. 반드시 옆으로 돌아가는 힘으로 일어선다. 횡은 허리를 튼다는 뜻이다. 일좌보一坐步에서도 횡과 순이 그 안에 있다.

〈락落은 순順이 된다〉는 말은 옆으로 서는 것(側神)을 뜻한다. 떨어질 때는 기起에서 다시 몸을 돌리며 떨어지지만 횡橫의 의미가 아니다. 자연스럽게 측신이 되므로 순順이다. 횡橫은 인위적으로 힘을 주는 것을 의미한다.

무예 수련 중의 자세(身法)의 오르내림은 모두 기락起落의 의미를 포함하고 있다. 권拳을 지르고 당기는 것도 기락이다. 기락은 반드시 허리를 돌리면서 움직인다. 기락은 발 수련이 안 되면 되지 않는다. 기起는 가볍게 올라가야 한다. 발가락 잡는 힘으로 밀어 올린다. 락落은 무겁게 내려가고, 엉덩이와 무릎으로 땅을 누르듯이 눌러야 한다. 앉을 때와 일어날 때 둔부를 움직인다. 둔부와 대퇴을 움직여야 원활하게 신법이 된다. 일어설 때 앉을 때 발가락을 움켜쥐면서 움직여야 무릎에 힘이 들어간다.

자세의 신법은 모든 보형步型에서 골반이 쪼여져 힘이 들어가야 한다. 궁보 수련도 골반 힘을 잡는 것이다.

기마보 수련에서 앉았다 일어나는 것은 참공站功이다. 기락, 축발과 상관없다.

◉ 허리의 신법身法

허리가 돌아가야 힘이 나온다. 외형外形의 삼절三節 뿐 아니라 힘의 삼절을 알아야 한다. 허리가 정지한 상태는 주먹 뻗는 힘밖에 없다. 움직일 때는 허리가 베어링이 된다.

허리는 기氣가 움직이는 곳이다. 신장腎臟은 기氣 주머니이다. 신장기腎臟氣는 항상 움직이고 있다. 허리가 움직여야 신장 힘을 끌어다 쓴다. 따라서 허리, 이곳이 움직여 발동發動하지 않으면 힘이 나가지 않는다.

힘은 손에서 나오지 않는다. 몸에서 나온다. 즉 〈몸이 가서 쳐라〉는 뜻이다. 정지상태에서는 힘을 못 쓴다는 말로서, 허리가 움직여야 몸이 가서 치는 것이 된다. 〈허리가 도는 것이 몸이 가는 것이다〉라는 의미다.

다리는 항상 가볍게 움츠리면서 지면에 붙어야 한다. 다리가 흔들리면 안 된다. 몸이 가라앉지 못하고 위로 뜨는 경우, 자세히 배워야 힘을 잡아줄 수 있다. 주먹을 찌를 때 발가락을 잡고, 땅을 누르면서 동시에 발을 뒤로 밀면서 지른다. 그러면서 힘을 키우는 것이다. 초학자가 되는 것이 아니다. 어느 수준 가기 전에 해봐야 소용없다. 그래서 세월을 두고 선생과 함께 하는 것이다.

허리 신법身法의 이해를 돕기 위한 예를 들면, 궁보弓步로 서서 주먹을 찌를 때는 허리를 세우고 한다. 전진하지 않으므로 허리를 세울 수 있다. 즉 신법 수련이다. 그런데 '단권 1로'에서 궁보로 걸어가며 삼충권三衝拳을 찌를 때는 약간 앞으로 상체가 기울어진다. 이때는 주먹 단련이다. 반면에 신법은 원활하지 못하다. 따라서 신법을 쓸 때는 반드시 허리를 곧추세운다. 숙련되면 몸을 기울인 상태에서도 신법을 쓸 수 있다. 즉 신법 수련과 충권衝拳 수련의 공功이 합쳐질 수 있다. 그러나 실전實戰에서 항상 몸을 기울여야 할 필요는 없고 본래 공방攻防에서는 허리를 세우고 움직이는 것이 표준이다. 따라서 권법 수련에서 몸 숙이고 고개 숙이는 것은 금물이다. 허리를 구부리면 상대가 공격할 때 허리를 돌려서 막지 못한다. 뒤로 물러날 수밖에 없는데, 뒤로 물러나며 막아서는 안 된다. 우리 무예는 허리를 〈축蓄·발發〉하고 〈기起·락落〉이 있다. 따라서 신법이 자유롭다.

〈좌공坐功〉에서 허리 돌리기는 골반이 고정되어 있으므로 허리만 돌린다. 그러나 〈도인체조導引體操〉에서 허리 돌리기는 모두 골반과 허리가 같이 도는 것이다. 무릎 이하만 고정한다. 단 허리가 상체보다 과하게 돌아가면 안 된다. 허리에 무리를 주면 안 된다. 허리를 다스리는 것으로 들어가야 한다.

'단권 1로'의 주먹 지르기, 〈좌공坐功〉에서 '좌우구수추장左右鉤手推掌', 〈도인체조導引體操〉 '제10세 금강유구金剛揉球' 등에서 양손이 나가고 들어올 때, 회수하는 손은 허리 신법으로 가져오지 말고 손이 나가는 손만 허리 신법으로 나가게 해야 한다.

〈요腰·퇴腿 두 가지가 신법이다〉.

요腰·족足이 아니다. 즉 발이 끌고 가려니까 몸이 무거워진다. 대퇴가 끌고 가야 한다. 신법身法이 이루어지려면 힘을 빼고 수련해야 한다. 상초上焦가 버들가지처럼 움직여야 한다. 짧은 거리에서 힘을 줘도 큰 파괴력이 나오게 기본공基本功을 수련하는 것이다. 실전實戰에서 힘을 주면 오히려 뻣뻣해진다.

허리 신법이 완성되면, 신법을 운용할 때 몸통을 네 군데로 나누어 따로 움직인다. 손, 발, 눈, 머리도 따로 움직인다. 몸이 가볍기가 낙엽 같아야 한다. (그림1)

● 방어防禦의 신법身法

신법身法은 감각적으로 이루어져야 한다. 상대 공격을 피하지 않으면 안 되니까 자신도 모르게 몸을 움직여 피하는 것처럼 무의식적으로 되어야 한다.

〈피할 때는, 상대 어깨가 돌면 나도 같이 어깨를 돌리며 빠져나와야 한다〉. 다리 공격이 올 때 물러나면 당한다. 물러나지 말고 옆으로 피하며 공격해야 한다.

칼을 부딪치지 않듯이, 공방에서 상대와 손을 부딪치지 않는다. 신법이 없어서 부딪치는 것이다. 칼은 내가 이것을 직접 안 받으면 당하게 되는, 상대의 완전한 공격일 때만 직접 막는다.

1

몸 신법으로 상대 공격을 막아야 한다. 예를 들면, 〈도인체조〉 '제9세 적성환두摘星換斗'에서 허리를 뒤로 틀면서 구수鉤手로 잡을 때, 손이 몸을 끌고 가는 것이 아니고 허리를 트는 것이 먼저다. 실전實戰에서 상대 공격을 손이 먼저 가서 막으면 힘이 없다. 허리 돌리는 힘으로 막아야 한다. 반면에 상대 공격이 올 때, 보步를 약간 이동하면서 막는 경우는 허리를 많이 돌리지 않기 때문에 다리 신법으로 보는 것이다. 또는 방어하는 손이 가지 않고 신법으로만 피하고 상대를 공격할 수도 있다.

신법은 필요한 만큼만 딱 적절하게 허리를 돌린다. 상대의 상완上腕 또는 전완前腕부위를 힘으로 밀어 막는다. 이 경우는 신법만 쓰며 막는 경우가 아니고 힘을 쓰면서 막는 것이다. 신법만으로 막는 경우와 신법과 힘을 사용해서 막는 경우가 있다. 허리를 돌리는 범위가 달라진다.

상대의 들어오는 주먹을 걷어낼 때, 무릎(中節)으로 피해야 한다. 일좌보一坐步로 권拳을 찌를 때도 뒷발을 무릎으로 당겨서 제 위치로 와야 한다. 공방攻防에서 막고 찌를 때도 무릎을 움직여 다리 신법을 사용해야 한다.

필요 없는 상대 동작은 부딪히지 말고 살짝 막으면서 쳐라. 방어도 내 몸을 지나쳐 바깥까지 하지 말고 지나가면 그냥 두라. 살짝살짝 해도 〈상대가 못 변하게 하면서 하는 것이다〉. 덮어놓고 상대 공격을 받는 것이 아니다. 받을 자리에서 받아야 한다. 방어는 물러서며 하거나, 제자리에서 하거나, 또는 앞으로 나가며 할 수 있지만, 공격은 반드시 신법으로써 몸통이 나가면서 한다.

수비의 원칙은, 〈상대가 공격해 오면 발은 무조건 앞으로 나가야 한다〉. 손은 발이 나가는 것과 상관없이 뒤로 받아친다. 상체는 물러나는데 발은 이미 전진하는 것이다. 내가 주먹을 찌르며 전진할 때 상대가 들어서 막으려 하면, 나는 상체를 상대 쪽으로 들어가며 약간 축蓄을 하듯이 신법을 운용한다. 그래야 몸 전체로 상대의 올라오는 힘을 누를 수 있다. 상대를 눌러 힘을 빼게 한 다음 계속 주먹이 나갈 수 있다. 이것이 진퇴進退의 신법이다.

공방할 때 상대 측면으로 움직이는 것은 좌, 우로 크게 몸이 돌아야 한다. 회전하는 원권圓圈이 커야 한다. 발이 완성되어야 그렇게 신법이 돌아갈 수 있다. 측신側身이 곧 방어다.

방어는 천천히, 공격은 빨라야 한다. 이 말은 방어는 상대 위주고, 공격은 내 위주기 때문이다. 다르게 말하면, 상대 공격이 완전히 차단되기 전에 공격해서는 안 된다는 의미다. 그로써 공수일체攻守一體가 되고, 쾌만상관快慢相間이 나오는 것이다.

◉ 방어防禦 수련법

① 두 사람이 짝지어 한 사람이 주먹을 찔러주면, 상대는 신법을 써서 두 손으로 '바깥에서 안으로' 상대 주먹을 받는 연습을 한다. 양손을 전사纏絲로 받는 방법은 보편적 방법이다. 또는 손등을 상대 팔에 얹어서 받는 방법, 배장背掌으로 받는 방법이다. 이때 상대 손목 부위에 먼저 손을 얹고 이어서 상대 팔꿈치 약간 위쪽을 손목 다음으로 얹는다. 순서대로 올리되 누르지 않는

다. 상대 공격을 손등(背掌)으로 내 몸 '안에서 바깥으로' 막는 방법을 수련해야 한다. 상대를 막을 때 팔뚝으로 막는 것만 연습하지 말고, 순수하게 장외연掌外沿의 전사로 막는 것 역시 수련해야 한다.

(방어 수련)

② 상대가 양손으로 연속으로 공격을 해올 때, 첫 공격은 나의 우수右手로 우右로 젖히고, 두 번째 공격은 역시 우수로 좌左로 덮고 계속해서 좌수左手로 찌른다. 구수鉤手 또는 반배장反背掌을 다 쓸 수 있다. 주의할 점으로는, 나의 좌수는 방어하는 우수 팔꿈치에 딱 붙이고 있어야 한다. 상대 변화에 빠르게 대처해야 하므로 좌수가 우수에서 떨어져 있으면 안 된다. 좌우수를 가지고 상대 좌, 우 두 손을 호랑이가 가지고 놀듯이 운용하는 것을 연습한다. 상대를 좌우로 돌리며 꼼짝 못 하게 한다.

◉ 신법身法으로부터 살수殺手가 나온다.

신법身法의 운용을 어떻게 하느냐에 따라 상대를 타격하는 정도가 정해진다. 예를 들어 상대 우수右手를 내가 끌어들일 때, 좌각左脚을 밟고 우각右脚은 들어서 나가며(拗步, 撃步) 오른 어깨(가슴)를 뒤로 빼면서 상대 주먹을 받아넘긴다. 다시 우각을 놓으며 오른 가슴을 앞으로 밀어치면 엄청난 위력이 나온다. 즉 살수殺手다. 신법으로 받고 치는 것이다.

● 신법身法의 결론

신법身法은 몸의 각 부분이 무예武藝가 요구하는 동작으로 전일全一하게 움직일 때 표현된다. 발에서 시작하여 보형步型과 보법步法이 완성되고, 권拳에서 시작하여 수법手法의 삼절三節이 완성되면, 몸통, 즉 중절中節의 초절梢節과 근절根絶은 각각 수법과 보법에 붙어서 움직인다. 이때 마지막으로 남는 것은 중절中節의 중절中節, 즉 허리다.

허리는 단련할 수 없고, 힘이 들어가서도 안 되고 다만 상하초上下焦를 연결하는 역할을 한다. 허리는 신법을 운용하고 내기內氣를 다스리는 곳이다. 신법은 허리를 쓰는 것이지만 인위적으로 허리를 쓰는 것이 아니다. 허리 외의 몸의 부분 부분이 모두 충족될 때 신법이 드러난다. 따라서 동공動功이 이루어지면 자연히 신법이 발휘되는 것이다.

그러므로 무예武藝의 강유剛柔는 잊어버리면 안 된다. 모든 것이 강유로써 수련되어 조화가 되어야 의도한 대로 편하게 움직일 수 있다. 쾌만상간快慢相間은 서로가 벌어져 있는 것으로서 탄력과 율동을 말하는데, 기본이 숙련되면 저절로 되는 것이다. 절대 인위적으로 해선 안 된다.

무예 동작에서 시선은 항상 손, 발을 움직이는 쪽으로 응시한다. 먼저 규격이 완성되도록 수련한다. 그다음에는 규격이 숙달되게 수련한다. 다음에 쾌만快慢이 완성된다. 그 이후에는 손, 발을 잊고, 의식은 다른 곳으로 간다. 모양을 갖춘 다음에 힘을 길러라! 〈몸을 늘이면서 모양을 갖추고 내기內氣를 이끌어 내어 힘(勁)을 만든다〉.

상대의 강약에 따라 모두 조정할 수 있는 신법身法이 되어야 한다. 예를 들면 상대 공격을 나拿할 때 점點한 부위의 힘을 손가락으로 조정할 수 있어야 한다. 신법의 활용법을 배워야 한다. 또한, 본인이 개척, 노력해야 한다. 옛날에는 입문하면, 정실제자正室弟子에게는 앞질러서 얘기한다. 귀에 못이 박히도록 얘기하면 뒤에 스스로 수련하다가 "아 그렇구나" 하고 깨닫고 의문이 빨리 풀리고 이루어진다.

◎ 사초四梢는 오행五行편과 연결해서 보라.

사초四梢는 《권법요결拳法要訣》의 〈오행五行〉 부분과 연결해서 봐야 한다. 인체의 오장五臟은 모두 신체의 말단과 연결되어 있다. 사초에서 이를 꽉 깨무는 것이 아니다. 혀를 억지로 내미는 것이 아니다. 머리는 위로 뽑듯이 세워라. 손톱이 나가듯이 의식이 있어서 풀어지지 않아야 한다. 발 차는 것도 같다. 혈초血梢는 정수리를 의식하여 머리가 똑바로 된 것인지 확인하라는 뜻이다. 허리를 조정하는 것은 머리를 바르게 하기 위한 것이다. 숙련되면 된다. 근초根梢에서 손톱 끝에 힘을 주라는 말은 주먹 쥐는 것, 발가락 움켜쥐는 것 모두를 포함하는 말이다. 자세가 바르지 않고서는 사초를 발휘할 수가 없다. 자세가 바르고 사초가 발휘되어야 기예技藝가 살아난다. 즉 오장五臟의 힘이 발휘된다. 무예武藝는 오장五臟의 힘으로 상대와 대적하는 것이다. 그래서 동공動功과 함께 내공內功 수련을 하는 것이다. 서서 움직일 때 손발에 의식(오장五臟의 신神)이 가서 힘이 잡혀야 한다. 그것이 사초四梢다.

◎ 생활 무예武藝

생활 무예의 뜻은 호흡과 보법步法을 생활화한다는 것이다. 앉고, 서고, 걷고 하는 것이 모두 무예武藝를 수련하는 것이다. 예를 들면 평소 맥없이, 힘없이 발을 땅에 놓지 않아야 한다. 직접 무예武藝를 수련한다는 것은 기예技藝를 수련하는 것이다. 몸을 단련하고 익히는 것은 평소 생활화해야 한다.

일상에서 움직일 때 신법身法으로 움직여야 한다. 생활 속에서 수련하지 않으면 안 된다. 자세가 내려가는 동작은 모두 엉덩이로 내린다. 몸을 회전하며 무엇을 잡을 때는 허리를 뽑으면서 돌려야 된다. 신법이 안 되기 때문에 상황에 따라 몸이 움직여지지 않는 것이다. 신법은 삼절三節이 맞아야 한다. 뛰고 움직이고 발 옮기고 하는 모든 것이 신법이다.

고수高手는 선 자세에서 발을 안 떼고 다리 신법으로만 공방攻防을 다 한다. 무릎 방향에서 살짝 트는 것이다. 즉 제 자리서 공방하는 것이다. 이런 사람을 한 걸음 움직이게 한다면 그 상대방도 대단한 사람이다.

◎ 계절별 수련

여름 수련은 느리게 힘을 빼고 한다. 신장伸長하는 능력을 키운다. 탄력과 튕기는 수련 위주로 해야 한다. 이렇게 해야 발전한다. 겨울 수련은 힘 있게 빠르게 하여 힘을 기르는 수련이다. 즉 반주, 권추, 벽권 등을 허리 돌아가는 힘으로 단련한다. 봄, 가을은 평소 수련으로 활발하게 수련한다. 매년 봄에 시작하여 여름에 몸을 늘이고 가을에 자세를 만들어 겨울에 단련한다.

하루 중 새벽 수련을 하려고 한다면 아주 가볍게 몸이 풀리는 정도만 한다. 주로 내장內壯, 외용세外勇勢와 참공站功, 호흡수련 위주로 하는데 무리하면 온종일 피곤해진다. 수련은 하루 일과로 몸이 다 풀린 저녁이 제일 좋다. 오히려 피로가 풀린다.

【삼절법三節法】

《권법요결拳法要訣》의 〈삼절법三節法〉에 『삼절三節의 요결要訣은 〈초절은 일어나고, 중절은 따르고, 근절은 이를 좇는다 梢節起, 中節隨, 根節追〉는 것이다. 즉 〈기起・수隨・추追〉의 삼자三字로 요약된다.』라고 하였다.

무예 이론으로는 사람의 몸을 삼절三節로 나눈다. 즉 초절梢節은 전완前腕과 종아리(정강이), 중절中節은 팔꿈치와 무릎, 근절根節은 상완上腕과 대퇴大腿다. 이는 정확하고 깊이가 있는 설명이다.

삼절三節은 〈기起・수隨・추追〉지만 움직일 때 선후先後가 없다. 실제로는 동시에 움직인다. 예를 들어 주먹을 찌를 때 근절根節(상완上腕)이 밀어준다. 근절根節이 좇아가지 않는다. 근절根節이 빨라야 초절梢節이 빠르기 때문이다. 삼절三節은 온몸이 같이 움직인다. 그러나 〈기起・수隨・추追〉가 몸이 같이 움직이는 형식에 가장 가깝게 표현한 정언定言이다.

삼절三節의 의미를 정확히 이해해야 한다. 초절梢節은 정확한 목표를 가지고 있어야 한다. 중절中節은 초절梢節이 가는 길이 구부러지지 않게 똑바로 가게 한다. 즉 노선이 흔들리면 안 된다. 그러기 위해서 초절의 목표점이 맞춰지면, 중절은 방향을 제시해야 한다. 근절根節은 무예 동작을 빠르게 만든다. 중절中節의 초절梢節인 가슴은 신법身法을 운용할 수 있게 한다.

삼절三節이 같이 맞아야 한다. 동작마다 삼절三節의 이치가 다르다. 또한, 몸의 각 절節마다 삼절三節의 이치가 다르다. 신법身法도 맞아야 한다. 삼절三節이 맞아야 기예技藝를 받아들일 수 있다. 무예武藝의 공功은 삼절三節이 맞고 난 뒤부터 쌓여 간다. 삼절三節을 모르면 무예를 할 수 없다.

오법五法의 관점에서는 〈수법手法(초절)・신법身法(중절)・보법步法(근절)〉이 삼절이다. 따라서 삼절三節이 이루어지면 〈빠름・힘〉이 이루어진다.

삼절三節이 맞지 않으면 힘을 못 쓴다. 상대와의 수법手法을 못 쓴다. 고수 高手의 상대는 안 된다. 기예技藝의 의미를 터득하지 못한다.

손과 팔은 초절梢節, 몸통(허리와 배)은 중절中節, 발과 다리는 근절根節이 되며 삼절三節의 각 부분을 또다시 삼절三節로 나눌 수 있다.

《권법요결拳法要訣》의 〈삼절법三節法〉에 『손(手)은 梢節의 초절梢節이 되며, 팔꿈치는 초절梢節의 중절中節이 되고, 어깨는 초절梢節의 근절根節이 된다. 또 가슴은 중절中節의 초절梢節이 되고, 배(服)는 중절中節의 중절中節이 되며, 단전은 중절中節의 근절根節이 된다. 발은 근절根節의 초절梢節이 되고, 무릎은 근절根節의 중절中節이 되며, 대퇴는 근절根節의 근절根節이 된다.』라 고 하였다. 초절梢節의 초절梢節이 움직이면 중절中節, 근절根節의 초절梢節도 같이 움직인다. 즉 9절節이 함께 움직인다. 목 부위는 삼절三節에서 몸통에 들어간다. 따라서 목은 가슴과 붙어서 돌아간다.

제 1절節 - 주먹이 나가면 팔꿈치와 어깨가 따라 나간다.
제 2절節 - 허리가 나가면 가슴이 따라 나가고 가슴이 가면 곧 마음이 간다.
제 3절節 - 발이 나가면 무릎과 대퇴가 따라 나간다.

초절梢節, 중절中節, 근절根節은 각자의 역할이 있다. 손의 삼절三節은 중절 中節을 움직여라. 몸의 삼절三節은 가슴(梢節)을 움직여 허리가 매끄럽게 따라 가게 하라. 허리(中節)를 먼저 움직이면 삼절三節이 따로따로 움직이게 된다. 다리의 삼절三節은 중절中節을 움직여 근절根節이 쫓게 하라. 그러기 위해선 먼저 발이 되어야 한다. 초절梢節이 안 가면 힘이 못 따라간다. 중절中節이 안 가면 상대에게 붙지 못한다. 근절根節이 안 가면 몸이 넘어진다.

중절中節은, 몸은 허리, 팔은 팔꿈치, 다리는 무릎이지만 다 가치가 있다. 신법身法은 허리만 움직인다고 신법이 아니다. 팔, 다리의 중절中節도 그만큼 중요하다.

〈발이 몸을 싣고 가야 한다.〉

　이것은 삼절三節의 비밀이다. 중절中節과 초절梢節이 움직이는데 맞추어서 발이 가서 몸을 실어 주어야 한다. 〈기起·수隨·추追〉에서 추追가 힘을 주고 있으면 버티게 되어 못 좇아간다. 아무 힘도 없이 편안해야 좇는 것이 된다. 근절根節은 좇는 것이다. 좇아가서 몸을 받쳐야 한다. 수隨는 따라간다. 편안하게 따라간다.
　다리는 중절中節이 중심이다. 무릎이 움직이면 발이 움직여야 한다. 발이 먼저 움직이는 것이 아니다. 무릎은 탄력이 있어야 한다. 제 자리에서는 무릎만 움직이고 발은 제자리에 붙어서 미세하게 움직여 상대와 공방攻防한다. 원래는 초절梢節이 움직이지 않으면 중절中節이 움직이지 않는다.

〈中節중절(허리)을 움직여 주는 것은 초절梢節(가슴)이다.〉
〈팔과 몸의 초절梢節과 중절中節이 움직일 때 발의 중절이 움직인다.〉

　가슴이 움직이면 중절中節(허리)은 따라간다. 즉 방향을 제시한다. 그리고 다리의 힘을 반탄력으로 초절梢節로 전달한다. 무엇과 대적할 때 팔은 팔대로, 몸은 몸대로, 발은 발대로 적절히 대응해야 한다. 따로 움직여서는 안 된다. 제자리 서서 손만 움직이는 것은 없다. 모두 다리가 함께 움직인다.
　삼절三節은 몸 전체가 같이 움직인다. 온몸이 굳은 상태로 통으로 움직이라는 것이 아니다. 사람의 마디가 15절節이다. 상중하초上中下焦의 9마디가 완벽해야 한다. 손 두 개, 발 두 개 6마디를 합쳐 15마디가 합해야 한다. 여기에 안법眼法까지 포함되어서 다 맞아야 한다. 신법身法과 힘쓰는 것이 이 안에 있다. 힘쓰는 것은 발로 움켜쥐는 것이 사뿐 서 있는데 꿈쩍도 안 한다…….

　삼절三節을 이루는 것을 무예일성武藝一成을 이루었다고 한다. 〈수手·주肘·견肩〉이 삼절이요, 〈족足·슬膝·퇴腿〉가 삼절이며, 〈요腰·복腹·안眼〉이 삼절이다. 안眼으로부터 〈심心 → 기氣 → 력力(율동)〉이 순서대로 나오는데, 역시 1절節로 보고 모두 10절節이 된다.

　삼절三節은 일부러 정확하게 맞춰서는 안 된다. 조금씩 숙련되어 가면서 맞춰가야 한다. 다리가 고정된 자세에서 상체의 동작이 이루어질 때까지, 고정된 다리와 함께 자세의 힘의 분배와 흐름이 삼절에 어긋나지 않아야 한다. 삼절이 이루어지면 율동이 나오는데, 율동은 억지로 연출해서는 안 된다. 숙련으로 자연스럽게 풍격風格이 나와야 한다.

　무당武當의 고문헌古文獻에는 삼절三節을 뿌리, 기둥, 잎 등, 나무에 비유해 설명했는데 그 내용이 모자란다. 소림少林에서는 초절梢節, 근절根節은 잘 설명했으나, 중절中節의 중요성을 언급하지 않았고 내용도 두 줄에 불과하게 빈약하다. 그러나 삼절법三節法 중에서 중절中節이 가장 중요한 것이다. 중절中節이 없으면 아무것도 안 된다. 중절中節을 모르면 모양은 따라서 해도 진수眞髓를 따라서 하지는 못 한다. 《권법요결拳法要訣》에서 우리 무예의 삼절론三節論을 가장 자세하게 설명해 놓았다.

1. 초절梢節

　팔의 초절梢節은 팔꿈치에서 손끝까지다. 강유剛柔가 모아져 겉에서 볼 때 아주 유柔해야 하고, 상완上腕(주법肘法)으로 밀고 당긴다. 상완上腕은 전사纏絲를 하지 않는다. 초절梢節의 유柔는 손목의 강유剛柔 수련에 달렸다. 초절梢節(권拳, 장掌, 구수鉤手)은 치고 잡는 것, 두 가지의 목적을 가진다.

　손의 초절梢節이 움직이면 몸의 초절梢節(가슴)도 동시에 같이 움직여야 한다. 어깨(가슴)는 관구關口(開關利氣)다. 단전丹田의 기氣가 어깨를 통해서 주먹으로 나간다. 이때 허리를 돌리는 힘으로 손을 민다.

초절梢節 연습은 '단권 1로'에서처럼 서 있는 자리에서 계속해 봐야 한다. 삼절三節을 모르면 내 힘을 활용하지 못한다. 기계機械(몸)만 활용하고 있는 것이 된다. 수법手法은 어렵다. 잘못되면 못 고친다. 손의 삼절三節은 주의해야 한다. 초절梢節 신법身法이 가장 어렵다.

2. 중절中節

삼절三節 중에서 중절中節이 원래 주主다. 중절中節은 두 가지 역할을 한다. 첫째, 이를테면 몸을 의도하는 방향으로 회전하는 것은 중절中節이 끌고 가지 않으면 안 된다. 둘째, 내기內氣는 중절中節로부터 나온다. 몸 전체의 중절中節은 몸통이다. 몸통은 가슴과 배, 그리고 단전(골반)을 포함한다.

충권衝拳도 허리(중절)가 먼저 움직인다. 초절梢節은 먼저 움직인다는 뜻보다 시작한다는 뜻으로 이해해야 한다. 무엇이든 방향이 먼저 정해져야만 하므로 중절은 방향을 제시하고 따라간다. 이것은 중절中節의 내부 기술적인 운용면이다.

큰 중절中節(몸통)이 방향을 정한다. 그것을 움직여 자유롭게 활발하게 숙련시킨 것이 내기內氣의 경勁이다. 경勁은 힘(力)이 센 것이 아니고 중절中節을 움직여 이룬 기술적인 힘이다. 즉 수련한 만큼 경勁을 얻는다. 〈경론勁論〉을 기술론技術論이라고 하는 이유다.

'중절中節을 안다'는 말은 몸통을 보호한다는 것을 의미하는데, 허리의 회전과 양손이 몸의 측면을 보호하므로 '좌우를 서로 돌보게 된다'라고 한다.

초절梢節과 근절根節은 쉽게 이해되는데 중절中節은 이해를 잘 못한다.

우리 무예武藝는 중절中節에 가장 심오한 내용이 있는데, 첫째 조건으로 〈중절이 받쳐줘야…〉, 즉 중절中節이 힘과 방향을 제시한다. 주먹이 일어서면 팔꿈치가 따라가지 않으면 안 된다. 팔꿈치가 따라가서 받쳐주어야 한다. 이 때 근절은 쫓아가지 않으면 안 된다. 몸의 힘은 내기內氣, 즉 신법身法이다. 중절中節이 없으면 상승무공이 없다.

초절梢節이 일어나면(기起) 중절은 따르고(수隨), 근절根節은 쫓는다(추追). '중절은 따르고(수隨)…'에서, 중절中節을 확실히 이해하지 못하면 그 말을 못 쓴다. 〈수隨는 '안정을 유지하며 쫓는 것'을 말한다. 추追는 '짊어지는 것이기 때문에 쫓는다'〉. 이것이 요결要訣이다. 손끝 하나라도 움직이면 전체가 이렇게 움직인다.

중절中節은 단련되지 않는다. 한없이 부드러워야 한다. 중절中節은 무한정 유유柔하게 해야 한다. 뻑뻑하면 아무것도 못 한다. 따라서 중절中節에는 힘을 주면 안 된다. 중절을 의식하면, 즉 중절이 앞서려고 하면 뻣뻣해진다. 예를 들어 허리를 의식하면서 허리를 돌리면 가슴이 안 나간다. 팔꿈치, 무릎, 허리 등…, 중절中節은 부드러워야 한다.

중절中節이 신법身法이다. 모든 움직임은 중절中節이다. 발바닥 움켜쥠에 자연히 중절인 무릎에 힘이 들어가지만, 의도적으로 힘을 주는 것이 아니다.

찌르는 손은 중절中節(팔꿈치)로 밀어쳐라. 가슴이 같이 움직여야 한다. 이 때 숙처宿處의 가슴(어깨)은 가만히 둬야 한다. 절대 어깨를 뒤로 당기지 말 것이다. 찌르는 쪽 어깨가 나가니까 자연히 숙처 자리의 어깨가 약간 뒤로 비스듬히 움직여지는 것이다. 당기는 것이 아니다.

몸통의 중절中節을 움직이라는 말은 가슴을 움직이란 뜻이다. 허리(中節)는 가슴(중절의 초절)을 따라가야 한다. 허리를 먼저 움직이는 것이 아니다. 중절中節(몸통)은 방향을 제시하는데 초절梢節(손)로만 수법手法을 하기 때문에 중절中節이 안 따른다. 예를 들어, 횡권橫拳을 칠 때 '허리로 쳐라'는 말은 허리가 먼저 가는 것이 아니고 팔이 가고(횡벽橫劈), 가슴도 가고, 허리는 자연스럽게 따라간다는 말이다. 중절中節이 앞서가려고 하면 순서가 거꾸로 된다. 뻣뻣해진다. 근절根節은 비슷하게만 따라간다.

〈초절梢節(손)이 나가면서 중절中節(가슴)은 왜 안 나가느냐!〉

초절梢節(손)의 근절根節과 중절中節(몸통)의 초절梢節(가슴)은 어깨로 연결되어 있다. 상완上腕을 밀어 손을 뻗으면 어깨가 자연히 늘어난다. 상완을 미는 것은 가슴이 같이 밀어줘야 한다. 모든 팔 움직임은 상완과 가슴이 움직여서 이루어진다.

'내장세內壯勢'에서 양손(兩手)을 장掌으로 밀 때는, 숨을 들이마시면서 어깨를 늘인다. 자주 하면 어깨가 부드러워진다. 양손으로 하는 공격은 모두 그렇게 해야 한다. 중절中節의 초절梢節(가슴)이 같이 움직여야 한다. 이때 어깨를 늘이는 것이 아니고 어깨가 움직이는 것이다. 중절中節의 초절梢節(가슴)을 움직이는 수련을 먼저 1년 정도 한 다음 말해야 한다. 그렇지 않고 처음부터 가슴은 두고 어깨부터 움직이라고 이야기하면 굳어버린다. 어깨는 기氣가 통과하는 곳이므로 절대 힘이 들어가면 안 되기 때문이다. 어깨는 초절梢節의 근절根節로서 좇는 역할이 있어야 완전해진다. 한 손 공격 때도 역시 어깨가 움직여야 한다. 가슴과 어깨가 같이 움직여야 한다.

충권衝拳을 지른다면 어깨는 잊어라, 어깨를 의식해서 손을 내보내면 안 된다. 〈기起·수隨·추追〉는 따라가는 것뿐이다. 주먹을 유근혈乳根穴 밑에 붙이면 바르게 된다. 유근혈보다 주먹이 높으면 안 된다. 그래야 충권衝拳을 위로 솟구치면서 칠 수 있다. 충권衝拳에서 어깨가 늘어나지 않고 주먹만 뻗어 치면, 이른바 '끊어친다'라고 말한다. 중절中節(팔꿈치)이 따르지 않기 때문이다. 어깨가 늘어나야 중절中節(팔꿈치)이 따르는 것이 되고, 근절根節(어깨)이 좇는 것이 된다. 몸 전체로 보면, 허리(중절)가 팔을 따라야만 된다. 외형으로 보면 초절梢節은 일어나고, 중절中節(허리)은 따르고 근절根節(발)은 이를 좇는다는 형식으로 관찰되고, 내면에서는 허리를 돌리는 힘이 어깨에 전해져 팔 끝까지 경력勁力이 전해지는 것이다. 그래서 삼절이 맞아야 내기內氣가 나온다고 하는 것이다.

중절中節은 초절梢節이 가고 싶은 곳으로 따라가야 한다. 따라가지만 방향을 정해 줘야 한다. 그러면 근절根節은 좇아갈 수밖에 없다. 주먹은 중절中節의 힘으로 치는 것이다.

신법은 허리를 의미하고, 모든 근절은 중절中節(몸통)에 붙어있다. 어깨(근절)를 늘여 치는 이유는 중절中節(허리, 신법)을 발동發動시켜 이용하기 위함이다. 즉 신법이 운용되도록 하기 위해 어깨 관절을 늘이는 것이다.

〈몸으로 해라, 몸으로 쳐라〉는 말은 몸이 중절中節이기 때문이다. 중절中節이 몸의 힘이다. 그래서 〈내기內氣로 쳐라〉는 말을 하는 것이다.

초절梢節(군君)이 일을 할 수 있도록 중절中節(사使)과 근절根節(좌佐)이 만들어 줘야 한다. 힘은 중절中節로부터 나온다.

'곡비곡직비직曲非曲直非直'은 중국 책에 나온다. 이는 중절中節을 말한 것이다. 단순히 관절을 다 펴지 말라는 뜻만이 아니라, 힘과 변화 그리고 신법을 의미한다. 주먹을 찌를 때도 중절中節(팔꿈치)을 완전히 펴는 것이 아니다.

골반骨盤 부위가 몸의 중심中心이다. 골반이 안정되어야 전체가 안정된다. 허리 아래는 중절中節의 근절根節이다. 골반과 좌골坐骨은 근절根節(다리)의 근절根節이다. 즉 두 뿌리가 만나는 곳이므로 안정되어야 한다. 요퇴腰腿가 같이 움직이고, 골반의 좌우 뼈 높이가 같이 움직여야 한다(한쪽이 기울어지지 말 것). 예를 들어 충권衝拳을 찌를 때, 골반은 아래로 고정되어야 한다. 베어링 같은 역할을 하므로 둔부가 움직이면 안 된다. 골반 위의 척추가 움직여야 한다. 신법身法에서 발에서 골반까지는 하초下焦다. 움직이지 않아야 한다.

상초上焦는 자세를 돌릴 때 움직인다. 자세를 돌릴 때 모두 어깨 힘으로 돌아가고 있다. 머리 돌리고 어깨 돌리고 허리를 억지로 돌린다. 틀린 것이다. 허리는 베어링이다. 허리가 끌면서, 허리가 돌아가면서 손발을 끌어가야 한다. 안법眼法으로 돌아갈 때도 허리가 축軸이 되어 먼저 돌아가야 한다. 목만 돌아가선 안 된다.

큰 중절中節(가슴, 허리, 골반)이 따로따로 움직이면 안 된다. 기감氣感이 몸으로 인식되어야 중절中節의 이치에 대한 설명을 이해할 수 있다. 허리 돌릴 때도 어디가 무겁고, 어디가 가볍고, 몸으로 느껴야 중절中節이 정확하게 움직인다.

허리는 자기가 움직이는 게 아니다. 의식하지 않아야 한다. 초절梢節이 가니까 허리가 따라가야 한다. 중절中節이므로 따라가 주는 것이다. 허리를 흔들면 근절根節(둔부)을 흔드는 것이 된다. 가슴이 초절梢節(주먹)과 같이 움직여야 한다. 그렇게 움직여야 걸리는 것이 없다. 더하여 손을 가져올 때 중절中節로 가져오는 것이 숙련되어야 한다. 예를 들어 중절中節의 중절中節(허리)이 잘 안 돌아가면 '단권 1로'에서 둔부를 고정하고 궁보弓步 앞의 발쪽 주먹(순보順步)을 찌르면 잘 안 찔러진다.

마음(心)이 가면, 중절中節(방향 제시)인 허리가 가지 않으면 마음이 갈 수 없다. 즉 몸통의 초절(가슴)은 중절(허리)이 움직여야 한다. 따라서 중절中節이 먼저다. 그러므로 충권衝拳을 칠 때 가슴(心)이 손보다 먼저 간다. 이것이 실제 깊이 있는 무예武藝다.

권법拳法 수련 때 상체만 움직이려고 한다. 틀렸다. 둔부臀部가 수련에서 중요하다. 중절中節(몸통)의 근절根節이 둔부다(骨盤). 골반(中節)을 다루지 못하면 절대 신법이 안 나온다. 둔부가 가볍게 움직여야 한다. 체중과 상관없이 가볍게 움직여야 한다. 둔부가 둔하면 근절根節이 못 움직인다. 즉 다리가 둔해진다. 중절을 경계로 몸통이 반 토막 난다. 중절(몸통)은 방향을 제시한다. 따라서 허리를 가운데로 위, 아래가 모두 움직여야 방향이 정해진다. 돌려차기 찰 때 대부분 가슴, 허리는 다 돌아가는데 둔부는 안 돌아간다. 발(梢節)이 돌아가는데 중절中節(몸통의 근절)이 안 따라주면 안 된다.

〈손의 초절梢節이 움직이면 몸통(中節)의 초절(가슴)이 움직여야 한다.〉
〈다리의 초절梢節이 움직이면 몸통(中節)의 근절(둔부)이 움직여야 한다.〉

무예武藝 동작의 모양과 힘의 관계에서, 삼절三節(모양)과 사초四梢(힘의 균형)가 함께 맞아야 한다.

발은 발가락이 초절梢節이고, 발가락 뿌리(발볼)가 중절中節이다. 이곳에서 변화가 일어난다. 중절中節이므로 힘은 없다. 따라서 초절梢節인 발가락을 잡아야 힘을 쓴다. 즉, 중절中節의 변화를 받아 초절梢節인 발가락이 힘이 들어가고 근절根節(뒤꿈치)이 받쳐야 보법步法이 된다.

3. 근절根節

상완上腕(根節)으로 동작을 움직이면 가벼워진다. 기운이 근절根節로 통하기 때문이다. 팔뚝 부위와 손만 의식해서 움직이면 근절根節로 내기內氣가 통하지 않아서 안 된다. 팔은 몸이 지면地面이 된다. 팔의 근절은 다리와 같다.

상대를 나拿하며 당길 때 손(전완前腕)으로 해서는 안 된다. 손은 상대를 잡기만 하고, 당기는 것은 상완上腕으로 해야 한다.

상대 주먹을 막을 때 초절梢節이 아닌 근절根節로 막는다. 훨씬 가볍고 빠르게 막을 수 있고 부딪힘 없이 솜처럼 막을 수 있다. 방어를 당하는 쪽도 가볍게 자기 공격이 걷어지는 것을 느낀다.

도인법導引法 수련에서, 근절根節을 의식하여 근절根節로 움직이면 손이 가벼워진다. 다리도 같다.

〈모든 수법手法은 상완上腕으로 전완前腕을 끌어온다.〉

수법手法은 근절根節(상완上腕)이 밀어준다. 따라서 근절根節로 막고 근절根節로 밀어친다. 근절은 쫓아가야 하므로 억지로 보내는 것이 아니다. 힘주면 못 쫓아간다. 힘이 없이 편해야 쫓아간다. 신법身法은 천천히 상대 위주로 움직이는데, 상대 공격을 막을 때 반드시 몸도 움직여야 상대의 예봉銳鋒을 피할 수 있다.

근절根節은 쫓아간다. 단권單拳 4로路의 신법身法에서처럼 가슴이 3번 앞으로 나오는 수법手法이 많다. 이때 초절梢節의 근절根節(어깨)도 가슴과 같이 쓰인다(받쳐 준다).

중절中節의 근절根節은 골반, 다리의 근절根節은 대퇴다. 다리의 근절根節은 편안히 둬야 한다. 땅을 쥐는 힘만 준다. 다시 말하면 다리에 마음을 풀어놓고 상체에 기준을 삼아라. 기氣는 의意를 따라간다(마음을 따라간다). 예를 들면 독립보獨立步는 기氣를 위로 뽑아 올리는 자리다. 그래서 다리가 아니고 찔러 올리는 손에 의意를 둔다. 다리에 의意를 두면 기氣가 다리로 가 무거워진다. 다시 말하면, 위로 손을 올릴 때 몸을 끌어올려라. 가슴(梢節)을 올려라. 그러면 기氣가 같이 올라가는데, 의意를 따라 올라간다. 예를 들어서 앉아서 가슴(中節의 梢節)을 움직이지 않고 '허리를 돌려라' 했을 때, 가슴(梢節)에 의意를 두면 초절梢節로 기氣가 가므로 허리가 가볍게 돈다.

발을 펴는 체조를 한다면 당연히 발은 펴진다. 따라서 상체에 주안점이 있다. 독립보도 서 있는 다리 입장에서 한쪽 다리로 서는 것은 당연하니까, 상체에 주안점이 있는 것이다. 근절根節의 역할은 받쳐주는 데 있다.

발도 근절의 초절梢節이므로, 손이 움직이면 가슴과 함께 움직여야 한다. 발이 완전히 땅을 잡지 않으면 상체를 원하는 데로 움직일 수 없다.

다리 삼절三節은 잘 싣고 가면 된다. 의지를 둘 곳이 없다. 보형步型에 의지해야 한다. 그래서 보형을 수련한다. 대부분 다리가 뒤에 따라간다. 잘못되었다. 그러면 싣고 가는 것이 아니다.

4. 삼절三節 수련의 단계

삼절三節은 수련의 단계가 있다. 〈호흡·눈·힘〉이 한 단계다. 〈사초四梢가 가지런하게 되는 것〉이 또 한 단계다. 계속해서 무예 동작의 외적外的 삼절, 내적內的 삼절 등으로 발전해 간다.

'단권單拳 1로路'의 주먹 지르기에서 초절梢節과 중절中節을 잡는다. 본래 3년의 세월이 걸리는 것이다. 주먹 찌르는 것을 터득하기가 가장 어렵다. 그것이 되어야 모든 수법手法을 쓸 수 있다.

① 처음에 주먹의 도착 지점을 한곳에 모으라고 했다.

② 다음에 중절中節을 움직이라고 했다.

③ 그다음에 가슴을 움직이라고 했다.

④ 나중에는 몸을 움직여 주먹이 나간다(身法). 회수하는 팔꿈치가 허리(宿處)까지 와서 몸 뒤로 돌아나가는 것은, 팔이 몸보다 빨리 움직이는 것이므로 틀렸다. 몸이 팔을 이끌어야 한다.

⑤ 뒤에는 팔꿈치, 가슴을 잊어버리고 움직일 수 있다. 몸이 팔을 끌기 때문에 의식만 해도 숙처宿處에 정확하게 가서 머문다.

어떤 초식招式, 어떤 방식으로 수련하라고 하면, 서서히 삼절三節이 다 맞게 된다.

돌려차기를 찰 때 대부분 골반(根節)이 분리되어 따로 움직인다. 골반, 허벅다리, 종아리가 모두 분리되어 움직인다. 그러면 안 되고 삼절三節이 맞아야 한다. 중절中節의 근절根節인 둔부臀部가 움직여야 근절根節의 초절梢節이 움직인다. 다시 말하면, 중절의 근절인 골반이 들리는 것은 발을 들기 때문에 들리는 것이 아니다. 허리가 틀어지면서 골반도 함께 돌아가는 것이다. 그리고 동시에 발도 같이 돌아나가는 것이다. 즉 실전에서 가슴, 허리, 골반이 같이 돌아가거나, 또는 상대 공격의 수비를 위해 가슴(손)이 돈 다음 허리, 골반이 같이 돌아가는 것이다. 돌려차기나 옆차기는 힘을 넣어서 발로만 차는 것이 아니다. 허리가 돌아서 차는 것이다. 처음에는 힘이 없다가 계속 수련하면 힘이 잡힌다. 그것이 숙련된 힘(勁)이다.

병장기에서도 장봉棒 투로套路를 하면 한 식式 안에서도 다 분리되어 움직인다. 즉 삼절三節의 각 절節이 멈추었다 다시 움직인다. 그러면 잘못된 것이다. 연습을 많이 해서 고쳐나가야 한다.

권법에서 손과 발이 같이 나가야 한다. 그래야 몸통이 움직인다. 체조도 마찬가지다. 손의 초절梢節이 나가면 가슴(몸의 초절), 발이 같이 나가야 한다. 힘도 삼절三節이 맞아야 한다. 반면에 '단권 1로'의 삼충권三衝拳 수련은 주먹 지르기를 만드는 수련이므로 손만 나가도 된다.

중절中節도 마찬가지다. 〈반뢰권磐擂拳〉에서 하벽下劈을 칠 때 앞으면서 친다. 즉 팔꿈치, 허리, 무릎 등, 중절의 세 가지 삼절이 동시에 움직인다.

'공수일체攻守一體'란 삼절三節마다 동시에 움직임을 뜻한다. 〈포가권抛架拳〉의 '우허보쌍발장右虛步雙撥掌' 동작처럼 수비가 공격의 시작이 되는 것이다. 수비가 끝나고 공격이 시작되는 것이 아니다.

◎ 신법身法에서의 삼절법三節法

상대가 오른손 충권衝拳을 찔러 들어올 때를 예로 들면, 나는 신법身法으로 왼쪽으로 움직이며 양손으로 상대 주먹을 막을 때 팔과 허리만 도는 것이 아니다. 가슴(중절中節의 초절梢節)은 일어나고 팔은 가슴 움직임을 방해하지 않기 위해 움직이고, 허리는 가슴을 따르고 엉덩이는 허리를 쫓는다.

◉三節法

【경론勁論】

1. 경勁의 이해

경론勁論은 기술론技術論이다.

경勁이 아래로 내려가야 기기氣가 단전丹田으로 돌아온다. 하초下焦에서 움직이는 경勁이 아래로 가지 않으면 기氣가 단전으로 돌아오지 못한다. 경勁도 돌아오지 못한다. 허공에 떠버린다. 이를테면 초보자가 주먹 찌를 때 다 발이 허공에 뜬다. 즉 단전으로 돌아오지 못한다. 단전으로 돌아오지 않으면 힘을 못 쓴다. 단전으로 돌아와야 한다. 따라서 '뱃심으로 한다.', '허리 힘으로 한다.'는 말을 한다. 기가 단전으로 돌아오기 위해서 호흡조절이 되어야 한다. 즉 안정되어야 한다. 그래서 수련복에 띠를 매고 수련하는 것이다. 허리띠가 복압腹壓을 조절해 호흡을 도와준다.

경勁의 힘으로 팔이 무거워진다. 만약 근육을 단련하려면 중량이 가벼운 것으로 무거운 것처럼 수련한다. 둔한 근육이 많으면 칠성수七星手처럼 손을 씻어 나갈 수 없다. 따라서 〈오금수희五禽獸戲〉에서처럼 근육 운동을 해야 한다.

체중이 실린 공격은 변화가 어렵고, 힘(氣, 勁)이 실린 공격은 변화가 쉽다. 한 단계 높다. 체중이 아니고 경勁으로 움직이기 때문에 바람과 같다.

무예武藝는 숙련된 경勁의 익숙함과 기氣로써 몸을 움직인다. 따라서 보법步法이 안될 때는 경勁이나 기氣 중 어느 하나가 안 되고 있는 것이다.

허리 힘(中節)이 나가야 힘쓰는 게 느껴진다. 기氣라는 것은 피부라도 의지하는 곳이 있으면 통한다. 허리 힘은 등의 힘이 아니고 배의 힘을 말한다. 등은 뒤에 뭐가 없혔을 때만 척추 힘을 사용하는 것이다. 복부의 힘이 아니면 허리를 못 쓴다. 신장腎臟은 기氣 주머니, 단전丹田이 아랫배다. 아랫배가 튼튼해야 한다. 아랫배는 신장이 힘쓰는 곳이다.

허리 힘을 쓰되 받침이 있어야 한다. 발뒤꿈치가 받쳐주고 눌러줘야 한다. 그래야 옳은 힘을 사용할 수 있다. 그 이치가 삼절법三節法에 나온다.

중절中節은 혼자 힘을 못 쓴다. 근절根節이 없으면 힘을 발휘하지 못하므로 발경이 제대로 안 된다. 중절中節(허리)의 근절根節은 골반이다. 허리는 신장, 요추腰椎(命門穴)가 근본이고 명문命門이 앞으로 나온 것이 단전丹田이다.

초절梢節의 근절根節은 어깨며, 중절中節(허리)의 근절根節은 골반이다. 어깨와 골반은 그 자리서 움직인다. 늘이지 않는다.

힘(勁)쓰는 방법을 알아야 한다. 힘의 삼절三節이다. 힘은 허리에서 다리, 발 뒤꿈치로 내려왔다가 올라간다. 순간적이라 잘 못 느낀다. 즉 힘의 초절梢節은 허리에서 발發한다. 그것이 힘의 중절中節인 다리로 내려가서 근절根節인 발에서 반탄력反彈力을 얻고 허리 초절梢節로 다시 올라오면, 허리는 그 반탄력을 받아 힘이 더해져서 어깨를 통해 나간다. 힘이 배가倍加 된다.

초절梢節의 힘이 팔뚝 힘이다. 중절中節의 힘은 경력勁力이다. 강强은 타격할 때 주먹을 쥐는 것에서 순간 나온다. 팔뚝 힘과 경력이 합해져 파괴력이 나온다.

허리에서 힘을 내려고 해도 배만 움직여서는 안 된다. 허리(힘의 초절梢節이 일어나야)가 움직여야 힘이 나온다. 허리가 움직여야 기氣가 살아나오는데, 근절根節이 받쳐주어야 힘을 쓸 수가 있다. 예를 들어 무엇을 들 때 팔 힘만 쓰지 않는다. 허리 힘을 사용하게 된다. 그러기 위해서 다리가 받쳐줘야 발로 땅을 움켜쥐고 들 수 있다. 삼절三節의 하나로서 손으로 움켜잡고, 허리를 비틀고(힘의 초절梢節), 허리 힘으로 발(힘의 근절根節)이 땅을 받쳐야(발가락으로 땅을 움켜쥠) 가능하다. 발을 움켜쥐지 않으면 허리 힘을 못 쓴다. 앉아 있는 경우에는 둔부臀部(대퇴)가 근절根節이다.

허리를 틀면 힘이 나온다. 왜 그런지 이유가 있어야 한다. 예를 들어 허리가 정지한 상태에서 권拳을 지르면, 팔 힘으로만 치는 것이다. 몸은 움직이지 않는다. 허리가 움직여야 몸이 움직인다. 허리는 기氣 주머니(腎臟)가 움직이는 곳이다. 그것이 움직여야(發動) 힘을 쓴다. 신장기腎臟氣는 항상 움직인다. 즉 신장腎臟 힘을 끌어와 쓰기 위해 허리가 움직이는 것이다. 움직임을 시작하는 것은 의意로써 한다. 의意로써 기氣를 이끈다. 즉 자기 힘을 응용하는데, 의意에 의해서 응용을 시켜 준다. 몸이 느껴져야 한다. 자신의 힘을 버리고 경勁이 익혀져야 이해된다.

영기靈氣는 모든 부분에 살아있어야 한다. 예를 들면 허보虛步 때 엄지발가락에 영기靈氣를 가지고 있어야 한다. 〈좌공坐功〉의 '호고虎顧'에서 단전丹田에 양손을 포개고 좌우로 허리를 돌릴 때, 손은 밀고 당기는 영기靈氣가 살아있어야 한다. 또는 초식과 초식 사이는 끊어도 된다. 그러나 영기靈氣는 항상 살아있어야 한다.

2. 경勁의 분류

《권법요결拳法要訣》, 〈경론勁論〉의 〈점경點勁·화경化勁·나경拿勁·발경發勁〉의 논리는 형태적인, 초보적인 것으로만 썼다.

'점點·화化·나拿·발發'은 '상대가 버틴다'라는 뜻이다. 또 '자기가 빠져나가려 한다'는 뜻이다. 이를 운용하려면 내 손을 상대 팔에 정확하게(맥脈에 맞게, 관절에 맞게) 접해야 한다.

즉 점경點勁은 정확하게 점點을 하느냐, 화경化勁은 상대 힘을 흔적 없이 무력하게 하느냐(상대 힘을 잡아먹는다), 나경拿勁은 방어를 확실하게 하느냐, 발경發勁은 공격을 확실하게 하느냐에 달려있다. 차경借勁은 상대가 오든 말든 내 마음대로 하는 것이다.

〈점경點勁·화경化勁·나경拿勁·발경發勁〉은 한 동작이다. 어떤 동작에도 포함되어 있다. 한번 공격(한 번 부딪힘)에도 '점點·화化·나拿·발發'이 모두 동시에 포함되어 있다. 상대와 한 번 부딪히면 '점點·화化·나拿·발發'이 모두 이루어진다. 한 초식招式 안에 '점點·화化·나拿·발發'이 있다. 공격이 나拿에서 끝나는 것이면 상대 팔을 쥐지만 발發을 하므로 쥐지 않는다.

〈경론勁論〉에서, 점경點勁은 『버리거나 버티는 경勁이 아니다.』하는 의미는, 버리는 것은 상대가 밀고 들어오면 자신의 힘을 포기해 버리는 것을 의미하고, 버티는 것은 상대 힘을 밀어붙이는 것을 말한다. 점경點勁은 공격의 경勁이다. 부딪히며 전진하기 때문이다. 점點이 없으면 상대 공격을 받을 수 없다. 내 공격을 상대가 받아도 점點이다. 점경點勁은 상대와의 힘의 움직임을 파악하는 것이다. 상대의 힘에 거역하지 말고 그대로 가는 방향대로 움직이며 방어하고 공격하는 것이다.

〈점點한 다음에는 반드시 화化해야 한다.〉
〈화경化勁은 흔적 없이 상대 공격을 무력하게 하는 것이다.〉

권법대련拳法對鍊 시 상대 주먹 공격을 버티는 경우로 부딪치지만, 사실은 화化해야 한다. 상대 힘을 조금도 버려서는 안 된다. 예를 들어 상대가 오른손으로 공격해 오는데, 나는 오른쪽 팔뚝으로 상대 팔뚝을 점點하며 들어갈 때 경勁을 운용하는 과정은,
   ① 점點한다.
   ② 약간 화化한 다음(동시에 몸을 상대 힘 방향의 좌로 틀면서 좌수로 상대 팔꿈치를 잡으며 화化하면 상대 경력은 나의 우측으로 흘러가 버린다),
   ③ 손목을 나拿한다. 잡으며 자신 쪽으로 약간 잡아당긴다.
   ④ 발發한다. 잡은 손목을 놓으면서 오른손으로 발發한다.
몸을 좌우로 틀 때 가볍게 돌려서 반작용으로 당기고 친다. 권拳을 한 번 지를 때 잡아채는 경勁, 밀어치는 경勁 두 가지 경勁이 숙련되어야 한다.

〈화化〉는 붕붕의 힘으로 운용하는 것이다. 〈화化〉를 운용할 때, 앞발이 뒤로 후퇴(한 걸음 물러나는 것)해도 전진하는 화化다. 몸은 앞으로 나가기 때문이다.

〈나拿〉는 꼭 상대를 잡아야만 〈나拿〉하는 것이 아니다. 한쪽 팔을 제압하는 것도 〈나拿〉다. 움직이지 못하게 하는 것이 〈나拿〉다. 신법身法, 보법步法이 이루어지지 않으면 〈나拿〉를 할 수 없다.

유형有形과 무형無形은 서로를 감고 도는데, 유형은 상대의 공격이고, 무형은 내가 상대 손을 〈점點〉해서 〈나拿〉로 제압하는 것이다.

〈화化〉와 〈나拿〉 사이의 인引은, 상대 공격을 〈점點〉으로 맞이할 때 상대의 다음 공격을 미리 나의 의도대로 이끌어내기 위한 것이다. 가인假引은 상대 움직임을 끌어낼 때로써, 〈화化〉와 〈나拿〉 사이의 인引의 개념이 아니다.

상대를 완전히 제압당하게 하지 않으면 〈나拿〉가 아니다. 상대가 나가지도 들어가지도 못하게 하는 것이 완전한 제압이다. 이는 〈차경借勁〉을 논할 수 있는 사람의 〈나拿〉다. 〈차경借勁〉은 상대가 발출한 힘이 빠져서 다음 힘이 못 나오게 하는 것이다. 상대 손이 내 손이 되는 것이다. 약간의 화경化勁으로 톱니가 맞물리듯 상대의 힘을 빌려 들어가는 것이다. 금나擒拿는 〈발경發勁〉을 하지 않으므로, 상대를 잡는 것은 금나擒拿긴 하지만 〈나拿〉는 아니다. 〈나拿〉는 뒤이어서 〈발경發勁〉이 따라야 한다.

금나擒拿는 상대가 손을 가져가지도 내밀지도 못하게 매장하는 것이다. 꺾는 것이 아니다. 어떻게 풀어도 안 되는 것인데, 대표적인 것은 일본의 체술體術로서 귀족들이 호신護身으로 하던 것이다. 순간적인 힘을 사용하여 엄지로 누르면 뼈가 부서진다. 그러나 합기合氣를 할 줄 모르면 되지 않는다. 또 잡는 것은 사람을 칠 수 없다. 칠 수 없으므로 무예武藝하는 사람에게는 사용할 수 없다. 무예는 아니다. 금나술擒拿術이라 한다.

상대를 내 앞에서 〈인引〉할 때 내 팔꿈치가 굽어지는데, 인引을 한 후, 바로 공격할 때 팔꿈치(中節)가 중간에 멈추면 안 된다. 움직이는 반경이 아주 작지만 팔꿈치가 계속 같이 움직여야 한다.

손의 신법身法은 상대가 강하든 약하든 내 손 안에서 조정이 되어야 한다.

〈발경發勁〉은 단전丹田의 힘이 발로 내려가 다시 올라와 허리를 통해 팔로 나가게 된다. 이때 힘이 응축되어 온몸에 축경蓄勁이 되어있다. 발경하고 다시 축기蓄氣하고 그렇게 되지 않는다.

〈발경發勁하면서 축기蓄氣가 된다〉. 온몸에 같이 힘을 줘야 한다. 특히 축기할 때, 수법手法에만 힘을 모으고 다리는 부실한 것은 안 된다. 한숨에 균일한 힘이 전신全身에 흘러야 한다. 움직이려고 할 때, 이미 힘을 모으는 과정을 거쳐나가고 있다. 주먹을 찔렀을 때 손의 힘이 빠져나가야 가장 잘 찌른 것이다. 즉 발경發勁을 하면 몸 전체에 경勁이 남아있어서는 안 된다. 힘이 남지 않고 다 빠져나가야 한다. 이때 축기蓄氣된 힘이 나가며 동시에 다시 축기蓄氣되는 것이다.

공격하기 위해 쳤는데, 힘이 발출發出 안 되고 가두어지는 경우가 많다. 상대를 치고 나면 손이 허虛해져야 한다. 즉 힘이 발출되어야 한다. 힘이 아직 있다고 느끼면 힘을 아직 못 쓴 것이다. 딱딱하면 발경發勁이 안 된다. 힘주지 말라!

◉ 勁 論

발경發勁은, 예를 들어 상대를 치는 것이다. 다른 신비한 것을 말하는 것이 아니다. 그 경勁이 얼마나 힘이 있느냐 없느냐 하는 것이다. 발경發勁이라는 것이 따로 있는 것이 아니다. 즉 경勁을 제대로 발發하도록 주먹을 치는가 하는 것이 중요한 것이다. 발의 힘이 없이는 절대 경勁이 나오지 않는다. 정경整勁은 얼마만큼 정확한 경勁을 하느냐에 있다. 수련되어야 한다.

《권법요결》에 『발경發勁의 요점은 크게 세 가지가 정해져 있으니, 곧 기세機勢・방향方向・시간時間이다.』라고 했다. 경勁을 제대로 발하기 위한 공식을 말한 것이다. 발경은 힘을 발發하는 조건을 만드는 것이 중요한 것이다.

공격의 단계에서 상대를 친다고 하는 것은 큰 상처를 줘서 제압하거나, 또는 상처만 줄 때(위협으로)를 말한다. 그러나 살수殺手를 구사해야 할 상대는 발경發勁으로서가 아니라 신법身法이 달라진다.

第三章

基本 修錬

【수형手型과 용법用法】

1. 구수鉤手

구수鉤手는 원래 손으로 잡는다는 의미다. 기술론技術論이다. 그러나 구수는 잡기 위한 것만이 아니고 상대에 착착 달라붙는 것이다. 가장 기본 수법手法이 구수다. 그러므로 무엇보다 중요한데, 구수의 중요성을 모르고 있다. 구수가 안 되면 수법을 쓸 수 없다.

구수鉤手의 수련은 손목과 함께 손의 외연外沿을 단련한다. 연습할 때 새끼손가락부터 꺾는다. 부챗살처럼 차례차례 새끼손가락부터 들어간다. 손가락 하나하나를 따로 당겨야 한다. 손가락 끝에 힘주는 것이 아니다. 힘은 외연外沿으로 들어간다. 구수의 힘은 외연이다. 외연이 꽉 차도록 해라. 상대 손에 붙으면 어떨 땐 솜 같고, 어떨 땐 쇠갈퀴 같다.

구수鉤手는 손가락을 먼저 움직이지 말고 손목부터 구부린다. 그다음에 손가락을 구부려 온다. 손목(鉤頂)을 최대한 구부려라. 거기에 해답이 있다. 단 엄지는 손목과 같이 구부려 마지막에 검지에 붙인다. 손가락을 손바닥에 붙이지 않아야 하는데, 5지指 중 하나라도 손바닥에 닿으면 힘이 풀어진다. 먼저 꺾은 다음 움켜쥔다. 팔목을 구부리지 않으면 단련이 안 된다. 엄지, 검지, 중지만 손가락 끝을 가볍게 붙이고 나머지 약지와 소지는 손목에 붙이지 않으며 당긴다. 중국의 문파들은 다섯 손가락을 다 붙여 당긴다.

구수鉤手는 손가락 끝에 힘이 들어가면 안 된다. 구수에서 손가락까지 힘이 들어가면, 외연外沿에 힘이 안 들어가고 있는 것이다. 올바르게 하게 되면 힘이 안 들어간다. 모든 수법手法은 손목에 있다. 다른 방식으로 손목을 유柔하게 만들 수는 있어도 기氣를 못 모은다. 강유剛柔를 함께 수련해야 한다. 팔목이 없으면 손이 의미가 없다. 따라서 모든 수법은 팔목이 좌우한다. 예를 들어 장장掌을 칠 때, 장근掌根은 손의 움직임이 아니라 손목의 움직임이 된다.

구수鉤手는 강유剛柔가 겸해 있다. 이치에 맞게 수련했을 때 강유상제剛柔相濟가 된다. 누가 주먹을 찔러도 몸을 움직이지 않고 축축蓄하면서 두 손으로 끌어들이는데, 상대는 마치 솜을 친 것 같다.

발가락처럼 손가락도 움켜잡고 움직인다. 보자기처럼 만들라는 뜻이다. 손가락은 부딪히면 오므라들어 잡는다. 반면에 손등에 부딪히면 손을 뒤집어 손등(背掌) 쪽으로 손가락을 구부려 잡듯이 움직여야 한다.

구수鉤手는 외연外沿에 무게가 잡혀야 한다. 외연을 조여야 한다. 엄지 쪽으로 손가락들이 하나씩 와야 한다. 엄지가 중심이 된다. 외연이 단련되어야 상대 팔을 수비할 수 있다. 예를 들어, 상대의 권拳을 양손으로 손목과 팔꿈치를 나拿할 때 (그림)에서처럼 이 상태에서 B로 누르면서 A로 찌를 수도 있고, A로 누르면서 B로 찌를 수도 있다.

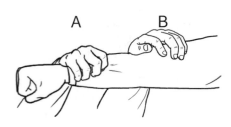

(구수鉤手의 응용)

● 구수鉤手 단련

① 손목과 손가락 구부리는 것이 동시에 시작해 동시에 끝난다.

② 손가락 하나하나가 부챗살처럼 순서대로 구부리고, 마지막에 엄지가 가서 위치한다.

③ 손가락을 손바닥이나 손목에 붙이지 말 것.

④ 손바닥 외연外沿이 단련되어야 한다.

⑤ 팔꿈치를 세워서 구수鉤手를 당겨와야 수련이 된다. 허공에서 팔꿈치가 손을 받쳐줘야 한다. 이때 반대 손으로 팔뚝을 받쳐주면 정밀해진다.

⑥ 구수鉤手는 손가락 끝이 팔꿈치를 향해야 한다. 손목에 힘을 준다. 손목이 팔꿈치 아래로 내려가선 안 된다. 팔뚝과 손목에 힘이 가장 잘 잡히는 자세로 수련한다. 구수를 세게 수련하면 강유剛柔가 파괴된다. 약하게 해야 연마된다. 〈새끼손가락・외연・손목〉 전체가 하나의 형태가 되어 구부려야 한다. 분리되어 움직이면 안 된다. 손가락의 경勁이 쌓여야 상대가 내 손가락을 움켜잡아도 빠져나올 수 있다.

◉ 구수鉤手의 힘의 논리

ⓐ 구수鉤手 수련은 팔꿈치를 당겨서 전완前腕에 힘이 들어가야 한다. 손목부터 구부려야 한다. ⓑ 상완上腕을 세워야 힘이 들어간다. ⓒ 몸의 초절梢節(가슴)을 같이 당겨 움직여야 한다. 내면적인 힘이다. 약간 움직이므로 봐서 모른다. ⓓ 팔꿈치에 반대쪽 손을 대는 것은 더 정확하게 하기 위해서이다.

중절中節(팔꿈치)이 위로 올리듯 받쳐줘야 100% 힘이 모인다. 당길 때도 팔 전체를 뒤로 당기듯이 힘을 준다. 힘을 쓸 때는 받쳐주는 것(팔꿈치)이 있어야 한다. 앉아서 구수 연습을 할 때는 허리, 가슴도 돌리면서 한다(身法).

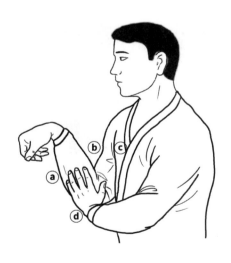

(구수鉤手의 힘)

● 구수鉤手 수련법

구수鉤手는 팔 전체를 쓰면서 수련한다. 사방으로 방향을 수련한다. (그림4)의 동작에서는 구수를 몸쪽으로 당긴 후에, 팔꿈치를 살짝 몸 안으로 당겨 등 근육이 늘어나도록 수련한다. 수련 후 어깨를 천천히 전후, 상하로 살짝 움직이며 푼다. 그리고 주물러 준다. 그렇게 하면 관구關口가 살아난다. 팔이 활발해진다. 어깨를 강화해야 가벼워진다. 실전에서 구수는 위로 채는 것, 아래로 채는 것 두 가지로 운용한다.

구수鉤手는 잡는 것이고, 당기는 것은 상완上腕과 팔꿈치(中節)가 한다. 상대 손을 감아 잡는 것도, 손은 잡고 젖히며 당기는(채는) 것은 상완과 팔꿈치가 한다. 고수高手는 상대 권拳의 손목을 엄지 검지로만 잡아서 젖힌다. 그리고 중지 약지 소지로 상대 권拳을 내리누른다. 힘이 있어야 가능하다.

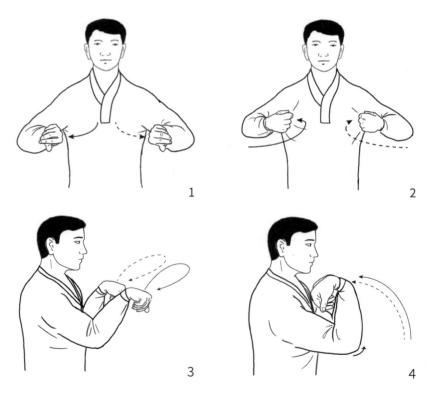

1

2

3

4

(구수鉤手 수련법)

2. 권拳

권拳은 정관권正貫拳이다. 주먹을 뚫어버리듯 끝까지 밀어서 친다. 송곳처럼 뚫고 들어가는 힘이 나와야 한다. 권을 쥘 때는 엄지로 검지와 중지를 감싼다. 튀어나오는 손마디가 없도록 쥔다. 검지와 중지의 뿌리로 권을 친다. 권을 찌를 때, 눈으로 보아 손등(拳背)을 약간 위로 들어야 옆에서 볼 때 수평이 된다. 손등은 수평이 된 모양 그대로 끝까지 가야 한다. 그렇게 해야 발경發勁이 된다. 결정될 때 팔꿈치(中節)도 함께 힘을 줘야 한다. 힘을 빼고 죽가서 격중擊中하기 직전에 힘이 들어간다. 장掌도 몸에 닿기 직전까지 주먹을 느슨히 쥐고 가다가 절장切掌으로 뻗는다. 권拳과 장掌의 수련은 궁보弓步를 잡은 채로 제자리서 권拳이나 장掌을 수련하는 것이 좋다.

주먹을 격법擊法(치고 바로 떼는 것)으로 칠 때는 전사纏絲로 좌, 또는 우로 비비며 친다. 권拳의 전사는, 수련에서는 허리에서 나가면서 회전 후 손등(拳背)이 하늘로 향한 수평 모양 그대로 나간다. 실전에서는 상대와 완전히 붙은 상태에서 치는데, 권을 찌르면 권이 상대 몸을 통과할 정도의 거리에서 친다. 그래서 수련 때 전사가 끝나고 나서도 계속 찌르는 것이다. 권을 찌를 때, 허리에서 전사로 돌리며 나가 목표 지점의 거리가 10% 정도 남았을 때 전사가 다 펴져야 한다. 주먹이 완전히 바르게 된 다음 뚫듯이 찔러야 하므로 10% 남기고 전사가 끝나는 것이다. 그래서 상대의 권이 찔러오면 내 몸을 통과할 정도의 거리(팔꿈치가 구부려져 있다)에서 제압하고 반격해야 하는 것이다. 반면에 장掌은 마지막 장근掌根이 부딪힐 때까지 계속 전사가 되어야 한다.

권拳의 공격 부위는 주로 배(腹) 같이 무른 부위만 친다 권拳의 변화로서는 손등을 위로 바르게 주먹을 쥐고도 명치를 좌충권挫衝拳처럼 올려친다. 명치를 치되 올리는 힘(掤)으로 친다. 중사평中四平은 입권立拳으로 주로 치는 데, 낮은 곳을 칠 때 전사로 돌리면, 격중할 때 고사평高四平의 힘도 아니고 신권神拳의 힘도 아니다. 따라서 힘이 계속 뻗어 나가게 하도록 입권立拳으로 친다. 권의 수련은 고사평세高四平勢로 주로 하지만 실전에서는 상대와의 간격이 많이 가까워지므로 주먹을 세워 입권立拳으로 찌르는 것이 더 낫다. 신법이 편하고 힘이 강해진다. 많이 쓴다. 주먹 등(拳背)을 위로 향하게 돌리면서 하는 것은 수련을 위한 뜻이 많다. 주먹 기울기를 평평하게 하는 것과 팔꿈치에 힘주는 수련 때문이다. 신권神拳은 아랫배를 눌러 치는 것이다.

3. 장掌

장掌은 허리에서 나갈 때 꽃이 피듯(봉우리가 벌어지듯) 나가서, 회수回收할 때도 꽃잎이 다시 봉우리로 오므라들듯이 회수한다. 장掌은 가지런하고 양푼처럼 오목해야 한다. 손가락 전체가 다르게 어긋나는 것이 있어선 안 된다. 장掌을 지른 손을 회수할 때, 손목을 회전시키면서 주먹을 쥐지 말고 그대로 주먹을 쥔 다음 손목을 돌려 회수해야 한다. 실전에서 상대 손목을 쥔 다음 비틀어서 오기 때문이다.

〈절장切掌은 우리나라 무예武藝에만 있다〉.
중국은 투장投掌으로 한다(던져서 치는 것). 그래도 장근掌根으로 치기는 한다. 절장切掌은 돌리면서 펴고 한 동작으로 전사纏絲한다. 장연掌沿으로 부딪혀 장근掌根으로 함께 친다. 돌리면서 쳐야 한다. 팔꿈치가 허리를 스쳐 따라가야 한다. 절장은 돌리면서 나가고 상대 몸에 닿을 때 장외연掌外沿으로 돌리며 비벼 누르는 것이다. 회전을 반대로 하면서 칠 수도 있다(장을 허리로 회수할 때의 회전 방향). 장掌은 반드시 절장으로 새끼손가락, 외연外沿 쪽을 수직으로 세워서 수련해야 한다. 투장投掌은 던지듯 손바닥 전체로 치고, 절장切掌은 칠 때 손바닥 장근掌根을 소지小指 쪽에서 엄지 쪽으로 틀며 친다. 그리고 상대 몸에 부딪치면 태극太極으로 비빈다.

◎ 장외연掌外沿의 뜻

장외연掌外沿은 엄지, 새끼손가락, 그리고 손목 부위 모두를 말한다. 권拳, 장掌은 손가락 끝이 균일하게 힘이 들어가야 한다. 새끼손가락 부위만을 장외연掌外沿이라고 하기도 한다.

ⓐ 장외연掌外沿
ⓑ 장근掌根
ⓒ 장내연掌內沿

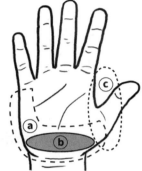

(장掌의 부위)

〈일장一掌은 이경二勁이다〉.

우리나라 장掌의 또 다른 특징이다. 장심掌心을 벌리는 것이 일경一勁이요, 주먹을 쥐어 당겨오는 것이 또 일경一勁이다. 권拳이 장掌으로, 장掌이 권拳으로 변하는 것이다. 중국의 문파들은 주먹을 쥐지 않는다.

· 절장切掌은 가슴 부위를 공격하는 장이다. 절장은 속을 파괴하는 것이다.
· 절장切掌이 필요한 부위 외에는 모두 정장正掌(산장散掌)으로 운용한다.
· 정장正掌은 손바닥 전체를 쓴다. 이때 중심은 손바닥 중앙(장심掌心)이다.
· 측장側掌도 정장正掌으로 친다.
· 장掌의 운용은 급소急所를 공격하는 데 있다.
· 장掌은 급소急所 부위에 따라 장掌의 모양이 달라진다.
· 장掌의 약점은 손가락 부위다.
· 장掌은 조금만 상대가 몸을 움츠려도 무력해진다.
· 장掌을 뻗을 때 손가락에 힘을 주면 무력해진다.
· 장掌은 반드시 외연外沿과 장근掌根에 힘이 들어가야 한다.
· 칠성수七星手는 장심掌心이 안 보이게 손을 든다.

장掌은 외연外沿과 장근掌根에 힘을 주어 세우게 되면, 끝까지 밀어도 팔꿈치가 완전히 펴지지 않는다. 이렇게 되도록 수련해야 한다. 그다음 팔꿈치를 펴지 말고 가슴으로 밀어내야 한다. 팔꿈치를 펴서 팔을 늘이는 것이 아니다. 권拳도 마찬가지로서 엄지와 검지를 말아쥐어 힘주고 치면 팔꿈치가 펴져 젖혀지지 않는다. 왜냐하면, 팔꿈치는 힘이 들어가는 부위가 아니기 때문이다. 힘이 들어가 젖혀지면 경勁이 끊어진다. 소위 '직비직곡비곡直非直曲非曲'이다.

장掌이 수련되지 않고서는 장掌을 쓸 수 없다. 장掌은 뒤집어져야 한다(柔). 장掌은 뒤집을 때의 힘뿐 아니라, 팔 전체 힘이 공격에 같이 쓰이게 된다. 느리게 보여도 상대 몸 가까이 가서 장掌으로 변하기 때문에 빠른 것이다.

장掌은 외연外沿과 장근掌根, 두 부분으로 친다. 절장切掌은 장연掌沿으로 부딪혀 장근掌根으로 함께 친다. 돌리면서 장掌을 쳐야 한다(전사纏絲). 권拳은 뚫어야 하고 장掌은 주먹과 달리 경勁을 쏟아내야 한다. 장掌은 장근으로 깊이 파고 들어가는 것이다. 권拳도 중지를 구부려 돌출하거나 엄지 등을 이용하여 깊이 파고들도록 칠 때가 있다.

장掌은 엄지손가락이 벌어지면 안 된다. 그러나 붙여도 안 되고 자연스럽게 둔다. 외연外沿의 힘도 엄지부터 새끼손가락까지 힘이 들어가야 한다.
장掌은 수련할 때 위로 올라가면서(사선斜線으로) 치면 안 된다. 직선으로 바르게, 장외연掌外沿을 위주로 세우고, 팔꿈치를 다 펴려고 하지 않으면서 친다. 주먹은 수련할 때 위쪽(얼굴 높이)으로 칠 수 있지만 장掌은 안 된다.
장掌은 구수鉤手 수련이 되어야 제대로 된다. 〈범신공帆身功〉에서 장掌 수련을 할 때, 장掌을 펼 때까지 끝까지 전사纏絲로 움직여 나간다.

〈구수鉤手와 장掌이 수련되지 않으면 유柔를 이룰 수 없다〉.

◉ 장掌으로 상대 공격을 막을 때

① 장근掌根이 받치고, ② 손가락이 날개처럼 덮고, ③ 장심掌心은 공空하지만 힘을 모으는 곳이다(手心空). ①②③이 선후先後가 없이 동시에, 완전히 이루어져야 완벽하게 막을 수 있다. 장掌으로 막는 연습이 정확해져야 한다.

◉ 장掌 수련방법

① 권추圈捶 수련에서 권추를 받는 손으로 연습한다.

② 권법 대련에서 상대 발차기를 받을 때, 정확하게 느리게 또박또박 연습하고, 숙련되는 정도에 따라 조금씩 속도를 증가하며 막는다.

③ 단봉短棒 훈련으로, 봉을 양손으로 주고받으며 뻗는 힘, 잡는 힘을 기른다. 엄지로 바깥으로 튕겨 치고, 새끼손가락으로 채서 오며 반대 손으로 잡는다. 좌우 교대로 한다. 장掌을 직접 단련하는 것이 아니고, 손목의 힘을 기르고 잡는 힘과 정확성의 수련이다. 약한 것으로 시작해서 강한 것으로 교체해 가며 수련한다. 버들가지 같은 것으로 시작해서 나중에 박달봉까지 수련한다. 봉棒 정도의 두께가 좋다. 처음에는 가벼운 것으로 하고 굵으면 수련이 안 된다. 수평으로 하는 것을 기본으로 하되 동서남북, 상하좌우로 뻗어 친다. 손가락에 눈이 달리도록 수련하라. 엄지와 손목의 힘으로 좌우左右를 벽곤劈棍으로 치고, 회수할 때는 구수鉤手의 힘으로 가져오고 반대 손은 장掌으로 받는다. 특히 수식收式 때 장掌 연습을 확실히 하라.

◉ 장掌의 약점

장掌의 약한 부위는 손가락이다. 상대가 장掌으로 오면 손가락을 잡아서 무력화시킨다. 그러나 고수高手는 잡으러 오는 손을 살짝 비켜 다시 찌른다. 상대 잡으러 오는 손 뒤로 가서 다시 찌른다. 또는 상대가 못 막게 주먹을 쥐고 들어가 마지막에 펴면서 장掌을 친다. 예를 들어 상대 우수를 잡고, 상대 좌수가 올라오면 내 좌수로 걸고, 내 우수는 상대 좌수 아래로 들어가 좌충권挫衝拳처럼 권拳으로 들어가 상대 몸에 닿기 직전 장掌으로 변하여 친다.

● 手型괄 用法

(장掌의 운용)

◉ 장掌을 쓰는 법

① 장掌은 장연掌沿·장지掌指·장배掌背 등 장掌의 모든 부위에 힘이 들어가 있어야 한다. 예를 들면, 상대 우수가 오면 내 좌수를 들어 상대 팔의 안쪽 팔꿈치와 상완上腕 부위를 배장背掌으로 바깥으로 좌수로 밀어 막는다. 이어서 바로 좌수를 돌려서 장掌으로 친다. 손가락으로 약간 찌르듯이 막으며 장지掌指로 바로 찔러도 된다.

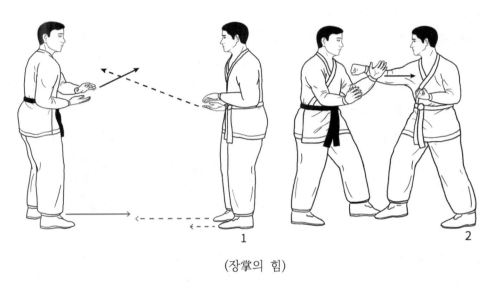

(장掌의 힘)

② 주먹으로 공격하는데, 상대가 움츠리면 장掌으로 변화하여 공격한다. 움츠릴 때 장掌이나 주먹을 찔러 들어가면 힘이 상대에게 흡수되기 때문이다. 따라서 상대가 움츠린 상태에서 권拳을 장掌으로 변화하여 치는 것이다.

③ 장掌을 쓸 때는 몸이 낮아지고 몸을 틀면서 친다. 손으로 치는 것이 아니다. 전사纏絲로 장掌을 친다. 새끼손가락 쪽 외연外沿과 장근掌根까지 밀고, 마지막에 엄지 아래 장근掌根까지 약간 더 비벼 손목을 돌린다. 절장切掌에서 장심掌心이 정면을 볼 때까지 치는 것이다. 장掌을 회수하는 손은 감아 돌리며 허리로 온다. 장掌을 회수할 때 몸이 돌아가므로 팔꿈치가 등 뒤로 돌아가 노선을 벗어나면 안 된다. 장掌을 사용할 때는 마지막에 약간 더 장근掌根으로 전사를 해야 한다. 칠 때나 수비할 때나 같다.

④ 예를 들어 상대 주먹을 수비할 때, 장장掌으로 권면拳面을 살짝 대면 상대 힘이 없어진다. 그대로 장장掌으로 나아가 친다. 이때도 엄지 아래 장근掌根으로 전사하여 상대 힘을 죽인다. 상대 주먹이 굵은 몽둥이처럼 찔러 와도 양수兩手로써 쓰다듬듯이 막아야 한다. 유유柔로써 강강強을 막는다. 태극太極의 흐름으로 쓰다듬듯이 두 손으로 감아 우수 장장掌으로 상대 주먹을 친다. 이때 밀어쳐야 한다. 100% 신법身法(허리)으로 양손이 끌려오게 운영해야 힘을 쓸 수 있다. 팔로 해서는 안 된다.

⑤ 장장掌을 쓰려면 두 가지 경경勁을 길러라. 두 가지 힘을 길러야 한다.

예로써, 〈포가권抛架拳〉에서 우붕권右崩拳을 치고, 상대 발 공격을 아래로 막을 때 주먹을 펴는 힘으로 막는다. 쥐었다 느슨하게 펴는 것이 아니고 쥘 때와 같은 힘으로 펴야 한다.

1　　　　　　　　　2

(④의 예)

4. 칠성수七星手

칠성수七星手는 구수鉤手와 장장掌을 수련하여 형성된 손목의 유공柔功에 의해서 칠성수를 만들되, 장근掌根을 젖혀서 적절한 위치가 되게 뻗어 나간다. 어떤 위치가 되면 손목의 유柔의 힘이 팔꿈치까지 느껴지는 위치가 있다. 즉 팔꿈치까지 팔뚝의 외연外沿 힘이 뻗쳐야 올바른 칠성수 수련이 되고 경경勁이 길러지는 것이다. 다시 말하면 손목의 유柔의 힘이 팔꿈치까지 전달되어야 한다. 이때 팔꿈치가 바깥으로 벌어지면 안 된다. 아래로 떨어져야 한다.

칠성수七星手는 뒷손의 손바닥이 하늘을(배장背掌) 보도록 해서 팔꿈치 아래에서 밀어 나가면 안 된다. 장장掌을 세운 상태 그대로 나간다. 상대 권拳을 젖혀 막을 때 칠성수가 바로 나가야 한다. 내 어깨를 벗어나 바깥으로 젖혀서는 안 된다. 장장掌를 찌르듯 나간다.

칠성수七星手는 팔꿈치를 떠나서는 안 된다. 숙처宿處의 손이 팔꿈치 뒤로 가면 아주 늦어진다. 또 숙처의 손이 일부러 팔꿈치 아래를 지나 앞 손의 바깥쪽으로 움직이면 늦다. 뒷손이 처음 있던 숙처에서 바로 밀고 나가면, 자연히 앞의 손 외측으로 나가는 모양이 된다. 다시 말하면, 칠성수는 팔꿈치 아래서부터 시작한다. 숙처 손의 엄지를 가지고 팔꿈치 아래로 팔 선線을 따라서 낸다. 나가는 팔은 돌리지 말고 곧게 나간다. 좌칠성수左七星手는 몸을 오른쪽으로 돌리며 왼손을 직선으로 나간다. 몸으로 손을 만들어야 한다. 이때 약간 전사가 되면서 마지막에 손이 서야 한다.

1

2

칠성수七星手라는 말은 본래 옛날에는 허보虛步를 의미했다. 따라서 신법을 의미한다. 그러므로 허보를 분명하게 하면서 반드시 신법으로 움직인다. 실전에서 허보가 불분명해도, 허보의 특징을 갖추면서 움직여야 한다. 칠성수는 나의 좌우를 지키는 것이다. 몸의 자오선에서, 머리에서 낭심까지를 좌우로 지키는 것이다. 수련할 때의 칠성수는 내 몸 안쪽에서 바깥쪽으로 밀어낸다. 중간에 상대 손이 잡히면 신법으로 좌 또는 우로 틀면서 횡격 등으로 친다.

◉ 칠성수七星手는 전사纏絲로 움직여야 한다.

① 상대 주먹이 오는데 앞의 손이 받으면서 뒤의 손이 칠성수로 밀고 나가며 막을 때, 앞 손을 지나칠 때부터 반배장反背掌을 만들며 전사로 막는다(젖히며 나간다).

② 나가는 손의 장근掌根을 세워도 전사가 된다.

③ 그냥 손이 나가도 팔목이 약간 전사가 된다(미묘하다).

◉ 칠성수七星手의 특점

칠성수七星手는 상대가 모르게 들어가므로 숨은 손이다. 예를 들면, 상대 우수가 오면 내 우수로 막는다(右足). 숙처의 좌수로 칠성수를 내어 우수 아래로 들어가 상대 우수를 젖혀(左足) 상대 중궁中宮을 열고 우수로 친다(右足). 이때 발이 모두 같이 3번 움직인다. 신법身法으로 움직이기 때문이다.

◉ 칠성수七星手의 수련

평소 발차기 때 칠성수七星手로 수련한다. 또는 2인人 수련을 한다면 제자리, 또는 전진하면서 상대와 부딪히되, 좌우를 번갈아 가며 한다. 그때 서로가 힘으로 밀지 말고 경勁으로 움직인다. 상대가 밀어 들어오는 힘을 받아서 위로 올리면 안 된다. 팔뚝을 돌려 나가며 상대를 맞이하고 팔뚝을 비비면서 튕겨낸다. 즉 좌우로 튕겨낸다. 실전實戰에서 칠성수보다 반배장反背掌으로 움직일 수 있다면 더 고수高手다. 그러나 허점이 보이면 소용없다.

5. 붕권崩拳

모든 수법手法에 붕붕崩掤이 없으면 안 된다. 붕掤은 솟는 힘이다. 붕掤의 경勁은 밀어 올리는 경勁이다. 들어 올리고 막는 것도 붕掤이다.

붕권崩拳은 권면拳面으로 파고들어 치는 것(직붕直崩)과, 권배拳背로 밀어치는 것(입붕立崩) 두 가지다. 직붕直崩은 손목에서 권拳이 살짝 올라가는 모양이다. 직붕은 윗부분을 칠 수도 있다. 내 상부로 오는 주먹을 눌러 막고 상대 팔 위에서 바로 앞면이나 목 쪽에 붕권을 치면 된다. 단 복부에서 목까지 올라가는 식은 직붕이 아니다. 좌충권挫衝拳이 된다. 입붕은 둥글게 가면 안 된다. 눈높이로 가되 화산이 분출하는 형상으로 직선으로 가서 친다. 또한, 손목을 꺾어 치면 안 된다. 손등을 밀어쳐야 한다. 앞으로 움직이는 붕掤처럼 옆으로 젖혀도 젖혀 누르는 듯한 힘이 붕이다. 옆으로 젖혀 막는 것도 붕이다. 젖히는 힘이 붕의 힘이다. 즉 무너뜨리는 힘이다. 그러나 옆으로 바로 젖히는 것은 붕이 아니다. 동선에 보이지 않는 원권圓圈이 내포된 힘이 붕의 힘이다.

옆으로 치는 붕권崩拳은 권배拳背와 팔뚝 전체로 친다. 앞으로 치는 붕권(直崩)은 권면拳面으로 친다. 직붕直崩은 상대 양쪽 늑골 바로 아래 기문혈, 장문혈을 파고들어 갈비뼈 속으로 위쪽으로 친다. 명치도 같다. 주먹도 갈비뼈 아래서 위로 파고들어 친다. 위로 올려치는 좌충권挫衝拳도 붕권이다. 붕권崩拳은 어깨를 늘이지 않는다. 왜냐하면 단수短手(짧은 공격)이므로 길게 공격해 들어가면 상대에게 당한다. 입붕인 경우 팔꿈치를 둥글게 유지하며 상대의 이마를 친다. 반면 고사평高四平은 어깨를 늘여 쳐야 한다.

상충권上衝拳은 상대가 뛰어오르면 올려치는 것이 상충이다. 상대 겨드랑이를 올려치거나 턱을 올려치는 것 등이다. 넓게 보면 붕권崩拳에 포함된다.

6. 궁궁을을弓弓乙乙

<궁궁을을弓弓乙乙>은 전사纏絲를 의미한다. 우리나라 무예武藝에서는 본래 전사라는 말을 사용하지 않았다. 무예武藝에서 태극太極의 변화를 '궁궁을을弓 弓乙乙'이라고 표현했다. 궁궁弓弓은 활 두 개를 반대로 붙여서 무극無極이 된 다. 을을乙乙은 새가 나는 모양이므로 태극太極이 된다. 전사는 중국식 표기 다. 현대에 와서 편의를 위해 단어를 차용해서 대신 사용하고 있다. 그러나 무예 용어는 과거 한자漢字 문화권에서 공통된 부분이 많지만, 그 내용은 다 른 것이 있다.

전사纏絲는 유형有形과 무형無形이 합한 것이다. 보는 사람은 전사의 움직 임을 못 본다. 무형이다. 이유는 빠르기 때문이다. 주먹의 전사는 허리에서 돌리지 말고 가면서 돌린다. 유근혈乳根穴을 스쳐 나간다. 전사로 칠 때는 빨 래를 짜는 식으로 기운이 뻗어 나가야 한다. 그래서 권을 관권貫拳이라 한다.

전사는 밀기도 하고, 올리기도 하고, 좌우로 걷어내기도 하며 뒤로 흐르게 도 한다. 이는 상대의 허점이 보이도록 수법手法을 운용하기 위해서이다. 전 사는 상대 공격의 속도에 맞춰야 한다. 빠르게 오면 빨리, 느리게 오면 느리 게, 톱니가 맞듯이 하면 둔탁하지 않고 충격이 흡수된다.

◉ 손의 세 가지 전사纏絲

① 붕掤으로 밀어 올리는 전사, 위로 밀어 막는 것으로 들어가면서 한다.

② 내 몸쪽으로 이끌어 당기면서 전사(인引), 당기면서 구수鉤手를 한다.

③ 상대 진공 방향의 역逆으로 거슬러 올라가면서(따라붙으면서) 전사, 이때 는 내 손이 상대 쪽으로 나가면서 상대 팔꿈치에 가서 챈다.

상대 공격을 잡을 때, 반드시 전사纏絲로써 나간 다음에 상대 공격을 받아 들이듯이 하며 잡아야 한다. 출발하면서 허공에서 전사로 움직여 들어가, 전 사 중간에 상대 권拳이 장외연掌外沿에 걸려 구수鉤手가 만들어진다. 예藝가 높아지면 공중에서 바로 잡지만, 역시 허공에서 전사하는 것이다. 원권圓圈도

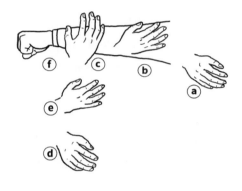

작아진다. 밀어서 젖히는 것도 같다.

　예를 들어, 아래 (그림)에서처럼 상대 좌권左拳을 우수로 바깥에서 막을 때, ⓐ 모양으로 상대 팔 밑으로 들어가 상대 진공進攻 방향으로 같이 가면서 ⓑ 모양으로 ⓒ 모양으로 변화하면서, 상대 팔에 접촉하면서 전사한다. 엄지부터 차례로 힘이 들어간다. 상대 팔과 평행하게 움직이며 내 손을 아래에 숨겨서 위로 들어 올리듯이 전사한다. 손을 ⓓⓔⓕ번 노선으로 움직여도 된다. 상대 우권右拳을 나의 우수로 바깥에서 막을 때도 손 모양이 같다.

(전사의 동선動線)

　전사의 과정은 상대와 점點하고 나서 전사하는 것이 아니고, 전사하는 동선 중에 상대와 점點해야 한다. 예를 들면, 짧은 전사(상대는 모른다)에서, 상대 우수가 찔러오면 나는 좌수는 상대 팔꿈치 근처, 우수는 팔뚝 근처를 받되, 우수로 짧은 전사로 돌려 오른쪽으로 걷어내고, 상대 팔꿈치는 내 좌수로 아래로 누르면서 우수 장掌으로 상대 이마를 가격한다.

　전사는 요결要訣이 없다. 연습하면 된다. 전사의 위치는 상대 팔꿈치, 팔뚝, 상대 겨드랑이까지 들어간다. 자신의 맥脈을 부딪히지 말고 해야 한다. 전사를 못 하면 멍이 든다. 횡경橫勁으로 가볍게 튕겨내야 한다. 공방에서 허리가 돌면서(身法) 밀어서 들어간다. 그렇게 해서 전사의 힘을 생성하는 것이다. 모든 동작에 전사가 들어가야 한다. 전사는 상대 팔을 타고 간다. 상대 팔에 들러붙으면서 전사해 들어가야 한다. 상대 공격을 전사로 받으면서 상대 팔 아래로 돌려 들어가는 것 등이 모두 전사다.

〈전사纏絲는 반드시 신법身法으로 움직여야 한다〉.

　전사는 팔로만 하면 힘(勁)이 전달 안 되고, 반드시 가슴이 전사에 동참해야 한다. 가슴이 나가는 범위(거리)는 짧지만 삼절법三節法에 의해서 그 시간에 팔이 다 간다. 따라서 빠르다. 그리고 가슴이 움직이면 다리의 힘이 어깨를 통해 확실히 전달된다. 힘이 배가되고 속도도 빨라진다. 예를 들어, 〈반뢰권磐擂拳〉에서 신권神拳을 치고 뒤로 돌면서 고사평高四平으로 치는 것도 돌면서 숙처宿處의 손이 전사로 움직여 나가야 한다. 이렇게 수련하면 끊어지지 않게 된다.
　선풍퇴旋風腿는 공중으로 올라가면서 돌아야 한다. 보통은 몸이 떨어지면서 돈다. 발힘이 형성되지 않았기 때문이다. 선풍은 몸의 신법身法이다. 발끝에서 머리끝까지 모두 전사로 돈다. 이런 것이 상승무공上乘武功이다.

7. 숙처宿處

　숙처宿處는 머무는 집이다. 예로써, 칠성수七星手는 뒤에 있는 손이 숙처다. 일반적으로 허리에 회수하는 손이 가서 닿는 곳이다. 무예武藝 수법手法에서 숙처가 얼마나 중요한 것인지 모른다. 오고 가는 핵심이다. 숙처의 손은, 나갈 때는 느슨하게 나간다. 느슨하게 나가서 끝에서 튕겨 친다. 허리의 숙처에서 손이 나갈 때 점點하면서(늑골에 붙어서) 화化하면서(비비면서) 올라가야 한다.
　수법手法을 사용할 때에 손이 숙처에 머물되, 아주 머무는 것이 아니라 발휘할 수 있는 기氣가 살아있어야 하고…….

숙처宿處는 대비하는 손이 머무는 위치를 말한 것이다. 영기靈氣를 띠고 있어야 한다. 영기가 끊어져서는 안 된다. 숙처의 위치가 분명해야 한다. 한번 기氣가 끊어지면 틈이 생겨 안 된다. 즉 다시 시작하는 것이 된다. 항상 거미줄처럼 연결되어야 한다. 이런 것이 상승上乘이다.

허虛와 실實, 숙처宿處라는 말을 옛날에는 했다. 『허虛와 실實의 숙처宿處의 위치가 분명해야 한다.』 옛사람들 말이다. 옛 무인들은 누구나 아는 말이었다.

허리의 숙처는 배꼽과 나란히 주먹(拳輪)이 있어야 한다. 조금만 뒤로 가도 어깨가 딱딱해진다. 손목도 안으로 당기면 안 되고 평직平直하게 두어야 한다. 들어와 있는 손에 힘이 있어야 하며, 주먹이 숙처에 있으면서 주먹을 올리지 말고 바르게 있어야 한다. 어깨가 비워져야 하는데, 숙처가 조금만 어긋나도 어깨가 긴장되고 균형이 틀어진다. 숙처의 요령은 완전히 습관이 되어야 어깨가 편안하게 된다. 지르는 주먹이 멀리 가더라도, 숙처는 그 자리에서 딱 힘이 들어가 있어야 한다.

숙처宿處를 제자리에 두는 요결要訣은 첫째, 팔꿈치를 내리고 둘째, 늑골에 붙여야 한다. 안 붙이면 어깨가 올라간다. 셋째, 가슴과 같이 뒤로 당겨라. 팔만 뒤로 당기지 않는다. 숙처에 돌아올 때 팔꿈치로 당기고, 주먹은 선 자세로 들어와야지 쳐져서는 안 된다. 숙처 위치를 고수해야 한다. 들어갔다 나왔다 해도 그 위치다. 숙처에 와서 팔이 늘어지면 안 된다. 변화를 못 한다. 숙처로 들어오는 손은, 쉬지 않고(끊어지지 않고) 가져오면서 마지막에 완전히 주먹을 쥔다. 힘을 응용하는 것이다. 탄력이 나와야 한다.

〈주먹이 선 자세가 되어야 한다. 이때 어깨가 올라가지 않도록 하면서, 주먹이 숙처宿處에서 그대로 나갔다 들어와야 한다. 이것을 영원히 잊지 않아야 한다〉.

단 초학자를 이렇게 가르치면 절대 안 된다. 오므라들어 잘못된다. '단권 1로'에서 충권衝拳을 지를 때 오는 손 가는 손이 받쳐주는 것이 있어야 한다. 오는 손이 숙처에 딱 맞게 받쳐야 가는 손이 다 뻗어진다(좌우수가 맞춰져야 한다). 숙처에 오는 손이 먼저 오면(먼저 가서 기다리면) 나가는 손이 덜 뻗어진다. 반탄력反彈力도 좌우가 맞아야 생긴다. 실전에서도 숙처, 또는 방어하는 손이 나가는 손을 받쳐주면서 찌른다. 반작용 자체가 받치는 힘이다. 그렇게 움직여야 숙처 손의 다음 변화가 바로 나온다. 힘의 균형(규격이 맞도록)과 목적이 확실하게 나가는 손이 된다.

숙처宿處에 오는 손이 꼭 뒤로 가져오는 것만을 말하는 것이 아니다. 나가면서 상대 손을 막는 경우도 숙처 손이 된다. 아래 (그림)에서 상대가 오른손 공격을 하면, 나는 왼손이 나가서 왼쪽 바깥으로 밀어 막으면서 우권右拳을 찌를 때 내 왼손이 숙처다. 이때 왼손의 반작용을 우권右拳에 싣는다(다 뻗어야 한다).

(숙처宿處의 위치)

또는 상대 우수를 내 좌수로 누르면서 우수로 찌를 때도, 상대 팔을 누르는 위치에 내 왼손이 와서 멈출 때 우수는 완전히 뻗어지는 힘으로 친다. 이 경우, 나는 눌러 막은 왼손을 들어 상대 우권右拳의 힘을 빌려서 다시 좌권左拳을 찌른다. 이어서 오른손으로 상대 목을 공격해 들어간다. 이때 왼손의 눌러 막은 위치가 숙처다. 상대 팔에 의지한 다음, 그 힘을 이용해 좌권左拳을 튕기면서 찌른다. 모두 신법身法으로 팔이 움직여야 한다. 숙처가 꼭 뒤로 오라는 법은 없다. 머무르고 있는 곳이 숙처다.

상대 우수에 신법으로 피하며 내 좌수를 상대 우수에 닿지 않고 허공에서 살짝 갖다 대더라도 그곳이 숙처다. 따라서 허공의 숙처에서 반작용의 힘으로 우수는 끝까지 뻗어야 한다. 즉 〈숙처가 멈추면 공격도 완성되어야 한다〉.

내가 우권右拳을 지를 때 상대 우수가 와서 막으면, 나는 우권을 세우면서 좌수는 상대 팔꿈치를 들어서 내 좌측으로 비껴내고, 빈틈을 만들어 우수로 상대 목을 내려친다. 또는 우측으로 굴려서 상대 우수를 누르고 가슴을 직타 直打하거나 낭심을 내려치기도 한다. 권拳이 나가면 상대가 막았다고 공격 손이 바로 숙처로 돌아오지 말고, 부딪힌 지점이 숙처가 되어 연속적으로 좌우로 상대를 흔들며 치고 들어간다. 몸도 발도 같이 들어가며…….

이때 상대가 막더라도 다시 들어가는 신법身法은 좌우로 몸이 두 번 움직이는 것이 아니다. 한 방향으로 움직이며 손이 두 번 공격하는 것이다. 신법이 끊어지면 안 되기 때문이다.

각법脚法도 앞차기로 상대 복부를 공격하는 데 상대가 막으면, 상대 막는 힘에 저항하여 끝까지 밀어 차지 말고 상대 누르는 힘에 의지하여 상대 무릎을 다시 찬다. 다시 찰 때 골반을 영활하게 움직여 돌려도 차고 연속으로 찍어 들어가기도 하고……. 상대가 막은 위치가 다시 발의 숙처가 되는 것이다.

숙처宿處에 오는 손의 특징으로는, 팔꿈치를 내리고(어깨가 내려간다), 주먹을 살아있게 해준다. 그래야 그 위치에서 바로 주먹이 나갈 수 있고 또, 상대 손을 막아 감아서 당겨올 때도 그 위치의 모양이 된다. 공방 시에 팔꿈치를 들고 주먹 끝은 아래로 쳐지게 움직이면 어깨가 들린다. 그러면 찌를 때 다시 팔꿈치를 내리고, 주먹을 세운 다음 찌르게 되므로 아주 느려지게 된다.

앞차기 수련 때 양손을 허리로 가져오는 것은 숙처 자리로 가져오는 것이 아니다. 날개 죽지(팔꿈치)를 내리는 연습이다. 반작용反作用할 자리가 아니기 때문이다.

8. 권추圈捶

권추圈捶는 허리에서 휘둘러 둥글게 올려 어깨와 수평으로 팔을 펴 도착한 후, 무지개처럼 둥글게 그려 가슴 젖꼭지 위까지 도착한다. 정면까지 가져와서 툭 떨어뜨리면 두 번 동작하는 것이 되어 안 된다. 이때 전완前腕이 가슴을 벗어나지 않아야 하고, 주먹을 꼭 쥐어야 관절이 상하지 않는다. 주먹은 꼭 쥐고 팔에는 힘을 주지 않는다. 권추에서 삼절三節과 신법身法이 안 맞으면 위력이 안 나온다. 수법手法 중에서 원圓을 그리는 것은 권추 뿐이다.

권추圈捶 수련은 많이 해야 한다. 정확하게 부딪히는 것에서 타격점의 정확성과 힘이 잡힌다. 외형보다 부딪힐 때의 정확성이 중요하다. 받아 주는 장掌과 권추 타격 부위의 시간이 정확히 맞아야 한다.

권추는 어깨(초절의 근절)를 늘여서 친다. 느리게 수련해야 한다. 좌우가 같은 각도, 같은 힘으로 수련되어야 한다.

권추는 단련 시 허虛와 실實이 조화를 이룬다. 방어하는 손이 허虛고 공격하는 손이 실實이다. 좌우가 조화를 이루어서 하나로 한다. 기예技藝다. 즉 우권추右圈捶를 친다면 권추만 휘두르는 것이 아니다. 몸하고 같이 좌우수左右手가 동시에 가야 한다. 좌수는 상대가 되어준다. 우권추의 힘을 좌수에 쏟을 수 있다. 힘의 발산, 발경發勁이 된다. 부딪치기 전에는 힘을 쓰지 않는다. 좌수로 잡고 치는 것이므로 작용 반작용이 없다. 정확성을 만들 수 있다. 항상 정확한 자리에 가서 격중擊中해야 한다. 반주盤肘 역시 받는 손은 상대 팔꿈치를 치는 것이다.

권추를 칠 때 헛동작이 있거나 반대 손에 정확하게 가지 않으면 안 된다. 손이 상대라 생각하고 가는 것이다. 〈몸을 트는 것·손을 잡아 오는 것·팔꿈치·몸 자세·호흡〉을 하나로 이루어 전사纏絲로 가서 한 동작으로 완전하게 쳐야 한다. 상대를 잡아당겨 오면서 치는 것이다.

무예武藝는 허虛와 실實이 조화를 이루고, 강유剛柔가 하나 되고, 거미줄처럼 연결되어야 한다. 허와 실의 조화는 양수兩手가 합합하는 것이다. 예를 들어 상대 충권衝拳이 올 때 피하거나 방어하지 않고 나의 좌장左掌으로 상대 권면拳面을 정면으로 바로 받으면서(虛) 우수로 공격하는 것(實)이 허실의 조화다. 양손이 따로 움직이더라도 조화를 이루어야 한다.

허실虛實의 조화를 이해해야 한다. 상대가 우충권右衝拳을 질러오는데 나는 상대 좌측으로 신법으로 몸을 틀며 들어가 공격하면, 상대는 손을 회수하지도 몸을 피하지도 못한다. 손이 이미 나가면 중도에 신법을 쓸 수 없기 때문이다. 신법을 써야 하지만 늦다. 곧장 오는 손을 살짝 피해서 돌아가면 상대가 수법手法을 쓰지 못한다. 따라서 공격 손, 즉 충권衝拳이 완전히 가지 않았는데 상대가 움직이면, 몸이 나가다가 신법으로 같이 돌아야 한다. 나가는 손이 허虛해야 할 수 있다. 의미를 새기면서 수련해야 한다.

◉ 권추圈捶의 주의점

① 팔꿈치가 너무 가서 몸 안쪽으로 들어오면 가슴이 오므라지는 것이다. 안 된다. 상대 측면을 치는 것이므로 팔꿈치가 안으로 많이 들어오면 안 된다. 아래 (그림)의 A 위치에서 타격점이 생긴다. 타격점은 몸의 측면에서 이루어진다. 도착 지점은 목 부위다(턱 아래 가슴 위 사이). 그리고 중간 과정에서는 힘을 많이 넣지 않아야 힘이 끝까지 간다.

권추가 가슴 앞에서 떨어져 내릴 때 손목보다 팔꿈치가 약간 높아야 한다. 그러면 자연스럽게 무지개처럼 휘둘러 온 것이 된다. 단 초학자는 수평으로 가슴에 도달하게 수련한다. 어깨가 올라가지 않게 하기 위해서다.

② 권추를 칠 때 잡아채는 손과 권추를 치는 손이 같이 시작해 같이 결정되게 한다. 쥐는 손이 먼저 결정되면 안 된다. 권추를 받아 주는 손은 반드시 몸통이 같이 움직이면서(손만 움직이지 말 것) 주먹을 쥐듯 하되, 손가락을 구수처럼 새끼손가락부터 차례로 쥐면서 주먹을 반드시 쥐고, 권추가 오면 순간 손바닥을 펴서 받는다. 반주도 마찬가지다. 쥐는 손은 손바닥을 펴서 상대 공격을 막아 쥐고, 이어서 손을 펴서 장掌으로 공격하는 동작의 수련이 된다. 주먹을 쥐었다 펴는 순간의 시간 동안 몸이 들어가 칠 수 있다. 권추가 부딪

히는 반대쪽 손이 정확해져야 한다. 그래야 상대 공격을 정확하게 막는다. 또 상대를 정확하게 장장掌으로 칠 수 있다.

③ 팔은 몸 뒤로 갔다가 오면 안 된다. 실전에서 늦어진다. 옆에서 들어 올려 앞으로 가져와야 한다.

④ 권추를 낮게 칠 때(상대 팔 아래 몸통 부위)는 팔을 낮춰서 치는 것이 아니라 몸 전체를 낮춰야 한다.

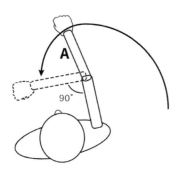

(권추의 동선動線)

권추圈捶를 치는 힘으로 붕권崩拳, 좌충권挫衝拳 등 팔을 휘둘러 공격하는 힘이 양성된다. 측면으로 내 몸 안쪽으로 오면서 공격해 가는 힘은 모두 권추의 힘이다. 권추는 권면拳面으로도 칠 수 있다.

〈범신공帆身功〉에서 권추圈捶 수련 한가지가 안 된다. 따로 선 자세로 하는 권추 수련이 필요하다. 천천히 어깨 위로 올라갔다가 가슴으로 올 때는 후리듯이 온다. 받는 손에 가서 부딪힐 때, 팔목이 비뚤어지지 않고 바르게 와야 한다. 팔목이 수평이 되어야 한다. 부딪힐 때 주먹을 반드시 쥐어야 한다. 손바닥을 펴서도 하는데 이때는 장掌의 내연內沿에 힘이 들어간다.

받는 손은 오는 손을 찾아가지 않는다. 오는 손이 받는 손을 찾아가서 부딪친다. 좌수에 부딪히는 우수가 항상 정확하게 목표로 가야 한다. 받는 손의 힘은 그냥 닿는 것에 있지 않고 오는 손을 잡듯이 하는 힘을 준다. 받는 손 감각을 정밀하게 익혀야 한다(손가락에 눈이 달려야 한다). 받는 손이 정확해져야 한다. 그래야 상대 공격을 정확하게 막는다. 또 상대를 정확하게 장掌으로 칠 수 있다. 권추圈捶는 횡橫으로 바깥으로 치는 반대의 힘이므로 팔 안쪽에 힘이 잡힌다.

◉ 권추圈捶의 속도

권추圈捶는 처음부터 끝까지 같은 속도로 가면 안 된다. 서서히 가다가 점차 속도가 붙어야 한다. 즉 처음에 힘과 속도를 줄여 와서 마지막에 힘과 속도를 실어야 한다. 권추는 채찍처럼 감아치는 맛이 마지막에 나와야 한다. 힘을 준 상태로 오면 그런 의미를 살릴 수 없다.

끊어지지 않게 수련하고(팔꿈치로 가져오기), 좌우 폭이 같이 되도록 양쪽을 수련한다. 걸어가면서 좌, 우수로 2번씩 수련하거나, 제자리서 좌우방신左右防身처럼 180도로 돌면서 수련한다. 엄지손가락에 힘을 줘야 손가락이 보호되고 힘도 살아난다.

◉ 권추圈捶의 실제

권추圈捶로 상대를 공격할 때, 상대가 머리를 숙여 피하면 계속해서 횡벽橫劈으로 공격할 수 있다. 권추는 감아 와서 가슴 앞에서 약간 내려오는 선을 긋는다. 따라서 상대 공격을 눌러 막을 수가 있다.

권추는 마지막에 굽히며 당겨올 때 주먹을 꼭 쥐고 친다. 소리 안 나게 치더라도 마지막에 주먹은 꼭 쥔다. 수련은 크게 하지만 쓸 때는 팔꿈치만 구부려 치면 권추다. 사용은 짧게 쓴다. 예를 들어 충권衝拳으로 직선으로 들어가다 옆으로 구부려 치면 권추다.

권추는 칼로 베듯이 동선이 그려져야 하고, 상완上腕이 마지막에 아래로 툭 떨어지면 안 된다. 즉, 상완이 중절中節이므로 그 동선이 떨어지면 삼절三節이 끊어지는 것이다. (그림)에서처럼 허리에서 올라가면서 B 지점에서 팔을 툭 떨어뜨리면 안 된다. 특히 어깨를 올리면 안 된다. 상대가 내 움직임을 알 뿐 아니라 어깨가 관구關口가 되지 못한다. 가슴과 상완으로만 움직인다.

ⓐ: 시작점 ⓑ: 정점 ⓒ: 끝나는 점 A: 타격 위치 B: 팔이 떨어지면 안 된다.

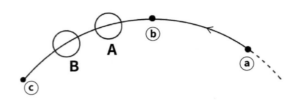

(권추의 동선動線)

9. 반주盤肘

　반주盤肘는 돌리면서, 동시에 앞으로 밀면서 나가야 한다. 돌리는 것만 아니라 밀어야 한다. 앞으로 늘여 밀어서 친다. 반주 받치는 반대 손은 기다리지 말고 반주를 맞이하며 같이 치는 것이다. 힘이 부딪히는 수련을 하는 것이다. 즉 힘 단련이다. 권추圈捶 역시 같다. 반주는 팔꿈치가 어깨보다 낮아야 한다. 실전에서 벽劈을 치듯이 상대 주먹을 나拿한 후 상대 팔뚝을 밀어 들어가면서 친다. 자신 쪽으로 당겨서 치지 않아야 한다.

　반주는 팔꿈치가 낮고 어깨와 권拳이 높아야 한다. 수평으로 친다는 것은 팔꿈치가 허리에서 올라와서 수평으로 돌아간다는 뜻이다. 수련할 때 힘을 빼고 늘어나야 한다. 어깨가 관구關口이므로 힘을 주면 경勁이 막힌다. 척추가 갈라져 나가야 한다. 권拳의 노선, 즉 선線이 정확한 것을 우선으로 수련해야 한다.

　반주는 실전에서 전완前腕을 수평으로 치거나, 또는 전완이 상완上腕보다 위로 더 기울어져야 한다. 그래야 상대 팔에 접할 수 있다.

● 반주盤肘 연습법

반주盤肘는 궁보弓步로 연습할 때 예를 들면, 좌궁보左弓步에서 좌반주左盤肘를 치면 몸이 오른쪽으로 다 돌아간다. 즉 궁보가 고정되지 않는다. 몸으로 치기 때문이다. 반주는 팔꿈치를 굽혀 힘을 준 다음 가서 친다. 가면서 팔꿈치를 접으면 안 된다. 미리 접어 가면서 힘을 서서히 주기 시작해야 한다. 반주는 중절中節이 없기 때문이다. 힘을 기르는 단계가 지나면 나중에 힘을 빼고 해도 된다. 상대 주먹이 오는 것을 막아 나가는 것도 모두 반주의 힘이다.

반주는 쥐고 있는 주먹의 소지小指와 팔뚝이 같이 돌아간다. 뼈가 같이 움직이는 것이다. 권추 역시 같다. 사용할 때는 소지가 아래로 또는 위로 돌아 전사纏絲가 가능하다. 부딪힌 후에도 변화할 수 있다. 비벼서 위로 올려치기도 한다. 반주는 걸어가면서 좌, 우 2번씩 수련하거나, 좌우방신左右防身처럼 제자리서 180도 돌면서 좌, 우를 수련한다.

반주 칠 때 손목을 아래로 구부리면 안 된다. 힘이 안 들어간다. 손등을 살려야 한다. 손목을 팔뚝과 평행이 되게 세워서 수련한다. 팔꿈치를 밀 듯이 앞으로 어깨를 늘여 친다. 반주는 힘을 주지 않고 늘어나야 한다.

반주는 팔뚝 부위가 힘이 있게 수련한다. 힘주어 움직이는 부위는 의식을 주어 움직여 나가는 지점이다. 상대와 접하여 치는 전완前腕 부위의 한 점點만을 의식하지 않는다. 주먹은 꼭 쥐어 팔뚝이 힘이 강하게 들어간 상태로 수련해야 한다. 권추도 칠 때 힘을 강하게 주고 주먹을 꼭 쥐어야 한다.

정면을 벗어나 옆으로 사선斜線으로 몸이 돌아가며 쳐도 된다. 반드시 궁보 자세로 정면으로 연습할 필요는 없다. 반주 수련에서 받아 주는 손의 격중擊中되는 부위가 반주 치는 손의 손목 부위여야 한다. 실전에서 치는 부위를 단련해야 하므로 너무 팔꿈치 쪽을 치면 안 된다. 손목뼈 바로 아래서부터 받친다. 그래야 반주가 늘어나고 치는 부위가 단련된다.

반주 수련에서 목을 똑바로 세워야 한다. 목을 세워야 어깨가 늘어나고 관구關口가 열리고 관구가 열려야 내기內氣가 발출된다. 관구는 저절로 열리지 않는다. 열어줘야 열린다. 우선 어깨 힘부터 빼야 한다. 어깨를 절대 들면 안 된다. 팔꿈치는 무조건 아래로 떨어뜨려야 한다.

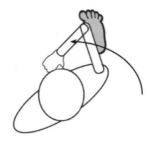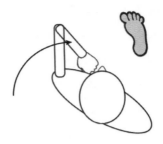

(순보順步와　요보拗步에　따른　반주盤肘의　위치)

◉ 반주盤肘 공방

　① 을의　우권右拳을　갑이　우수로　화化하고　흘린　다음, 을의　팔　아래로　오른쪽　반주盤肘로　들어가　겨드랑이를　공격한다.

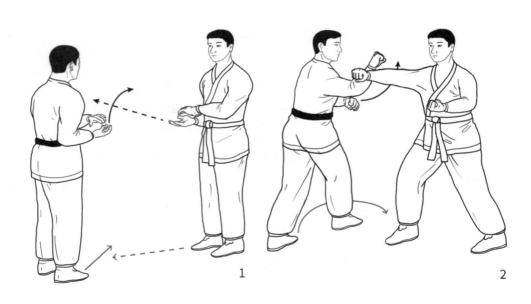

② 상대가 우권右拳으로 들어오면, 내 좌각左脚이 나가며 우수로 상대 우수를 나拿하면서 좌반주左盤肘로 상대 우수 상완上腕을 친다. 이때 상대가 좌수左手를 세워서 막으면 좌수로 상대 좌수를 잡아 왼쪽 아래로 당기며(이때 거리가 멀면 오른발이 들어가면서 친다), 그대로 우반주右盤肘로 상대 좌수 상완을 친다.

상대가 우수로 찔러오면 발을 먼저 움직이지 말고 상대 주먹이 오고 있을 때 신법으로 상체를 틀어 손을 움직이고 그에 따라 다리가 움직인다(A). 몸을 트는 것에 따라 손발이 끌려와서 움직이는 식이 되어야 한다. 이 상태에서 상대가 좌수로 막으면 (B) 위치까지 신법으로 움직이며 다시 우수로 반주를 칠 수 있다. 각도가 맞지 않는 간격에서도 몸을 틀어 반주로 공격할 수 있다. 꼭 보步가 맞지 않아도 신법으로 움직인다.

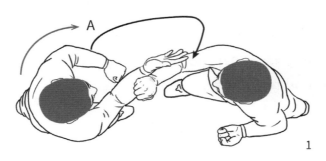

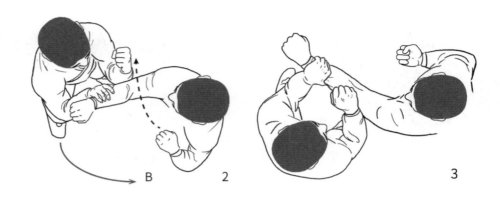

(②의 예)

반주盤肘로 공격할 때 팔뚝의 각도를 충분히 세워서 친다. 미리 반주를 만들어서 와야 하고, 팔을 벌려서 오다가 반주를 만들면 안 된다. 반주에서 손과 손목 부위는 언제라도 주먹, 장掌으로 응용이 되고 변화한다. 반주로 치러 가는데 상대가 수비하려 하면 그대로 가다가 팔꿈치를 펴서 주먹으로 찌른다.

정주正肘는 팔뚝으로 치는 것이다. 나머지는 팔꿈치로 옆, 뒤, 아래, 위쪽 방향으로 찌르는 것이다. 이것이 반주의 모든 공격법이다.

《권법요결拳法要訣》의 〈수법手法〉에서 『팔꿈치로 공격할 때에는 반드시 무릎과 서로 합해야 하며, 주법肘法을 제대로 터득하지 못하고 사용하면 오히려 세勢를 잃게 되므로 주의해야 한다.』에서 주법肘法은 공격 길이가 짧아 몸이 앞으로 더 나가서 쳐야 하므로 무릎이 팔꿈치와 함께 앞으로 나아가야 한다는 뜻이다.

● 주법肘法의 예

상대 좌권左拳을 내 좌수左手로 안에서 바깥으로 막고 우수右手 팔뚝을 상대 권拳의 바깥에서 올려서 댄다. 계속해서 우수를 아래로 꺾어내려 상대 팔꿈치 부위를 부러뜨릴 수 있다.

(주법의 예)

◉ 권추圈捶와 반주盤肘의 비교

권추圈捶와 반주盤肘는 받아야 하는 쪽 손을 먼저 쥐고 친다.

권추와 반주는 모두 마지막에 치는 것이 아니고, 시작부터 상대를 베듯이 친다. 가는 동선動線 어느 곳이든 격중되는 것이다.

등 근육을 늘이듯이 친다. 권추와 반주는 어깨 뒤(肩胛骨) 근절根節이 같이 쫓아가야 한다. 어깨를 늘이면서 수련해야 한다. 그 뜻은 등 근육을 늘여 치라는 것이다. 초학자에게는 해당하지 않는다.

주먹 찌르는 것 외의 모든 수법手法이 반주, 권추 수련에 달려있다. 팔이 구부러지는 모든 수법이다. 전완前腕의 권추, 반주 치는 부위를 단련해야 한다. 상대 주먹이 오는 것을 막아 나가는 것도 모두 반주의 힘이다.

권추와 반주는 체격掣擊이다. 체격은 끌어서 치는 것인데, 권추와 반주 연습을 걸어가면서 자유롭게 하는 이유가 끌어와서 치는 연습을 해야 하므로 보형步型, 보법步法은 신경 쓰지 말고 힘을 쓸 수 있도록 자세를 조정하면서 수련하는 것이다. 보폭을 크게 하지 않는다.

권추와 반주는 새끼손가락을 보면 위치가 정확한지 알 수 있다. 정확히 뼈가 중심에 오면 새끼손가락이 바르다. 권추와 반주는 미세하게 위아래로 틀면서 전사纏絲로 공격한다.

권추, 반주도 중간 동작에 강한 힘을 주면 안 된다. 마지막 결정에서 주먹을 쥐고 힘을 준다. 받아들이는 손 위치(움직이면 안 된다)에 정확하게 가서 부딪히도록 한다. 받는 손은 반드시 주먹을 쥐고 난 다음 펴서 받는다. 주먹을 쥔 상태(공격 손)에서 그대로 펴면서 다음 손을 받아도 된다.

권추는 좌우 폭을 같이 되게 양쪽을 수련하며 끌어들여 당겨치고, 반주는 각도를 주의하면서 끌어들여 앞으로 늘이며 밀어서 친다. 권추는 약간 위에서 아래로 친다. 반주는 팔꿈치가 손목보다 낮아야 한다.

권추나 반주 등은 반대 손이 받아 주는 것으로 수련을 한다. 마찬가지로 하벽下劈을 단련할 때나 권법 등에서 하벽을 내려칠 때 받아 주는 손은 위로 튕겨 올려서는 안 된다. 그냥 받기만 해야 한다.

◉ 수법手法의 의미

'출수出手에도 초招가 있음'은 변화를 의미하고, '회수回手에도 법法이 있음'은 손을 숙처에 두는 등 규격과 법칙이 있다는 말이다. 단수短手는 팔꿈치를 완전히 펴지 않는 공격으로, 상대가 들어오면 단수로 친다는 의미다. 즉 자신을 보호하는 것이다.

수법手法에서 강유剛柔는 한 동작 안에 있어야 하고, 쾌만快慢은 서로가 벌어져 강유에 포함되어 있다. 강유는 한 초식 안에서 이뤄지는데, 예를 들면 충권衝拳은 허리에서 힘이 있고 나가면서 유柔하고 결정될 때 강剛이다. 즉 음양陰陽의 변화다.

천穿은 꽂아 친다. 빈틈으로 들어가는 것, 비집고 들어가서 찌르는 것이다. 지장指掌으로 목 주위나 눈 등을 친다. 추推는 민다. 장掌이다. 충衝은 권拳으로 친다. 붕崩은 무너뜨리고 벽劈은 크게 휘둘러 내려치는 것으로 쪼갠다. 감砍은 찍어 치거나 사선으로 치는 것으로 자르고 끊는다(좌, 우익격 등). 란攔은 바깥에서 안으로, 배排는 안에서 바깥으로 밀어 막는 것으로 란수攔手는 배수排手를 포함하고 있다. 탁托은 친다는 의미다. 료撩는 구鉤와 조爪, 즉 손목과 손가락으로 운용한다. 벤다는 의미다. 조수爪手는 손 전체, 또는 손가락 전체를 뜻한다. 논벽掄劈은 항상 측신으로 쳐야 한다.

【보형步型】

《권법요결》에 『보법步法이 동動적인 상태라면 보형步型은 정靜적인 틀이 된다…. …상대와 교수交手하여 최후의 승리를 얻게 되더라도, 이것은 결국 다리와 발에 의해 이기게 된 것이다. 이렇듯 무예武藝는 우선 보步를 중요시하므로 권拳을 처음 수련할 때는 반드시 먼저 보형步型을 연습해야 한다.』라고 하였다.

모든 보법步法은 앞 뒷발 모두 뒤꿈치와 발가락 전면全面으로 땅을 움켜잡고, 몸의 중심은(軸) 앞발에 두고 힘은 뒷발로 쓴다. 다르게 말하면, 뒷발은 중심을 싣고 앞발은 중심을 잡는다. 앞발은 넘어지지 않게 받쳐주는 것, 앞발은 변화가 나오는 자리다. 앞발 중심으로 신법身法이 이루어진다.

궁전보弓箭步는 앞발을 움켜잡고 몸의 중심이 앞에 있다. 뒷발은 힘쓸 때만 힘을 쓴다. 일좌一坐, 좌반坐盤 모두 앞발이 축軸이다. 부퇴仆腿는 뻗은 발에 중심(앞발 역할)을 두고, 구부린 발이 뒷발이다. 독립보獨立步는 든 발이 중심(앞발 역할)이다. 몸의 중심이란 몸이 넘어지지 않게 하는 역할을 한다는 뜻이다.

『'땅이 꺼져라.'하고 누르듯이 힘을 줘야 한다.』 하고 가르쳐야 한다. 그렇게 하면 보법 역시 그렇게 움직여진다. 실제 눌러진다. 결론적인 이야기다. 뒷발에 힘줘라! 그러면 눌러진다. 하나가 허虛하니까(앞발) 상대적으로 뒷발이 눌러지는 것이다. 일좌보・좌반보・궁보・허보 등 모든 자세는 뒷다리가 힘을 받아야 한다.

궁전보, 허보虛步는 앞으로 들어가듯이 약간 상체를 기울인다(氣勢). 독립보, 부퇴보만 팔에 힘을 준다. 독립보는 팔을 뻗는 힘. 부퇴보는 구수鉤手의 힘만 준다. 나머지 보형은 상체에 힘을 주지 않는다. 모양만 만들어야 한다.

일좌보一坐步, 좌반보坐盤步는 몸의 중심(균형)과는 별도로 무게 중심을 뒤에 둔다. 무게 중심을 뒤에 두고 힘을 쓴다. 그러므로 뒷발 뒤꿈치를 많이 들어서는 안 되고 지면에 가깝게 눌러야 한다. 발바닥 전면全面을 누르는 것이 아니고 비복근(종아리)을 늘이듯이 누르는 것이다. 이는 어느 정도 숙련된 사람에게 해당하는 말이다.

자세 중 좌반坐盤과 일좌一坐는 보형이 아니다. 신법身法의 변화를 두 가지 넣어 놓은 것이다. 일좌는 기락起落이다. 회전하면서 일어난다. 좌반은 번신飜身이다. 뒤집는 것이다. 절대적으로 필요한 신법이다. 일좌와 좌반은 권법拳法이 아닌 기본 단련에서 익혀져야 한다. 투로에서 연습을 주로 못하므로 보형 수련에 넣어 신법으로 수련하는 것이다. 본래 보형은 다섯 가지가 전부다.

무예 자세는 자세마다 단점이 있다. 예를 들면, 마보馬步는 정면이 약하고 양옆에서 힘이 나온다.

궁보는 영활해야 하고, 허보와 부퇴보는 손동작이 중요한데, 허보는 공격이고 부퇴보는 뱀이 머리를 들 때의 힘으로 팔뚝과 허리의 힘이 중요하다. 독립보는 내적內的인 것으로 변화 무궁한 의미를 내포하고 있다. 발의 진퇴가 자유롭고 쾌만快慢을 만든다.

다른 것은 안 하더라도 기본자세는 매일 수련해야 한다.

자세 수련은 첫째 자연스럽게 자세를 취해야 하고, 둘째 힘을 고르게 주어야 하며, 셋째 허虛와 실實을 구분해야 한다. 가식架式은 궁보와 기마보, 그리고 부퇴보 자세 수련의 표준 보폭步幅이다. 더 좁게 서면 힘이 잡히지 않기 때문이다. 〈자세는 아주 넓게 서고, 많이 낮게 서야 힘을 기를 수 있다〉.

자세 다섯 가지는 중간에 끊지 말고 연결해서 수련한다. 그렇게 해야 몸의 균형이 잡힌다. 균형과 힘이 중요하고, 힘이 없으면 빠를 수도 없고 아무것도 안 된다. 자세를 낮춰야 한다. 그렇게 해야 힘이 발바닥으로 간다. 움직일 때는 헛동작 하지 말고 한 번에 움직여야 한다. 하체는 무겁게 상체는 가볍게……

다섯 가지 보步는 가장 필요한 순서대로 되어있다. 좌우 수련은 1분을 넘지 말라. 도합 7분이다. 오래 서면 무리가 온다. 오래 서려면 자주 보를 바꿔야 한다. 기마보, 독립보로써 참공站功을 수련할 수 있다. 그러나 호흡을 하면서 참공을 하려면 내공內功 수련을 통해 아랫배에 기감氣感을 느끼는 단계가 되어야 한다. 그전에는 폐단이 온다. 아랫배에서 기氣가 돌고, 요동치고……

동양권의 모든 무예 문중武藝門中에서 기본자세는 다 한다. 그런데 올바로 하느냐 못하느냐가 중요하다. 예를 들면, 소림少林, 무당武當은 기마보가 먼저다. 우리는 궁전보가 먼저다. 이는 그 문중의 뜻을 알아야 한다. 즉, 소림 무당은 보형에 뜻을 두지 않고 대퇴부 수련을 중시한다는 뜻이다. 따라서 낮게 서고 오래 선다. 우리 문중은 보형을 위주로 삼은 것이다. 그래서 보형의 정밀함을 구해야 한다. 기마보는 〈오금수희五禽獸戲〉나 〈도인체조導引體操〉 등, 몸 단련에서 많이 한다. 그리고 우리 무예武藝는 수법手法에서 구수鉤手에 큰 비중을 둔다. 몸이 풀려나가는 것이 궁보부터 하고 마보를 해야 부드럽다. 즉 골반 교정이 먼저 되어야 한다. 보형 중 궁보가 가장 중요하다. 변화의 조화(技藝)는 90%가 궁보(걸어가는 것)에서 나온다.

【참고】
보형步型의 도해圖解는 《본국검本國劍》의 〈보형步型〉 편을 참조하기 바란다.

【궁전보弓箭步】

1. 궁전보弓箭步의 형태

궁보弓步에서 허리는 세우고 가슴은 편안하게 하면 골반이 바르게 된다. 그리고 손을 올리면 달려나가는 자세가 된다. 궁보는 뒷발 뒤꿈치에 힘을 쓰는 발이다. 앞발은 받치는 힘만 주면서 중심만 잡아준다. 그러기 위해서 엉덩이(坐骨)를 누르는 것에 기준을 둔다. 그러면 앞무릎이 굽혀져서 자세가 잡힌다. 그리고 허리가 세워진다. 엉덩이 전체를 똑바로 하려고 하지 말고 배꼽이 정면, 허리를 바르게 하는데 기준을 두고 선다.

궁보弓步의 앞발은 발끝만 안으로 돌려 밟고 무릎은 안으로 당겨서는 안된다. 무릎 아래를 수직으로 세우는 것이 요점이지만 앞무릎을 지면과의 각도가 90도가 넘는다는 느낌으로 구부려야 한다.

<궁보弓步는 앞의 무릎이 발가락을 마중하러 나가야 한다.>

무릎 끝을 발등의 태충혈太衝穴 위치까지 구부려야 한다. 덜 굽히면 앞 다리가 몸을 받쳐주지 못한다. 그리고 손이 나가지 않는다. 뒷발은 뒤꿈치 붙이고 무릎은 위로 들고 정강이는 아래로 눌러준다. 투로套路 시에는 앞발의 발끝을 안으로 돌려 밟아서는 안 된다. 호보虎步(一字)로 걷는다. 호보로 걷지 않으면 중심 이동이 안 된다. 중심이 정확하지 않으면 힘을 쓸 수 없다.

궁보 자세의 손 모양은 처음부터 지금까지 변경하지 않고 계속해왔다. 이유는 예를 들어, 좌궁보左弓步에서는 오른쪽을 지탱하는 힘이 약하다. 그러므로 오른손을 올려야 신체가 오른쪽으로 찌그러지지 않고 힘이 들어간다. 옛 어른들이 해놓은 것이고 고칠 곳이 없다. 손 자세는 여러 가지 방법이 있을 수 있지만 허虛하지 않게 한다. 위로 올리는 손은 앞으로 밀어 올려 막는다.

앞발은 수직으로 체중은 실리지 않게 하고 몸의 중심만 잡는다. 앞발은 받치기만 한다. 뒷발에 완전히 힘의 중심이 오도록 하고 장딴지(腓)에 힘이 들어가야 한다. 무릎은 너무 앞으로 밀지 말고 받쳐주는 역할만 하게 한다. 발

외연外沿은 받치는 데 따라 힘이 들어가야 한다. 발은 한번 디디면 찰떡처럼 지면에 붙도록 수련해야 한다.

《권법요결》에 『궁전보弓箭步는 척추와 골반을 바르게 해준다.』라고 하였다. '궁보를 설 때 허리 세우라.'는 말은 좌골坐骨을 누르라는 뜻이다. 좌골을 누르고 앞무릎을 굽히면 뒷발에 힘이 들어간다. 궁보에서 양쪽 좌골을 모두 아래로 내려야 한다. 좌골은 근절根節의 근절이다. 중절中節의 근절이 골반이다. 골반이 안정되어야 전체가 안정된다. 기마·일좌·좌반에서 모두 내려야 한다.

〈골반이 좌우 수평이 되어야 한다〉.
허리만큼 중요한 곳이 골반이다. 그래서 뒤로 뻗은 대퇴 쪽 둔부를 누른다. 궁보에서 골반만 튼 것은 사궁보斜弓步다. 머리와 가슴을 바르게 하고 뒤로 넘어가면 안 된다. 허리는 회전해야 하므로 머리, 가슴을 바르게 하여 전후, 좌우로 상체가 기울어지면 안 된다.

궁보의 연습은 대궁보大弓步로 한다. 보폭을 넓게 잡아서 하고 상체를 바르게 하는데, 달려나가는 것처럼 하라고 해서 상체를 앞으로 기울여선 안 된다. 나가는 기세氣勢만 되어야 한다. 기氣와 세勢만 나가야 한다. 몸이 나가서는 안 된다. 크게 보폭을 잡는 것은 보형 수련 때만 한다. 궁보의 원原 넓이로써 힘을 기른다. '단권 1로' 수련 때는 허리가 편하게 느껴지는 정도의 보폭으로서야 한다. 움직이기 때문이다. 움직이면 벌써 보법步法으로 들어간다. 궁보가 전체 권법拳法을 좌우한다. 권법의 미美가 나오고, 골반도 교정되는 효과가 있다. 상체는 숙이지도 말고 뒤로 젖히지도 말고, 둔부를 내려누르는 것이 궁보의 요결이다.

2. 궁전보弓箭步의 주의점
보폭을 가식보다 더 넓게 벌려도 되지만 골반이 비뚤어지면 안 된다. 골반이 기울어지지 않게 조정한다. 앞무릎이 앞 발가락을 가릴 정도로 무릎을 앞

으로 구부려야 한다. 그렇게 해야 골반이 눌러진다. 앞꿈치를 안으로 돌려서
서는 것은 몸의 중심으로 발끝을 향하는 것이다. 뒷발 장딴지에 힘이 들어가
야 한다. 나중에 저항근抵抗筋의 긴장이 없어지면 느낌이 없어진다.

3. 궁전보弓箭步의 힘

궁보弓步는 용龍을 상징한다. 즉 변화(조화)의 힘이다. 공격을 의미한다. 따
라서 신법身法을 써야 한다. 그렇게 해야 힘이 나온다. 궁보가 일자一字가 되
어야 힘이 생긴다.

(좌궁보左弓步의 일자一字 형태)

궁보에서 힘이 잡혀야 실전實戰에서 힘을 쓸 수 있다. 공격의 과정에서 궁
보의 비율이 가장 많기 때문이다. 예를 들어 허보虛步로 상대 공격을 막고 들
어갈 때 궁보의 힘으로 들어간다. 이때 앞선 무릎이 앞으로 들어가지 않으면
몸이 들어가지 않는다.

궁보에서 뒷발 장딴지를 펴야 한다. 즉 무릎이 젖혀져야 장딴지가 늘어나
고, 뒤꿈치가 붙어야 힘이 위로 타고 올라온다. 오금을 펴는 것과 젖히는 것
은 다르다. 편다는 것은, 회심퇴懷心腿를 찰 때 뒤꿈치로 밀면 오금이 완전히
뒤로 젖혀지지는 않는다. 젖힌다는 것은 궁보로 움직일 때 젖혀진다. 장딴지
가 펴져야 뒤꿈치로 지면을 밀 수 있다. 오금이 펴지는 것은 무릎을 편다고
되는 게 아니다. 뒷발 발가락을 잘 움켜잡아야 무릎이 저절로 펴진다. 그리고
앞발 무릎이 구부려져야 장딴지가 펴진다. 오금을 젖혀야 뒤꿈치 힘이 위로
올라온다. 공방攻防 때 뒤꿈치가 지면에 닿으면 오금을 살짝 젖히면서 움직인
다. 그렇게 해야 힘을 쓸 수 있다.

4. 궁전보弓箭步 연습법 2가지

첫째, 뒤로 돌면서 반대쪽으로 궁보弓步를 잡는 법이다. 원래는 어려운 방법이다. 몸의 중심 잡기가 어렵기 때문이다. 그래서 연습을 많이 하라고 시켰다. 발바닥 비비는 감각이 스스로 알아서 몸 중심을 잡도록 수련되어야 한다.

둘째, 앞으로 걸어 나가면서 궁보를 잡는 법이다. 팔을 양 허리로 가져오고 걸어나가, 몸을 바르게 한 다음 반대로 손 모양을 만든다. 이때 발은 계속 움직여 일족一足이 나간다. 팔을 양 허리로 가져올 때 발이 제자리 있다가 걸어 나가면, 양 날개가 없으므로 중심이 안 잡힌다. 즉, 온몸이 같이 움직여야 삼절三節이 맞고, 삼절이 맞아야 중심이 맞아진다. 즉, 발을 전진하면서 두 손을 허리로 가져오고, 궁보를 형성하면서 다시 손을 들어막고 찔러야 몸 중심이 잡히고 삼절이 맞다. 궁보는 편해야 한다. 아주 편해질 때까지 자세를 연습해야 한다.

◎ 궁전보弓箭步 손 자세의 응용

을이 우수로 충권衝拳을 찔러오면, 갑은 우수로 을의 오른손 공격을 막는데 그냥 올려 막는 것이 아니고 벽劈으로 쳐 버린다. 상대 팔이 부러진다. 계속해서 몸을 오른쪽으로 돌리며 좌수로 찌른다. 보통은 '단권 3로'에서처럼 우수로 상대 공격을 들어 올리며, 측신側身으로 변하여 좌수로 공격하는 형식으로 한다.

【기마보騎馬步】

1. 기마보騎馬步의 형태

기마보騎馬步는 다리 모양을 만든 뒤 가슴만 일으키면 허리 이상은 바르게 된 것이다. 초학자는 일부러 둔부를 세우지 말고 뒤로 튀어나온 대로 두어야 한다. 앞으로 기울어진 모습이다. 숙련되면 허리와 둔부가 나란해진다. 대퇴大腿는 아래로 내려가서 힘이 가장 잘 받는 위치에서 고정한다. 대퇴 단련이 목적이고 뒤꿈치에 중심을 두지만, 뒤로 넘어지면 안 된다. 상체는 선 자세 형태로 의자에 걸터앉듯이 한다. 기마보에서 양손을 앞으로 뻗어 서면 무게 중심이 앞으로 쏠려 안 된다. 수법의 모양(手形)이 본래 옆으로 서는 자리다.

손은 이마에서 위로, 앞으로 각 한 뼘 거리에 위치하고 들어 올린 주먹의 권면拳面은 얼굴 반대편 귀 위치에 둔다. 위로 가는 손을 먼저 올리고 뻗는 손은 뒤에 올려야 한다. 동시에 움직이면 주먹이 꼬인다. 다리는 폭을 크게 벌리는데 궁보 · 기마보 · 부퇴보는 모두 보폭이 크고 낮게 서야 한다.

2. 기마보騎馬步의 주의점

기마보騎馬步는 발가락이 바깥으로 벌어지지 않게 서야 한다. 양발이 나란하거나 안으로 오므라져야 한다. 무릎은 발 선과 나란히 두되, 안으로 당기지 말고 벌어지지 않게 하는 힘만 준다. 발끝이 벌어지더라도 무릎은 벌어지면 안 된다. 권법 동작 중에도 마찬가지다. 많이 앉아야 한다. 무릎을 모아야 하는 것 때문에 무릎을 모으는 것이 아니라, 발끝을 모으는 것이다. 앉을 때 둔부로 누르고 설 때는 힘을 발바닥에서부터 강하게 튕겨 올려야 한다.

기마보 보형을 만들 때 많이 앉으면 편하긴 한데, 오히려 대퇴大腿는 단련되지 않는다. 가장 힘든 위치로 대퇴가 단련되도록 무릎 방향과 앉는 정도를 조절해야 한다. 기마보 잡을 때 둔부를 낮추면서, 다리에 힘이 완전히 잡히는 위치까지만 둔부로 높이를 조절한다. 다른 보형도 마찬가지다.

숙련된 경우 자세를 잡고 나면 둔부와 허리 선線이 같아야 한다.

3. 기마보騎馬步의 힘

《권법요결》에 『마보馬步는 중심을 아래로 가라앉힐 수 있어 다리의 힘을 늘릴 수 있고, 혈기血氣가 위로 뜨거나 호흡이 급하고 짧은 폐단을 막을 수 있다.』라고 하였다. 기마보는 대퇴를 단련하는 것이다. 호虎를 상징하는데, 힘(力)을 쓰기 때문이다. 호랑이 앞다리 힘을 대퇴의 힘에 비유했다. 기마보는 방어를 의미한다. 무릎을 안으로 모으는 힘이 없으면 제항提肛이 안 된다. 항문이 벌어진다. 골반이 분리되어 벌어져 상하체上下體가 연결이 되지 않아 힘을 쓸 수 없다. 힘의 전달이 아래에서 위로 올라가지 못한다. 기마보는 허리를 세워야 한다. 허리를 세웠을 때 다리가 버터 주어야 하는 힘이 있다. 그 힘으로 다리에 힘이 들어가야 한다. 그 힘으로 다리와 상체에 힘이 뻗쳐나가야 한다.

기마보에서 대퇴를 수련하고, 궁보에서 뒤꿈치 힘 잡고 골반 수련을 하면 그곳뿐 아니라 전신의 근筋과 막膜이 같이 수련된다. 이런 수련은 근육 힘으로 힘을 쓰는 것과 달리 내기內氣가 쌓여서 몇 배의 힘을 사용할 수 있다.

4. 기마보騎馬步 연습 방법

기마보騎馬步는 양 무릎을 양손으로 잡고 상체를 앞으로 엎드리고 무릎을 구부려 앉는다. 무릎을 잡고 앉을 때 무릎뼈 바로 윗부분을 잡는다. 기마보 자세의 무릎 위치를 정하기 위해서다.

그 상태에서 가슴만 펴면서 양장兩掌을 앞으로 뻗는다. 앉으면서 양장兩掌을 앞으로 밀면서 상체를 세울 때, 손과 몸이 동시에 움직여 이루어져야 한다. 이때 둔부가 낮아진다. 몸의 중심과 허리 힘을 보태주기 위해서다. 초학자는 허리를 세우지 않는다. 상체만 든다. 가슴만 든 상태에서 양장을 앞으로 뻗어 들면, 중심이 앞으로 가는 것을 방지한다. 즉 뻗은 팔과 둔부가 상호작용하여 뒤꿈치가 땅을 누르게 된다. 둔부가 들리면 안 된다. 뒤꿈치에서부터 발가락으로 땅을 잡는다. 이어서 손 모양(手形)을 만든다. 이 순서가 몸을 상傷하지 않고 기마보를 잡아주는 방법이다.

◉步　型

1

(측면)

2

(측면)

3

4

5

(기마보 자세 동작 순서)

　기마보로 앉을 때나 걸어갈 때 허리가 서야 한다. 그렇게 해야 뒤꿈치가 지면에 자연히 강하게 붙는다. 그리고 발가락 움켜잡는다. 모든 동작에서 기마보가 나오면 원原 보폭으로 넓게 잡아야 한다. 몸에 익어야 한다. 언제든지 무의식적으로 딱 잡혀야 한다. 기마보가 가장 편해질 때까지 수련해야 한다.
　기마보를 보는 법法은 앞으로 볼 때 무릎과 다리가 팔자八字가 된 것을 보고 뒤로는 전체의 형태를 본다. 옛날 비결祕訣을 적을 때 기마보는 팔자八字, 궁보는 일자一字라고 표현했다.

　기마보의 의미는, 곧 기마보는 순간 동작이다. 머물러 있는 동작이 아니다. 바로 보형步型을 변화하여 공격으로 변해야 한다. 기마보에서 앞으로 걸어 나간 후 다시 기마보로 바꿀 때는 궁전보로 걸어 나간 다음 기마보로 바꾼다. 뒤에 숙련되면 허공에서 변해야 한다. 기마보에서 변화는 반드시 발뒤꿈치를 비비듯이 돌려서 변해야 한다.

◎ 기마보騎馬步 손 자세의 응용

(그림: 기마보 자세 동작 순서 3)에서, 우수와 좌수는 몸의 중심으로 모아서 와야 한다. 우수는 수직으로 바르게 세우고 좌수는 우수 전완前腕의 중심에 위치한다. 좌수는 머리 위로 우수는 허리로 동시에 비비면서 움직인다. 동작의 기본을 똑바로 해야 한다. 안되면 기예技藝의 변화를 못 한다. 가볍게 숙련되고 경勁이 축적되어야 응용된다. 잔뜩 힘주는 것이 아니라 모양을 정확히 만들어 계속 숙련되게 해야 한다. 격타擊打할 때만 힘을 강, 혹은 약으로 조절해서 상대에 따라 강하게 또는 약하게 치는 것이다.

수법手法에서 많이 쓰이는 곳이다. 상대 공격을 내 우수로 좌측 바깥으로 밀면서 막으며 좌수로 아래서 위로 좌측 바깥으로 막고 우수로 공격한다. 들어 막는 것을 바깥으로 막는 쪽으로 변화시킨 것이다.

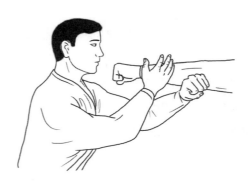

(수법의 예)

◎ 궁보와 기마보에서 손 자세의 의미

① 손을 머리 위로 올려야 허리가 바로 선다.
② 몸의 반대편이 기울어지지 않고 중심을 바로 세울 수 있다.
③ 팔을 올리면 몸의 무게가 무릎 등에 무리를 주지 않는다.

【허보虛步】

1. 허보虛步의 형태

《권법요결》에 『허보虛步는 즉 활보活步다. 몸의 회전과 진퇴에 있어서 편리함을 취할 수 있는 보법步法이다.』라고 하였다. 상대의 공격을 피하는 것이 아니라 공격해 들어가는 자세다. 상체를 앞으로 숙이듯이 하고, 손은 낮추고, 팔꿈치는 아래로 한다. 허보虛步를 설 때 앞발이 자연스럽게 구부린 자세에서 엄지 부분을 땅에 대므로, 자연히 다리 전체가 조금 안쪽으로 모이듯이 돌아간다. 인위적으로 다리를 틀어 서면 안 된다. 앞에 두는 발은, 내기內氣가 단련되어 힘이 발가락 끝까지 도달해야 하므로 그런 식으로 자세를 잡는다.

둔부臀部는 옆으로 돌리지 말고 그대로 앉는다. 옆으로 튀어나오게 돌리지 않아야 한다. 허보虛步는 몸이 전면을 향하고 앞을 봐야 하기 때문이다.

허보虛步는 발이 꼬이지 않게 서고 칠성수七星手의 앞손은 눈(眼)보다 낮게 둔다. 눈보다 높으면 시야가 불안하고 턱이 올라간다.

허보虛步는 표豹로 상징하는데 허보로 움직일 때가 제일 빠르기 때문이다. 활보라고 하는 이유다. 공방攻防에서 궁보弓步와 함께 제일 많이 쓴다.

수련할 때 뒷발 중심을 완전히 잡은 다음 앞발을 옮긴다. 천천히 수련해야 한다. 좌우를 두 번씩 수련한다.

허보虛步는 신법身法으로서 좌우 진퇴에 절대적이다. 예를 들어, 상대 우권右拳을 나의 우수로 걸어 나가면서, 왼발이 좌허보左虛步로 나가며 좌수가 앞으로 나가면, 상대 좌수가 내 왼손을 받는다. 이어서 내가 뒷발이 먼저 뒤로 물러나 좌허보左虛步로 앉으며 상대 왼손을 아래로 낚아챈다. 허보를 두 번 활용하는 것이다. 실전에서 허보는 앞발도 땅을 움켜쥔다.

2. 허보虛步의 주의점

수련할 때 천천히 해야 한다. 기초를 단련하는 것이고 중심 잡는 것이 중요하기 때문이다. 그래서 두 번 연속으로 연습한다. 한발은 움켜쥐고 자연스레 다른 발을 제자리에 갖다 놓는다. 힘이 장壯해서 움직임 없이 굳건하고 확실해야 한다. 발이 활보活步가 된다. 한 발은 딛고 손과 앞발로 모두 자유롭게 치고 한다. 구름 위를 밟는 것처럼 가볍게 다닌다. 허보虛步에서 앞의 손은 자기 얼굴을 가리는 높이에 두면 안 된다. 상대 얼굴이 보이지 않는다. 손 높이를 잘 조절해야 한다. 발을 가볍게, 수법手法도 가볍게 움직여야 한다. 무거우면 안 된다.

상체(등뼈)를 꼿꼿이 해야 하며 약간 앞으로 치우친 듯이 취한다. 손을 앞으로 내밀므로 해서 허리가 틀어진다. 실전實戰에서 상체가 구부러지면 상대 공격을 칠성수七星手로 막지 못한다. 허보의 칠성수도 허보의 다리 모은 것처럼 모으는 손이다. 즉 손과 발을 모두 모아 내 몸을 지키는 것이 중요하다.

◎ 허보虛步는 활보活步다.

활보活步 연습의 예를 들면, 우허보右虛步에서 90° 오른쪽으로 돌아 걸어나가며 좌허보左虛步를 만든다. 이어서 좌로 뒤로 180° 돌아 좌족, 우족이 나가면서 우허보를 만든다.

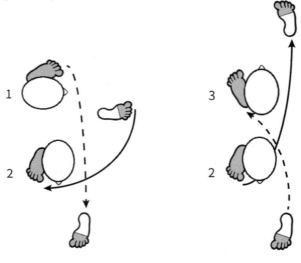

(활보의 예)

◎ 실전에서의 허보虛步

① 앞발 뒤꿈치 떼고 원식原式으로 하는 경우는, 이때 발끝이 정면으로 향해 있으면 정면으로 전진하고 발끝이 바깥쪽으로, 뒤꿈치가 안쪽으로 가 있으면 옆으로 전진한다는 뜻이다. 발가락은 땅을 잡고 있어야 한다.

② 뒤꿈치를 땅에 댄 상태로 뒤꿈치로 땅을 누르는 힘만 빼면 그 발은 허보가 된다. 즉 숨어있는 허보다.

예를 들어, 실전에서 두 발의 보법步法은 변화시키지 않고 제자리에 붙인 채 발바닥, 발등, 발가락, 발목, 그리고 위로는 온몸의 신법身法을 사용하여 발 신법으로만 상대 공격을 막고 공격한다.

발바닥, 발등, 앞 발가락, 발목의 힘과 땅을 누르는 정도를 적절히 조절하여 발 신법을 운용한다. 땅에 발을 붙인 상태로 유柔하게 비틀어 신법을 운용한다. 상체 신법을 발을 떼지 않고 발까지 운용한다는 뜻이다.

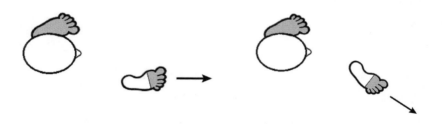

(활보의 전진 방향)

【독립보獨立步】

1. 독립보獨立步의 형태

독립보獨立步는 축발縮發로 한다. 신법身法 수련이다. 좌독립左獨立에서 오른발을 올릴 때 오른손은 동시에 아래로 찌른다. 오른쪽 어깨와 허리가 같이 움직인다. 어깨를 아래로 늘이고 허리는 줄인다(蓄). 이어서 동시에 튕기듯이 허리와 왼손을 뻗어 올린다(發). 올라가는 손의 겨드랑이(翼)를 올려야 한다.

독립보에서 안법眼法은, 아래로 주먹 내릴 때는 정면을 보고 위로 주먹 들 때는 든 팔의 반대 측면으로 얼굴(眼)을 돌려서 본다.

2. 독립보獨立步의 주의점

독립보獨立步는 아래로 찌르는 손을 확실히 비틀고 찌르며 힘이 있어야 한다. 올리는 발은 무릎 바로 옆에 위치하고, 골반을 쪼이는 힘이 있어야 한다. 몸을 올리며 팔을 같이 들어올려야 한다.

독립보는 손을 위로 뽑는데 주안점을 두라. 배는 들어가고 그다음에 아래의 손은 아래쪽으로 밀지 않고 주먹을 쥔다. 축蓄·발發로 연습한다. 축蓄할 때, 드는 발을 다 들지 말고 땅에서 살짝 들고, 아래로 지르는 주먹은 몸과 함께 축蓄한다(주먹과 몸 중심이 아래로). 계속해서 탄력으로 위로 발發한다(상충권上衝拳이다). 이때 아래쪽 손은 잊어라.

독립보는 올린 발이 반드시 반대쪽 무릎 측면에 가 닿아야 한다. 높이 올리거나 낮게 올리거나 상관없다. 무릎 앞에 발을 두는 것은 독립보의 의미를 이해하지 못한 것이다. 독립보는 든 발을 의미할 뿐이지 다른 모양을 만드는 발이 아니다.

3. 독립보獨立步의 힘

독립보獨立步는 몸을 아래위로 쭉 뻗어서 올린다. 《권법요결》에 『독립보는 정精을 길러주며 동작의 완급緩急을 조절하고 중심을 안정되게 한다.』고 했다.

'동작의 완급을 조절한다.'라는 말은, 수법手法과 보步의 배합에서 예를 들면, 수법의 흐름이 한 걸음 안에서 두 가지 동작을 연결해야 할 때, 독립보로 움직이면 손과 발의 삼절三節이 맞게 된다. 그렇지 않으면 손이 두 번 움직일 때 발은 한 걸음만 움직이게 되어, 발은 느리고 손은 급하게 되어 조화가 어긋나게 된다. 또 진각震脚으로 발을 튕겨 나가야 할 때, 발을 들었다 놓으며 걸어감으로써 동작의 완급이 조절되는 것이다.

독립보는 학鶴으로 상징된다. 학鶴이 한 발 나가는데 얼마만큼 깊이 나가는지 알 수가 없다. 고요함(靜)과 자연스러움을 내포하고 있다. 발을 들었다가 놓으니까 조용한 것이다. 그러므로 걸어가는 것이 독립보다. 살짝 발을 들었다가 놓아도 독립보다. 또한, 주먹을 뻗어 올려서는 고요해지지 않는다. 주먹에 힘주면 중간이 다 끊어진다. 주먹은 모양만 만들고 어깨와 날개를 올리면 자연스럽게 정靜이 된다. 더하여 팔을 쭉 뻗음으로써 다리가 똑바로 펴진다. 서 있는 다리부터 위로 뻗은 팔까지가 기둥처럼 하나가 되어야 한다. 그렇게 해야 고요해진다. 학鶴을 흉내 내서 인간이 만든 동작인데, 공방에서 외발로 설 때 힘이 상체를 포함해서 그 발을 중심으로, 한 방향으로 일관되게 서야 한다. 외발로 서도 자기 힘을 이겨야 한다.

◎ 독립보獨立步의 의미

독립보獨立步는 진각震脚이다. 몸의 중심을 독립獨立한 그 발에 다 싣는 것이 중요하다. '중심을 안정되게 한다'는 의미다. 걸어가는 것(步法)이 모두 독립보다. 독립보에서 디딘 발의 반대편 다리는 의미 없다(허보虛步는 다르다).

독립보獨立步는 기氣를 뽑아 올리는 자리다. 상하上下를 뻗어 늘인다. 다리에 중점을 두지 말고 손 뻗는 데 중점을 두어야 한다. 기氣는 의意를 따라간다. 마음을 따라서 오고 간다. 근절根節(다리)은 편하게 둔다. 땅을 디딜 때만 발가락을 잡는다. 어느 자리에 중점을 두느냐에 따라 의도한 힘이 길러진다.

독립보는 제 자리에서 걷는 연습, 즉 허실虛實 연습이다. 걷는 것과 같다. 보법步法에서는 뒤꿈치로 서면서 걸어야 중심이 한 다리에 다 실린다. 말 그대로 한발에 몸의 모든 중심을 다 싣는 것이다. 그래야 나머지 발로 체보擊步

로 걸어 나가거나 발 공격을 할 수 있다. 평소 계단 등을 올라갈 때 진각, 몸의 중심 싣기 등을 모두 뒤꿈치로 오르면서 연습할 수 있다.

걸으면서 중간(유각기遊脚期)에 독립보가 되어야 뒤꿈치가 땅에 박힌다. 반대로 말하면, 뒤꿈치를 누르면 독립보다. 독립보로 걸어야 한다. 걸어가는 중간에 독립보가 나온다. 즉 보법步法이다.

허보虛步도 뒷발은 독립보와 같다. 그러나 허보의 앞발은 영기靈氣를 가지고 지면에 붙어있으므로, 독립보의 공중에 든 발과는 다른 역할을 하는 것이다. 허보는 땅에 붙어있는 앞발로 보步의 변화를 일으킬 수 있기 때문이다. 독립보는 들어 올리는 발은 상관없다. 오직 한쪽 다리에만 힘을 실어서 선다.

◎ 독립보獨立步의 응용

독립보獨立步의 실전에서 사용은, 아래로 누르는 힘과 위로 올리는 힘의 조합이다. 예를 들면 왼손은 상대 공격을 눌러 제압하면서 오른손은 위로 솟구치며 좌충권挫衝拳으로 공격할 수 있다. 이때 축발蓄發로 움직인다.

또는, 상대 오른손 공격을 좌독립左獨立으로 걸어 들어가면서 두 손으로 나拏할 때 중심을 완전히 한 발에 실어야 손이든 발이든 다음 공격을 할 수 있다. 중심을 싣고 보법步法을 하면, 가볍게 보이고 빨라진다.

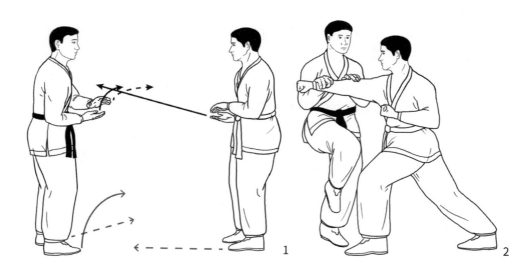

1   2

【부퇴보仆腿步】

1. 부퇴보仆腿步의 형태

부퇴보仆腿步는 반드시 무릎과 발의 방향이 일자一字가 되어야 한다. 그래야 앉고 일어설 때 무릎에 무리가 가지 않고 힘(力)이 들어간다. 다리를 땅에 뿌리처럼 박고 상체는 버드나무처럼 낭창해야 한다.

부퇴보에서 구부린 쪽 무릎이 절대 바깥으로 벌어지면 안 된다. 걸터앉아야 한다. 벌어지면 사궁보斜弓步처럼 되고 부퇴의 힘을 쓸 수 없다. 즉 부퇴로 상대 공격을 받고, 이어서 뒷발로 밀면서 궁보로 보步를 바꿀 때 힘을 못 쓴다. 부퇴보의 보형에서 발끝이 약간 안으로 들어가도 된다.

부퇴보 자세에서 구부린 다리 쪽으로 골반이 자연히 돌아가는데, 그러면 틀린 자세가 된다. 골반은 측면으로 수평이 되고, 가슴의 방향이 측면이 되게 조정해 서야 한다.

부퇴보의 수법手法 형태는, 가슴 앞의 구수鉤手 방향 높이는 팔꿈치가 손보다 약간 낮게 하고 손을 몸 앞으로 가져온다. 뒤로 가는 구수는 대퇴의 기울기로 돌려서 엉덩이 뒤쪽 중간쯤 가야 한다. 손이 낮게 가야 허리가 뒤로 돌아가지 않는다. 좌공坐功 때 가슴 세우며 양兩 구수를 뒤로 보낼 때와 같다.

(부퇴보 전면) (부퇴보 후면)

2. 부퇴보仆腿步의 힘

《권법요결》에 부퇴보仆腿步는 『오랫동안 수련하면 보步가 안정되고 기氣가 가라앉게 되어 신요身腰가 영활해진다.』라고 했다. 부퇴보의 상징은 뱀(蛇)이다. 뱀의 용력用力은 허리(腰)에서 나온다. 부퇴仆腿는 영민英敏함이다. 허리도 영민해져야 한다. 뱀처럼 영기靈氣가 차 있어야 한다.

부퇴보仆腿步는 기마보와 보폭이 같다. 그렇게 했을 때 기마보에서 상대 공격 길이에 따라 몸이 뒤로 물러날 수 있다. 부퇴보에서 구부린 다리를 더 구부려야 한다. 그래야 힘이 잡힌다. 구부린 발이 뒷발이다. 구부린 다리 쪽으로 약간 비스듬히 상체를 기울여 선다. 그러면 뒷다리에 힘이 실린다. 뒷다리에 힘이 들어가므로 힘을 쓴다. 계속해서 뒤꿈치를 중심으로 둔부를 낮춰야 한다.

부퇴는 구부린 무릎 방향과 발 방향이 같아서 힘이 모여야 한다. 허보도 같다. 발가락 움켜쥐는 것이 안 되면 부퇴를 수련할 수 없다. 부퇴의 힘은 대퇴의 힘이 아니다. 상체를 앞으로 구부리는 것이 아니다. 앞의 발(뻗은 발)은 지탱만 해야 변화가 빠르다. 앞의 발은 몸이 넘어지는 것만 받쳐준다. 그러나 뒷발을 너무 구부리면 다음 동작이 느려진다. 양다리는 벌어지지 않는 힘만 준다.

예를 들어 상대가 오른쪽 앞차기로 공격해 오면 나는 좌각左脚을 뒤로 물러서며 우수로 상대 발을 막는다. 동시에 오른발로 상대 낭심을 찬다. 뒷발에 중심을 싣고 힘을 써야 오른발을 자유롭게 쓸 수 있다.

부퇴보仆腿步에서 몸 앞으로 오는 구수鉤手는 팔꿈치가 등 뒤로 넘어가면 안 된다. 그대로 측면으로 뒤로 당기는 힘으로 상대 팔을 잡아야 반대 손이 공격할 수 있다. 팔을 어깨높이로 들면 안 된다. 약간 아래로 낮게 잡아야 힘이 길러진다. 뒤로 가는 손은 몸과 같이 간다. 몸과 같이 가지만 상체가 팔과 함께 돌아가면 안 된다. 팔 전체에 힘이 길러지도록 동선動線을 움직여야 한다. 허리를 돌리면서 가슴 앞에서 구수를 잡고, 또 반대로 허리를 돌리면서 반대쪽 구수를 잡는 수련이므로 『신요身腰가 영활해진다.』라고 하는 것이다. 허리를 수련하는 것이다.

◎ 부퇴보仆腿步의 응용

부퇴보의 형태로 공격하는 경우, 상대 우수 공격을 신법으로 오른쪽으로 돌면서 우수로 나拿하고 좌수는 횡격橫擊으로 친다. 이때 상체를 상대 쪽으로 들어가지 말고 우각右脚을 구부린 상태로 부퇴보의 힘의 원리로 친다.

을의 우수가 오면 갑은 좌각左脚이 들어가면서, 우수는 을의 우수를 측면으로 손목 활절活節에 좌수는 상대 팔과 90° 되게 잡는다. 또는 구수鉤手로 잡은 우수 손등 위에 좌수를 포개어 잡아도 된다. 이어서 갑의 좌수로 부퇴보의 아래로 뒤로 가는 구수의 힘으로, 상대 안면의 왼쪽을 치면서 갑의 왼편 뒤쪽으로 넘어뜨린다. 이때 갑의 좌수는 을의 팔 아래로 몸통을 쳐도 된다. 이 기법은 부퇴보의 실전이므로 반드시 뒷발(구부린 발)의 힘이 받쳐줘야 한다.

또는 갑이 을의 얼굴을 칠 때 을이 좌수를 들어 막으면, 갑은 왼손 구수로 을의 좌수를 당기면서 갑의 오른팔 전체의 힘으로 다시 을의 오른편 얼굴 쪽을 쳐서 넘어뜨린다. 허리를 좌, 우로 계속 돌리면서, 왼발을 구부려 힘을 싣고 오른발은 편다. 이때 철형처럼 치는 것이 아니고 부퇴의 힘으로 팔 전체로 둥글게 몸 뒤로 구수를 보내듯이 쳐서 움직인다. 작용과 반작용이다.

1   2

3   4

(부퇴보의 응용)

　　또는 상대방의 깊이 들어오는 손을 부퇴로 물러나면서 막고, 이어서 궁보로
변하며 상대를 공격한다.
　　부퇴보를 낮게 하는 경우는 상대 발 공격을 걸어서 당기는 역할을 할 때다.
상대 발이 허리 정도로 차올 때만 이렇게 수비하고 더 아래로 차오면 발을
들어 수비한다.

【일좌보一坐步】

1. 일좌보一坐步의 형태

일좌보一坐步로 설 때 앞무릎을 펴면 힘을 못 쓴다. 즉 앞발의 무릎이 높으면 힘 전달이 안 되고, 뒤꿈치가 뜨면 힘이 안 잡히고 중심이 안 잡힌다. 뒷발 뒤꿈치는 지면에 붙이려고 하지 말고 전체 체중과 힘을 위에서 뒷발 쪽으로 누르는 것이다.

일좌一坐, 좌반坐盤에서 발가락에 힘주고 앉으란 말은 땅을 잡으란 말이 아니다. 발을 누른 상태에서 힘을 준다는 뜻이다. 일좌보에서 뒷발 모양은, 실전에서 궁보弓步로 상대를 대적했을 때 상대가 신법으로 물러나 상대와의 간격이 벌어지면 거리를 좁히기 위해 그 자리에서 뒤꿈치를 들고 공격해야 하는데, 그럴 때의 발가락 힘이 잡히도록 잡는다. 힘은 이미 상체로 이동되었기 때문에 똑같은 힘이 나온다. 그만큼 발이 가볍고 운용이 자유롭게 되어야 한다.

손 모양은 상체가 밀고 들어가듯 서야 한다. 공격은 어떤 때라도 손만 가지 않는다. 몸이 들어가야 한다. 일좌보에서 앞으로 미는 장掌은 공을 잡았을 때처럼 중사평中四平 높이(가슴 부위)로 장외연으로 낮게 민다. 어깨 올리지 말고 가슴높이로 낮게 나가야 한다. 위로 들면 자세를 다 망친다. 팔꿈치는 다 펴지 않는다. 좌반보坐盤步 역시 뻗는 팔을 낮춰야 한다.

2. 일좌보一坐步의 주의점

일좌보一坐步가 움직이며 변화할 때 요점은, 사타구니가 꼬여져 눌러져야 한다. 허리의 손은 가슴으로 들어 올렸다가 나가는 것이 아니고 허리에서 바로 나간다. 그러면 유근혈乳根穴 앞을 지나게 된다. 유근혈을 스치라는 말이 아니다. 허리에서 정면으로 찌르면 자연히 유근혈 앞을 지나가게 되어있다. 모든 무예 동작에서, 허리에서 나가는 손은 들어 올린 다음 나가면 안 되고 들어 올리는 것과 나가는 것이 합쳐진 선을 그린다. 예를 들면, '단권 1로'에서 충권衝拳을 시작할 때 어거御車로 막아 나가는 손은 손을 들어 올려 나가지 않는다. 허리에서 사선으로 바로 위로 둥글게 올라간다.

일좌一坐는 앞발이 중심을 잡아주고 뒷발은 끌지 말고 들어서 당겨서 옮겨딛는다. 공격할 때 앞발이 자리를 잡은 다음, 뒷발을 당기는 것과 공격이 합해져야 한다. 균형이 제대로 잡혀야 힘이 나온다.

3. 일좌보一坐步의 힘

일좌보一坐步에서 뒷무릎은 앞발의 발목 정도로 내려오고 뒤꿈치는 조금만 들어야 하는데, 유柔가 이루어져야 그렇게 된다. 지면에서 15도 이하가 되어야 한다. 그렇게 되어야 일좌보의 힘이 나온다. 수련할 때 뒷발은 뒤꿈치가 땅에 닿듯이 누르고, 무릎은 근육의 신장伸張이 끝나는 위치까지 내리눌러야 한다. 앞 발목과 뒷무릎 사이는 주먹 하나 통과할 정도의 폭에서 최대 엄지와 검지로 한 뼘 넓이까지 벌릴 수 있다. 일좌一坐는 몸을 낮추는데, 이때도 궁보弓步 때의 발힘으로 눌러야 한다.

◎ 일좌보一坐步의 의미

일좌보一坐步는 보형步型이 아니고 기락법起落法이다. 내 몸을 앉았다 일어났다 하는 것이다. 원래 보형에는 없는 것이다. 보형은 동양권東洋圈에서 5가지다. 기락이 신법身法에서 중요하기 때문에 연습을 많이 하라고 넣은 것이다. 좌반坐盤과 함께 절대 필요한 신법이므로 보형으로 넣어둔 것이다.

일좌는 몸이 사라지는 신법이다. 힘이 나오도록 바르게 수련해야 한다.

일좌와 좌반은 축縮이 되면서 앉는데, 사람이 작아진다. 눈앞에서 없어지듯이 앉아야 한다.

◎ 일좌보一坐步의 응용

일좌一坐와 좌반坐盤은 연결해서 잘 쓴다. 예를 들어, 갑이 우각우수右脚右手 중사평中四平으로 몸통을 찌를 때는 궁보弓步로 서지만 낮게 치므로 일좌

로 볼 수 있다. 이때 을이 막으면 반대편 손(左手)을 찌르는데 좌반의 힘으로
지른다. 이때 완전히 좌반이 이루어지면 찌르는 손이 깊이 들어간다. 좌반이
만들어지는 중간위치에서 상대 몸에 주먹이 격중해야 한다. 만약 을이 좌반으
로 찌르는 갑의 좌수를 막으면 좌수로써 을의 막는 손을 걷어내고 좌수로 계
속 찌른다. 이때 좌반을 만드는 신법身法이 끊어지지 말고 계속 연결되어야
한다.

1　　　　　　　　　2

(일좌와 좌반의 응용)

【좌반보坐盤步】

1. 좌반보坐盤步의 형태

좌반보坐盤步는 골반骨盤이 바르게 되어야 한다. 골반 위치가 비뚤어지면 안 된다. 주먹 나가는 방향과 나란해야 한다.

좌반坐盤의 발 모양은 뒷발을 움직이면서 발을 약간 오른쪽으로 돌리면서 앞꿈치를 축으로 돈다. 앞발은 뒤꿈치를 축으로 회전한다. 상황에 따라 뒷발의 움직임을 조절하여 위치를 잡는다.

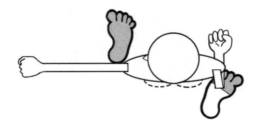

(좌반에서의 골반의 위치)　　　　　　　(좌반의 축 이동)

좌반坐盤은 신법身法이므로 고정된 틀보다 움직임(變化) 가운데 수련되어야 한다. 예를 들면 뛰어 들어가다가 갑자기 좌반을 만드는 것, 등으로 변화를 구해야 한다.

좌반보에서 주먹 찌르는 방향은, 전체로 봤을 때 허虛한 부위이므로 주먹을 찔러 평형을 유지한다. 전체적인 조화를 위해서이다. 〈외용세外勇勢〉에서 좌반보로 장掌을 내려치는 것 역시 허한 부위를 보완하는 것의 의미를 포함한다.

2. 좌반보坐盤步의 주의점

다리가 꼬아져 앉을 때 앞발의 장딴지와 뒷발의 무릎이 붙으면 안 된다. 좌반보坐盤步에서 엉덩이가 뒤로 빠지면 안 된다. 둔부臀部가 완전히 내려앉아야 한다. 둔부가 내려가는 힘이 발에서 반발이 되어 올라와야 좌반의 힘이 발發하므로, 엉덩이를 뒤로 빼지 말고 완전히 앉아야 한다. 번신飜身은 허리가 돌아가는 힘으로 하는 것이다.

3. 좌반보坐盤步의 힘

좌반보坐盤步는 뒷발에 중심과 체중을 확실히 실어야 한다. 그러기 위해서는 둔부가 가라앉아야 한다. 중심을 싣는 발 쪽으로 둔부가 완전히 가라앉아야 한다. 뜨는 자세가 보이면 안 된다. 완전히 앉더라도 기氣가 가라앉지 않으면 안 된다.

좌반坐盤 때 뒷다리에 힘이 들어가야 한다. 중심이 뒷발에 가야 한다. 좌반보에서 뒷발 누르는 수련은 뒤꿈치가 아니고 일좌보一坐步와 같이 장딴지 근육에 의식을 두고 늘여야 한다. 먼저 좌반 자세가 정확해야 힘이 길러진다. 양쪽 둔부가 가지런해야 하고, 허리와 몸의 축軸과 비교해 비뚤어지거나 하면 안 된다.

일좌와 좌반보는 숙련되면 움켜쥔 발의 무릎과 골반에는 힘이 안 들어가면서 편하게 된다.

◎ 좌반보坐盤步의 의미

좌반보는 번신飜身으로 연습한다. 신법身法이다. 좌반은 번신으로 공격하는 것이다. 깊이 공격한다. 신법이 돌아갈 때도 뒷발 누르는 힘을 계속 주면서 돌려야 한다.

◎ 일좌一坐와 좌반坐盤의 연속성

갑이 우수로 들어가는데 을의 좌수가 막으러 오면 갑은 상대 손을 구수鉤

手로 걸어 아래로 누르며, 일좌보一坐步처럼 앉아서 좌수로 찌른다.
　이때 일좌一坐처럼 보이지만 좌각左脚의 무릎이 오른쪽으로 약간 돌아가므로 좌반坐盤의 힘을 쓰는 것이다.

1　　　　　　　　　　　　2

◉ 步　型

【보형步型 수련의 요결要訣】

◎ 보형步型 수련은 하체 수련으로서 상체에 절대 힘을 주지 않아야 한다. 그래야 다리 힘을 손으로 가져와 쓸 수 있고 다리 신법身法이 결국 수법手法과 몸의 신법이 된다. 《권법요결》에 『손은 두 개의 문짝이고 모두 다리에 의지해서 친다.』라고 설명한 것은 보형 수련의 중요성을 말한 것이다.

◎ 반드시 몸풀기 동작 후 압퇴壓腿를 한 다음 자세 연습을 한다. 보형步型 5가지를 연결해서 수련해야 몸의 균형이 잡힌다. 보형 수련은 균형과 힘이 중요하다. 힘이 없으면 빠를 수도 없고 아무것도 안 된다. 모든 힘은 자세에 있다. 자세에 따라 힘이 있고 없고 한다. 자세가 완전하도록 수련해야 한다. 특히 중심이 중요하다.

◎ 보형 수련 때 발을 잡은 후 헛동작하지 말고 한 번에 움직여라. 하체는 무겁게 상체는 허虛하게 되도록 한다. 자세를 낮춰야 한다. 그래야 힘이 발바닥으로 간다. 자세를 낮춘다는 것은 보폭을 넓게 한다는 의미보다는 엉덩이를 낮추고 몸을 아래로 가라앉히는 것이다. 기본자세 수련 때 중점을 둬야 한다. 예를 들어 궁보弓步를 한번 잡으면 꼼지락거리지 말고, 탁 잡으면 그대로 멈춰야 한다. 그 대신 자세는 완전해야 한다. 수련은 자세를 낮게 해야 힘이 잡힌다.

◎ 자세가 바르지 않고서는 사초四梢를 발휘할 수가 없다. 사초가 잘 발휘되어야 살아있는 기예技藝가 된다. 보법步法이 균형이 안 맞으면(비틀린다든지, 보폭이 틀린다든지) 뒷발에 힘이 안 실려진다. 예를 들어 좌반坐盤이 정확하면 버티는 힘이 안 든다.

◎ 독립보獨立步는 힘이 조여들어야 한다. 일좌一坐, 좌반보坐盤步 등도 모

두 힘이 조여들어야 한다. 그러나 초학자를 이렇게 가르치면 안 된다. 예를 들어 초학자에게 궁보 자세를 가르칠 때 "앞 뒷발 꽉 잡고 힘의 중심은 뒤에 실어라." 외에 다른 말 더하면 자세를 망친다.

보형 수련은 수법手法에 영기靈氣가 살아있게 신법身法을 써서 연결하며 수련한다. 단, 보형 수련이 숙련되어 완전히 된 다음 해야 한다.

◎ 보형의 힘을 확실히 기르고 실전에서 그 힘을 써야 한다. 예를 들어 기마보는 방어할 때 쓴다. 상대 공격을 옆으로 붙이며 측신側身으로 막는다. 기마보의 힘으로 막는다. 방어는 공격의 시작이다. 뒷발에 힘을 줘야 전진하는 힘이 나온다. 그대로 충권衝拳으로 공격한다. 반면에 측신으로 공격하는 것은 기마보가 아니고 부퇴보의 힘이다. 앞발에 힘을 줘야 허리의 영활함이 나오기 때문이다. 즉 기마보 때 힘주는 곳은 뒷발이다. 부퇴보 때 힘주는 곳은 앞발이다.

1   2

(기마보의 힘)   (부퇴보의 힘)

【퇴법腿法】

퇴법腿法은 각법脚法이다. 본래 40여 가지가 있다. 각법脚法은 발을 손처럼 쓰는 것이다. 발차기가 본래 어려운 것이다. 퇴법腿法은 상대 주먹이 날 칠 수 있는 거리에서 찬다. 멀리서 차는 것이 아니다.

《권법요결拳法要訣》의 〈퇴법腿法〉에 『퇴법腿法은 다리와 발 전부를 가리키는 것이며, 허벅지·무릎·발등·발가락·발바닥·발뒤꿈치를 모두 포함한다…….』, 또한 『절대로 침체된 기(滯氣)를 연습하지 말라. 그리하면 패망에 빠진다. 소위 체기로는 칠 수 없다』, 그리고 『……퇴법腿法을 수련할 때는 반드시 무릎을 안정되게 펴면서, 무릎이 충격을 받지 않게 해야 한다…….』 하였다. 이것이 퇴법腿法의 요결要訣이다.

무릎을 안정되게 하려면, 발차기는 딛는 발이 완전하게 되었을 때 찬다. 즉 발차기 수련 때 몸을 지탱하고 중심 잡는 발은 '땅이 꺼져라.' 하고 잡아야 한다. 서 있는 쪽 무릎은 구부리거나 혹은 서는 것이 중요하지 않고, 발을 움켜잡는 것이 튼튼해야 하는 것이 요점이다. 차는 것에만 마음이 가면 안 된다. 또한, 발을 찰 때 엉덩이가 갈라지면 틀린 것이다. 다시 말하면, 발차기는 절대 둔부를 앞으로 밀면서 차면 안 된다. 엉덩이, 골반骨盤에 힘이 없으면 발차기가 틀린 것이다. 골반과 발에 힘이 있고 유柔해야 한다. 발차기는 근육을 유柔하게 수련하는 것이다. 무릎과 발목 관절을 부드러우면서 건강하게 하는 것이다. 퇴법은 찰 때 충격이 있어서는 안 된다. 무릎을 들어 올렸다 떨어뜨리지 말고 차며, 대퇴의 힘이 그대로 발끝으로 전달되게 해야 하고 무릎을 펴는 식이 아니다. 찬 발을 회수할 때는 발이 아닌 대퇴를 가져와야 한다.

발차기 때 손 따로, 몸 따로, 발 따로 차서는 안 된다. 발차기에서 오금을 접었다가 차면 느려진다. 시간이 지체된다. 무릎이 나감에 따라 종아리가 끌려가서 찬다. 무릎을 접었다가 차면, 후퇴하고 다시 나가는 것이 되어 틀린 것이다. 발차기는 차는 위치까지만 무릎을 들어올려야 한다.

발차기는 발을 든 다음 무릎을 구부렸다가 펴면서 차게 되는데, 발을 들어 다리를 구부린 다음 무릎을 고정한 상태로 차는 것이 아니라 다리가 올라가면 서 무릎을 구부리고, 무릎이 다 올라가면 발까지 펴지는 것이 완성되어야 한 다. 다시 말하면 발을 들면서, 구부려서 차는 것까지 함께 이루어져야 한다. 초학자는 안 된다. 발을 퍼 올리기가 된다.

〈퇴법腿法에서 무릎은 나누어 간다〉. 양 무릎이 다르게 움직인다는 말이다.

발차기할 때는, 엉덩이가 낮아지면서 허벅지는 올라가야 한다. 주먹을 찌를 때 숙처에 있던 손이 돌아나가면, 팔꿈치가 낮아지면서 주먹이 나가는 것과 이치가 같다.

퇴법腿法 때의 호흡은 역호흡逆呼吸이다. 의식하지 않고 차면 자연히 역호 흡이 된다. 손을 숙처로 당기는 것과 동시에 〈발을 들면서 들이마시고・발을 차면서 조금 내쉬고・다리를 회수하며 내쉰다〉. 호흡이 완전하게 되면 순호흡 順呼吸으로도 수련한다.

퇴법腿法 때의 안법眼法은 상대방 쪽으로 보면서, 자신의 발을 차는 움직임 까지 모두 동시에 다 봐야 한다.

퇴법腿法은 연기법練氣法이다. 연기법으로 수련한 발차기가 가장 빠르다. 힘(勁)이 실려 있어야 빠르다. 힘이 실리지 않고는 빠를 수가 없다. 차는 동작 과정에서는 힘이 없으며, 부딪히면 힘이 들어가는 것이다. 엄지발가락을 구부 려서 들어가는 것은 많이 숙련된 힘과 동작으로 하는 것이다. 의식적으로 하 는 것 아니다.

앞차기 옆차기를 수평으로 차는 것이 중평세中平勢다(다리의 중평). 앞차기 는 늘이는 듯이 차야 한다. 앞차기는 무릎 위를 늘이면서, 회심퇴懷心腿는 오 금을 늘이면서 수련한다. 옆차기는 골반을 들어서 오금을 늘이며, 돌려차기는 무릎 앞을 늘이면서 수련한다. 옆으로 죽 늘여준다. 늘여줘야 힘을 기른다. 돌려차기는 차는 동선動線을 두고 '돌리는 것'이라 하지 않는다. 발등이 뒤집 히는 것을 '돌리는 것'이라 한다. 허리 돌아가는 것과 발등 돌아가는 것이 맞아야 한다(三節). 반면에 옆차기는 들어서 밀어 밟는 것이다. 돌리면 안 된다. 돌려차기는 찌르듯이 차거나(원圓이 작다), 돌려서 찬다(원圓이 크다).

실전에서 앞차기는 상대의 턱을 찬다. 즉 복부를 찬 다음 이어서 발을 빼서 턱을 찬다. 앞차기를 옆으로 돌리면 바로 돌려차기가 된다. 앞차기는 실전에서 높게 차기도 하지만, 옆차기는 중사평中四平(수평 높이)으로 수련하고 실전에서도 높게 차서는 안 된다. 높게 차면 상대에게 당한다.

옆차기, 돌려차기는 골반 운동이다. 골반에서 발끝까지 통째로 움직여야 아름다움이 나온다. 그리고 강한 힘이 나온다.

돌려차기, 옆차기는 골반이 같이 움직인다. 따라서 먼저 앞차기가 이루어져야 한다. 무릎에 힘을 강하게 주고, 무릎을 완전히 펴는 힘으로 차기 수련을 하라. 그래야 무릎이 강해진다. 앞차기도 약간 옆으로 몸을 돌리면서 차면 차는 쪽 골반이 움직인다. 느껴야 한다. 돌려차기, 옆차기는 손을 중간에 멈추면 안 된다. 돌리는 발, 무릎, 힘의 분배가 정확하게 교정되어야 한다.

골반의 움직임을 예를 들면, 상대 우수를 두 손으로 막으면서 동시에 오른발 회심퇴懷心腿로 상대 발을 찰 때, 오른편 골반이 움직여 강하게 부러드리듯이 차야 한다. 발끝만으로 차선 안 된다. 차면서 동시에 우수를 권추圈捶로 돌려친다. 막고, 차고, 권추를 치는 것이 동시에 이루어지도록 해야 한다.

1   2

◉ 퇴법腿法 수련

① 차는 부위(허공의 어느 한 점)가 일정하게 되도록 수련해야 한다.

② 무릎을 올린 다음 아래로 툭 떨어뜨리지 말고 차며, 대퇴大腿의 힘이 그대로 발끝으로 전달되게 해야 한다. 단지 무릎을 펴는 식이 아니다. 발차기는 대퇴가 주主가 되고 골반(근절根節의 근절)과 함께 찬다. 무릎으로 차는데 의식을 두라. 힘이 끊어지지 않게 된다. 무릎을 출렁이지 않고 찔러 차야 한다. 중심을 잡고 차야 그렇게 된다.

발차기는 무릎을 다 펴서 차는 것이 아니다. 중절中節은 다 펴지 않는다. 수련할 때 발등에 힘 넣고, 발가락 확실히 힘주어 오므리고 찬다. 그러면 자연히 무릎이 펴지지 않는다. 실전에서는 차는 순간 오므린 발가락을 편다. 이때 발가락이 가지런해야 한다. 손가락으로 찌르는 것과 같은 모양이다. 찔러 차는 것은, 정강이는 올라가고 발목은 펴는 과정에서 발끝은 찔러 들어간다.

③ 처음에 발가락을 힘주고 구부려 차는 수련이 되고 나면, 다음에는 발등에 힘을 주어 수련한다. 발목에 힘을 주는 것이 중심이 되어 발등에 힘이 들어간다. 발목에 힘을 주어 차는 것으로 인해 무릎, 대퇴, 정강이에 힘이 들어간다. 다리가 통나무가 되게 하는 수련이다. 너무 강한 힘을 주지 말고 수련해야 한다. 장掌 수련과 같다. 손목에 힘주지 않으면 안 되듯이 발도 발목에 힘을 줘야 한다.

④ 회심퇴懷心腿는 발뒤꿈치로 차라. 외연外沿으로 차면 안 된다. 회심퇴는 발바닥을 조금만 바깥쪽으로 돌려서 찬다. 발바닥 전체로 밀어 찬다. 옆차기는 발바닥으로 차라. 역시 발을 눕혀서 외연外沿으로 차면 안 된다. 단 하단下段으로 찰 때는 외연으로 쓸어 비벼 찬다.

⑤ 발올리기(踢腿) 등은 과도하게 하지 말고 신법身法을 써라. 척퇴踢腿는 무릎과 발목에 힘을 주고 연습해야 나중에 가벼워진다. 예외적으로 척퇴는 차면서 숨을 들이마셔야 한다. 이기각二起脚은 움츠리며 찬다. 몸이 벌어져 차면 안 된다. 신법으로 공중에 몸을 띄우고, 뒷발이 접혀서 차는 발에 올라붙어야 정상이다. 즉 뒷발을 늘어뜨리지 말고 들어야 한다. 선풍퇴旋風腿는 두 발이 공중에 떠 있을 때 차는 것이지만 몸 전체의 체중으로 찬다.

⑥ 연속으로 발차기를 할 때, 예를 들어 왼발로 두 번 차고 오른발로 한번 찰 때 왼발이 찬 다음 땅에 닿으면서 오른발이 나간다. 좌우가 끊어지는 것이 아니다. 힘이 좌에서 우로 변한다. 발차기가 원래 어려운 것이다. 3초秒에 좌우 발을 교환해서 3번 차는데, 한 번 차는데 1초보다 더 지체되면 안 된다. 그래도 3초는 가장 느린 시간이다.

⑦ 축축(蓄)하면서 발차기를 할 때는 스프링처럼 내려앉는다. 몸을 움츠리는 것이 아니다. 반면에 상대 주먹을 막으면서 축축蓄할 때는 몸을 움츠린다.

〈좌공坐功〉의 '오금희五禽戲 새 자세(鳥形)'에서 축축 수련과 골반을 움직여 통으로 다리가 나가는 수련을 하고 있다. 발찰 때 다리와 연결된 골반도 같이 움직여야 한다.

◉ 퇴법腿法의 수비

앞차기나 회심퇴 경우, 상대 차는 발 반대편으로 들어가며 붙어야 한다. 물러나면 당한다. 〈상대가 오기도 전에 먼저 피하지 말라. 또 상대 발끝이 아니라 무릎을 피해야 한다〉. 만약 상대가 오른발로 발차기 공격을 하면 상대의 왼편으로 과호세로 피하면서 앞으로 들어가 왼손은 상대 발을 방어하고 오른 손은 상대의 낭심이나, 명치 등을 공격한다. 상대의 뒤차기는 앞차기를 막듯이 막는다. 발이 가슴 위로 들어오면 그냥 두든지, 들어버리든지 낮으면 찍어서 제압한다. 발 공격은 구석진 곳이나, 피할 수 없는 경우에만 직접 받는다.

1. 앞차기(彈腿)

앞차기는 무릎을 접었다가 찌르면서 차야 한다. 앞차기는 들어 올리지 말고 찔러 찬다. 삼절三節이 맞게 움직여야 한다. 앞차기는 찔러 차는 것인데, 발끝을 위로 올리는 것이므로 올려 차는 수련도 된다. 그러나 올려 차면서 목표지

점에서는 찔러 차야 한다. 앞차기 수련 때 궁보弓步의 앞무릎이 앞으로 들어
간 상태에서 뒷발을 들어서 찬다. 그렇게 차야 통나무처럼 힘이 있게 들어간
다. 차는 속도가 일정해야 한다. 앞차기를 찰 때 무릎을 다 펴면 안 된다. 중
절中節인 팔꿈치와 같은 원리로서, 발등과 발목 전체에 힘을 주면 무릎이 자
연히 끝까지 펴지지 않는다. 무릎 역시 힘을 주면서 차야 한다. 무릎 관절을
유柔로 다스리는 것이다. 그렇게 해야 힘이 길러진다.

　땅을 딛고 있는 다리의 무릎이 흔들리지 않게 차고, 찬 발을 뒤로 가져갈
때는 몸이 뒤로 물러나지 않아야 한다. 즉 디딘 발의 무릎을 고정한 채로 발
만 뒤로 가져와야 한다. 그렇게 해야 힘이 잡히고, 서 있는 무릎을 움직이면
서 차면 힘이 잡히지 않는다. 찬 발이 뒤로 물러나 디디면서 뒷발에 힘이 실
린다. 억지로 힘을 주지 말라. 유柔를 단련해야 하는 데 힘을 주면 단련이 안
된다. 서서히 의식하면서, 천천히 하고 무의식적으로 되어야 한다.

　앞차기는 멀리 차지 말라. 발 찰 때 딛는 발이 완전해야 한다. 주먹 찌를
때 발과 같다. 앞차기 찰 때 몸 중심이 앞으로 쏠리면 안 된다. 예를 들어 궁
보弓步에서 처음에 중심을 둔 뒷발은 움켜쥔 상태에서, 앞발로 중심이 이동할
때 뒷발을 끝까지 움켜잡은 힘으로 튕겨 차야 한다. 앞발로 중심 이동 때, 차
는 뒷발이 허虛해지면 안 된다. 계속 영기靈氣가 살아있어야 한다.

　앞차기 찰 때 허리(배)를 내밀면 안 된다. 허리를 세워서 찬다. 배를 움츠려
야 한다. 골반은 늘어나면서 찬다(근절根節이므로 따라가는 식으로). 골반을 앞
으로 내미는 것이 아니다. 상체는 미세하게 뒤로 젖히는 식으로 차야 골반이
따라 나간다. 근절根節(골반)이 받쳐주면서 나가야 동선動線이 길어지고 힘을
받쳐주게 된다. 엉덩이는 쪼이면서 차야 한다. 둔부가 쪼이는 것은 모든 자세
에 해당한다. 둔부가 풀어졌다 쪼였다 하는 것이 자연히 무의식적으로 되어야
한다. 결국, 골반이 안정되는 것으로 자세의 안정을 구해야 한다.

　• 발은 힘이 있으면서 가벼워야 한다. 힘이 있어야 가벼워진다.
　• 뒷발 중심에서 앞발 중심으로 중심 이동을 분명히 하라.
　• 앞발의 무릎을 고정한 다음 차고, 차는 발의 무릎은 허공에서 고정하라.

· 무릎을 밀어서 차라.

· 골반(둔부)을 쪼여라.

· 낮게 차서 숙련시키면서 차는 높이를 차츰 올려라.

◎ 앞차기(彈腿) 수련방법

① 발가락 힘주어 구부리고 발등에 힘을 주면서 찬다. 발등에도 새끼발가락과 외연外沿을 구부리는 힘이 들어가야 한다. 수련이 좀 된 다음에는 발가락은 구부리기만 하고 힘은 주지 않으며, 대퇴大腿·무릎·정강이·발목(다리 전체)까지 힘을 주고 찬다. 그렇게 수련해야 발이 통나무처럼 된다. 발목에 힘을 주고 앞차기를 하는 이유는 발목에 힘을 주면 발가락에는 힘이 들어가지 않아 대퇴를 의식하기가 쉬워져 대퇴를 수련하기 위해서이다. 찰 때 몸이 뒤로 넘어가선 안 된다. 특히 대퇴가 수평이 되는 높이로 차야 힘이 길러진다.

② 칠성수七星手를 만들며 걸어가면서 앞차기를 수련한다. 아주 천천히 해야 다리에 힘이 잡힌다. 궁보弓步로 선 자세에서 앞차기 하는 것처럼 해야 한다. 걸어간다고 뻣뻣하게 서서 차면 안 된다. 찰 때 다리만 가서 차지 않는다. 걸어가면서 차니까, 혹은 선 자세에서도 몸으로 가서 몸으로 차야 한다. 체중이 실린 발차기가 되어야 한다.

◎ 실전에서 수법手法과 연결

앞차기 때 앞의 손으로 상대의 앞으로 나온 손을 누르고 뒷손은 배장背掌으로 찌르면서 앞차기를 찬다. 또는 뒷손으로 칼처럼 상대 얼굴 앞에서 감으며(挑刺) 찌르면서 찬다. 발차기는 상대가 모르게 차야 한다. 따라서 수법手法의 용도가 상대가 모르게 차는 데 있어서 중요한 역할을 한다. 발차기를 연이어 차면서 끊이지 않고 찰 때는, 딛는 발을 반드시 움켜잡아야 한다.

상대의 갑작스러운 앞차기는, 예를 들어 우각右脚이 앞에 있는 경우, 뒤로 둔부가 빠지면서(右虛步) 왼손은 상대 발 공격을 나의 왼쪽 바깥으로 젖히고 오른손은 상대 하복부를 공격한다. 허보처럼 보이지만 앞발에 힘이 있어 상대가 허실虛實을 모른다.

2. 등퇴蹬腿

등퇴蹬腿는 회심퇴懷心腿라고 한다. 회심퇴懷心腿는 높게 차는 것이다. 가장 높은 위치가 가슴높이다. 그 대신 몸을 뒤로 젖혀서는 안 된다. 상대에 가깝게 붙어서 차는 것이다. 그것이 '회심懷心'이다. 곧 동작의 개념이 설명된 말이다. 상대가 오는 것을 오히려 파고들며 차는 것이다. 그만큼 상대 코앞까지 접근되어 있는데, 몸은 오히려 들어가면서 차는 것이다. 몸을 축縮하면서 차야 한다. 가슴 높이로 차는 것이 가장 어렵다. 수련 때는 수평 높이로 차는 것이 가장 좋다.

회심퇴懷心腿는 발바닥 전체에 힘을 준다. 연습 과정은 처음에는 발뒤꿈치(脚掌)로 차는데, 회심퇴는 밀어서 차기다. 뒤꿈치로 밀어 차야 한다. 발을 직선으로 밀어 찬다. 찰 때는 다리를 땅에서 들면 바로 앞으로 나가야 한다. 퍼올리면 안 된다. 들어 올려서 차면 이중 동작이다. 추장推掌과 같다. 발바닥이 좌우로 기울어지면 안 된다. 10도 정도 바깥으로 기울여 찬다. 무릎을 다 펴서 오금이 젖혀지면 안 된다. 옆차기도 회심퇴와 같다. 축蓄은 허리가 앞으로 움츠리지 들지 않고 스프링처럼 줄어들어서 차는 것이다. 허리가 축발蓄發이 되어야 회심퇴懷心腿를 근접하여 차는 것이 나온다. 멀리서 공격하는 것이 아니고 손이 부딪히는 거리에서 공격하는 것이 진정한 회심퇴다. 걸어가면서 연습할 때는 구수鉤手와 배합하는데 발차는 쪽 반대로 채면서(拿) 찬다. 발을 차는 쪽으로 채면 힘의 균형이 틀어져 안 된다. 상대 공격을 흘려버리는 경우는 괜찮다. 반드시 몸이 앞으로 나가면서 구수는 몸 앞으로 가져와야 한다. 몸이 뒤로 빠지면서 구수를 하면 안 된다.

턱 차기를 한다면, 한 손을 상대 손에 살짝 의지하고(누르는 힘) 차면 발에 무리가 안 간다. 상대가 물러나는데 내가 걸어 들어갈 때는, 상대의 제압된 손을 살짝 잡고(의지하고) 찬다.

소림고서少林古書에도 『회심퇴를 가슴까지 차면 고수高手다.』 하였다. 그렇게 되게 연습하라. 상대 팔꿈치가 내 어깨까지 들어온 거리에서도 찬다. 오는 손님 그냥 보내지 말고 대접해서 보내야지!

◎ 앞차기, 회심퇴에서 발을 찬 다음 회수할 때, 발을 가져오지 말고 다리를 가져와야 한다. 앞차기, 회심퇴는 무릎을 들어 올리면서(무릎 올린 다음 멈추지 말고) 찬다. 발가락 끝은 구부려서 발등에 힘이 들어가게 차야 한다.

3. 옆차기(側端腿)

옆차기는 최대 높이가 허리이므로 그 아래로 차야 힘이 길러진다. 옆차기는 엉덩이를 들어(들면 상 하체 몸이 펴진다), 상체 모양이 부퇴보仆腿步처럼 되어야 한다. 엉덩이를 들지 않고 움츠려 차는 경우는, 상대 공격에 따라 신법身法이 그렇게 운용될 때가 있다.

옆차기는 상체를 돌릴 때 차는 발이 이미 들려서 같이 돌아가 차야 한다. 상하체上下體가 한 동작이다. 상체를 먼저 돌리고 다리를 들어서는 안 된다.

땅을 딛고 있는 발은 몸이 돌 때 같이 돌아간다. 디딘 발이 먼저 돌아가는 것은 신체의 이치다. 〈상체는 움직이지 말고 가슴과 팔을 돌려서 손으로 나拿한 다음, 상체 전체를 돌릴 때 발과 엉덩이가 같이 올라가야 한다〉. 짧은 거리에서 상대를 찰 수 있는 것은 몸의 중심이 정확해야 한다.

옆차기와 돌려차기의 수법手法은 상대 권拳을 당기거나 미는 것이 아니라 좌우로 젖히는 것이다. 우각右脚이 찬다면 좌로는 젖히고 우로는 당겨지듯 하는데, 손의 각도가 과도하면 안 된다. 좌로 젖히는 손을 전사纏絲하게 되면 힘이 한 번 더 가는 것이다. 허리만 돌리고 양장兩掌으로 젖힌다. 그렇게 해야 한 동작이 된다.

우각右脚으로 찬다면, 상대 공격을 나의 오른손으로 좌로 젖히고, 오른발로 차는 것과 동시에 바로 우권右拳으로 상대를 공격할 수 있다. 이때 몸이 들어가며 가슴이 나아간다. 즉 옆차기에서 수법手法은 젖히기도 하고 상대를 치기도 한다. 몸에서 크게 벗어나지 않는다. 권추圈捶가 자기 몸에서 벗어나서는 안 되는 것과 같다.

골반을 들며 나가고 동시에 한 동작으로 차야 한다. 상대와 많이 떨어져 있는 곳에서 옆차기를 찰 때는, 딛는 발을 처음부터 바깥으로 돌려 디디며 찬다. 요단편抝單鞭에서 좌수로 횡격橫擊을 칠 때 왼손이 상대 손을 채면 바로 오른발이 옆차기가 된다. 왼손이 뒤로 갈 때 차는 것이 아니라 허리가 돌면서 발이 나간다. 그래야 상대가 후퇴하지 못한다. 이때 딛고 있는 발이 완벽해야 한다.

◎ 옆차기(側端腿) 연습

옆차기를 찰 때는 상체에 어떤 힘도 들어가면 안 된다. 발에만 힘이 들어간다. 권拳을 찌르는 것과 다르다. 권은 다리로 받치고 권에 힘이 전달되어야 한다. 회심퇴懷心腿와 차는 방법이 같다. 벽을 한 손으로 짚고 차기도 하고, 원原 방법으로도 차고, 두 가지 방법으로 연습한다. 직립直立으로 서서 차는 옆차기는 중심 잡기를 익히기 위한 것이다.

옆차기를 낮게 찰 때는(상대의 다리) 외연外沿으로 깍듯이 찬다. 높게 찰 때는 발바닥으로 찬다. 이때 힘은 뒤꿈치의 힘이다.

옆차기는 발의 내측인, 내연內沿(발의 아치arch)으로 찬다고 생각해야 발바닥이 바르게 간다. 힘에 있어서 바깥쪽 외연外沿은 보조 역할만 한다. 발바닥 내연內沿에서 발바닥의 중앙까지가 옆차기의 힘이 나오는 부위다.

옆차기는 손의 삼절三節을 맞추고, 다리는 엉덩이가 올라가면서 차야 한다. 올라가는 것과 다리를 펴는 것이 같이 떨어지게 찬다.

옆차기는 몸을 측면으로 회전하는 힘이 그대로 발로 전달되게 한 몸으로 찬다. 엉덩이가 거꾸로 뒤집히듯이 움직이는 힘으로 찬다(一字). 그렇지 않으면 다리 힘으로만 차는 것이 된다. 돌려차기도 같다. 무릎을 접었다가 차지 않아야 한다. 몸은 일자一字로 머리를 세우고, 몸이 앞으로 숙이거나 뒤로 눕지 않게 하고, 뒤로 가는 손의 가슴이 뒤로 가면 안 된다. 팔만 뒤로 간다.

옆차기는 편하고 가볍게 연습하는데, 자연히 그렇게 된다. 그런데 일부러 힘주고 차면 안 된다. 돌려차기는 무겁다. 편하지 않다. 옆차기는 발바닥(뒤꿈치)으로 차야 한다. 모양을 좋게 만들려고 하지 말고 편안하게 수련한다. 옆차기로 허리 이상 올려 차는 수련은 하지 않는 게 좋다. 실전에서 상대 공격을 수법手法으로 받으며 허리 이상 찰 수는 있다. 그러나 주로 다리 공격을 밟는 식으로 공격하는 것이 옆차기의 주된 공격이다. 즉 측단퇴側踹腿라 한다. 수련 때 옆차기를 낮게 차면 고관절을 풀어준다. 고관절은 좌반보坐盤步에서 단련된다. 좌반坐盤에서 늘인 다음에 옆차기로 풀어줘야 한다. 옆차기는 엉덩이를 덜 올려 차면 발이 수평이 되지 않고(A), 엉덩이를 더 올려서 차면 발이 수평으로 나간다(B). 두 가지 모두 올바른 방법이다.

(옆차기의 발의 각도)

오른발 옆차기 때 수법手法은 우수가 몸 바깥으로 약간 나가서 뻗어야 한다. 실전에서 상대 팔을 내 몸 옆으로 벌려야 찰 수 있기 때문이다.

좌우수左右手를 움직여 상대 팔을 나拿할 때 좌우수가 같이 나의 정면에 도달해야 한다. 좌수가 먼저 가고 우수가 뒤따라가서는 안 된다.

궁보弓步를 잡고 찰 때, 좌궁보左弓步라면 칠성수七星手의 왼손을 당겨 가슴 앞에 두고 오른손만 앞으로 나가는데, 밖에서 안으로 휘감아 잡은 다음 옆차기를 찬다. 운용의 예를 들면,

① 왼손은 상대의 앞으로 나온 손을 점點하여 잡고, 뒷손은 상대 뒷손이 따라 나오는 것을 잡고 찬다.

② 앞, 뒤 두 손 모두 상대의 앞으로 나와 있는 손을 잡고 찬다.

③ 왼손은 상대 앞 손을 잡고 오른손은 철형을 치면서 우각 옆차기를 찬다.

④ 상대가 오른 주먹 찌를 때 오른발이 살짝 물러나면서 왼손으로 왼쪽에서 오른편으로 막고, 상대가 왼손을 또 찌르는 경우 오른손으로 오른쪽에서 왼편으로 막으면서 오른발 옆차기로 상대 다리를 찬다. 비껴찬다.

⑤ 선 자세(並步)에서 오른발 옆차기 찰 때, 두 손을 같이 휘감아 잡으면서 찬다. 즉 좌수는 왼편에서 몸 안쪽으로 휘감고 오른손은 오른편에서 몸 왼편 안쪽으로 휘감아 찬다. 측신側身으로 서 있으므로 신법身法이 그렇게 된다.

⑥ 옆차기를 연속으로 차며 들어갈 때는 두 다리를 모아 비비듯이 쉼 없이 찬다. 두 다리가 벌어지듯 들어가면 안 된다.

⑦ 옆차기를 직접 방어할 때, 예를 들어 옆차기를 정면에서 좌수로 막는다 몸을 오른쪽으로 돌리면서 좌수를 장심掌心으로 감싸서 45도 오른편 전방으로 밀어서 막는다. 대개 같은 신법으로 팔뚝으로 발목 부위를 눌러 막는다.

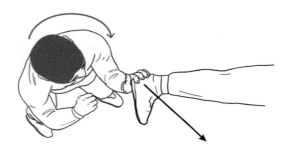

(옆차기의 방어)

4. 돌려차기(橫旋腿)

돌려차기는 다리를 접어서 차 나간다. 수련은 발등을 펴서 하지만 실전實戰에서는 발가락으로 찍어 들어간다. 돌려차기에서는 둔부臀部를 들어야 하는데, 무학적武學的으로 알아야 한다. 즉 음양론陰陽論이다.

옆차기는 발뒤꿈치(陰)로 차며 등과 대퇴(陽)가 일어난다. 따라서 발의 측면이 수평이 되지 않는다. 돌려차기는 발의 앞(陽)쪽으로 차며 배와 둔부(陰)가 일어나야 한다. 따라서 발의 측면이 수평이 되어야 둔부가 일어난다. 돌려차기가 무거운 이유다.

돌려차기와 옆차기 수련에서는 손을 중간에 멈추면 안 된다. 돌리는 발, 무릎, 힘의 분배가 정확하게 교정되어야 한다.

발차기가 허리 이상 올라가는 것은 다 못쓴다. 옆차기는 골반을 건강하게, 편안하게 잘 만들어 준다. 그래서 가볍다. 옆차기는 수련 상 조금 더 높이도 차고, 낮게 차기도 한다. 골반을 푸는 것이다. 양생養生의 관점에서 중요한 것이다. 돌려차기는 무거우니까 조금 더 낮게 찬다. 옆차기, 돌려차기는 자신의 골격骨格대로 수련하라. 과한 동작을 취하지 말라.

◎ 옆차기와 돌려차기를 찰 때, 오른발을 찬다면 상완上腕에 의식을 두고 차면서 오른쪽 팔은 많이 구부려 팔 전체를 밀어야 한다. 그 이유는 상대 팔을 바깥에서 양손으로 잡으면 상대 팔을 구부려 상대 힘을 빼는 것이 되고, 상대 팔을 안쪽에서 잡으면 팔꿈치를 부러뜨리는 것이다.

상대 팔을 부러뜨릴 때 몸을 측면으로 돌리지 않고 정면으로 할 수도 있다. 상대 팔의 손목과 팔꿈치에 가 닿는 손의 위치에 따라 양손을 바깥으로 벌리거나 양손을 안으로 밀어서 상대 관절을 부러뜨린다. 내 손이 상대 팔꿈치로 접근할 때, 상대 팔 위로 손을 덮지 말고 측면으로 접근하면 팔꿈치에 닿은 손은 지지하고 손목을 잡은 손으로 비틀 수도 있다.

5. 발올리기(踢腿)

상단上段으로 차는 발차기는 몸의 균형과 힘을 기르는 것이다.
발올리기는 축蓄을 만들면서 차올리고, 절대 무릎이 구부러지면 안 된다.

높게 차는 것이 중요한 것이 아니다. 올리는 발이 무게 있게, 힘이 있어야 한다. 힘을 길러야 한다. 실전에서는 상대 권拳을 막으며 겨드랑이 급소를 찬다.

발올리기는 무릎과 발목에 힘을 주고 연습해야 나중에 가벼워진다. 발만 갑자기 빠르게 차올리면 안 된다. 상, 하체 움직임이 전체 속도가 맞아야 한다.

〈무예는 어떤 동작에서든 한 부분의 움직임이 갑자기 빨라지면 안 된다〉.

발올리기 때 수법手法은 양손을 아래로 채듯이 돌려야 한다. 즉 상대 주먹을 아래로 눌러 막듯이 돌린다. 이때 가슴(初節)이 같이 움직여야 하는데, 가슴이 몸 뒤에까지 돌아가 어깨가 뒤로 돌아가서는 안 된다.

발올리기에서 팔을 크게 휘두르고 상대 주먹을 걸으면서 차는 것은, 양손을 몸 바깥으로 나가게 벌리지 말고 몸 앞에서 허리 아래로 내린다. 응용으로는 좌궁보左弓步에서 오른쪽 발올리기를 한다면, 상대 주먹을 좌수는 아래로 막고 우수는 위로 젖혀서 막고 찬다.

발올리기를 할 때 눈을 깜박거리면 안 된다(眼法).

기본 퇴법腿法의 발올리기에서 손을 발등에 부딪치며 차는 수련(彈踢)은, 첫째 발을 정면으로 바르게 차기 위해, 둘째 골반과 상체를 바르게 하기 위해, 셋째 손과 부딪혀 손과 발 감각을 익히기 위해서다.

발차기를 연결해서 들어갈 때는 앞꿈치로 들어간다. 걸어 들어가며 뒷발의 앞꿈치가 꽉 잡힌 다음에 차고 들어간다. 발이 손처럼 파고 들어간다. 뒤꿈치로 탄력을 주어 앞꿈치로 걸어 들어간다.

앞차기는 명치, 얼굴 높이로 차도 된다. 상대와 붙은 상태에서는 옆차기, 돌려차기로 허리 아래를 공격한다.

이기각二起脚은 양손을 앞을 향하게 하여 찬다. 한 손만 앞에 나와 있으면 몸이 비틀어진다.

【단권單拳】

단권單拳은 무예 문중武藝門中마다 다 있다. 그러나 흐름이 다르고 단권 8로, 12로, 16로 등, 형태도 자기들이 만들기에 달려있다. 담퇴문譚腿門에는 단권 위주로 되어있어 30로路까지 있다. 격권擊拳이다. 즉 초식招式이다. 그 중 1, 2, 4로路는 모든 무술 동작의 공통된 기본 틀(機)이다.

그것은 각각 《무예도보통지武藝圖譜通志》〈권법拳法〉편, 즉 〈현각권懸脚拳〉의 고사평세高四平勢, 현각허이세懸脚虛餌勢, 요단편세拗單鞭勢다.

단권單拳은 1초식招式으로 되어있어 기본을 단련하는 것으로, 처음에는 단수식單手式으로 되어있었다. 따라서 원래 단권은 단련鍛錬이지만 초식 수련의 기본으로 연습한다. 단권은 단수單手로 잘라서 수련하는 것이므로 삼절三節을 정확하게 맞춰서 수련한다.

1로路는 충권衝拳 수련으로, 세 번 지르는 것이 한 초식이다. 이것을 반半 초식, 1/3초식만 수련할 수는 없다. 1로는 주먹 찌르는데 기준을 둔 것이다. 그래서 한걸음 전진할 때 '주먹을 뻗은 채로 걸어라'고 했다. 만약 삼절三節을 맞춰서 한다면 주먹 찌르는 방법이 조금 달라진다.

2로는 발을 차면서 지르는데 기준을 둔다. 즉 발을 공중에 들고 지르는데 의미가 있다. 삼절과 체보撐步의 수련이다. 손과 발을 동시에 공격하는 것을 수련한다.

3로는 측신側身으로 변하며 주먹을 찌르는 데 중점을 둔다.

4로는 입원立圓과 횡원橫圓의 수련이다.

5로, 6로는 단수單手 수련으로 좋다.

7로, 8로는 굳이 필요치 않다. 이 중 8로는 보통 10대, 20대代 정도에 할 수 있는 수련이다. 상대의 몸을 밟고 차는 것이다. 예를 들어 상대 무릎을 밟고 턱을 찬다.

　　고사평高四平, 중사평中四平, 저사평低四平은 주먹이 가는 곳을 알아야 한다. 고사평은 궁전보弓箭步로 가슴을 향하고, 중사평은 궁전보 또는 일좌一坐로 입권立拳으로 배를 향하고, 저사평은 기마보騎馬步 또는 좌반坐盤으로 측신側身으로 변하며, 아랫배와 다리까지 주먹이 나간다. 창槍의 고사평은 가슴에서 얼굴까지 찌른다. 나머지는 권拳과 같다. 일반적으로 수련할 때 충권衝拳 높이는 자신의 목 높이로 찌른다.

【참고】
　　단권單拳의 도해圖解는 《권법요결拳法要訣》의 〈단권單拳〉 편을 참조하기 바란다.

【단권單拳 1로路】

단권單拳 1로路는 주먹 수련 위주로 만든 수련법이다. 신법身法 위주로 짜면 수련방법이 달라진다.

처음 시작할 때나 뒤로 돌 때, 앞을 감는 팔(어거격御車格)은 밀어 올리는 힘(掤)과 당기는 힘으로 움직인다. 몸으로 손을 끌어 움직인다. 발 또한 몸이 가면 발이 보조하여 중심을 잡는다.

권拳을 세 번 찌르고 앞으로 나갈 때, 처음에 수련할 때는 나간 손을 잡아 당기는 힘으로 반대 손을 찌른다(초학자). 당겨오는 손의 반동으로 반대 주먹이 나가게 해야 한다. 즉 반탄력反彈力이다. 나가고 들어오는 손의 힘이 같다. 작용 반작용으로 확실히 연습해야 한다. 당기는 힘은 실전에서 상대 손을 거는 것, 상대와 부딪히는 힘을 당기는 것이다.

주먹 찌를 때 전사纏絲가 처음부터 끝까지 일어나야 죽 늘어난다. 허리에 둔 손(宿處)이 그대로 한 뼘 정도 비비며 나간 다음 올려 찌른다. 그래야 전사가 된다.

숙처宿處의 팔은 늑골에 붙인다. 손의 높이를 정하는 것이다. 팔꿈치를 안 붙이면 어깨가 올라간다. 손을 늑골에 약간 강하게 붙여야 유柔하게 나갈 수 있고, 빠르고 힘이 있다. 늑골을 보호해야 하며 늑골에서 틀어서 바로 직타直打로 나간다. 들어오는 손도 같은 자리에 바로 들어와야 한다. 늘어지듯이 들어와 있으면 안 된다. 숙처宿處에서는 팔꿈치가 벌어지면 안 된다. 안쪽 손목 부분이 스치며 일어나고, 팔꿈치가 스치며 들어온다. 주먹 찌른 다음 주먹을 느슨하게 풀어서 돌리면서 다시 주먹을 쥐고, 다음에 중절中節로만 당겨 팔꿈치를 숙처에 제대로 두어야 한다. 숙련되면 거의 숙처 자리에 들어와야 주먹에 힘이 완전히 들어간다. 실전에서 상대 손을 잡고 당길 때 처음부터 힘을 다 주어 주먹을 쥐지 않는다. 숙처에 와야 주먹을 다 쥐게 된다. 즉 상대 주먹을 서서히 쥐면서 당겨온다.

충권衝拳을 지를 때 조심해야 하는 것은, 첫째 팔꿈치가 벌어지면 안 된다. 둘째 손을 회수할 때 팔꿈치를 과하게 당겨서 어깨가 뒤로 돌아가면 안 된다. 그러면 손이 먼저 가는 것이 된다. 즉 초절梢節이 자기 혼자 먼저 간다는 뜻이다.

1로路 수련에서 팔을 숙처로 가져올 때 팔꿈치를 당긴다. 이것이 숙련되면 의식하지 않고 된다. 지르는 손도 팔꿈치로 밀어야 한다. 팔꿈치가 스치듯 나가서 유근혈乳根穴을 지나면서 나간다. 팔꿈치로 밀어서 찔러라. 그래야 주먹이 위로 솟으며 칠 수 있다. 몸이 죽 뻗어 나가면서 주먹이 나간다. 주먹이 쫙 갈라지면서 나가야 한다. 어깨로 치지 않는다. 어깨가 올라가지 않는다. 나중에는 주먹이 나갈 때 상완上腕으로 지르듯 의식을 둔다. 손의 중절中節이 제대로 되면 손이 가벼워진다. 한 번을 연습하더라도 오랫동안 수련하면 변한다. 여기에서부터 활용이 나와야 한다. 팔꿈치가 주먹은 잘 따라가는데 몸(中節)이 못 따라가면 안 된다.

〈힘 있게 하면 체육이 되고, 힘을 빼고 하면 무예武藝가 된다〉.

이치를 알고 수련하라. 아이들 주먹이 빠른 것은 힘을 주지 않기 때문이다. 충권衝拳을 찌를 때 권拳에서 힘이 빠져나가야 가장 잘 찌른 것이다. 수법手法에서 권을 찌를 때 남아있는 힘이 있으면 안 된다. 다 빠져나간다. 뭉쳐 있으면 안 된다.

충권을 지를 때 상완과 팔꿈치가 받쳐줘야 힘에 여유가 있다. 그래야 권을 던져서 보낸다. 권은 쥐는 힘만 있으면 된다. 뒷발에 힘이 들어간 다음 손에 힘이 들어가야 한다.

궁보弓步를 설 때, 원래의 보형步型을 유지하면서 골반骨盤과 허리를 살짝 든다. 그러면 중심이 몸의 중앙으로 온다. 뒤꿈치가 붙는다. 손이 가볍게 돌아나간다. 둔부臀部가 들어가게 된다. 이렇게 숙련되어야 주먹이 들어가고 나올 때 중심이 쏠리지 않는다. 그래서 궁보弓步로 주먹 찌르는 연습을 중요시하는 것이다. 주먹을 찌를 때 머리와 골반은 그 자리 그대로 두고(움직이지 않고) 수련해야 한다. 궁보 앞발은 움켜잡고 받쳐줘야 힘을 쓴다. 움켜잡지 않으면 힘을 쓸 수 없다. 뒷발 뒤꿈치를 뒤로 밀어야 땅을 잡는 것이 된다. 뒤꿈치를 지면에 박고, 뒤꿈치를 돌리면서 찌른다. 주먹 찌를 때 몸 전체의 중심이 잘 맞도록 해야 한다. 발의 감각으로 상체 중심을 조절해야 한다.

1로路에서 나가는 주먹은 가슴이 나가야 한다. 팔만 늘이지 말고 몸통의 초절初節인 가슴이 같이 나가야 한다. 중절中節이 방향을 제시하므로 가슴(몸통은 중절이다.)이 나간다. 이때 목까지 돌아가면 안 된다. 주먹 찌를 때 상체가 앞으로 나가지 말 것이며, 허리가 돌고 가슴이 나가는 것이다.

주먹을 찌를 때 어깨(肩)가 늘어나는데, 이때 지르는 쪽 어깨와 목이 긴장이 없이 시원스럽게 나가야 한다. 그리고 목을 앞으로 빼지 않아야 한다. 목은 상체, 즉 어깨와 같이 움직인다. 얼굴을 좌우로 돌리면 안 된다. 눈은 항상 상대를 보면서 들어가야 한다. 허리를 사용해야 한다. 일부러 가슴을 밀면 안 된다. 수련을 통해 자연히 되어야 한다. 주먹은 자신의 목 높이에 맞추는데, 이 높이에서 눈이 주먹을 보면 턱이 자연스레 당겨진다.

1로路의 주먹 지르기는 본래 자신의 목 높이로 찌르지만, 처음에는 거의 명치 수준으로 찌른다. 주먹이 높아지면 어깨가 올라간다. 어깨가 관여하지 않게 하면서 늘이는 수련을 하기 위해서다. 어깨가 허虛해져야 한다.

충권은 자연히 숙처에서 팔이 위로 올라가는 형식이 된다. 그렇게 되는 것이 어깨가 올라가지 않고 가볍고 빨라진다. 횡橫 중에 수竪가 있고, 수竪 중에 횡橫이 있다. 즉 수평(橫)으로 지르지만 위로 올라가는 붕捌의 힘(竪勁)이 있다. 초학자는 어깨가 어떻든 신경 쓰지 말고, 수련을 꾸준히 하면 나중에 어깨가 허해져 마치 어깨가 없는 것처럼 팔이 움직여진다. 어깨를 의식하지 말고 늘이는 것만 하면 된다. 일상에서 근육 힘을 쓰는 데는 어깨로 밀거나 들어올려야 하지만 〈무예武藝에서는 어깨 힘을 쓰지 않는다〉.

주먹을 찌를 때 '외용外勇 1세勢'처럼 늘여야 한다. 단 초학자를 가르칠 때 그렇게 하면 안 되고, 이미 몸이 굳어 있는 경우에는 그렇게 가르치고, 초보부터 가르칠 때는 그냥 둬도 뒤에 저절로 늘어난다. 이때 딱딱한 사람은 손가락으로 찌르게 하면 팔에 힘이 안 들어간다. 충권衝拳을 지를 때 주먹을 친다고 생각 말고 손가락으로 찌른다고 생각해도 된다.

〈충권은 늘이는 수련과 던지는 수련을 병행해야 한다〉. 장掌을 찌를 때는 튕기듯이 찔러야 한다. 주먹도 튕기듯 찌르면서 늘어나는 수련을 해야 한다. 어깨만 늘이는 식으로 수련하면 나중에 오히려 굳어버린다.

허리(腰) 이하는 고정을 단단히 시키고 허리를 펴고 상체만 돌린다. 허리를 펴면서(약간 들어 올린다) 쳐야 허리 신법身法이 수련된다. 1로路에서 주먹 찌를 때 둔부가 움직이면 손에 힘이 들어가지 않는다. 궁보弓步 자세에서 잘 잡아줘야 한다.

1로路의 삼절三節은 몸이 돌아가는 것이 주가 되어야 하고(발이 완전히 잡혀야 그렇게 된다), 팔로만 힘을 주면 몸이 따라가는 식이 되어서 안 된다. 또 허리는 조금 돌다가 멈추고 팔이 더 가는 식이 되어서도 안 된다. 권拳이 멈출 때까지 허리 신법身法이 계속되어야 한다.

1로路는 힘을 쓰지 못한다. 허공을 치기 때문이다. 그러나 계속 연마하면 상대와 부딪혔을 때 힘이 발發한다. 허공을 치는 연습을 하니까 주먹에 힘을 주고 수련하려는 경향이 있지만, 상완上腕은 허虛하고 주먹에 힘이 들어가 있으면 안 된다. 대신 상완에 경勁이 차 있어야 한다. 상완에 의식을 두고 수련하는 것이 원原 수련법이다. 그때 남아있는 상완의 힘이 여유 힘이 되는 것이다. 여유 힘은 변화할 수 있다. 칠 때 상완으로 치고 전완前腕은 따라가는 것처럼 되어야 한다. 전완이 앞에 있으므로 상완으로 친다는 것은 주먹을 날려 보내는 것이다. 그러므로 상대 공격을 막을 때 상완 부위를 막아야 상대가 팔을 못 쓰게 된다.

1. 대궁보大弓步 충권衝拳 수련

제자리에서 궁보弓步를 크게 잡아서 서고 신법身法으로 지른다. 가슴, 허리를 바르게 세우고 지르는 손의 반동력反動力으로 들어오는 손을 당기지 말고, 신법으로 몸을 회전하며 지른다. 신법을 단련하는 늘이는 수련과 튕기듯 던지는 수련을 병행해야 한다.

1로路 동작을 선 자세로 20회 찌르는 것은 충권衝拳 수련을 엄청나게 하는 방법이다. 단 초학자에게 해당하는 수련이 아니다. 어깨, 자세 등을 정밀하게 고치며 수련할 수 있다.

궁보弓步 자세로 제자리에서 권拳, 장掌을 지르는 것이 자세 숙련이나 어깨 늘이는 수련에 가장 좋다. 어깨 늘이는 것은 '단권 1로'에서 잡아줘야 한다. 따라서 궁보 자세로 권拳, 장掌 수련을 하는 것이 중요하다. 모든 주의점을 감안하면서 수련하기 때문이다.

한 자세에서 천천히, 진퇴 속도가 똑같도록 권拳과 장掌을 각각 20회 지른다. 그다음 궁보를 바꾼 자세에서는 반탄력으로 튕기듯이 20회 지른다.

◎ 대궁보大弓步 연습의 의미

대궁보大弓步로 찌르는 연습은 수법手法을 운용할 때 뒤꿈치를 붙이는 연습이다. 숙련되면 실전實戰에서 보폭을 좁혀서 움직이면 더 잘 붙는다. 나중에는 뒤꿈치로 지면을 누르기만 해도 힘이 나간다.

충권衝拳을 찌를 때, 상체를 앞으로 나가게 하면 뒤꿈치가 절대 붙지 않는다. 엉덩이를 낮춰야 붙는데, 낮추기 위해서 상체가 앞으로 나가면 안 된다. 걸어나갈 때는 뒤꿈치를 붙이면서 걸어야 힘이 있다. 뜨면 힘이 없다.

충권衝拳을 지를 때 몸이 앞으로 나가는 모양이 나와야 한다(氣勢). 그렇다고 상체가 숙어지면 안 된다. 팔, 가슴이 가다 말면 안 된다. 끝까지 뻗어야 한다. 또한, 허리와 가슴을 너무 돌리면 몸이 꼬인다. 발과 골반을 고정한 다음 돌아가는 한계까지만 허리, 가슴을 돌려야 한다.

2. 걸어가며 충권衝拳 수련

충권衝拳을 걸어가면서 하면 이미 보법步法수련이다. 1로路에서 주먹도 고치고 모든 것이 교정된다. 건강도 좋아진다. 몸이 약간 앞으로 나간다. 물속에서 수련할 때의 몸이 나가는 이치와 감각을 이해해야 한다. 걸어가며 찌를 때는 몸이 앞으로 약간 기울어져 있으므로 허리가 많이 돌아가지 않는다.

반탄력反彈力으로 주먹이 나가게 수련한다. 반탄력은 던지는 힘이다. 권拳을 단련하는 방법이다.

걸어가며 하는 수련을 충분히 익힌 다음 제자리 수련으로 옮아간다. 투로套路나 실전에서는 제자리 수련방식으로 해야 한다. 숙련되면 걸어가는 방식으로 지르면서 제자리 신법身法을 쓸 수 있다.

◎ 단권單拳 1로路 수련의 보폭

1로路를 제자리에 선 자세로 수련할 때 궁보弓步를 원래 넓은 보폭으로 잡고 수련해야 한다. 그래야 주먹 지르기가 완성된다.

보폭이 좁으면 몸은 편하고 팔도 자유롭게 느껴지지만, 팔꿈치가 허리로 올 때 등 뒤로 돌아가게 되는(허리가 자유로우므로) 등의 폐단이 생기게 된다.

보폭이 넓으면 주먹이 부자유스러워지므로, 그것이 자유롭게 될 때까지 수련해서 신법身法이 얻어지는 것이다.

◎ 충권衝拳 수련의 요결要訣

충권衝拳을 지르는 요결要訣은, 먼저 손목이 허리에 붙는다(宿處). 이때 권륜拳輪은 배꼽을 보고 있다. 이어서 팔뚝이 허리를 스쳐 나간다. 유근혈乳根穴 앞에서 손목을 돌려 나가며 주먹을 풀어 반 주먹이 된다. 앞을 향해 찌른다. 마지막에 주먹을 쥔다. 당기는 손은 이미 찌른 손(强)을 힘을 빼고 틀어서 당기는데, 힘 있게 당긴다. 1로路 연습 때 주먹을 너무 강하게 쥐면 몸이 뻣뻣해진다. 부드럽게 쥐듯 수련해야 한다. 힘 기르는 것은 평소 주먹 쥐는 연습으로 해야 한다.

나간 주먹을 풀었다 다시 쥐면서 허리로 회수해 들어오는 것이 안 되면 소용없게 된다. 즉 권拳을 회수하는 수련의 중요한 과정을 생략하는 것이다. 자연스럽게 숙처로 돌아오게 숙련되어야 한다. 숙련이 어느 정도 되면 당기는 손은 의식 말고, 나가는 주먹의 가슴이 나가면서 친다. 즉 숙처로 오는 손과 찌르는 손은 각자의 역할로 따로 움직이는 것이다. 이때부터는 들어오는 손의 반발력으로 쳐서는 안 된다.

1로路 수련에서 장掌은 끊지 말고 계속 밀어야 한다. 권拳도 마찬가지다.

주먹을 찌른 다음 절대 멈추면 안 된다. 끊지 말고 감아 돌려 허리로 와야 한다. 그래야 상대를 공격 할 때, 상대가 막으면 바로 걸어 잡아당기고 그 힘으로 다시 들어가 칠 수 있다. 단 실전에서는 반드시 누르는 힘을 같이 줘야 상대 힘이 빠진다. 또는 상대 공격을 잡아당기는 것도 시간이 걸리므로, 상대 막으러 오는 손 아래로 손목을 돌려 계속 찌른다. 이때 상대의 막으러 오는 손은 허공을 막는 것이 되어 힘이 빠지고, 다음 동작과 연결이 안 되므로 무시하고 들어가도 된다.

숙처는 권면拳面이 배꼽과 나란히 있어야 한다. 조금만 뒤로 가도 어깨가 딱딱해진다. 손목도 안으로 당기면 안 되고 평직하게 두어야 한다. 들어와 있는 손에 힘(靈氣)이 있어야 한다.

숙처에 있으면서 주먹을 꺾어 올리지 말고 바르게 있어야 한다. 어깨가 비워져야 한다. 숙처가 조금만 어긋나도 어깨가 긴장되고 균형이 틀어진다. 숙처의 요령이 완전히 습관이 되어야 한다. 그래야 어깨가 편안하게 된다. 지르는 주먹이 멀리 가더라도 숙처는 그 자리에서 딱 힘이 들어가 있어야 한다. 어깨는 관구關口다. 따라서 유柔 할수록 힘을 쓴다. 완전히 결정된 공격력은 몸무게의 세 배의 힘이 나온다. 그것에 내기內氣가 더해지면 측량할 수 없다.

◎ 권拳의 동선動線

충권衝拳은 무릎 안쪽, 즉 자오선子午線에 위치해야 한다. 모든 수법手法은 그 기본이 자오선에 있어야 한다. '단권 4로'의 벽권이나 권추, 반주도 치는 손의 타점이 자오선에 위치해야 한다.

1로路에서 주먹을 찌를 때, 좌우左右 주먹이 도착하는 지점은 한 초점에 모여야 한다. 벌어지면 안 된다. 잘못 찌르면 중앙을 벗어난다. 오른손은 상대 오른 가슴, 왼손은 상대 왼쪽 가슴을 찌르면 중앙을 벗어나지 않는다. 장掌은 상대 가슴을 잡듯이 친다. 앞무릎의 안쪽 선에 좌우 팔의 동선이 맞춰져 좌우 주먹이 모두 한 점(target)을 찔러야 한다.

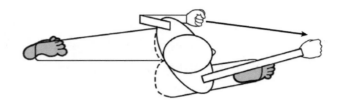

(좌우 주먹이 결정되는 위치)

체조에서 양손을 밀 때도 무릎 안쪽 선으로 맞춰야 한다. 앞무릎 쪽으로 나간 팔이 그 선을 맞춘다. 예를 들어, 우궁보右弓步이면 우수가 오른쪽 무릎 안쪽선 바깥으로 나가면 안 된다. 좌수는 뒷발(左脚)과 일직선이 되어 힘 전달이 되게 선線을 잡는다. 그러나 1로路 수련은 걸어 나가며 하지만, 궁보弓步를 고정한 다음 주먹 지르기를 하므로, 허리를 틀어 몸으로 치는 실전實戰 연습은 아니다. 실전에서는 허리가 돌아 신법身法으로 치므로 몸이 돌아가고 허리, 주먹이 더 몸 안쪽으로 돌아가며 상대에게 격중擊中된다. 권拳보다는 몸의 신법이 주먹과 함께 붙어 활발하게 움직이면서 친다. 그러나 1로路 수련에서 권拳이 완성되어야 그렇게 할 수 있다.

실전에서는 주먹을 세워 입권立拳으로 찌르는 것이 더 낫다. 신법身法이 편하고 힘이 강해진다. 많이 쓴다. 주먹 등(拳背)을 하늘로 향하게 하는 것은 수련하려는 뜻이 많다. 주먹 기울기를 평평하게 해서 팔꿈치 힘주는 것을 수련해야 하기 때문이다.

수련할 때는 어깨, 가슴이 움직여 주먹이 나간다. 주먹 찌를 때 어깨를 낮쳐야 한다. 이때 팔이 나가고 허리, 가슴이 뒤따라가면 안 된다.

　실전實戰에서는 어깨를 움직이지 않고 나아가 쳐야 한다. 즉 몸이 가서 상대 몸에 주먹이 닿을 때부터 가슴과 허리를 돌려서 친다.

　일반적으로 가슴이 나가면서 친다. 그러나 실전 고수高手들은 다르다. 상대 가까이 그냥 몸만 간다. 거의 주먹이 부딪힐 때 가슴, 허리를 돌린다. 그러나 겉으로는 움직이지 않아도, 내면에서는 가슴, 허리의 힘이 운용되면서 나가야 한다.

【단권單拳 2로路】

　　단권單拳 2로路 수련은 허리가 아주 좋아진다. 2로路는 손, 발의 삼절三節이 딱딱 맞게 되어있다. 2로 수련을 통해 다른 동작도 그렇게 되어야 한다. 단권 1로와 2로의 주먹 찌르는 원리는 같다.

　　걸어갈 때 고저高低가 없이 앞의 무릎을 구부린 상태에서 뒷발로 차고 그 높이에서 걷는다. 그러면 두 번째 주먹이 출렁임이 없이 바로 찔러진다.

　　2로는 축蓄에 중점을 두고 손과 발이 뻗어져야 한다. 축蓄할 때는 허리를 굽히면 안 된다. 손과 발이 모두 힘이 있어야 한다. 둘 중 하나라도 힘이 없으면 안 된다. 손을 당기는 반동으로 차며 찌른다. 앞차기(彈腿)는 궁보弓步의 구부린 앞 다리를 펴지 말고 구부린 상태로 찬다. 이때 허리가 움츠러들어야 한다. 편하게 앉을 때와 같은 느낌으로 찬다. 축蓄은 용수철이 오므라들 때와 같다. 차는 쪽 골반이 뒤로 빠져야 골반이 비틀어지지 않는다. 엉덩이를 뒤로 빼야 손이 나간다. 손을 멀리 찌르면 엉덩이가 뜬다. 상체가 앞으로 너무 나가면 축蓄이 안 되고 앞으로 중심이 쏠리게 된다. 딛고 있는 발의 다리를 세워서도 해보고, 무릎을 굽힌 자세로도 해보고, 감각을 익혀야 한다.

　　주먹 찌르고 찬 다음, 찬 발을 놓으면서 찌를 때 몸을 세웠다가 내리지 말고 낮은 자세 그대로 미끄러지듯이 들어가야 한다. 궁보의 낮은 자세로 차고 나간다. 실전에서 상대 공격을 우수로 받아서 우각좌수右脚左手로 2로를 행할 때, 발을 놓으며 바로 미끄러지듯 두 번째 세 번째 공격이 이루어져야 한다. 일어섰다 앉으면 공격이 끊어진다. 앞발 무릎을 구부린 상태로 들어간다.

　　차고 난 발을 내릴 때 빨리 내려놓지 말고 여유 있게 땅으로 내려야 한다. 실전에서는 상대 주먹 받으면서 얼굴을 찌르고 발로는 상대 발을 밟고 하는 것인데 느리게 수련한다. 그래도 빠르다.

【단권單拳 3로路】

　　단권單拳 3로路에서, 2로路에서처럼 손발 공격 후 궁보弓步로 발을 내린 후 기마보騎馬步로 변화할 때 궁보는 순간 동작이다. 위로 드는 손은 상대 주먹을 받쳐 들고 들어가는 것이다. 기마보 때의 팔 높이는 이마 위쪽으로 손이 흘러가야 한다. 팔을 허리로 당기는 힘을 주어서는 안 된다. 주먹이 나가면서 기마보로 몸이 돌기 때문에 손이 그냥 허리로 오는 것이다. 위로 들어서 막는 것은 붕掤의 힘이다. 실전에서는 많이 쓰인다.

　　3로路에서 측신側身으로 주먹 찌를 때 어깨를 뒤로 젖히면 안 된다. 그렇다고 가슴을 웅크리듯이 해도 안 된다. 자연스럽게 친다. 골반의 기락起落 없이 나가야 한다. 매끄럽게 골반이 나가고 상체는 골반 위에서 안정되게 한다.

　　3로와 7로에서 측신으로 돌아갈 때 뒷발을 끌어오면 안 된다. 제자리에서 측신으로 돌며 발을 지면에 비비며 치든지, 보폭이 넓어지는 경우는 뒷발을 들어서 가져와야 한다.

　　◉ 단권單拳 2, 3로路에서 뒷발에 힘이 있고, 중심이 잡혀야 삼절三節을 쓴다. 몸이 먼저 나가야 삼절이 된다. 2로에서 우각좌수右脚左手로 공격해 나가고 우궁보가 되면서 우권右拳을 찌를 때 뒷발이 왼쪽으로 돌아간다. 다음 좌권左拳을 치면 다시 뒷발이 오른쪽으로 돌아간다. 발의 신법身法을 주의해야 한다.

【단권單拳 4로路】

〈단권單拳 4로路는 횡원橫圓과 입원立圓 수련이다.〉

4로路에서 초절梢節은 모두 움직여야 한다. 좌독립보左獨立步로 변하며 오른손으로 권추圈捶를 치고 우수우각右手右脚으로 나가면서 우벽右劈 치고 좌각左脚이 나가면서 좌벽左劈 치고(이때 우족右足은 뒷발이 되는데 45도 바깥으로 자연히 돌아가게 된다), 그다음 제자리서 우벽右劈을 다시 칠 때 뒷발(右足)이 반드시 몸을 따라서 몸 안쪽으로 모이듯 움직여야 한다. 삼절三節의 삼절三節이 모두 맞아야 한다. 발이 땅에 붙은 채로 상체가 움직여서는 힘을 다 쓸 수 없다.

양팔 전체가 움직일 때 가슴(중절의 초절)이 동시에 시작해 움직여야 한다. 가슴과 팔이 따로 놀면 안 된다. 즉 팔이 가슴의 연장이 되어야 한다. 다시 말하면, 가슴과 팔을 늘이는 것이 아니고 몸을 돌려(움직여) 가슴을 팔과 함께 움직인다. 신법身法이란 어깨를 늘이는 것이 아니고 어깨를 움직이는 것이다.

4로路 수련 때 마지막 공격은 몸으로 돌려쳐라. 내려친 손이 너무 앞을 향해 뻗어 있으면 안 된다. 팔꿈치를 펴지만 좀 여유 있게 하고 위치는 거의 배 높이 정도로 내려쳐야 한다. 뒤로 치는 손도 팔꿈치는 편 상태로 뒤를 향해 밀어치며 반드시 앞의 손과 동시에 끝나야 한다. 뒤를 공격할 때 쓰인다.

1. 횡원橫圓

4로路에서 횡橫으로 횡격橫擊과 권추圈捶를 칠 때 두 손이 같이 움직여야 한다. 권추는 높은 데를 치는 것이지 낮은 곳을 치는 것이 아니다. 본래 권추의 공격 높이는 목젖 바로 아래 높이다. 권추를 무지개처럼 돌려 팔이 떨어질 때 어깨보다 낮아야 한다. 팔꿈치가 과하게 와서 내 몸통 안으로 들어오지 않아야 한다. 팔꿈치가 덜 와서 몸 바깥으로 나가서도 안 된다.

횡벽橫劈과 권추圈捶가 연결되므로 횡벽을 치는 손이 먼저 출발하고 권추를 치는 손이 뒤따른다. 다음 횡벽이 끝나고 권추가 뒤에 끝난다. 내적內的인 것을 말하는 것이다. 그러나 외적外的 삼절三節은 같이 시작하고 같이 끝나야 한다.

권추 수련은 길이 정확해야 한다. 동선動線이 울퉁불퉁하면 안 된다. 높아도, 너무 낮아도 안 되고 상대를 칠 수 있게 선을 만들어, 바로 연결해서(상대가 숙어 피하는 경우) 다음 하벽下劈 내려치는 것으로 연결되어야 한다.

2. 입원立圓

4로路의 입원立圓에서 첫 번째 벽劈은 아래로 내려치지 말고 앞으로 던져야 한다. 몸으로 공을 던지듯이 던져서 친다. 이어서 두 번째 손이 나갔을 때 몸 뒤의 손이 멈춰있으면 안 된다. 양팔이 일직선 위에 있도록 뒷손을 조절하면서 움직인다. 몸 신법身法이 매끄러워야 한다. 4로는 팔꿈치를 완전히 펴서 돌리는 수련이다. 그러나 다 펴는 것은 아니다. 4로에서 팔꿈치 펴고(특히 머리 위에서 구부리지 말고) 어깨가 가볍고 편해지도록 수련한다. 허리도 가벼워야 한다. 마지막 벽劈은 약간 빠르게 내려친다.

수竪로 내려치는 순서는 첫 번째는 권추圈捶를 친 손과 독립獨立한 발을 자연스레 앞으로 내리고(내리는 힘으로 친다), 몸이 손, 발을 끌고 움직여 나가 두 번째 벽劈을 치고 그 자리서 허리만 돌려(가슴을 돌려) 마지막 벽劈을 친다. 팔이 먼저 나가면 안 된다. 몸이 움직이면 팔이 따라온다. 즉 몸으로 쳐야 한다. 팔로만 움직이면 안 된다. 힘이 끊이지 않고 나아가는데, 강한 힘이 아니고 은은한 힘이 끊이지 않아야 한다.

내 앞이 텅 비어있어 중궁中宮을 보호한다는 생각으로 팔을 휘두른다. 상체 움직임은 몸을 감싸면서 몸 중앙으로 모으고, 팔이 벌어져도 오므라들어도 안 되고 풍차처럼 평행으로 돌아야 한다. 팔이 하나가 멈추어 있지 말고 두 개가 항상 움직이고 있어야 한다.

4로路의 세로(수竪의 힘)로 도는 힘은, 실전에서는 변화하므로 다르게 되지만, 수련할 때는 한 동작마다 분명해야 실전에서 쓸 수 있다. 팔꿈치를 구부려서 입원立圓을 하면 안 된다. 팔꿈치 구부려서 힘주는 것이 습관 되면 안된다.

4로 수련 때 마지막 손이 너무 아래로 떨어지면 밀어치는 것이 아니고, 당기는 것이 된다. 칼의 격법擊法처럼 밀어쳐야 한다. 만약 아래로 내리더라도 몸이 앞으로 나가면서 치면 밀어치는 것이 된다.

4로에서 처음에 순보順步로 두 번 나가며 내려치는 것은 팔이 사선斜線이 아니면서 바르게 나갈 수 있다. 이때는 손과 발이 같이 나가는 수련을 주로 해야 하고, 마지막에 요보拗步로 내려치는 것은 똑바로 정면으로 쳐야 한다. 사선으로 치면 안 된다. 요보로 칠 때가 잘 안 된다.

마지막 요보일 때 치는 손 위치가 중요하다. 몸을 돌리면서 쳐야 팔이 정면으로 간다. 반면에 팔만 휘두르면 사선이 된다. 손으로 치지 않고 허리로 친다. 손은 가만히 있어도 허리를 돌리면 손이 갈 곳을 간다. 내려칠 때 몸이 앞으로 숙어지지 않아야 하고, 어깨를 내밀려고 해서도 안 된다. 허리를 틀면 자연히 어깨가 나가고 손도 내려치게 된다.

3. 단권單拳 4로路의 원리

◎ 안법眼法

예를 들어 먼저 왼손을 왼편으로 횡橫으로 칠 때 눈은 평안平眼으로 횡격橫擊을 본다. 오른손 권추圈捶가 올 때 서서히 눈이 오른쪽으로 돌아간다. 권추가 완성될 때 눈은 오른쪽으로 보고 있어야 한다(前方). 권추를 칠 때 권추의 동선動線을 보다가 바로 얼굴은 진행 방향으로 봐야 한다.

◎ 보법步法

4로路를 시작할 때, 뒷발을 살짝 뒤로 빼면서(矍步) 팔을 동시에 뒤로 당긴다. 실전實戰에서 그대로 사용된다. 이때 발과 손이 삼절三節이 맞아야 한다.

좌독립左獨立으로 우권추右圈捶를 치고 그다음 내려치기 위해 오른발이 나갈 때 발을 살짝 구른다. 이것이 다음 걸음이 나가는 것과 연결된다. 즉 두 걸음이지만 한걸음에 나가는 것처럼 된다. 역시 실전에서 그대로 쓴다.

내려치는 손은 권추로 인해 팔꿈치가 굽어 있는 상태지만 내려치는 동작은 팔꿈치를 펴야 한다. 멀리 뻗으려 하지 말고, 내려치는데 주안점을 두어야 한다. 4로는 틀에서 벗어나 90도, 270도로 뒤로 돌면서 크게 수련한다(身法).

4로에서 횡격과 권추를 칠 때 두 발(梢節)이 같이 움직여야 한다. 만약 앞발이 안 움직여도 발의 힘은 움직일 수 있어야 한다.

4로에서 독립보는 1족足을 의미한다. 따라서 실전에서 발을 들며 옆으로 몸을 안 돌리고 앞으로 1족足이 나갈 수도 있다. 예를 들면, 상대 좌권左拳을 내 좌수로 횡벽橫劈으로 치듯이 막고, 내 우족右足을 앞으로 나가든지, 또는 나가며 독립보로 들면서 우수로 권추를 친다. 4로는 2보步 수련이 된다.

4로의 보법步法에서 세 가지로 응용하는 것이 나온다. 첫째, 제자리에서 발을 들었다 놓는 방법, 둘째, 발이 공중에 약간 떠서 미끄러지면서 땅에 붙듯이 가는 방법, 그리고 셋째 발뒤꿈치와 외연外沿으로 발바닥을 비비면서 움직이는 방법이다. 첫째와 둘째 방법은 체보撑步다. 이런 수련이 무던히 많이 되어 저절로 몸이 돌아가 보법이 이루어지면서 양손이 역할을 하는 것이다. 의식적으로 하는 것이 아니다. 예를 들어 손과 발이 허리와 같이 돌아가서 찌르는 것은, 상대 우수가 나오면 나는 우각右脚이 앞으로 나가며 상대 우수를 나의 좌수로 감아 잡고 우권右拳으로 지른다. 이어서 뒷발인 좌각左脚이 지면에서 떨어져 들리며 좌권左拳이 나가고 좌각을 놓으면서 우권右拳이 나간다. 좌수가 그냥 나오는 것 같지만 좌각左脚이 천천히 함께 나오는 것이다. 한걸음에 양손을 사용하는 것이다. 체보撑步가 무의식화되는 것이다.

◎ 신법身法

좌우수左右手가 신법에 따라 동시에 이루어져야 한다. 예를 들어, 권추圈捶, 반주盤肘를 수련할 때 좌수로 잡고 우수로 치고, 우수로 잡고 좌수를 치는 것은, 실전에서 상대 손을 잡았다고 느끼는 순간 격중擊中하는 것이다. 몸과 발이 함께 움직이기 때문에 손을 잡고 펴는 순간 상대는 격중 당하는 것이다.

권추를 칠 때는 축蓄하고, 뛰어나가며 벽권劈拳으로 발發한다. 축蓄은 발發이 목적이 된다. 그렇다고 권추 수련을 벽권에 비해 등한시해서는 안 된다. 4로의 신법身法은 어깨를 팔과 같이 돌려 움직인다. 그래야 휘두르는 맛이 나온다.

4로는 어깨 관절이 주主다. 따라서 허리가 움직이지 않으면 안 된다. 허리가 안 따르면, 어깨가 돌아가지 않기 때문에 허리가 움직인다. 선 자세에서 어깨를 돌리면 어깨가 주가 안 된다. 잘 안 돌아가고 수련이 안 된다.

4로 마지막 하벽下劈을 칠 때 허리를 돌려야 손이 길고 멀리 간다. 〈내장세內壯勢〉에서 좌우로 목을 돌리는 것도 중절中節(허리가 같이 돌아가야 한다)을 틀어서 목이 가야 한다.

입원立圓으로 팔을 돌릴 때 가슴이 나가야 한다. 그리고 날개(上腕)로 밀어 멀리 쳐야 한다. 손을 당겨오면 안 된다. 마지막 내려치는 손은 팔 전체로 무겁게 움직여야 하고 스냅(snap)을 주어 팔뚝으로만 치듯이 하면 안 된다. 팔꿈치를 조금 굽히는 것은 괜찮다.

입원立圓 중간에 둔부 뒤로 가는 손은 정확히 쳐야 한다. 둔부 근처에 두며 뒤로 들면 안 된다. 뒤로 가는 손이 탄력이 있어야 다음 손이 잘 돌아간다.

몸이 손발을 끌고 간다. 4로路로 상대를 공격할 때 똑바로 들어가기도 하지만 몸의 신법을 사용하여 원을 그리며 들어갈 수도 있다. 즉, 입원立圓과 횡원橫圓 사이의 여러 각도의 움직임으로 몸 신법을 사용할 수 있다. 이렇게 하면 힘을 배가하고 상대가 내 진공 방향을 잘 알지 못하게 한다.

입원은 여러 가지로 변화한다. 세 번째 손이 충권衝拳으로 나갈 수도 있다. 1로와 4로의 기본적인 신법 운용은 같다.

◎ 심법心法
4로路를 수련할 때 마음을 편안하게 하면서 수련한다. 모든 무예 수련 때 유념해야 하는 심법心法 수련이다. 그래야 움직임(본인과 상대방)이 다 보인다. 4로는 동작이 많고 입원, 횡원이 섞여 있고, 뒤로 가는 손이 있어 복잡하다. 동작이 복잡하면 마음이 혼란해진다. 따라서 4로에서 마음의 안정을 구하는 데 유의하여 신神을 기를 수 있다.

◎ 삼절三節
4로路에서 횡벽과 권추를 칠 때 독립보는 삼절에 맞게 팔의 상완上腕과 다리의 대퇴부가 맞아야 한다. 세 번째 내려칠 때는 허리로 끌어와 허리를 돌리지 않으면 벽권擘拳이 사선斜線으로 내려온다. 따라서 몸으로 끌어오면 저절로 벽권이 수직으로 떨어진다.

4로 연습 때 횡으로 치는 팔, 몸통, 다리가 같이 움직여 나가며, 발이 먼저 가면 안 된다. 독립보 권추의 손, 몸통, 다리도 맞게 움직여야 한다. 수법手法이 움직일 때 몸의 좌, 우가 따로 움직이면서, 손, 몸, 발이 같이 전체적으로 맞게 움직여야 한다.

허리에 힘주지 말고(허리는 아주 부드러워야 한다), 너무 큰 반경으로 돌리지 말고 살짝 신호를 주듯이 하면서 허리를 움직이고, 수竪로 내려칠 때 어깨를 부드럽게 귀 가까이 붙여서 돈다. 몸을 앞으로 나가며 치는 것은 첫 번째와

두 번째 하벽을 칠 때만 걸어 나가므로 그렇게 친다. 마지막 칠 때 허리는 살짝 움직이고 몸은 앞으로 나가지 말고 몸으로 돌려친다. 가슴을 앞으로 내밀면서 치지 않는다. 뒤꿈치, 엉덩이, 골반, 허리 모두 같이 돌아가 쳐야 한다.

◎ 4로 수련의 주의점

　4로路는 팔꿈치 펴고, 어깨를 팔과 같이 돌리고, 몸으로 돌린다. 몸으로 공격과 방어가 되게 모든 것을 수련해야 한다. 4로 마지막 벽劈은 어깨와 가슴이 나가면서 치는 탄력이 나와야 한다.

　4로에서 독립보로 권추를 칠 때 무릎을 굽혔다 펴지 말 것, 즉 반동을 주어 발을 들면 안 된다. 벽劈으로 앞으로 나갈 때도 발을 굴렀다 나가지 않아야 한다. 횡벽 · 권추 · 독립에서 상완上腕으로 쳐야 한다. 앞으로 나갈 때도 상완 부위로 움직인다. 권추도 상완으로 움직여 친다. 횡橫의 횡벽, 권추는 날개가 죽 뻗듯이 움직여 권추가 마지막에 끊어서 치듯 해야 한다.

　걸어 나가면서 벽劈을 내려칠 때 뒷손의 반동으로 앞의 손을 치지 말고, 뒷손은 뒤를 치는 것이 되어야 하고, 앞의 손은 앞을 치는 것이 되어야 한다. 신법身法으로 팔이 움직이고 팔은 각자의 목적대로 간다.

〈걸어갈 때 허리를 중심으로 나가면 상, 하체가 같이 나간다.〉

　두 번째 발이 걸어갈 때 상체, 골반, 다리가 각각 따로 가지 않도록 주의한다. 골반은 수평으로 나가야 한다. 보법과 신법이 합쳐지는 곳이다. 투로에서 그렇게 움직여야 하는 곳이 많다. 발의 외연을 잘 잡아야 중심 이동이 된다.

　입원 마지막 벽은 팔이 사선으로 치는 것 같아도, 사실은 허리가 돌기 때문에 바르게 내려치는 것과 같다. 이때 너무 허리를 돌려, 내려치는 각도가 앞에 나가 있는 발과 교차되게 합쳐지면 안 된다. 내 몸 가운데로 내려쳐야 한다(허리 돌림을 조절). 그리고 상체가 앞으로 숙어져선 안 된다. 마지막은 멀리 치지 말고 허리만 돌려친다. 즉 몸만 돌려서 치는 것이다.

　한 번 4로를 하고 이어서 할 때 뒷손은 쉬지 말고 그 위치에서 다시 횡을 치는 것이 시작된다. 어떤 공방에서든 뒷손이 쉬고 있어서는 안 된다. 허리에 손이 오거나 몸 뒤로 손이 가면 잊어버린다. 영기靈氣가 없어진다. 따라서 마지막 동작에서 헛동작 하지 말고 바로 움직여 온다. 헛동작이란 힘을 넣었다 뺐다 하든지, 손을 폈다 쥐었다 하든지, 손 방향이 바뀐다든지 하는 것이다.

4로路를 수련할 때, 팔이 중간에 두 번 끊어져 가는 경우가 많다. 주의해서 연결되게 해야 한다. 보통 첫 번째 내려칠 때 뒷손이 멈춘다. 이어서 가다가 머리 위에서 다시 멈춘다. 그러므로 팔로 치지 말고 몸으로 친다. 특히 가슴이 움직여서 친다. 두 번째 앞 팔을 내려칠 때 몸이 그쪽으로 돈다. 이때 일부러 더 가슴을 돌리려고 하면 뒤의 가슴이 더 뒤로 가게 되어서 안 된다.

4로路가 완성되어야 실전에서 끊어지지 않고 4로를 쓸 수 있다. 모든 방어와 공격이 양쪽 가슴이 교대로 나오면서 이루어진다. 그러므로 끊어지면 안 된다. 좌우 손 어느 한쪽을 계속 중심축으로 해보고 힘이 편중되는 것에 주의한다. 4로에서 골반이 좌우로 움직이는 것은 수련 상으로는 괜찮지만, 실전에서는 골반이 좌우로 움직이면 늦어진다.

〈동작을 교정할 때 부분 동작을 떼어내서 수련하면 고칠 수 없다〉. 연결된 초식招式 전체를 한 번에 수련하면서, 부분적인 것을 의식하며 고쳐야 한다.

◎ 4로 수련의 요결要訣

횡벽橫劈과 권추圈捶는 몸으로 함께 끌어 연결한다. 횡벽과 권추는 시작과 끝이 맞아야 하는데, 권추는 자르는 맛이 나와야 하고, 동작 노선에서 속도의 차이가 있다. 그 외에 입원으로 나가는 손은 속도가 일정하게 한다.

· 발 선線에 손이 맞추어지도록 신법身法으로 운용한다.
· 마지막 벽劈은 어깨를 던지듯이 친다(공을 던질 때처럼).
· 팔꿈치 힘으로 친다. 팔꿈치가 유柔하면서 힘이 들어가게 움직인다.
· 반드시 몸과 손이 같이 움직여야 한다. 천천히 연습한다.
· 눈은 횡벽을 따라가다가, 권추가 오는 가운데 눈은 정면을 돌아본다.
· 몸이 팔을 못 이기면 안 되므로 팔 힘 빼고 몸으로 팔을 이끈다.

・입원立圓에서 팔이 중간에 한 번이라도 구부러지면 안 된다.

・보폭을 적당하게 줄여서 수련한다.

・연결이 좀 되면 이제 힘도 조금씩 넣어서 수련한다.

◎ 횡원橫圓과 권추圈捶의 이해

① 권추圈捶 수련 때 팔을 다 펴서 와야 한다. 펴지 않으면 수련이 안 된다. 마지막에 구부린다. 몸도 돌리면서 친다. 이때 상완上腕은 움직이지 않는다. 그러나 전완前腕을 구부리는 힘만 있으면 안 된다. 힘은 상완과 동등하게 팔 전체에 같은 힘이 실려서 움직여지게 한다. 팔이 회전해서 오면서 힘이 비축되므로 그렇게 할 수 있다.

팔을 구부릴 때 팔을 가슴 쪽으로 떨어뜨리면 전체적인 선線이 무너진다. 몸이 반드시 같이 돌아야 한다. 돌리면서 쳐야 한다.

권추는 그물 던지는 것과 같다. 상대를 옭아맨다. 따라서 완벽하게 빈틈없이 상대를 포획하여 상대 몸에 착 달라붙도록 운용해야 한다. 예를 들면, 상대가 내 우권추右圈捶를 좌수左手로 막더라도 둥글게 감아서 다시 상대 좌수 안쪽으로 친다. 상대가 느끼기는 옭아매지는 느낌이다. 상대 측면으로 돌면서 권추 힘으로 몸통을 칠 수도 있다. 이때 팔꿈치를 구부려 접촉면에 공간이 생기도록 치면 안 된다. 상대를 안듯이, 빈틈없이 가서 부딪혀야 권추 힘이 나온다.

1

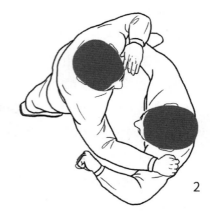

2

② 권추 공격에서 상대가 머리를 숙이면 권추를 머리 위로 지나가게 해서 상대가 다시 얼굴을 들면 횡벽으로 다시 목을 공격한다고 생각한다. 그러나 실전에서는 다르다. 내 우권추右圈捶가 상대를 쳐 갈 때, 상대가 머리를 숙이면 상대 머리 중앙에서 바로 하벽下劈으로 내려친다. 상대를 지나쳐 오면 너무 늦고 상대는 그사이 공격한다. 칼 등 병장기도 같은 이치로 공격해야 한다. 다만 상대 뻗은 손을 내 좌수로 막아 잡고(4로에서 횡벽橫劈) 우수로 권추를 칠 때는. 상대 좌수를 내 좌수로 비틀어서 아래로 내려야 상대 상체가 숙어져 내가 공격하기가 쉬워진다.

③ 수비하는 경우, 상대가 우권추右圈捶로 오면, 약간 왼쪽으로 돌며 우수로 막고 다시 우수로 상대를 친다. 이때 내 몸이 너무 좌로 돌아가 측신側身이 되면 상대 좌수가 기다리고 있다가 공격하므로, 내 중궁中宮에서 막을 수 있는 정도만 신법을 운용한다. 중궁을 벗어나게 손이 나가서는 안 된다.

위의 예에서 상대 우권추를 내 우수로 막고 이어서 상대 좌수가 공격해 오면 다시 우수로 바깥으로 막으면서 내 좌수가 찌른다. 연이어 내 우수가 다시 찌른다. 몸을 돌리면서 권추의 힘으로 권拳을 칠 수 있다. 권추의 힘을 느껴야 한다.

◎ 입원立圓의 이해

4로路에서 우수로 상대 우수를 잡고(拿) 좌수로 상대 팔뚝을 칠 때, 잡는 손이 상대 손목 부위를 잡되 돌려 꺾어야 한다. '단권 1로'에서 주먹 찌를 때, 숙처로 가져오는 손을 쥔 다음 돌려서 가져오는 것이 모두 금나擒拿 연습이다.

① 내가 우수로 상대 우수를 잡거나(拿), 또는 우수로 상대를 치면, 상대가 우수로 막으니까 잡고, 좌수로 상대 오른쪽 팔뚝을 벽劈으로 공격한다. 그러면 상대는 좌수로 막는다. 계속해서 내 좌수로 상대 좌수를 다시 금나擒拿(잡아 꺾는다)로 잡고 우수로 상대 머리를 벽으로 가격한다.

② 내가 우수로 상대를 치니까 상대는 우수로 막는다. 나는 상대 우수를 금나擒拿로 비틀어 내 몸쪽으로 당기며 상대 팔뚝에 내 좌수를 갖다 댄다. 꺾어

서 부러뜨리는 자세다. 이때 내 몸이 앞으로 나가 꺾기 쉬운 자세를 만든다. 또는 내 좌수로 상대 오른팔 삼각근 부위를 잡아서 밀 듯이 하고, 상대 오른 손목은 우수로 내 몸쪽으로 당긴다. 움직이면 팔을 뒤로 꺾어서 당겨 뽑겠다는 뜻이다.

③ 상대 우수를 나拿하고, 내 좌수로 상대 팔을 치니까 상대가 좌수로 막는다. 계속해서 나는 다시 상대 좌수를 나拿하고 내 우수로 상대 등, 허리(비어 있는 부위) 등을 친다. 또는 상대 우수를 나拿하고 내 좌수로 치면 상대가 좌수로 막을 때 바로 우수로 찌를 수도 있다. 금나擒拿는 잡으면 꺾어야 한다.

◎ **단권單拳 4로路의 응용**

① 갑이 우수로 뻗어 치고 나가면 을은 우수로 받으러 나온다. 또는 갑이 칠성수로 나가면 을이 받으러 나온다. 갑은 을과 점點한 다음, 아래로 을의 우수를 잡아끌어 꺾어 내려야 을의 좌수가 갑 쪽으로 올라온다. 그리고 꺾어 내려야 갑의 우수가 다음 공격 때문에 을의 손에서 떨어져도, 을의 우수가 빨리 위로 올라오지 못한다. 갑의 좌수는 을의 좌수가 앞으로 나오든 말든 걸쳐 누르면서 동시에 우수가 들어간다. 하벽下劈으로 정면으로 찌르거나, 하벽下劈으로 내려친다.

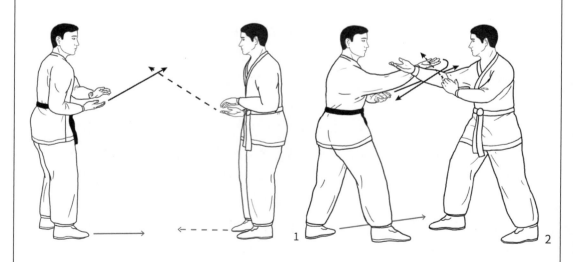

(①의 예)

〈공격은 반드시 상대의 양손을 제압한 후 해야 한다〉. 하벽으로 치거나 찌르거나, 또는 팔굽을 수직에 가깝게 세운 상태 그대로 밀어칠 수도 있다.

② 상대가 4로路의 입원立圓으로 공격해 들어오면, 상대의 두 번째 공격에서 내가 먼저 공격해야 한다. 세 번째 공격까지 들어오게 하면 안 된다. 세 번째 공격은 언제나 결정타이기 때문이다. 또는 첫 번째 들어올 때 받고 바로 공격해야 한다. 상대가 우수로 치고 들어오면 나는 우수로 받는다. 그리고 상대가 내 좌수를 끌어내어 잡으러 오려고 내 우수를 놓으면, 나는 즉시 우수로 공격한다. 보통 상대 우수가 나올 때, 우족右足이 앞에 있고, 막는 사람도 우족이 앞에 나와 상대 손을 받는다. 그리고 상대가 내 좌수를 잡으러 오면 나는 좌수를 잡히지 않으면서, 우족을 뒤로 빼면서(신법으로 빠르게 빼야 한다), 상대와의 거리를 떨어지게 하여 막는다.

③ 내가 4로路의 입원立圓으로 공격할 때, 상대 우수를 받고 좌수를 잡아 들어가는데, 상대가 좌로 돌면 내가 전진해 들어가고 상대가 우로 피하려 하면 상대가 내 정면에 온다. 단, 이때 내 양발은 거의 수평(우족이 약간 앞에)에 놓여 있는 경우다. 상대가 우로 돌 때 내가 상대 좌수의 팔꿈치(중절)를 우

수로 막으면 더는 우로 못 돌아간다. 좌로 올 때도 그렇다. 상대를 좌, 우로 못 빠져나가게 몰아붙이는 것이다.

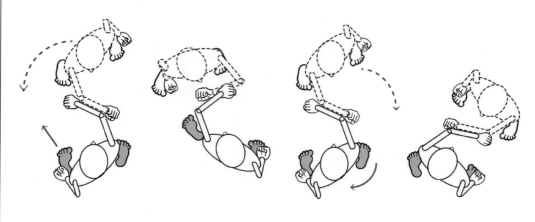

(상대가 좌로 돌 때)　　　　　　　　　(상대가 우로 돌 때)

④ 상대가 입원으로 공격해 올 때, 상대가 우수로 내 우수를 잡고 좌수로 나의 상완을 내려치려고 하면 나는 우수의 팔꿈치를 수평으로 들어 올려(붕掤의힘) 상대 좌수를 막는다. 상완이 올라가면 상대가 공격하려던 점點이 변한다.

무예를 측정하는 말에 '1로路 질러보라', '4로路 막아보라'라는 말이 있다. 4로路는 막기 어렵다, 연결되어 들어가므로 막으면 고수高手다. 어깨가 세 번 나가는 공격은 모두 4로路의 이치로 한다.

◉ 단권單拳 5로路

　단권單拳 5로路에서 막으며 찰 때 손이 몸 바깥으로 과도하게 막으면 안 된다. 약간만 막아서 상대 주먹이 비껴가게 한다. 수련은 주먹으로 하고 응용은 장掌이나 손을 펴고 팔뚝으로 막는다. 손을 펴서 막는다는 것은 그만큼 자신 있다는 것이다. 반드시 전사纏絲로써 해야 한다. 5로는 바깥으로 밀어 막는 것도 가능하다. 그때는 상대 주먹을 손등(背掌)으로 젖혀 걸고 당겨 그 힘으로 내가 앞으로 나가며 공격할 수도 있다. 5로는 수水(橫)로 옆으로 쳐내며 차는 동작이다.

◉ 단권單拳 6로路

　단권單拳 6로路는 본래 전진前進 보법인데 수련에서는 뒤로 빠진다. 후퇴하며 휘둘러 치는 손은 권추가 아니다. 수평으로 돌려친다. 방향은 뒤쪽 내가 당긴 쪽의 앞을 친다. 이어서 상대 권을 젖히고 발을 찬다.

◉ 수법手法 수련 횟수

　매일 해야 하는 기본적인 수법手法 수련의 횟수다. 여기에서 정밀하게 수법이 이루어지도록 수련해야 한다.
　1로: 좌우, 권, 장 각각 20회, 총 80번
　4로: 좌우 8회씩, 5가지 공격이므로 (8x5x2=80회) 총 80번
　권추와 반주: 좌우 각각 10회, 총 40번

●單　拳

第四章

内壯 外勇

【서序】

　지금 우리가 하는 기공氣功은 무예 수련이고 수준이 높다. 일반인에게는 건강 위주로 쉬워야 한다. 어떤 종류의 체조體操든 무예 형식武藝形式을 벗어나지 않고 수련한다.

　도인법導引法은 기공氣功이다. 원래 원原 기공은 호흡(吐納法)을 뜻한다. 혈액순환을 시키는 것도 기공이다. 박타搏打. 안마按摩. 지압指壓도 도인법이다. 기혈순환氣血循環에 목적이 있는 것을 다 포함한다.
　참공站功, 즉 선 자세로 하는 도인체조導引體操는 심장순환心臟循環으로, 기혈순환氣血循環에 기준을 둔 것이다(여덟 가지). 비위脾胃계통 도인법은 〈적성환두摘星換斗〉·〈금강유구金剛揉球〉 그리고 마지막 동작 〈역호흡逆呼吸〉 등이다. 도인체조導引體操는 건위健胃, 건비공健脾功, 그리고 심장心臟과 순환循環에 관계된 것이 많다. 즉 전신全身이 포함된 것이다. 동작보다 호흡呼吸에 좌우된다. 호흡이 정확하지 않으면 역효과를 불러온다. 입식立式에서 동작을 하면서 호흡하는 것이 배(腹)가 제일 편하고 호흡이 가장 바르게 된다.

　도인체조導引體操는 동양권의 타 문파들도 비슷비슷하게 다 하고 있다. 그러나 양생체조養生體操로서만 하고 기예技藝로는 수련하지 못한다. 기혈氣血 수련으로만 한다. 우리는 체조를 무예武藝 형식으로 하여 기예의 기본으로 돌렸다.
　무예武藝의 관점에서 도인체조의 목적으로는 세 가지가 있다. 첫째, 기예를 수련한다. 그것을 위해서는 정확한 자세와 동선動線의 정밀함이 요구된다. 둘째, 힘을 배양한다. 셋째, 힘을 운영한다. 즉 기예로서 힘을 길러 쓰는 법을 익힌다. 입식立式 체조에서 움직이는 동선을 통해 경력勁力(유柔하지만 힘이 실려 있는)을 수련하는 것이다. 의식이 선선線을 따라가며 감각을 느끼면서 수련해야 더 정확한 수련이 된다. 이것이 숙련되면 실전에서 의식하지 않고 자연히 필요한 움직임이 나온다. 경력勁力이 살아있으면서 정밀한 움직임이 나오게 하기 위해 수련한다.

도인체조導引體操 수련에서 중요한 것은 관절이 끊어지지 않아야 한다. 분리되지 않으며 통으로 움직여야 하고 손의 영기靈氣를 풀어서는 안 된다. 계속 힘을 준 상태로 움직인다. 은근히 힘을 빼는 구간이 있어서는 안 된다. 단, 힘의 강약(리듬)은 있다. 반면에 힘을 너무 주면서 행하면 기氣가 막혀서 통通하지 않는다. 힘의 적절한 사용은 내기內氣 수련의 중요한 원리다.

◉ 내장세內壯勢 수련 시 20대代는 양발 사이를 손이 들어갈 정도의 폭만 벌리고 선다. 발을 완전히 붙이면 안 된다. 나이가 들면 양발 사이를 약간씩 벌려도 된다. 50대代 까지는 양발 사이가 20~30cm폭 정도로, 60대代부터는 어깨너비 정도가 좋다.

◉ 도인양생공導引養生功 수련 횟수

내장세內壯勢는 매일 8회씩 한다. 숙련될 때까지는 많이 한다. 보통 숙련되기까지 3년을 기간으로 잡는다. 그 후에는 한두 번씩만 해도 된다.

그에 비해 도인체조導引體操는 단련하는 체조가 아니므로 매일 두 번만 해도 되는 것이다. 많이 한다고 좋은 것이 아니다. 그러나 내장內壯, 외용세外勇勢는 단련이므로 매일 8회씩 해야 한다.

【준비 운동】

1. 목 돌리기(垂頸)

정면을 향하여 바르게 선 다음 발가락으로 땅을 움켜잡고, 허리를 굽혀 머리를 지면으로 떨어뜨린다. 흉추胸椎와 요추腰椎를 둥글게 하고 머리를 떨어뜨린다. 백회百會가 땅을 본다. 양 손가락으로 움켜잡은 발가락을 잡는다. 이어서 정수리를 중심으로 머리를 좌우로 한 번씩만 돌린다. 경추頸椎를 늘이는 것이다. 머리부터 발뒤꿈치까지를 하나로, 등 뒤쪽으로 신경을 자극하여 운동 시작의 신호를 몸에 먼저 주는 것이다.

2. 장掌 운동(按掌)

바르게 선 다음 양손을 좌우협左右脇까지 올렸다가(吸) 지면地面을 향하여 장掌을 세 번에 걸쳐 호기呼氣하면서 내려친다(呼). 숨을 가슴으로 끌어당겨(느낌을 느껴라) 들이마시고 목으로 숨을 막는다. 밑으로 세 번 내려치면서 나누어 내쉰다. 숙련되면 흡기吸氣할 때 숨이 아랫배까지 저절로 간다. 지면을 친 다음, 손가락을 바깥으로 회전하며 움켜잡는다. 땅에 닿고 그 자리서 감아쥐면서 허리로 올린다. 주먹에 힘주지 말고 주먹을 꼭 쥔다. 올릴 때 중절中節(팔꿈치와 허리)로 끌어올리고, 일어서면 가슴이 쭉 펴져야 한다.

아래로 장掌을 내릴 때 머리는 들지 말고 아래로 떨어뜨리며 가슴 혹은 무릎을 본다. 장은 반드시 전사纏絲로 내려치고, 이때 힘을 주지 않으면서 장을 밀어 내리고 마지막에 장에 힘이 들어가야 한다. 그렇게 해야 등이 둥글게 된다. 양팔과 양손의 동작 노선은 발 양쪽 측면의 바깥을 벗어나지 않게 한다. 등을 둥글게 말아서 구부리는 것인데, 손을 밀어서 상체를 내리지 말라.

흉추수련이다. 흉추를 구부려 수련하는 자리가 좌공坐功에 조금 있고 다른데는 없다. 〈목 돌리기〉와 함께 신경계에 운동을 시작한다는 신호를 주는 것이다. 그리고 허리를 아래로 누르는 수련을 하는 것이다. 경추에서부터 요추를 거쳐 다리의 맥선脈線을 죽 늘여주는 것이다. 허리 힘으로 손이 내려가야 한다. 삼절三節이 맞아야 하고 손이 몸과 따로 가면 안 된다. 먼저 가도 안되고 뒤에 가도 안 된다. 요추와 흉추를 둥글게 해야 한다. 장掌은 아래로 치는 것이 아니라 미는 것뿐이다.

상대 주먹을 누르며 막는 것은 모두 허리가 축축蓄하는 힘으로 눌러 막는다. 상대 주먹이 완전히 펴질 때, 즉 내 몸에 닿기 직전에 신법身法과 축蓄의 힘으로 눌러 막는다. 상대 공격이 내 몸에 마지막 닿을 때 상대 힘이 모이므로 그때 축축蓄으로 막으면 상대 힘을 감싸서 허虛하게 만들 수 있다(예: 후권猴拳에서 양장兩掌으로 눌러 막는 경우).

주의할 점으로는, 장掌으로 내려칠 때 엉덩이를 위로 뒤로 뽑으면서 상체를 내려야 엉덩이부터 꺾어 내리는 것이 된다. 목 돌리기와 장掌 운동은 모두 머리꼭지를 땅으로 떨어뜨려야 한다.

3. 허리 돌리기(纏腰)

먼저 허리를 구부려 양팔과 머리를 아래로 떨어뜨린 후, 왼쪽부터 허리를 옆으로 돌려서 허리를 뽑으면서 측면으로 양팔을 올린다. 몸이 정면으로 바르게 설 때까지 둥글게 올린 다음(吸), 이어서 오른쪽으로 허리를 돌리며 양팔을 발을 향하여 둥글게 내린다(呼). 좌우로 각각 세 번을 시행한다. 양팔이 좌측에서 올라올 때는 들어 올리고, 우측으로 내려갈 때는 가슴(허리)을 오른쪽으로 돌려서 내린다. 내려올 때만 허리를 그 방향으로 틀어서 내려오고 올라갈 때는 틀지 않는다. 보폭은 줄이고 허리가 뒤로 젖혀지면 안 된다. 양 무릎은 살짝 좌우로 움직일 수 있는 선으로 하고 무릎은 구부리지 않는다. 손은 따로 움직이지 말고 몸을 움직여서 손을 움직이게 한다. 이때 손은 전사纏絲로 움직여야 한다.

허리 돌리기 동작은 태극太極이다. 음양陰陽의 움직임이다. 오행五行이 생生하는 것으로써 극剋하는 도리가 하나의 원圓 안에 들어있다. 하나는 위로 올라가는 것으로 두 손 또는 한 손으로 위로 들어 막는다. 하나는 아래로 내리는 것으로 두 손 또는 한 손으로 상대의 아래로 찌르는 공격이나 발차기 등을 수비한다. 큰 원에서, 크게는 위·아래지만 동·서·남·북, 팔괘八卦 등의 위치에서 운용법이 있다.

수법手法을 태극으로 움직일 때 몸을 들어 올리면서 감는 수련을 하는 것이다. 상대 주먹을 양수兩手로 막을 때는 양팔을 올리기 위해 허리를 돌리며 몸을 올리는 신법身法을 쓰고, 상대 팔을 잡은 다음에는 양팔로 누르기 위해 허리를 내리며 내리는 힘을 쓸 때처럼 해야 한다.

허리 돌리기를 할 때 두 손의 폭은 실전 때와 같아야 한다. 상대 손을 받을 때 손목과 팔꿈치에 두 손을 접接하므로 양손 간격이 좁아야 한다.

예를 들면, 상대의 우수 공격을 나의 우수 손등으로 안에서 바깥으로 받고 그 자리에서 전사纏絲로 손목을 돌려 우수 외연外沿이 상대 손 팔꿈치에 가 닿게 한다. 상대 팔을 타고 올라가는 경우로서, 손목 부위를 먼저 손등으로 막고 한번 손목을 돌리면서 상대 팔꿈치까지 타고 올라가 외연으로 관절 부위를 막는다. 허리 돌리기에서 몸을 세우며 팔을 들어 올리는 힘이다.

상대 공격을 이런 형태로 막을 때는 언제나 바깥쪽으로 힘을 적절하게 주어 상대 팔이 더는 내 중궁中宮 쪽으로 접근 못 하게 해야 한다 (약간 미는 힘이다).

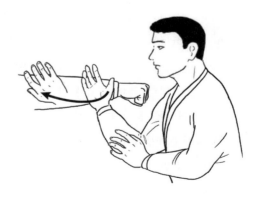

(수비의 예)

◎ 허리 돌리기의 주의점

① 눈은 수평으로 보면서 양팔을 들어올려야 허리가 쭉 뽑힌다. 눈은 정면 (5~10도 상방)으로 본다. 그렇게 해야 허리가 펴진다. 눈이 손을 보면(머리가 들리면) 허리가 젖혀진다. 눈은 기氣의 깃발(기치旗幟)이다. 눈을 올려보지 말라. 무예武藝 동작에서 눈은 평직平直해야 한다. 위, 아래로 움직이면 자세가 완전해지지 않는다.

② 허리 돌리기에서 두 팔이 위로 올라갈 때 양쪽 협늑脇肋을 올려야 허리가 따라 올라가 허리가 늘어난다. 그렇게 되어야 날개(견갑골)를 쓴다. 주먹 찌를 때뿐 아니라 모든 동작에서 날개를 써야 신법身法으로 치는 것이 된다.

③ 팔을 올리면서 허리를 돌리지 말고, 허리가 주가 되므로 허리 운동을 하기 위해 팔이 허리 움직임을 방해하지 않는다는 의도로 팔을 올리는 형식이 되도록 한다. 몸통의 초절梢節이 가슴이다. 가슴이 일어나야 허리(中節)가 따르고 엉덩이(筋節)가 쫓는다. 따라서 팔은 가슴 움직임을 방해하지 않기 위해 드는 것이다. 그리고 둔부를 많이 회전하면 허리가 움직이지 않는다(중요한 말이다). 따라서 둔부보다 허리가 더 많이 움직여야 한다(그래서 엉덩이가 쫓는다 라고 한다).

④ 양팔을 위로 들어 올릴 때 허리에서 위로 뽑듯이 올리고, 머리 위 정점의 위치에서 멈추면 안 된다. 그러므로 오른쪽으로 들어 올릴 때 정점에 이르면, 우수로 상대 팔 아래 겨드랑이를 쳐도 되고 또는 반대로 바로 몸을 좌로 회전하며 상대 왼쪽으로 올려칠 수도 있다. 몸이 올라가며 허리를 돌리는 형태가 되어야 한다. 또한, 상대 공격을 수비할 때 왼쪽에서부터 들어 올리듯이 막아서 오른쪽으로 내린다. 양손을 옆에서 바깥으로 감는 것이 아니다. 즉 신법身法으로 위로 들어 올리듯이 하면서 옆으로 감아야 한다. 위로 양팔을 죽 뻗을 때 어깨를 들고 배를 넣어야 한다. 그렇게 해야 허리가 쑥 빠진다.

⑤ 좌공坐功에서 허리 돌리기는 골반이 고정되어 허리만 돌지만, 서서 허리 돌리기는 골반과 허리가 같이 도는 것이다. 무릎 이하만 고정한다. 이때 허리가 과하게 돌아가면 안 된다.

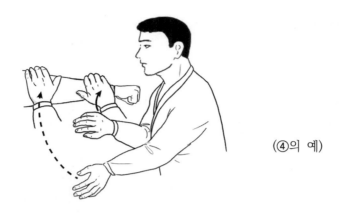

(④의 예)

◎ **허리 돌리기**에는 일곱 가지 수련 효과가 있다.

① 팔 간격을 수련(한 뼘 간격)

② 다리 간격을 수련(固定)

③ 팔을 신장伸長하는 수련

④ 눈을 평직하게 보는 수련(眼法)

⑤ 팔을 올리면서 걷고(掤)

⑥ 팔을 내리면서 구수鉤手(손을 펴지만 구수의 의미를 살린다.)로 잡고(按)

⑦ 허리를 뽑고 허리로 돌리는 수련(身法)

◎ **허리 돌리기 운용법**

허리 돌리기 연습에서 반마보半馬步로 선 다음, 허리를 조금만 움직이며 수법手法을 감는 것을 연습한다. 손을 머리 위로 높이 들지 말고 팔을 다 펴지 말며, 실전에서처럼 반드시 팔을 세워서 운용한다. 위로는 상대 손을 걷어내고, 아래로는 상대 발을 걷어내는 것 등, 그렇게 응용한다.

양손이 아래서 위로 올라올 때 양팔이 꼬이는 지점이 있다. 그때의 수법手法의 예를 들면, 을의 우수 공격에 갑은, 좌수는 을의 손목에 우수는 팔꿈치에 점點하며 들어 올리는 힘으로 오른쪽으로 걷어낸다. 이어서 을의 좌수가 들어오면 즉시 왼쪽으로 돌며 좌수는 손목에 우수는 팔꿈치에 점點하며 들어 올리는 힘으로 왼쪽으로 걷어낸다. 신법身法을 운용해야 한다.

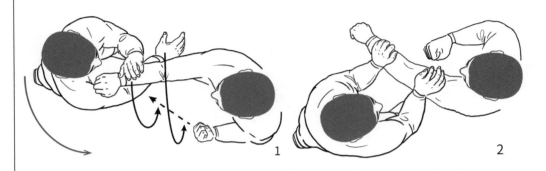

1   2

(수법手法의 예)

4. 압퇴壓腿

압퇴壓腿는 대퇴의 뿌리(고관절)부터 시작해서 허리와 등, 모든 것을 풀어준다. 압퇴를 하고, 이후에 자세를 잡아야 골반의 기운이 통한다. 골반이 풀려야 힘이 아래로 내려간다. 골반이 막고 있어서 힘이 안 내려간다. 따라서 자세 수련 전에 압퇴까지 몸을 풀고 해야 한다. 압퇴 시 주먹은 엄지발가락 쪽으로 늘인다. 누르는 발의 발가락을 뒤로 젖힌다. 엉덩이 바로 아래부터 아킬레스건까지 똑바로 당기도록 조정해야 한다.

압퇴壓腿는 발을 적당한 높이로 올리고 허리를 세우고 행한다. 어깨는 힘주지 말고 돌리며 팔을 꼬아서 편다. 손은 발 높이와 상관없이 어깨높이 아래로 찌른다. 당길 때는 숙처로 당기는 원리와 같다. 가져오는 손은 손을 허리에서 뒤로 더 뺄 때, 상체는 바르게 세우고 가슴을 뒤로 당기면서 최대한 당긴 다음 손을 뒤집어 찌른다. 어깨를 돌릴 때 힘을 빼고 베어링이 움직이는 것처럼 돌린다. 돌린 다음 가슴이 나가면서 중절中節로 밀어 찌른다.

압퇴壓腿 수련은 몸으로 팔을 끌어와서 몸으로 찌른다. 몸이 뒤로 오는 신법身法에서 팔이 오는 거리와 몸이 뒤로 움직이는 거리가 시간이 같아야 한다. 또 주먹이 나가는 것과 몸이 앞으로 도는 시간이 같아야 한다.

어깨를 돌려 나갈 때 팔꿈치가 몸에서 떨어지면 안 된다. 노선이 바로 가야 한다. 압퇴 수련은 몸이 조이면서 등이 갈라져야 한다. 천천히 행한다.

발을 두는 곳은 수평에서 약간만 높게 해야 효과가 나온다. 낮은 곳은 못 쓴다. 예를 들어 좌측 발을 올린다면 바로 서서 오른쪽 주먹이 숙처宿處(허리)에 있을 때 좌측 골반과 허벅지가 연결된 안쪽이 저절로 늘어난다. 이어서 우수右手를 지를 때 좌측 대퇴는 저절로 아래가 늘어난다. 동시에 허리가 돌아가면서 우측 골반도 돌아가므로, 좌측 고관절, 골반 부위가 늘어나고 움직이면서 단련된다. 다리를 올린 쪽의 발가락은 뒤로 젖힌다. 서 있는 다리는 지면과 수직이 되어야 한다. 수직에서 뒤로 너무 멀어지면 발힘이 전달 안 된다. 서 있는 다리의 발끝은 좌족左足과 90° 바깥으로 오도록 서야 한다.

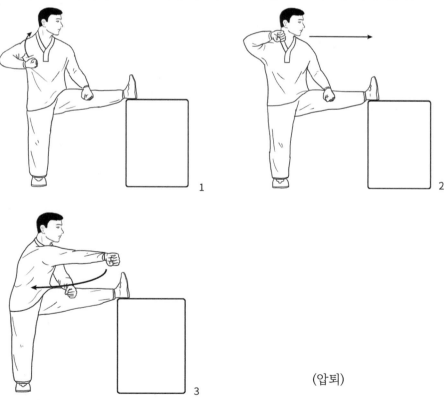

(압퇴)

팔을 어깨높이로 찌르면 힘이 길러지지 않는다. 어깨 아래로 찔러야 한다. 최대한 팔꿈치를 끌어온다. 그 위치에서 팔을 위로 돌려 감아 뒤집듯이 든다. 이때 팔이 귀 보다는 낮아야 한다. 그 위치에서 엄지발가락 쪽으로 향하여 찌른다. 엉덩이 바로 아래부터 아킬레스건까지 똑바로 당기도록 조정해야 한다.

◎ 압퇴壓腿 수련의 응용

빠르게 팔을 뒤집어 올려 공격할 수 있다. 상대 공격을 두 손으로 받아 우수를 감아올려 들어 바로 칠 수 있다. 치기 위해서는 상대 팔을 피해 가야 하므로 아래로 들어가든지 아니면 상대 팔 위로 들어서 쳐야 한다.

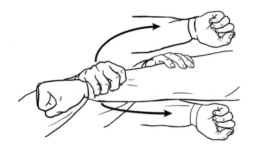

(압퇴 수법)

【내장세內壯勢】

내장세內壯勢는 조식調息을 이루게 해준다. 내장세(引導法)는 내공內功 수련이다. 호흡수련 중 참공站功에 속한다. 중요한 수련이다.

내장세內壯勢를 수련할 때는 외용세外勇勢 보다는 힘을 덜 주지만 역시 힘을 주면서 운용해야 한다. 힘을 주어서 끝까지 늘이듯이 한다. 내장세는 동작과 호흡 배합이 숙련되어야 효과가 나온다.

〈인도법引導法(內壯勢)〉은 호흡이 동작을 이끌어 간다. 즉 호흡을 먼저 시작하고 몸이 뒤따라간다. 따라서 동작이 호흡을 도와준다. 동작을 취해야 들숨·날숨이 더욱 원활하게 된다. 반면에 〈도인법導引法(保健功)〉은 동작이 호흡을 이끌어 간다. 즉 몸이 먼저 발동發動하고 호흡이 뒤따라간다. 따라서 호흡이 동작을 도와준다. 도인법에 의식 호흡까지 하면 내외內外를 단련하는 것이 된다. 예컨대, 빨리 움직이면 자연히 호흡을 빨리해야 하고 느리게 움직이면 자연히 호흡을 느리게 해야 한다. 자기 전에 내장세를 하는 것은 좋다.

내장세內壯勢를 수련하기 전에 반드시 몸풀기 동작을 해야 한다. 먼저 몸을 주무르고 시작한다. 주무르는 순서는 허리(기氣 주머니)를 먼저 주물러 시동始動을 건 다음 다른 부위를 주무른다. 이어서 전신진동全身振動과 영풍파추迎風擺捶를 한다.

◉ 전신진동全身振動: 단전丹田을 중심으로 전신全身으로 퍼져나가며 짧고 가벼운 움직임으로 1분여간 몸 전체를 진동시킨다.

◉ 영풍파추迎風擺捶: 좌우로 허리를 돌리며 양팔을 흔들어 호기呼氣하면서 앞의 손은 반주먹으로 단전丹田을 치고 뒷손은 반주먹 등(拳背)으로 명문命門을 친다. 반주먹으로 치는 것은 공기의 압력으로 치기 위해서이다. 의념

은 단전에 둔다. 머리를 반듯이 두고 몸을 돌릴 때 눈은 어깨를 본다. 경추가
평직平直해진다. 어깨너비로 다리를 벌려야 허리가 영활하게 돌아간다. 등을
강하게 치면 안 된다(척추 때문). 배와 명문을 칠 때 당뇨 환자는 배꼽 바로
밑 부분을 치는 것이 도움이 되고, 일반인은 단전 또는 배꼽 양쪽을 친다.
10~50회까지 행한다.

(전신진동)

1　　　　　2　　　　　3

(영풍파추)

【참고】내장세內壯勢의 동작 설명은 《본국검本國劍》의 내용을 그대로 싣고, 주의할 점과 응용에 대한 것은 ◉ 표시를 붙여 부연敷衍하였다.

내장세內壯勢는 양기養氣와 연기練氣가 융합된 내공內功 수련법이다.

제 1 세

① 예비세 : 두 발을 모으고 자연스럽게 서서 머리를 바르게 하고 눈은 앞을 본다. 마음을 차분히 하고 잡념을 없애며 신의神意를 안으로 거두어들인다. 전신全身의 근육은 느슨히 하고, 양팔은 편안하게 몸 옆으로 내린다. 장심掌心은 안을 향하고, 호흡呼吸은 편안해야 한다.

◉ 바르게 선다. 눈은 정면을 바라보고 양손은 몸 측면에 편하게 둔다. 호흡呼吸을 안정시킨다. 규격 잡는 자세가 필요한 경우가 아니면 참공站功을 할 때 굳이 발을 일자一字로 설 필요가 없다. 약간 발끝을 벌리면 편하다. 인체의 자연自然이다. 무예武藝에서 호보虎步로 서는 것은 인위적인 수련이다.

② 신의神意를 마음에 모으고, 의식意識으로 양장兩掌을 인도하여 천천히 몸 옆에서부터 아랫배 앞을 지나 위를 향해 심장 높이까지 들어 올린다. 장심掌心은 위를 향하고, 장지掌指는 마주 대하며, 흡기吸氣를 배합한다.

③ 이어서 의식意識으로 양손을 인도하여 손바닥이 아래를 향하게 안으로 돌려서 아랫배까지 내린다. 호기呼氣를 배합한다.

이상의 동작을 8번 반복하고, 양팔을 원위치로 가져온다.

호흡呼吸할 때 주의할 점은, 완만하면서도 균일하고 자연스러워야 하며 억지로 해서는 안 된다. 다른 세勢들도 모두 이와 같다.

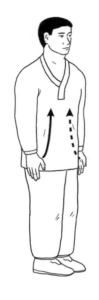

1

2

3

4

◉ 마음(심장心臟)에 뜻을 두고 움직인다. 심신心身을 안정시킨다. 편안하게 된다. 의념意念을 마음에 두라. 그러면 손이 가슴 이상 올라가지 않는다.

의意와 기氣(호흡呼吸)가 서로 엇갈려 오르내리게 수련한다.

팔 전체로 들어 올리고 장掌으로만 들어 올리지 않아야 한다. 팔을 올릴 때 손가락을 아래로 떨어뜨리고 올리면 안 된다. 손가락 끝을 끌어올리듯이 올려야 호흡이 제대로 된다. 호흡이 삼켜지게 된다. 즉 자세와 동선動線이 정확해야 호흡이 제대로 된다. 팔이 올라갈 때는 새끼손가락 쪽(外沿)과 장심掌心에 은은하게 힘이 들어가고 내려갈 때는 엄지손가락 쪽에 힘이 들어간다.

제 2 세

① 예비세는 제1세와 같다.

② 신의神意를 양손에 모으고 어깨 근육을 느슨히 풀어주며, 팔꿈치를 가라앉힌다. 의식意識으로 양손을 인도하여 몸 옆에서부터 앞을 향해 천천히 위로 구부려 들어 올린다. 양손이 가슴 높이로 올라왔을 때 팔꿈치를 앞으로 가볍게 내밀고, 장심掌心은 앞을 향하게 한다. 흡기吸氣를 배합한다.

③ 이어서 의식意識으로 양장을 인도하여 천천히 아래로 내려 원위치로 가져온다. 호기呼氣를 배합한다. 이상의 동작을 8번 반복한다.

◉ 의념을 손목에 두라. 그러면 헛되게 안 간다. 호흡이 이끌고 있는 곳이다. 동작이 가는 것이 아니다. 손목을 의식하면 장掌이 제대로 만들어진다. 장掌을 미는 것은 초절梢節 수련이다. 팔뚝으로 민다. 양장兩掌을 밀 때 몸을 굴려서 나간다(끊어지지 않게 하기 위해서다). 양팔을 올릴 때 멀리 들어올려야 한다. 천천히 팔 자체 무게를 느껴야 한다.

2세에서 들숨이 삼켜지는 수련을 하기 쉽다.

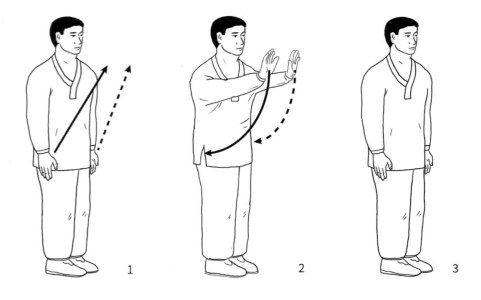

1   2   3

제 3 세

① 예비세는 제1세와 같다.

② 신의神意를 양 팔꿈치에 모으고, 의식意識으로 양 팔꿈치를 인도하여 몸 옆에서부터 위를 향해 양쪽으로 팔을 벌려 천천히 들어 올리면서 손바닥을 뒤집어 원을 그리며 머리 위로 들어 올린다. 양손은 머리 양쪽 위에 위치하고, 손바닥은 머리를 향하며, 손가락은 서로 마주 대한다. 어깨 근육을 느슨히 풀어주고, 팔꿈치는 가라앉혀야 하며, 눈은 앞을 본다. 흡기吸氣를 배합한다.

③ 이어서 의식意識으로 양 팔꿈치를 인도하여 아래로 내리면서 손바닥을 뒤집어 원래의 길을 따라 천천히 내려 원위치로 가져온다. 호기呼氣를 배합한다. 이상의 동작을 8번 반복한다.

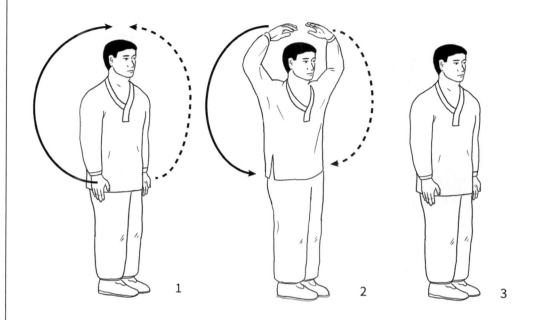

1　　　　　2　　　　　3

◉ 의념을 팔꿈치에 두라. 높이가 적당히 된다. 양손을 위로 둥글게 올리는 것은 중절中節 수련이다. 중절은 어떤 동작에서든 모두 구부러져 움직인다.

수평까지는 어깨를 올리지 말고 팔만 멀리 보내듯 올린다. 겨드랑이 아래를 늘이는 것이다. 즉 양팔이 수평 높이까지는 가볍게 올리고, 이어서 천천히 무겁게 올리면서 흡기吸氣한다. 내쉴 때는 팔을 가볍게 내린다.

◉ 제 3 세의 응용

① 상대 우수 공격에 좌수로 막고 우수가 상대 팔꿈치 아래에서 위쪽으로 올라가서 위로 꺾어 올라가 상대 측두골을 옆으로(약간 좌로 회전시키면서) 치거나 민다. 또는 손가락 5개로 세워서 민다. 앞뒤로 상대 머리를 미는 것보다 옆으로 밀면 정신을 못 차리고 힘을 못 쓴다.

② 또는 상대 우수 공격을 우수로 막고 내 몸이 들어가면서 좌수로 상대 머리를 오른쪽 옆으로 밀어젖힌다.

① ②

(제3세의 응용)

제 4 세

⓵ 예비세는 제1세와 같다.

⓶ 신의神意를 양어깨에 모으고, 의식意識으로 양어깨를 인도하여 안을 향해 수축한다. 어깨를 느슨히 하고 팔꿈치를 가라앉히며 양손을 이끌어 한 손은 배 앞에 있고, 한 손은 허리 뒤에 있게 한다. 앞 손은 손바닥이 안을 향하고, 뒷손은 손바닥이 뒤를 향하며, 양손 손가락은 양옆을 향한다. 흡기吸氣를 배합한다.

⓷ 이어서 다시 의식意識으로 양어깨를 인도하여 천천히 느슨하게 풀면서 양장兩掌을 이끌어 원위치로 가져온다. 호기呼氣를 배합한다.

⓸ 양손을 앞뒤로 바꾸면서 이와 같은 방식으로 호흡을 배합한다. 이상의 동작을 8번 반복한다.

1

2

3

4

5

● 의념을 어깨에 두라. 가슴이 벌어지면 안 되므로 가슴이 움츠려진다. 양 어깨를 조이듯이 하고 양손은 삽을 뜨듯이 움직인다. 앞 손은 가슴 위치, 뒷 손 중앙이 척추 가운데에 위치한다. 상완上腕은 몸에 붙여 움직이지 말고, 팔 꿈치를 위로 올리지 말고, 전완前腕만 몸을 감싸듯이 올려야 몸을 감싸는 것 이 된다.

양손을 앞뒤로 올리는 것은 근절根節 수련이다. 근절은 바깥으로 젖혀지면 안 된다. 근절(어깨)은 앞으로 오므라져 있어야 한다. 앞뒤(丹田・命門)로 양손 을 감싸면서 올릴 때 뒷손이 올라가야 양어깨(根節)가 모아진다.

● 제 4 세의 응용

① 상대 공격을 막을 때 팔을 위로 들어 올리는 힘으로 막는다. 또는 뒤로 간 손이 원을 그리며 아래로 앞으로 올라오므로, ② 위에서 상대 공격을 우수 右手로 아래로 눌러 막고, 다시 손이 몸의 측면 아래서 앞으로 위로 가므로 그 움직임으로 우수로 왼쪽으로 몸을 틀며 공격한다. 즉 내리며 막고 올리며 공격한다. 내리는 힘으로 상대 주먹을 아래로 눌러 막거나, 눌러 막아 내 등 뒤로까지 밀어내는 것 등은 같은 이치다.

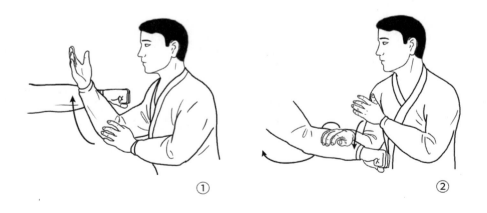

① ②

(제4세의 응용)

제 5 세

① 예비세는 제1세와 같다.

② 신의神意를 허리에 모으고, 의식意識으로 허리를 인도하여 양팔을 이끌고 위를 향해 앞으로 들어 올려 수직으로 세운다. 손바닥은 앞을 향하고, 양 어깨를 느슨히 하며 팔꿈치를 가라앉히고, 허리를 곧게 펴야 한다. 흡기吸氣를 배합한다.

③ 이어서 의식意識으로 허리를 인도하여 앞으로 굽히면서 양팔을 이끌어 앞을 향해 아래로 내려 양 손바닥이 양 무릎에 닿도록 한다. 머리를 바로 하고 등을 곧게 펴서 허리를 늘인다. 등을 구부리면 안 된다. 호기呼氣를 배합한다.
이상의 동작을 8번 반복하고 양팔을 원위치로 가져온다.

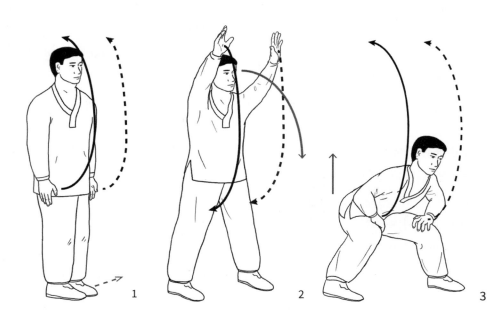

1　　　　　2　　　　　3

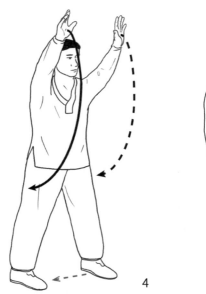

4　　　5

◉ 숨을 들이마시면서 팔을 들고, 폐식閉息하고, 양손으로 무릎 잡고, 척추를 늘이며 내 쉰다. 기마보騎馬步 자세로 발을 땅으로 누르는 수련이다. 기마보로 엉덩이를 뒤로 뺄 때 무릎을 안으로 모으고 기마보 모양을 만드는 것이 중요하다. 그 자세에서 뒤로 엉덩이가 빠져야 한다. 허리를 뒤로 앉으며 죽 편다(허리를 중심으로 위, 아래로 늘인다).

무릎 잡을 때 예비 동작 없이 그대로 앉아 척추를 죽 늘여야 한다. 헛동작이 없어야 한다. 무릎을 힘주어 안으로 적당히 모으고 양손의 장근掌根으로 무릎을 바깥에서 안으로 모은다. 어깨에 힘이 들어가지 않게 하며 발로 땅을 누르는 감각을 자꾸 익힌다.

허리를 위, 아래가 아니고 전후로 늘여야 한다. 허리를 펴는 것이 아니고 엉덩이를 뒤로 뺀다. 등판은 엉덩이로 인해 평평하게 위로, 또 팔 자세로 인해 양옆으로 늘어나도록 한다. 허리가 늘어나야 허리 힘이 생긴다. 목은 앞으로 늘인다. 상체를 과하게 숙이면 안 된다. 무당武當에서는 비슷한 자세에서 허리를 앞으로 펴서 늘인다. 이는 잘못된 것이다. 앞으로 펴면 허리가 늘어나지 않는다.

뒤로 엉덩이를 뺄 때 기지개 켤 때처럼 임맥任脈이 당겨지게 뺀다. 척추의 앞쪽이 벌어지게 늘인다. 그러면 정좌靜坐 수련 때 허리가 바로 선다.

여러 가지 정좌靜坐에 필요한 운동을 해야 허리가 바르게 선다. 그렇지 않으면 정좌 못 한다. 둔부를 뒤로 빼는 힘을 길러야 한다.

실전에서 궁보로 서서 앞으로 상체를 들이밀면서 상대 몸통을 낮게 찌를 때, 궁보로 치면 중심이 앞으로 흘러 몸을 뒤로 회수하기가 어렵다. 즉 시간이 늦어진다. 둔부를 뒤로 빼는 힘을 주면서 상체를 길게 찌르면, 엉덩이 힘이 나가는 힘을 받쳐주어 힘이 강해지고 상대 공격 시 바르게 뒤로 상체를 뺄 수 있다.

제 6 세

① 예비세는 제1세와 같다.

② 신의神意를 양발바닥에 모으고, 의식意識으로 인도하여 양발바닥에 힘을 주고 발뒤꿈치를 들어 올리면서 몸을 바르게 하여 위로 끌어올린다. 동시에 양팔은 손바닥이 아래를 향하게 손목을 위로 구부려 젖히면서 손가락이 안을 향하게 돌리며 양팔에 힘을 넣는다. 눈은 앞을 보고 흡기吸氣를 배합한다.

③ 이어서 의식意識으로 인도하여 발바닥에 힘을 풀면서 천천히 발뒤꿈치를 내리는 동시에 양팔을 원위치로 가져온다. 호기呼氣를 배합한다.

이상의 동작을 8번 반복한다.

◉ 양손으로 항아리를 잡듯 안으로 돌릴 때, 손을 들어 올리며 팔뚝이 꺾일 때 팔 전체 내측內側으로 힘을 주고, 그 힘으로 허리를 죽 뽑아 몸이 올라간다. 모든 뒤꿈치 드는 동작은 마지막 힘이 들어갈 때 든다.

장근掌根과 손가락까지 힘을 주고 허리와 손끝이 직각이 될 때까지 돌리며 누르는 힘을 주고, 그 힘이 발까지 가서 그 반동으로 몸이 뜨게 해야 한다. 박자가 맞아야 한다. 최대한 힘주어 팔이 꺾인 위치까지 오면 몸을 들어 올린다. 이 힘은 공방攻防에서 걸어 들어가며 허리를 죽 펴고 움직여 들어가는 힘이다. 공격할 때는 허리를 움츠리며 공격하지 않는다.

뒤꿈치를 먼저 들면 허리가 뽑히지 않는다. 다리가 몸을 들어 올리기 때문이다. 따라서 허리(상체)가 뽑혀 올라가는 것으로 뒤꿈치가 끌려 올라가며 들려야 한다. 들숨이 골반강骨盤腔까지 완전히 들어간 다음 폐식閉息을 한다. 그리고 몸을 들어 올린다. 양손을 허리로 안으로 돌릴 때 힘주는 것을 의지해서 몸이 뜬다.

◉ 제 6 세의 응용

상대 주먹이 아래로 들어올 때 신법으로 돌며 눌러 막는 것이다. 예를 들어 상대 우권右拳이 들어오면 나는 우수로 아래로 축蓄하면서 몸을 오른편으로 돌리며 내 몸 우측으로 상대 손을 인도하면서 막고, 좌수를 상대 팔 아래에서 몸통 부위를 철형으로 치거나, 또는 상대 팔 위로 비스듬히 아래서 위로 올라가며 목 부위를 철형으로 공격할 수 있다. 몸을 오른편으로 한번 돌리며 막고 치는 동작을 한다. 이어서 우수로 다시 공격한다. 만약 상대 좌수가 들어오면 우수는 손목, 좌수는 팔꿈치를 잡고 꺾을 수도 있다.

몸을 위로 뜨게 만드는 힘은 상대 주먹을 누르면서 독립보로 몸을 가볍게 하면서 찌르는 것으로 응용된다.

(제6세의 응용)

제 7 세

① 예비세는 1세와 같으나 양손을 무지拇指가 뒤를 향하게 허리에 끼운다.

② 신의神意를 허리에 모으고, 의식意識으로 허리를 인도하여 약간 뒤로 젖히면서 왼편으로 몸과 얼굴을 돌린다. 눈은 어깨를 따르면서 의意로써 왼발 발뒤꿈치를 돌아본다. 흡기吸氣를 배합한다.

③ 이어서 의식意識으로 인도하여 허리를 느슨히 하면서 앞을 향해 천천히 몸과 얼굴을 돌려 원위치로 가져온다. 호기呼氣를 배합한다.

④ 연이어 같은 방식으로 오른편을 향해 반대로 행한다. 이상의 동작을 8 회 반복하고, 양팔을 원위치로 가져온다.

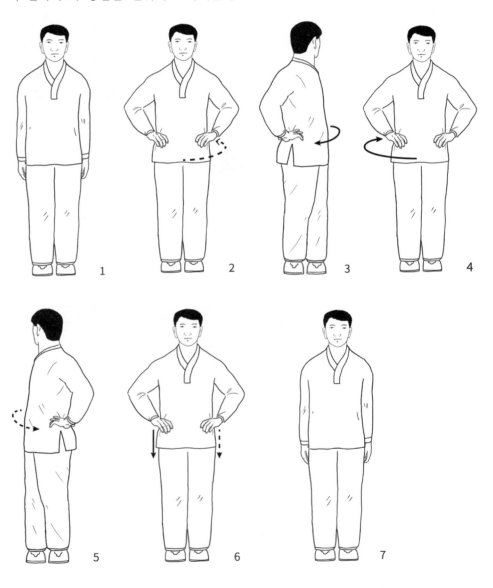

◉ 허리를 좌우로 돌릴 때 무릎은 고정하고, 눈을 몸통과 같이 움직인다. 몸이 45도 돌 때 눈은 135도 돈다. 몸과 비례하여 눈이 처음에는 빠른 속도로 가다가 어깨 근처에 가면 몸통과 같은 속도로 움직여야 한다. 이것이 삼절三節이 움직이는 이치다. 이것이 맞지 않으면 신법身法이 안 되고 힘을 쓰지 못한다. 허리가 90도 이상 돌아가면 안 된다. 한계 이상 돌아가면 몸이 틀어진다. 목이 돌 때 머리를 숙이지 않는다. 어깨는 90도, 목은 180도 시선은 돌아가는 발의 뒤꿈치를 본다.

가슴은 앞으로 내밀지 말고 위로 뽑는다. 배는 살짝 내밀고 돌아간다. 허리 돌리기는 배만 내미는 것이 아니다. 가슴을 살짝 올리는 것이 배가 나오게 하도록 해야 한다. 온몸을 동시에 움직여 가는 것을 수련하는 것이다. 삼절三節은 이런 수련을 통해 이루어진다. 상대 수법手法을 막을 때 온몸이 같이 움직여야 한다. 눈·머리·어깨·팔굽·골반·허리까지 선후先後가 없다. 동시에 움직인다. 이때 눈이 더 빨리 움직여 가야 눈이 팔, 어깨와 맞을 수 있다. 어깨가 가는 거리는 짧고 눈이 가는 거리는 길다. 상대 수법手法을 막을 때 온몸이 같이 움직여 돌아야 한다.

주의할 점은 허리 돌릴 때 대퇴大腿까지 다 돌리지 않는다. 허리가 중심으로 골반도 좀 돌아가지만, 일부러 다 돌려서는 안 된다. 허리만 돌아가는 식이 되어야 한다. 발을 꽉 잡고 허리를 돌린다. 호흡呼吸은 끝까지 들이마시고 내쉴 때는 배 아래부터 배를 집어넣으며 호기呼氣한다.

허리를 좌우로 돌리는 수련에서 아랫배와 등 뒤 요추 부위만 펴고(들면 저절로 된다) 가슴은 의도적으로 들면 안 된다. 가슴은 편안하게 그대로 둔다.

◉ 5·6·7세는 허리가 주다. 이렇게 숙련된 허리 모양으로 정좌靜坐 수련을 한다. 내장세는 참공站功이므로 하체 수련이 아니다. 상체 신법身法만 수련하는 것이다. 반면에 도인체조는 사지四肢 모두를 사용하여 수련한다.

◉ 내장세는 흡기吸氣 한 후에 폐기閉氣해야 한다. 자연스럽게 되는 것이지

억지로 인위적으로 하는 것이 아니다. 원래 내장세의 모든 동작이 다 그렇다. 수련하면서 많이 하다 보면 저절로 되는 것이다.

제 8 세

① 예비세: 두 발을 어깨너비로 벌리고, 무릎을 가볍게 구부린다. 양장兩掌은 왼손을 오른손 위에 놓고 장심掌心이 위를 향하게 하여 배꼽 앞에 모은다. 허리를 부드럽게 하고 둔부는 거두어들이며, 어깨를 느슨히 하고 팔꿈치를 가라앉힌다. 가슴은 여유롭고 허리는 곧게 세우며, 눈은 앞을 본다.

② 신의神意를 하단전下丹田에 모으고, 의식意識으로 단전丹田을 인도하여 둔부를 이끌고 움직이며 경미하게 평행으로 작은 원을 그린다. 먼저 오른편에서 왼편으로 앞을 향해 반원을 그리며 흡기吸氣를 배합하고, 이어서 뒤를 향해 반원을 그리며 호기呼氣를 배합한다. 양손은 배 앞에서 따라서 움직인다.

이상의 동작을 8번 반복한다.

③ 손을 바꿔 오른손을 왼손 위에 놓고 반대 방향으로 원을 그리며, 위와 같은 방식으로 호흡呼吸을 배합한다.

이상의 동작을 8번 반복하고, 양팔을 원위치로 가져온다.

◉ 내기內氣로써 안을 움직이는 것이다.

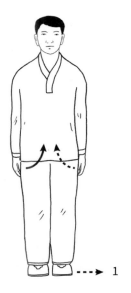

1

2

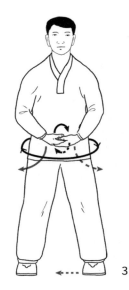

3

4

◉ 内壮势

◉內壯勢

【도인체조導引體操】

도인체조導引體操에서 노인老人이 할 수 없는 동작이 있으면 잘못된 것이다. 모두가 따라 할 수 있어야 제대로 된 도인법이다.

보건공保健功이므로 각 동작은 좌우로 한 번씩 하여 2회에서 8회까지 한다. 아침, 저녁 각 2회 정도가 가장 좋다.

도인체조導引體操에서 중요시해야 하는 것은 첫째, 모든 동작 과정에서 날개(견갑골肩胛骨)가 시원하게 펴져야 한다. 어깨를 크게(날개를 크게) 움직여야 한다. 공방攻防에서 상대 공격을 막을 때 꼭 수평으로만 팔을 돌려막지는 않는다. 위쪽 혹은 아래쪽으로 상대가 공격할 수 있으므로 날개가 활발해야 자유롭게 막을 수 있다. 따라서 체조의 팔 벌리는 동작이 모두 중요하다.

둘째, 두 손을 위로 들어 올리는 동작 때는 팔이 아니라 몸을 뽑아 올린다. 발뒤꿈치는 몸이 뽑히니까 따라 들려져야 한다. 발끝을 누르고 뽑아 올린다. 몸의 움직임뿐 아니라 힘까지 신법身法에 포함된다. 이렇게 수련해야 권법에서도 경신輕身이 되는 것이다.

이것의 예는,

① 우각右脚이 앞에 있으면서 상대 주먹을 받고 왼발 나가면서 왼손 철형 공격을 할 때, 상대가 받으면 오른발이 체보揯步로 나가면서, 오른쪽 손등으로 상대 가슴을 치며 허리를 좌로 돌려 상대 좌측 측면으로 빠져나간다.

② 상대 주먹을 받고 왼발 나가며, 좌허보左虛步로 앉으면서 상대를 나拿한 손을 아래로 당기며 좌수 철형공격을 한다. 상대가 받으니까 그대로 몸을 위로 날리면서 우장右掌으로 상대 머리를 내려친다.

'제4세 붕조전시鵬鳥展翅'에서 한 걸음 나가 양손 들어 올리는 것만 발뒤꿈치를 끝까지 든다. 이유는 상체를 들어 올리면서 뒤꿈치가 올라가기 때문이다.

(①의 예)

●導引　體操

(②의 예)

제 1 세 조식토납調息吐納

① 예비세 : 두 발을 모으고 자연스럽게 서서 머리를 바르게 하고 눈은 앞을 본다. 마음을 차분히 하고 잡념을 없애며 신의神意를 안으로 거두어들인다. 전신全身의 근육은 느슨히 하고, 양팔은 편안하게 몸 옆으로 내린다. 장심掌心은 안을 향하고, 호흡呼吸은 편안해야 한다.

② 좌측부터 시작한다. 왼쪽으로 좌족左足을 기마보騎馬步 넓이로 벌려 서고 음장陰掌으로 양팔을 나란히 어깨높이까지 수평으로 들어 올린다. 흡기吸氣를 배합한다.

③ 이어서 마보馬步로 앉으면서 아래를 향하여 양장兩掌을 내리누른다. 호기呼氣를 배합한다. 의념意念을 손바닥에 둔다.

④ 이어서 일어서며 양장兩掌을 어깨높이까지 수평으로 들어 올린다. 흡기吸氣를 배합한다.

⑤ 좌족左足을 모아서면서 양팔은 몸 옆으로 내린다. 호기呼氣를 배합한다.

오른쪽도 실시한다.

● 導引　體操

1

2

3

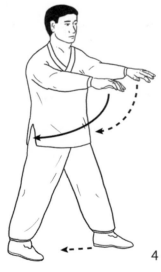

4

5

◉ 흡기吸氣 시 제항(提肛: 항문을 살짝 든다), 호기呼氣 시 제항을 늦춘다. 의념은 단전丹田에 둔다. 제항축신提肛縮腎, 즉 고환睾丸을 오므려 들이고 축신기縮腎氣한다.

◉ 기마보騎馬步로 앉을 때, 락落은 발가락으로 땅을 잡고 둔부와 무릎으로 몸을 내리고, 기起는 발가락을 더 강하게 잡고 몸으로 위로 올려야 한다.

허리 신법이 빠져있지만, 기락起落의 힘을 기르는 곳이다. 락落의 힘은 상대 공격을 막을 때, 몸이 아래로 내려가면서 막는다. 이때 둔부와 무릎으로 몸을 내리고 발가락으로 땅을 잡는다.

기起의 힘은 공격할 때 몸이 일어나며 나간다. 앞 발가락을 꽉 받쳐야 한다 (몸을 받치는 것이다). 앉을 때는 둔부와 무릎, 그리고 뒤꿈치로 내리고, 설 때는 둔부, 발가락 잡는 힘으로 올린다(앞꿈치, 발가락 잡는 힘을 앉을 때보다 더 잡으면서 일어난다).

기마보騎馬步로 양장兩掌을 아래로 누를 때 뒤꿈치와 발가락으로 땅을 잡고 뒤로 앉듯이 내려가야 호흡呼吸이 제대로 된다. 이때 손은 스프링을 누르듯이 눌러야 하고, 일어설 때는 땅을 끌어올리듯이 손을 올린다.

제 2 세 순수추주順水推舟

① 예비세는 제1세와 같다.

② 좌측부터 시작한다. 우족右足에 중심을 두고 좌허보左虛步로 서되 좌족左足 뒤꿈치를 땅에 대고 발목을 뒤로 젖힌다. 동시에 양팔을 들어 올려 양장兩掌을 가슴 앞까지 가져온다. 좌족左足이 나갈 때, 동시에 양팔을 들어올려 삼절三節이 맞게 동작해야 한다. 흡기吸氣를 배합한다.

③ 이어서 좌궁보左弓步로 변하면서 정면을 향하여 양장兩掌을 밀어낸다. 호기呼氣를 배합한다. 의념意念을 노궁혈勞宮穴(장심掌心)에 둔다.

④ 몸을 뒤로 거둬들이며 좌허보左虛步로 변화하는 것과 동시에, 정면으로 밀어낸 양장兩掌을 회수하여 가슴 앞으로 가져온다. 흡기吸氣를 배합한다.

⑤ 이어서 좌족左足을 우족右足 옆으로 가져오면서 일어서며, 양장兩掌은 몸 아래로 손가락을 마주 보며 음장陰掌으로 아랫배까지 내린다. 호기呼氣를 배합한다. 오른쪽도 실시한다.

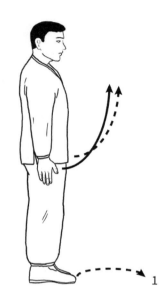

1

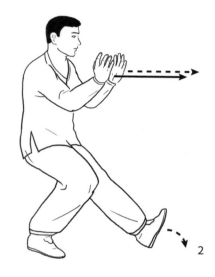

2

3

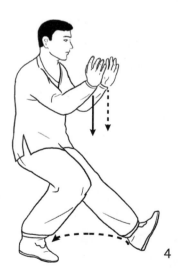

4

5   6

◉ 허보虛步로 변화할 때 다리를 먼저 만든다. 실전에서 상대 공격에 대해 뒤로 물러나는 세勢이므로 손이 발보다 빠르면 안 된다. 손발이 같이 시작하되 발이 먼저 만들어져야 한다. 발이 먼저 나가 안정시킨 다음 손이 움직이도록 수련해야 감각을 익힌다.

허보虛步를 만들 때 양손이 삼절三節에 맞춰 같이 움직여야 한다. 이때 뒷발 뒤꿈치로 밀고 나가는 감각과 뒷발 뒤꿈치를 누르는 힘으로 몸을 회수하는 감각을 수련해야 한다.

허보虛步에서 궁보弓步로 변하면서 양장兩掌을 밀 때, 허보를 처음에 좁게 잡았다가 나갈 때는 발이 살짝 허공에서 미끄러지듯 앞으로 더 들어가서 착지한다. 걸어가듯이 발을 들면 안 된다. 상대와의 거리를 맞추는 연습이다(身法). 보폭은 힘이 들어가게 적절히 잡는다.

장掌은 절장切掌으로 만들어 앞으로 민다. 마지막에 장근掌根으로 전사纏絲하고, 장掌을 다시 가져올 때 가슴까지 당겨 아래로 누른다. 상대 공격을 아래로 눌러 막는 수련이다. 장掌을 당겨 회수할 때는 앞발 선線 위로 당겨도 되지만, 장掌을 밀 때는 중궁을 벗어나지 않게 앞발 선 안으로 밀어야 한다.

실전에서 뒤꿈치로 앉으며 허보虛步(退步)로 눌러 막으면 훨씬 물러나는 폭이 커진다. 연이어 궁보弓步로 들어가며 공격한다. 허보에서 궁보로 나가며 장掌으로 미는 것은, 뒤로 손을 가져왔다가 튕기듯이 밀어야 한다. 팔꿈치와 상완으로 밀어야 양어깨가 죽 늘어난다. 실전에서 상대 공격을 뒤로 당겨오듯이 받아서 끊지 않고 계속 앞으로 나가는 것이다. 궁보로 나아갈 때 뒤꿈치 붙이고 말(馬) 허리처럼 매끈하게 허리가 나가야 한다.

◉ 삼절三節에 맞게 자세, 손, 몸통이 같이 시작되어 같이 끝나야 한다.
① 뒷발 뒤꿈치를 누르고 계속 그 힘을 유지한다. 동작 시작부터 끝날 때까지 뒤꿈치 힘을 풀면 안 된다.
양손의 위치가 양발 사이에 와야 한다. 몸의 중심이 양발 사이에 오도록 하면 된다. 그랬을 때 뒷발에 힘이 들어간다. 앞발을 몸의 중심으로 해서 양손을 밀면 뒷발 힘이 들어가지 않는다.
궁보弓步 자세에서 팔이 끝까지 다 나가면 뒤꿈치 힘을 풀지 말고 그대로 당긴다. 당길 때는 팔꿈치가 아래로 구부러지면서 온다.
허보虛步로 당겼다가 궁보로 양장兩掌을 밀 때 뒷발 발바닥을 일자一字에 가깝게 정면으로 돌려서 그다음 뒤꿈치 붙이고 밀어낸다. 장掌을 회수하여 돌아올 때는 원위치로(뒷발) 발끝이 약간 바깥으로 벌어지게 돌려서 온다.
② 팔을 구부려 회수하는 것과 허보虛步로 몸이 뒤로 오는 것이 같이 시작되어 같이 끝난다. 일어서면서 팔을 아래로 내리는 것이 함께 끝나도록 한다.
팔을 구부려 뒤로 회수하는 것이 두 번 있다. 두 번째 뒤로 회수하는 것은, 장掌으로 공격한 다음 상대가 내 장掌을 받고 다시 공격할 수가 있다. 그때 뒤꿈치 힘이 계속 유지되어 다시 상대 공격을 뒤로 당기며 막을 수 있어야 한다는 의미를 포함하고 있다.
양장을 가져올 때 (⌒) 모양으로 손목을 위로 들어 올려 뒤로 감아 오듯이 축蓄하면서 가져와야 한다. 손목이 안으로 감겨오는 맛이 나와야 한다.

체조에서 삼절三節을 연습하는 자리다. 양장兩掌을 지르고 뒤로 끌어올 때 축蓄으로 들어오므로 굴리듯이 들어 와야 하고, 삼절三節을 맞추기 위해 손과 몸이 뒤로 움직이는 동시에, 앞 발끝을 젖혀야 한다. 대개 몸이 먼저 오고 발이 끌려온다. 중절中節이 몸이므로, 중절이 움직이는데 근절根節(발)이 움직이지 않으면 안 된다.

◉ 응용

① 궁보弓步 양장兩掌을 밀고 두 번째 손을 당겨올 때 손목을 몸쪽으로 뒤로 젖히면 안 된다. 실전에서 상대 공격을 막고 바로 손목을 잡아야 하기 때문이다. 따라서 손목을 젖히지 말고, 당겨서 그대로 눌러 내린다. 처음에 장掌을 지르기 위해 손을 당겨올 때는 손목을 젖힌 다음 장掌으로 민다.

② 상대 우수 공격에 나는 좌측으로 빠지며 막을 때, ①의 운용과 같다. 내 우수는 세워서 상대 우수의 손목에 점點해서 끌어들인다. 내 좌수는 ①의 움직임으로 상대 팔꿈치를 잡아 아래로 눌러 내린다. 여기서 우수로 상대 겨드랑이 아래를 붕권崩拳으로 공격한다. 상대가 좌수로 다시 공격하려고 들어오면 내 우수로 바로 입권立拳으로 들어가 먼저 친다(中四平).

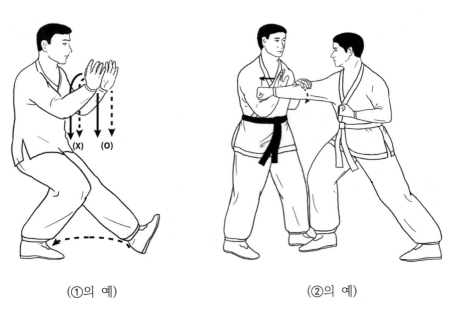

(①의 예)　　　　　　　　　　(②의 예)

제 3 세 견담일월肩擔日月

① 예비세는 제1세와 같다.

② 좌측부터 시작한다. 허리를 축으로 왼쪽으로 몸을 끝까지 돌리며, 동시에 양 팔꿈치를 아래로 양 손바닥을 위로(양장陽掌) 향하게 하여, 팔꿈치를 구부려 올려 몸의 측면에 둔다. 장근掌根에 힘을 주어 젖혀 올린다. 흡기吸氣를 배합한다.

③ 이어서 정면으로 몸을 돌려오며 손은 뒤집어 음장陰掌으로 변화하면서 가슴 앞에서 아래로 내린다. 호기呼氣를 배합한다. 의념意念은 명문혈命門穴에 둔다.

오른쪽도 실시한다.

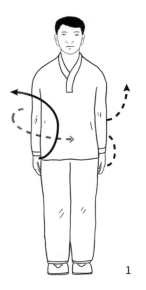

1   2   3

4

◉ 이 동작은 신법身法이다. '내장內壯 7세勢'의 허리 돌리는 동작에서처럼 안법眼法이 맞아야 한다. 양손을 들면 몸의 힘이 빠져 허리가 부드럽게 돌아간다. 따라서 동작 위주로 짠 것이다. 그러나 〈내장세內壯勢〉에서 허리에 손을 대고 허리를 돌리는 것은, 몸을 안정시켜 호흡 위주로 허리를 돌리기 위해서다. 예를 들면, 상대가 공격하는 손을 오른편으로 돌며 막고 다른 손이 오면 다시 몸을 왼편으로 원위치하며 장掌으로 눌러서 막는다. 아니면 원위치하면서 공격할 수도 있다. 다양하게 응용할 수 있다. 도인법導引法은 모두 무예 신법으로 움직여야 한다.

◉ 허리를 좌우로 돌리며(호고虎顧) 일월日月(음양陰陽, 좌우수左右手)을 들어 올릴 때, ㈎ 처음에는 손목을 꺾어서 힘을 주어 올리고, ㈏ 다 올라가면 손목 꺾는 것이 풀어져 장심掌心이 자연스럽게 보자기처럼 되어야 한다. 실전에서 그렇게 되어야 상대 팔을 들어 올릴 수 있다. 즉 손을 던지는 것과 같은 손목 움직임이 된다. 3세勢는 탁탑세托塔勢이다. 돌아간 허리와 올라간 손이 끊어짐 없이 와야 한다. 손등으로 상대 주먹 받아 올리는 것도 탁탑이다.

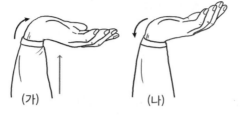

(가)　　　　(나)

(탁탑의 예)

제 4 세 붕조전시鵬鳥展翅

① 예비세는 제1세와 같다.

② 좌측부터 시작한다. 좌족左足을 어깨너비로 벌리는 것과 동시에 양손을 단전丹田 부위에서 장심掌心을 위로 하여 손가락이 마주 보게 양장陽掌으로 만든다. 이어서 양팔을 측면으로 머리 위까지 둥글게 올린다. 장심掌心이 위를 향하고 손가락을 마주 본다. 흡기吸氣를 배합한다.

③ 이어서 좌족左足을 우족 옆으로 모으면서 양팔을 몸의 측면으로 내려 단전 부위에서 장심掌心을 위로, 양장陽掌으로 만든다. 호기呼氣를 배합한다.

④ 연이어 좌족左足을 앞으로 한걸음 내디디고 체중을 좌족左足으로 옮김과 동시에 우족右足 뒤꿈치를 들어 올려 앞꿈치로 선다. 동시에 양팔은 가슴 앞으로 끌어 올려 계속해서 장심掌心을 위로 향하게 하여 머리 위로 뻗어 올린다. 양 손바닥을 머리 위로 죽 펴서 올릴 때, 장근掌根이 바깥으로 향하고 손바닥이 수평으로 올라가야 한다. 흡기吸氣를 배합한다.

⑤ 이어서 좌족左足을 우족右足 옆으로 가져오면서, 양장兩掌은 가슴 앞으로 회수해 손가락을 마주 보며 음장陰掌으로 아랫배까지 내린다. 호기呼氣를 배합한다. 의념은 단전丹田에 둔다.

오른쪽도 실시한다.

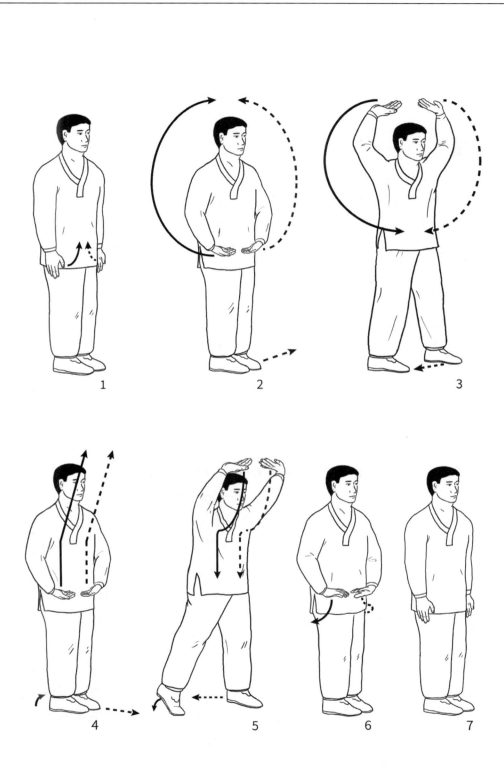

● 손발 배합이 중요하다. 상하상수上下相隨가 되어야 한다.

● 양팔을 측면으로 올릴 때, 손바닥에 힘을 줘서 올리면 몸이 늘어나지 않는다. 몸을 죽 밀어서 늘려라. 몸, 다리, 팔을 늘이는 것이 수련의 목적이다. 팔을 내릴 때는 손바닥을 측면 바깥으로 멀리 밀어내면서 내려라. 팔이 죽 늘어나게 하라. 양팔을 측면으로 올릴 때, 이것이 숙련되고 힘이 잡혀야 상대 주먹을 손등 쪽으로 젖혀 아래로 눌러 막는 것이 자연스럽게 된다.

앞으로 한 걸음 나가서 양손을 위로 들어 올릴 때, 하늘을 향한 손바닥에 힘을 주면 팔이 덜 늘어난다. 힘을 빼고 수련한다. 나가는 발이 약간 더 나가야 뒷발이 잘 꺾어진다. 발가락을 완전히 꺾어 땅에 붙이고 눌러야 한다. 처음에 뒤꿈치 들 때는 발가락과 발가락 뿌리(발볼)로 땅을 누르고, 손을 올려 뻗을 때는 발가락으로만 받쳐 올린다. 발가락은 움켜잡는다. 이 자리에서 발가락 힘을 단련한다. 발가락 힘은 여기밖에 수련할 곳이 없다. 뒤꿈치 들고 팔을 들어 올릴 때, 다 올린 상태에서 남은 여유까지 조금 더 들어 올린다.

● 측면으로 양팔을 올릴 때 수평까지 올린 다음부터 힘을 넣는다.
① 미끄러지듯이(둥글게), 수평에서 위로 팔꿈치를 구부리는 힘(상완上腕의 힘)으로 올린다. 팔꿈치 구부리는 것이 중요하다. (그림2)
② 내릴 때는 다시 수평에서 아래로 팔꿈치를 구부리면서 내린다. (그림3)
③ 뒤꿈치 들 때 천천히 들어서 몸을 밀어 올려라. 완전히 발가락을 꺾고 앞꿈치는 꽉 눌러야 한다. 그래야 앞꿈치 잡는 감각이 강하게 살아난다. 보步가 움직일 때 뒤에서 받치는 발은 뒤꿈치를 꽉 눌러야 한다(천천히 수련).

● **4세勢의 응용**에서 (그림2)의 예는, 실전에서 갑은 우수로 팔꿈치를 약간 펴면서 밀면서 을의 우수 공격을 막으므로, 단전丹田 부위에서 팔을 펴면서 올리는 (그림2)의 이치와 같다(손바닥 방향만 바뀐 것이다). 이때 갑의 왼손은 오른손에 거의 붙여서 움직이며 을의 다음 손에 대응해야 한다.

(그림3)의 예는, 갑은 이 위치에서 우수를 끊지 않고 계속 연결해 나가면서 장掌으로 공격하기 때문에 팔을 펴면서 수평으로 내리는 (그림3)의 이치와 같다. 이때 갑의 왼편 팔꿈치는 을의 좌수를 나拿한 다음 허리 쪽으로 움직여야 숙처에 위치할 수 있다.

정리하면, 을의 우수가 들어오는 것을 갑이 우수로 막되, 미끄러지듯 손등으로 올린다. 그것을 아래로 살짝 당기며 을의 좌수를 유도하고, 을의 좌수가 오는 것을 갑은 좌수로 나拿하고, 우수를 을의 팔 사이로 들어가 팔꿈치를 펴면서 직선으로 장掌으로 친다. 또는 (그림2)의 동선처럼 우수를 위로 미끄러져 올려 장掌으로 턱을 친다. 목을 장근掌根으로 치는데, 엄지와 검지 사이에 목을 끼듯이 하면서 친다.

1

2

(그림2의 예) (그림3의 예)

제 5 세 역반반석力搬盤石

① 예비세는 제1세와 같다.

② 좌측부터 시작한다. 왼쪽으로 왼발을 어깨너비보다 크게 벌려 서면서 양 팔꿈치를 구부려 가슴 앞에서 음장陰掌을 마주 보게 합친 다음, 양장兩掌을 뒤집어 절장切掌으로 어깨높이로 측면으로 민다. 마지막에 장근掌根을 전사纏絲로 비빈다. 흡기吸氣를 배합한다.

③ 이어서 마보馬步로 앉으면서 돌을 양팔로 감싸서 들어 올리듯, 단전丹田 부위 앞에서 양팔을 둥글게 만든다. 장심掌心은 위를 향한다. 호기呼氣를 배합한다.

④ 이어서 일어서며 다시 양팔을 가슴 높이로 들어 올려, 양 팔꿈치를 구부려 가슴 앞에서 음장陰掌을 마주 보게 합친 다음, 양장兩掌을 뒤집어 절장切掌으로 어깨높이로 측면으로 민다. 마지막에 장근掌根을 전사纏絲로 비빈다.

⑤ 이어서 좌족左足을 우족右足 옆으로 가져오면서, 양팔을 측면으로 아래로 내려 마친다. 호기呼氣를 배합한다. 의념은 단전丹田에 둔다.

오른쪽도 실시한다.

◉ 양장兩掌을 측면으로 밀 때 흡기吸氣를 배합하면서 한다. 이때 끝까지 밀어서 멈추어야 한다. 호기呼氣하면서 밀면 끝까지 밀어도 허虛해진다. 힘을 기를 수 없다. 흡기吸氣로 밀어야 힘이 들어가고 힘이 길러진다. 장장掌은 절장切掌으로 나가서 정립장正立掌(손바닥)으로 마친다. 이때 끝까지 장근掌根으로 밀고 나간다.

◉ 마보馬步로 앉을 때, 옆에서 봤을 때 무릎 바깥(앞)으로 손이 나가면 안 된다. 손에 힘을 주고 해야 한다. 마보로 앉을 때, 양손은 몸 측면에서 보아 직선으로 내려가야 하며 몸 전체로 내려가듯 해야 한다. 내려간 손은 멈춰서는 안 되고, 계속 위로 움직이되 마보는 살짝 멈추었다가 다시 일어난다.

◉ 마보馬步에서 음장陰掌으로 손을 모아서 일어날 때, 손바닥을 수평 상태인 그대로 일어서서 가슴 앞에서 손등을 마주 보게 음장陰掌으로 모은 뒤, 전사纏絲로 감아 양쪽으로 장掌을 민다. 상대가 공격할 때 너무 아래에서부터 손을 전사纏絲해서 들어 막으면 안 되기 때문에, 가슴 위치까지 올라와서 손목을 완전히 꺾으면서 전사纏絲하는 것이다.

◉ 두 팔을 가슴 앞에서 (X)자로 교차하면 기氣가 끊어진다. 공방攻防 중에 기氣가 끊어지면 안 된다.

◉ 응용

실전에서 상대 공격을 막을 때 아래서 위로 솟구치며 전사纏絲로 돌려막는다. 아래에서 위로 찌르듯이 올리며(손등이 마주 보게) 움직인다.

① 양손을 아래서 위로 솟구치며 손등을 마주 본 자세에서, 전사纏絲로 돌리며(우수는 오른쪽, 좌수는 왼쪽으로) 손등이 상대 팔에 닿게 막는다. 이어서 좌수는 체조에서 장掌으로 뻗을 때처럼 돌려 나가면서, 상대 팔 안쪽 아래로 손목을 꺾어 내리며 돌린다. 아래로 누르고 바깥으로 젖히는 힘을 계속 유지

하며 우수는 돌려서 장掌으로 친다.

② 상대의 우수 공격에 좌수를 위로 솟구치며 막고, 연이은 상대 좌수 공격에 우수를 위로 솟구쳐 막고, 몸과 발은 계속 들어가며 장掌으로 공격한다.

③ 상대 좌수를 내 좌수로 솟구쳐 막고, 상대 좌수 아래로 내 우수를 찔러 넣어 친다. 솟구치는 힘 때문에 상대 팔 아래에 틈이 생기기 때문이다.

(①의 예)

④ 측면으로 발이 나가서 양장兩掌을 뻗는 것은 앞으로 다리가 나가면서 장掌으로 치는 수법이다.

⑤ 다리를 회수하며(두 발 모으며) 양장兩掌을 아래로 내리는 것은 상대 공격에 앞의 발을 뒷발 가까이 당기며 양손으로 상대 주먹을 받아내는 수련이다. 또한, 실전에서 장掌으로 공격할 때 상대가 막으면 그 손을 눌러 아래로 내리누르는 수련이다.

㉮ 을이 우수로 들어오면, 갑은 우각右脚이 앞으로 나가며 좌수는 안에서 바깥으로 을의 우수를 막고 우수로는 장掌으로 친다. (그림1.2)의 움직임이다.

㉯ 을이 우수로 들어오면, 갑은 좌수는 아래로 받치고 우수는 소지小指 쪽 외연外沿으로 세워 막는다. 동시에 우각右脚을 끌어온다. 좌족左足은 땅을 잡고 우족右足을 끌어온다. (그림4)의 움직임이다.

●導引　體操

(㉮의 예)

(㉯의 예)

제 6 세 추창망월推窓望月

① 예비세는 제1세와 같다.

② 좌측부터 시작한다. 얼굴을 좌로 돌려 좌측을 보면서 양팔은 우측으로 가슴 높이로 장掌으로 나란히 들어 올린다. 우수는 모지拇指가 위를 향하게 들고, 좌수는 소지小指가 위를 향하게 뒤집어서 든다. 흡기吸氣를 배합한다.

③ 이어서 우족右足을 오른쪽 뒤로 딛고 좌궁보左弓步를 만든다. 동시에 양팔을 좌측 전방을 향하여 절장切掌으로 밀어낸다. 호기呼氣를 배합한다.

④ 양수兩手를 허리로 권拳 또는 장掌으로 가져오며, 좌족左足이 우족右足 뒤로 빠지면서(삽보插步)(흡기吸氣를 배합한다), 우수는 위로 머리를 감싸고 좌수는 오른쪽으로 장掌으로 밀어낸다. 시선은 왼손 호구虎口 아래에 둔다. 꿇어앉는 동작(坐盤步)과 손을 밀어내는 동작은 서로 일치하여 어울려야 한다. 호기呼氣를 배합한다. 의념은 노궁혈(勞宮穴: 장심掌心)에 둔다.

⑤ 계속해서 좌족左足을 우족右足 옆으로 가져오면서 일어서고, 얼굴을 오른쪽으로 돌려 좌측을 보면서 양팔은 좌측으로 가슴 높이로 장掌으로 나란히 들어 올린다. 좌수는 모지拇指가 위를 향하게 들고, 우수는 소지小指가 위를 향하게 뒤집어서 든다. 흡기吸氣를 배합한다.

⑥ 이어서 우족右足을 오른쪽 뒤로 딛고 좌궁보左弓步를 만든다. 동시에 양팔을 좌측 전방을 향하여 절장切掌으로 밀어낸다. 호기呼氣를 배합한다.

⑦ 양수兩手를 허리로 권拳 또는 장掌으로 가져오며, 우족右足이 좌족左足 뒤로 빠지면서(삽보插步)(흡기吸氣를 배합한다), 좌수는 위로 머리를 감싸고 우수는 왼쪽으로 장掌으로 밀어낸다. 시선은 오른손 호구虎口 아래에 둔다. 호

기呼氣를 배합한다. 의념은 노궁혈(勞宮穴: 장심掌心)에 둔다.

⑧ 우족右足을 좌족左足 옆으로 가져오면서 일어서고(흡氣), 양손을 가슴 앞으로 모아 아래로 음장陰掌으로 내려 마친다. 호기呼氣를 배합한다.

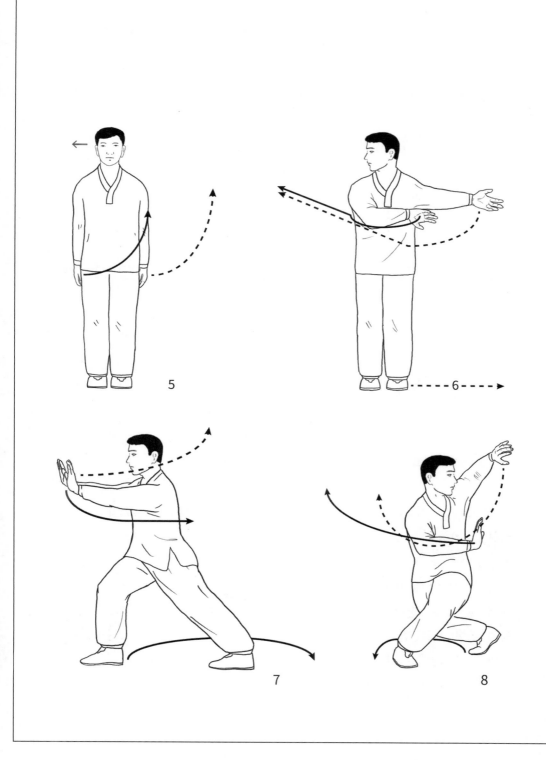

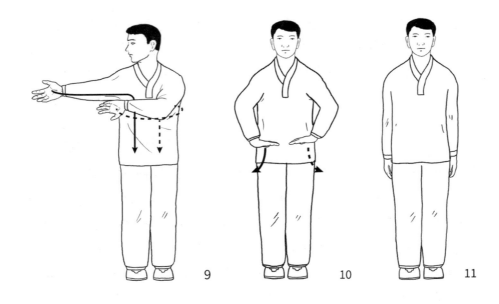

9   10   11

◉ 요보拗步로 걸어 들어가 좌반坐盤으로 당두포세當頭砲勢를 할 때, 자세가 잡힌 다음 몸을 한번 굴려준다. 좌반의 힘을 기르기 위해서다. 실전實戰에 그대로 쓰이는 동작이다. 상대가 두 번 들어올 때 그렇게 움직인다. 상대가 우수로 공격하면 오른발이 앞으로 나가 우수로 걷고 좌수로 찌르며, 상대가 다시 내 좌수를 막고 다시 공격하면 나는 왼발이 오른발 앞으로 나가면서 왼편으로 좌반으로 돌며 좌수로 올려 막고 우수로 공격한다.

◉ 양팔을 측면으로 올릴 때, 손목에 힘을 넣어 뻣뻣하게 올리지 않아야 한다. 실전에서 상대 팔에 손이 걸려서 안 된다. 항상 팔뚝이 먼저 올라가고 손은 마지막에 올라가는 형식이 되어야 한다. 상대 손을 옆으로 잡기도 하고 받쳐 올리기도 한다. 예를 들면 상대 공격 손을 위로 걷고 상대 팔 아래로 들어가 겨드랑이를 친다. 찌를 때는 허리를 돌려 푹 찌른다. (그림2.3의 예)

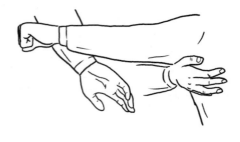

◉ 측면으로 양팔을 올릴 때 좌우 손의 의미가 다르다. (그림2)에서 A는 위로 오는 공격을 막기 위해 위로 들어 올리고 B는 몸 안에서 바깥으로 상대 손을 둥글게 돌려서 막는 것이다.

허리로 양손을 당겨올 때 손 모양이 변하지 않고 C로 한 발 옮길 때 손이 같이 온다. 그리고 궁보弓步로 변할 때, 양손이 허리 쪽으로 움직이면서(그대로 움직여 나가도 되고, 양 손바닥이 위로 가게 돌리면서 움직여 와도 된다) 쌍장을 지른다. 이어서 가슴으로 양손을 끌어오는 것은 상대 손을 채는 것이다. 몸은 두고 손이 당겨진다. 마지막 당두포세當頭砲勢는, 든 손은 상대를 막고 가슴에 있는 손은 중궁中宮을 지키는 손이다. 공격 또는 수비를 하기 위한 손이다.

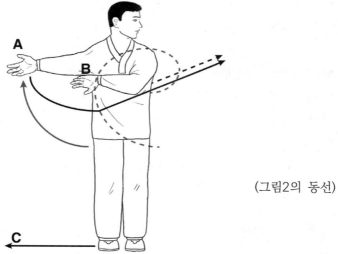

(그림2의 동선)

◉ 도인체조導引體操에서 우족右足이 좌족左足 뒤로 가며 좌반식坐盤式으로 만들고 왼쪽으로 장掌을 민다면, 이때 오른발이 왼발 뒤에서 앞으로 가니까 왼발(뒤에 있는 발)이 중심이 된다. 몸의 중심이 있어야 하고, 상대의 발과 같이 움직여야 한다. 이때 발의 이동은 끊지 말고 계속 연결해야 한다. 좌족에 체중을 싣자마자 우족이 움직여야 안 끊어지는 것이다.

● 좌반보坐盤步로 만든 후 자세가(上體) 변치 않아야 한다. 변하면 다리 자세가 틀어진다. 이때 좌반보는 보형 연습 때보다 발이 뒤로 더 잘 들어간다. 뒤꿈치를 지면에 붙이는 힘을 주되 장딴지 근육이 늘어나야 한다.

당두포세當頭砲勢는 두 손 모두 장掌이 전면으로 오게 힘을 주고 밀면서 위쪽으로 올려야 한다. 상대 공격을 밀어 올리면서 막는 자세이다. 그렇게 되면 올린 손으로 바로 상대를 칠 수 있다(상대 팔의 바깥에서 안쪽으로 밀어 올려 막을 때). 막은 다음 다시 손을 뒤집어 상대 팔 위로 또는 아래로 뒤집어 공격할 수 있다(상대 팔의 안쪽에서 바깥쪽으로 막는 경우).

양장兩掌을 밀고(弓步) 뒤로 좌반을 만들 때 발바닥을 몸 가는 쪽(회전하는 쪽)으로 비벼야 한다(발 신법). 좌반에서 일어서는 것도 발을 정면으로 비벼 돌리며 일어서야 한다.

● 좌궁보로 양장兩掌을 찌르고 좌반으로 양손을 끌어올 때 상대 우수를 양손으로 끌어오며 막는 것이 된다. 다시 상대가 좌수로 찔러오면 내 우수(상대 손목 부위)를 들어 올리며 상대를 막고 내 좌수(상대에 가까이 있는 손)로 공격한다. 반대로 상대 중궁中宮으로 들어갔을 때는 다르다. 앞에 있던 손으로 들어 막는다. 양손으로 상대를 막을 때는 상대 몸 가까이 접근해 있는 손으로 공격해야 한다. 공격 거리가 짧아진다.　　　　　(응용의 예)

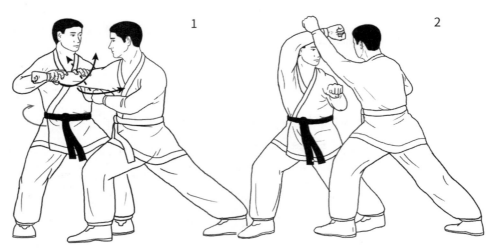

1　　　　　　　　　　　　2

제 7 세 영풍탄진迎風撣塵

① 예비세는 제1세와 같다.

② 좌측으로 보면서 양팔을 측면으로 들어 올린다. 이어서 정면을 보며 음장陰掌이 마주 보며 양 전완前腕을 가슴 앞에서 모으고, 동시에 좌허보左虛步로 서되 좌족左足 뒤꿈치를 땅에 대고 발목을 뒤로 젖힌다. 흡기吸氣를 배합한다. 이어서 좌궁보左弓步를 만들면서 양팔의 전완부前腕部를 음장陰掌을 살짝 떨어뜨린 상태로 아래로 돌려 앞으로 뻗는다. 호기呼氣를 배합한다.

③ 이어서 뒤로 몸을 물리면서 좌궁보左弓步를 좌허보左虛步로 만들고 양팔의 전완부前腕部는 음장陰掌을 붙인 상태로 위로 가슴 쪽으로 당겨온다. 흡기吸氣를 배합한다. 계속해서 좌족左足을 우족右足 옆으로 가져오며 몸을 바르게 세우는 것과 동시에 양수兩手를 측면으로 둥글게 얼굴 위치까지 올리며 계속 흡기吸氣를 배합하고 가슴 앞으로 양손을 모아 단전 부위로 내린다. 호기呼氣를 배합한다. 오른쪽도 실시한다.

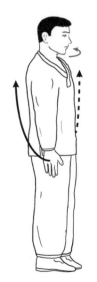

1

2

◉ 감아 돌릴 때는 손등을 붙인다. 팔을 펼 때는 손등이 떨어져 앞으로 민다. 뒤집어 펼 때 손을 위로 올리는 것이 아니라 뒤꿈치에 힘을 주고 앞을 향해 통나무처럼 밀어내도록 수련해야 한다. 허보虛步로 회수할 때도 뒤꿈치 힘으로 몸을 당긴다.

양팔 측면으로 벌려 안으로 모아 뒤집어 팔을 밀 때의 힘은, 뒤집은 팔 위쪽(팔의 외연)으로 흐르며 늘이는 수련이다. 실전實戰에서 '외용外勇 6세勢'의 부퇴보仆腿步로 팔을 뒤집어 아래로 찌르는 것과 유사하게 사용한다.

◉ 응용

① 상대 주먹을 팔뚝 안쪽으로 또는 손으로 막고, 계속해서 팔꿈치를 돌려 아래로 밀어치는 것을 수련하는 것이다. (그림2,3)

② 상대 손이나 발 공격을 아래로 안에서 바깥으로 위로 들어가 들며 나가면서, 그 손을 상대 쪽으로 바르게 뒤집어 얼굴을 장掌으로 친다.

③ 구수로 당겨 궁보로 손등 붙이고 밀 때. 들어 올리며 막고 구수로 상대 손목(팔)을 안는다. 상대는 낀 상태가 되어 못 움직인다.

또는 ①에서 들어 올린 손을 장掌으로 만들어 친다. 또는 ①에서 상대 우수가 다시 들어오면 장으로 내 안쪽으로 돌려막는다. 이것이 궁보로 손등을 붙여서 뻗었다가 다시 구수로 가슴 앞으로 회수할 때의 동작이다. (그림5,6)

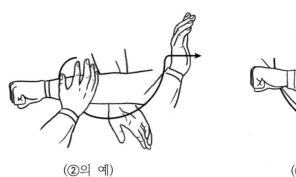

(②의 예)　　　　　　　　　　(③의 예)

● 2세와 7세의 비교

① 7세는 2세와 달리 양손이 양쪽으로 벌어질 때는 발은 아직 나가지 않고 손이 중앙으로 모여질 때 발이 나간다(나가면서 상대 공격을 수비하므로). 양손을 벌려서 허보虛步로 앉으며 가슴 앞에서 꼬아서 미는 동작에서는 시작은 손 발이 같이하고, 밀고 나서 회수해서 일어설 때 양손을 옆으로 크게 벌려 올려 음장陰掌으로 내린다. 옆으로 올라가서 내려오지만, 실전에서는 올라가는 손은 상대 공격을 내 몸 바깥으로 걸어내며, 내리는 동작은 상대를 장掌으로 치는 것이 된다. 또는 장외연掌外沿으로 걸어 올리다가 접촉한 상태로 내 손을 손등으로 미끄러뜨려 바로 장掌을 칠 수 있다. 2세의 자세는 중심이 뒤에 있지만, 양손, 양발이 앞으로 나가는 형태로 중심 연습을 하고, 7세의 두 손 모으고 발이 나가서 손을 뒤집어 뻗으며 앞발 나가는 것은 제자리 중심으로 움직이는 수련이다.

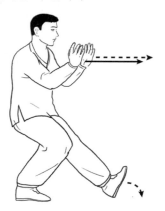

(2세와 7세)

② 제7세의 (그림5.6)에서 손등을 마주 보고 축축(蓄)했다가 일어서면서 양쪽으로 손 벌려 가슴에 모으는 것은, 상대 주먹을 축하면서 양손으로 받아 내리는 것이다. 예를 들어 을이 우권(右拳)을 찔러오면, 갑은 축축(蓄)하면서 양손으로 상대 우수를 받는다. 그러면 을은 갑에게 가까이 오게 되니까 자연히 숙처에 있던 반대 주먹을 찌른다. 그러면 갑은 한 손이 위로 올라가며 상대 주먹을 걸어 위로 바깥으로 살짝 막으면서 계속 그 손으로 장(掌)으로 상대 얼굴을 친다 (몸을 일으키며).

1　　　　　2

(②의 예)

제 8 세 노옹불염老翁拂髯

1 예비세는 제1세와 같다.

2 좌측부터 시작한다. 얼굴을 왼쪽으로 돌려 좌측을 보면서 양팔을 측면으로 음장陰掌이 앞으로 오도록 소지小指가 위를 향하게 뒤집어서 든다. 어깨 높이로 나란히 벌려 든다. 흡기吸氣를 배합한다.

3 양 음장陰掌을 양장陽掌으로 만들면서, 동시에 좌족을 왼쪽 측면으로 뒤꿈치부터 딛고 나아가며 좌궁보左弓步를 만든다. 계속해서 양장兩掌을 절장切掌으로 변화하여 앞뒤로 뻗는다. 계속 흡기吸氣를 배합한다.

4 이어서 좌족左足을 우족右足 옆으로 가져오며 정면으로 몸을 돌려 서며 양장兩掌을 가슴 앞으로 모아 단전丹田 위치까지 쓸어내린다. 호기呼氣를 배합한다. 의념은 단전(丹田)에 둔다. 오른쪽도 실시한다.

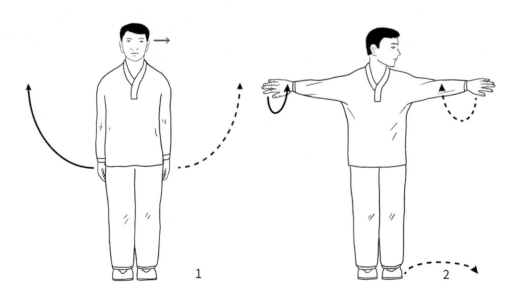

3

4

5

6

◉ 응용

① 이 동작은 상대 주먹이나 발 공격을 받아서 내 몸 안쪽에서 바깥으로 걸어 올리는 것이다. 이어서 걸어 올린 손으로 공격하는데 새끼손가락을 상방으로 하여 걸어 올린 다음, 역전사逆纏絲로 손을 감아서 다시 순전사順纏絲로 펴면서 장掌 공격을 한다. (ㄱ) 새끼손가락을 위로 향하여 상대 팔을 걸어 올린다. (ㄴ) 상대 팔꿈치 아래쯤에서(상대가 모른다) 반대로 손목을 꼬아 구수처럼 힘이 모이게 한 후에(거의 구수로 꼬아도 된다), (ㄷ) 전사로 들어가 절장切掌으로 공격한다. 전사를 해서 치지 않으면 힘이 없다(모든 수법이 다 그렇다). 수련할 때는 상대가 모르게 살짝 (ㄴ) 동작을 넣어서 수련한다.

상대가 발 공격을 할 때 상대 발을 걸고, (ㄴ) 과정을 상대 다리 위에 붙여 타고 들어간다. 수법手法도 이렇게 위쪽에서 붙어갈 수 있다. 태극의 원리다.

상대 공격을 외연으로 아래로 막지만, 손을 뒤집어 바로 장으로 상대 손목 아래로 움직여 친다. 평소처럼 외연으로 위로 막으면(背掌) 다시 손을 뒤집어 위의 공격처럼 해야 하므로 속도가 느리게 된다. 같은 수手에서 장掌을 뒤집고 안 뒤집고 차이에서 상대보다 종이 한 장 차이의 빠름이 나온다.

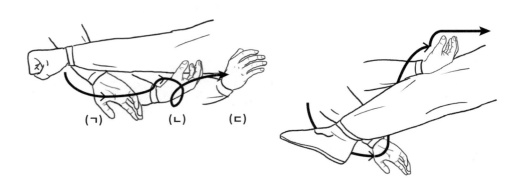

(ㄱ)　　(ㄴ)　　(ㄷ)

(①의 예)

② 상대 공격을 전사纏絲로 막을 때, 거의 우수 엄지 부위부터 점點하여 상대 팔 위에서 붙여 굴려 간다. 계속해서 팔꿈치 부위까지 굴려 간 다음, 팔꿈치에 장掌을 붙여서 밀어가면 상대는 팔을 회수하지도 공격하지도 못하게 된다. 태극太極으로 들어가면 상대의 노선이 짜부라져 세勢를 잃는다.

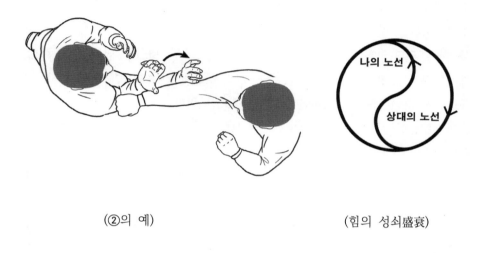

(②의 예)   (힘의 성쇠盛衰)

③ 상대 공격에 역전사逆纏絲를 만들었다가 다시 전사를 풀며 장掌을 친다. 역으로 전사를 만들 때 엄지 뒷부분으로 접촉한다(손가락 하나 부위). 몸은 손과 약간 반대로 신법이 쪼여져 움직였다가 손과 몸이 다시 반대로 풀어지며 공격하게 된다.

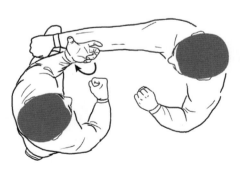

(③의 예)

● 양장兩掌을 앞뒤로 밀 때 앞의 손은 수평으로 나아가고 뒷손이 앞 손보다 높아선 안 된다.

● 도인체조에서 장掌을 밀어낼 때 계속 숨을 들이마시는 이유가 있다. 실전實戰에서 상대 공격을 막을 때 흡기吸氣하면서 막는다. 그리고 공격할 때 호기呼氣하는 것이 아니다. 흡기吸氣 상태가 계속 유지되다가 칠 때 폐식閉息을 하게 된다. 따라서 약간 폐식閉息 후 받은 숨만 내쉴 뿐이지 호기呼氣를 계속하면서 공격 손이 나가지 않는다. 그러므로 체조 수련을 할 때 나가는 손 동작에서 흡기吸氣를 계속하는 것이다. 중요한 원리이다.

폐식閉息하는 이유는, 멈춰야(靜) 여유(觀)가 있기 때문이다. 멈춰야(神) 마음(心)이 멈추고 돌아보고 생각할 수 있다(意). 그래서 받은 숨을 쉬면서 상대를 친다. 무예武藝는 막는 힘밖에 없다. 즉 공격을 위해 따로 숨을 들이쉬고 내쉴 필요 없이 막을 때 축적蓄한 호흡呼吸 그대로 친다. 또한, 막을 때 의도적인 힘이 없어야 하지만 영기靈氣가 서려 있어야 상대 공격을 막을 수 있다. 경력勁力이 수련되어야 이루어진다. 경력勁力은 운동선運動線과 속도를 중요시해야 수련이 된다. 이것이 요결이다.

제 9 세 적성환두摘星換斗

① 예비세는 제1세와 같다.

② 왼쪽부터 시작한다. 허리를 왼쪽으로 돌려 나가는 것과 동시에 양 발가락을 들고, 좌수左手를 왼쪽 유두乳頭방향으로 쓸어 올리며(胃經) 눈은 뒤를 바라본다. 흡기吸氣를 배합한다. 동시에 좌수左手를 좌측 어깨 위에서 뒤로 뻗으며 구수鉤手를 만든다. 양 발가락은 땅을 잡는다. 호기呼氣를 배합한다.

③ 이어서 허리를 앞으로 돌리며 양 발가락을 들고 앞을 바라보며 좌수를 어깨 앞까지 가져 와(흡기吸氣를 배합한다) 몸 측면으로 내린다(호기呼氣를 배합한다). 양 발가락으로 땅을 잡는다. 공을 던지듯 뒤로 앞으로 팔을 움직인다 의념은 단전(丹田)에 둔다.

오른쪽도 실시한다.

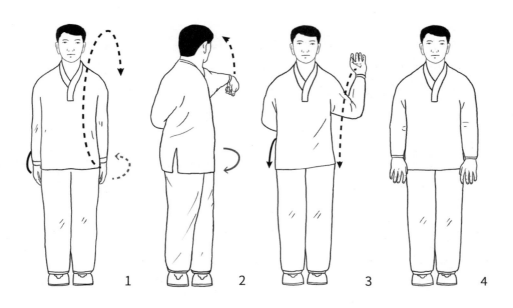

1　　2　　3　　4

◉ 도인법導引法에서 건비공健脾功에 해당한다.

① 발가락 드는 것이 먼저고, 그다음 손을 위경胃經을 따라 올린다. 손, 발가락, 몸과 같이 들어 올린다.

② 이어서 발가락 잡는 것이 먼저고, 그다음 뒤로 장掌으로 밀었다가 구수鉤手를 만든다.

③ 이어서 발가락 드는 것이 먼저고, 그다음 손을 끌어오는데 그물을 잡아오듯 팔이 무겁게, 몸으로 끌어 와야 한다. 장掌으로 앞으로 내릴 때, 팔의 전완前腕이 바르게 선 모양으로 와야 한다. 벌어져 바깥으로 오면 안 된다.

상완上腕을 앞으로 가져올 때 너무 구부려 올려붙이지 말고 자연스럽게 상완上腕이 약간 아래로 기울듯해서 오면 된다. (그림3)

◉ 발가락 들고 구수鉤手로 뒤로 돌리는 것은, 자세 자체가 자연히 배가 나오고 가슴이 올라가게 되어있다. 반드시 허리가 돌아가는 것이 먼저다. '제10세 금강유구金剛揉球'도 허리가 돌아간다. 이때 당기는 손은 팔꿈치가 아니라 손을 당겨야 한다.

제 10 세 금강유구金剛揉球

① 예비세는 제1세와 같다.

② 왼쪽부터 시작한다. 양팔을 측면으로 어깨높이로 소지小指를 위로, 음장陰掌이 앞을 향하게 들어 올리면서 동시에 좌족左足을 좌측으로 뻗으며 부퇴보仆腿步로 변화한다. 눈은 왼편을 본다. 이어서 기마보騎馬步로 변하면서 양팔을 가슴 앞에서 입권立拳으로 변화한다. 이어서 양권兩拳을 허리로 가져온다. 흡기吸氣를 배합한다.

③ 이어서 입권立拳으로 양팔을 앞으로나란히 뻗는다. 호기呼氣를 배합한다. 이어서 권拳을 장掌으로 변화하여 좌수左手는 앞으로 뻗어 나가고, 우수右手는 팔꿈치를 구부리며 가슴 옆으로(宿處) 가져온다. 흡기吸氣를 배합한다. 이어서 반대로 우수를 뻗고 좌수를 가슴 옆으로 가져온다. 호기呼氣를 배합한다. 2번 반복한다.

④ 이어서 좌부퇴보左仆腿步를 만듦과 동시에 양팔을 양장陽掌으로 측면으로 벌린다. 흡기吸氣를 배합한다.

⑤ 좌족左足을 모아서면서 양팔을 가슴 앞으로 쓸어내린다. 호기呼氣를 배합한다. 의념은 단전(丹田)에 둔다.

오른쪽도 실시한다.

1

2

3

4

5

6

7

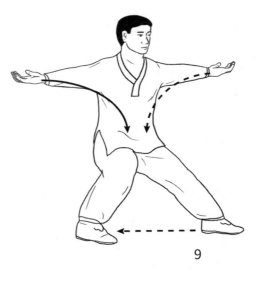

8

9

10   11

● 기마보로 손을 밀고 당길 때, 양팔에 힘을 주지 말고 허리로 당기고 민다. 양팔은 유柔하면서 힘이 살아있어야 한다. 완전히 허리로 밀고 당겨야 허리 감각이 살아난다. 어깨(중절中節의 초절梢節)가 돌아나가니까 허리(중절中節의 중절中節)가 움직여야 한다. 다리는 두고 허리만 돌린다. 이때 당기는 손은 머리 가까이 온다. 당기는 쪽이 완전히 뒤로 돌아가야 미는 손이 끝까지 나가게 되고 허리 신법身法이 이루어진다.

반드시 가슴과 허리가 손과 같이 나오게 한다. 〈좌공坐功〉의 장掌, 구수鉤手 수련과 같지만 좌공의 구수와 장은 당기는 힘이 있고(2단계), '금강유구金剛揉球'에서 두 손이 교대로 들어가고 나오는 것은 동시에 움직이는 것이다(1단계). 즉 당기는 힘이 없다. 따라서 기격技擊 시에 아주 빠른 것이다. 상대를 막는 것과 공격이 동시가 된다. 다시 말하면, 양수兩手를 동시에 쓰는 것이므로 반동을 이용하는 것이 아니다. 양손을 동시에 쓰므로 아주 빠르다. 상대 손을 당기지 않는다. 기마보로 수련해야 선 자세로 공법功法이 된다.

● 투로套路에서 기마보騎馬步로 정면으로 권拳을 지를 때, 둔부를 뒤로 약

간 빼고 권의 방향은 대퇴를 구부린 각도로 약간 아래로 나가야 하고, 팔꿈치
와 무릎이 합해야 한다. 따라서 도인법에서 팔을 밀고 당길 때도 둔부를 뒤로
빼면서, 나가는 팔의 무릎이 살짝 앞으로 나가듯이 움직이며 조화가 되게 한
다. 들어오는 팔도 역시 같다. 삼절三節이 맞아야 한다. 단 상체가 서지 않고
앞으로 기울어지면 허리가 안 돌아간다. 허리를 세워야 돌아간다.

〈포가권抛架拳〉 '우허보쌍발장右虛步雙撥掌'에서 상대 발을 막고 횡橫으로
칠 때, 허리 감각으로써 허리를 움직여 좌로 돌고 우로 친다. 상대 발을 잡지
말고, 또 막는 시간을 길게 하지 말고 상대 발이 제압되자마자 바로 공격한
다. 이때 허리 감각으로 좌우로 돌리며 횡으로 친다. 만약 과도하게 좌로 돌
리는 경우는 허리 감각을 느끼지 못해 필요 이상으로 돌리는 것이다.

◉ 상대 공격을 막지 않고, 당기지 않으면서 바로 공격하는 세勢다. 양손은
이동 거리의 중간위치에서 교차하여야 한다. 내게로 다가오는 손은 상대 손으
로 생각한다. 내게로 정면으로 다가오는 힘은, 상대 손을 막을 때(상대가 목적
하는 위치로 나의 손이 가는 것이다) 좌우 가슴 방향이 바뀌고(신법에 따라서)
그 거리만큼 나가는 손은 빠르게 도달하므로 동시에 막고 찌르는 공격이 이루
어지는 것이다. (그림)의 ㉠ 위치에서 상대가 공격한 팔이 제어된다. 응용으로
상대 주먹을 막지 않고 바로 비켜서 공격할 수도 있다.

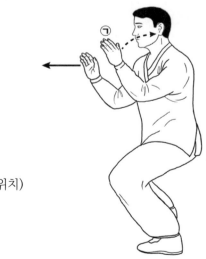

(수비 손의 위치)

◉ '금강유구金剛揉球'에서 기마보騎馬步로 양손을 밀고 당기는 것은 수법 수련이지만, 기마보 수련이 주가 된다. 실전에서 상대 측신側身으로 들어가 상대 팔을 당기며 부러뜨리는 동작으로도 사용하는데, 다리는 측신이 되어야 하므로 기마보다. 즉 기마보의 힘으로 행해야 힘이 나오므로 기마보 수련으로 힘을 길러야 한다.

제 11 세 백학양시白鶴亮翅

① 예비세는 제1세와 같다.

② 양손을 아랫배 앞에서 음장陰掌으로 붙이며 몸 앞으로 가슴까지 들어 올린다. 계속해서 뒤꿈치를 들며, 음장陰掌을 가슴 앞에서 떼며 위로 앞으로 밀어서 양장陽掌으로 허리까지 내린다. 뒤꿈치를 내린다. 양손이 정점에 갈 때까지 흡기吸氣를 배합한다. 이어서 내릴 때 호기呼氣를 배합한다.

③ 이어서 음장陰掌으로 몸 측면으로 양팔을 어깨높이까지 벌려 올린다. 계속해서 음장陰掌을 양장陽掌으로 변화하며 양 손가락이 마주 보게 머리 위까지 둥글게 올린다. 뒤꿈치를 든다. 흡기吸氣를 배합한다.

④ 이어서 측면으로 허리로 양팔을 내린다. 뒤꿈치를 내린다. 호기呼氣를 배합한다. 의념은 단전(丹田)에 둔다.

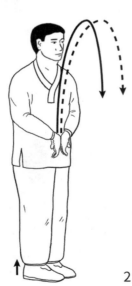

1   2   3

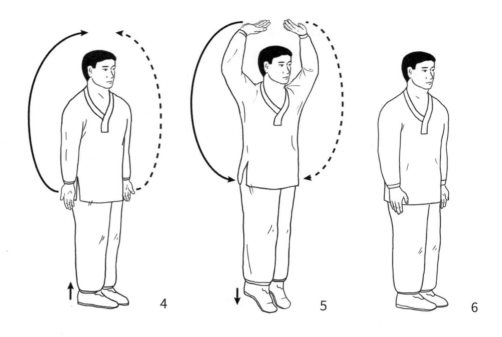

● 팔을 아랫배에서 구수鉤手로 들어 올릴 때까지는 호흡呼吸을 약하게, 구수鉤手를 가슴 위로 들어 앞으로 밀어낼 때 뒤꿈치 들고 호흡을 크게 한다.

● 응용은 상대 주먹을 아래서부터 구수 모양으로 올라와 상대 팔뚝에 팔목을 점點한 다음, 위로 올리면서 배장背掌으로 펴면서 젖힌다. 이때 좌수는 따라 올라가 상대 팔꿈치에 댄다.

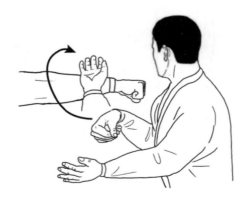

(그림2.3의　응용)

또는 상대 우수가 오면, 나의 우수 손등으로 상대 공격 손의 손목을 배장背
掌으로 걸어 죽 내 오른편 바깥으로 밀면서 우족右足이 앞으로 나간다. 문을
여는 것과 같다. 상대를 멀리 떨어지게 만든다. 또는 손등으로 위에서 아래로
눌러 막을 수도 있다. 이때 반드시 구수鉤手의 손 모양으로 시작해 나가면서
손등이 펴지게 운용해야 한다. 그래야 유柔가 이루어진다.

◉ (그림4.5)의 응용은 상대 우권右拳을 손등으로 눌러 막았는데, 다시 좌
수가 들어오면 우수로 장심掌心을 상대 쪽으로 돌려 상대 좌수를 들어 올리고
다시 장掌으로 얼굴을 내려친다. 신법으로써 해야 한다.

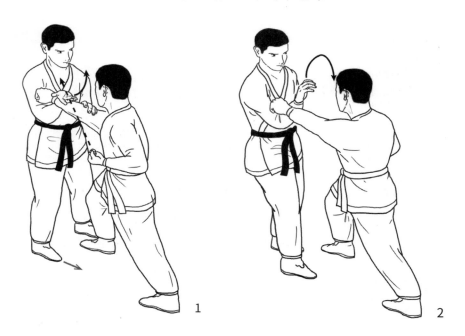

(그림4.5의 응용)

◉ (그림2.3)에서 양손을 돌려 위로 올리는 것은 붕권崩拳의 경勁이다.

예를 들면, 양수兩手로 상대 우수를 감아서 막고, 몸을 좌左로 돌리며 우수
를 붕권으로 친다. 상대 좌수가 내 우붕권右崩拳을 막으니까 다시 몸을 우右
로 돌리며 좌수로 붕권을 친다. 붕권은 좌우로 전신轉身하면서 연습한다.

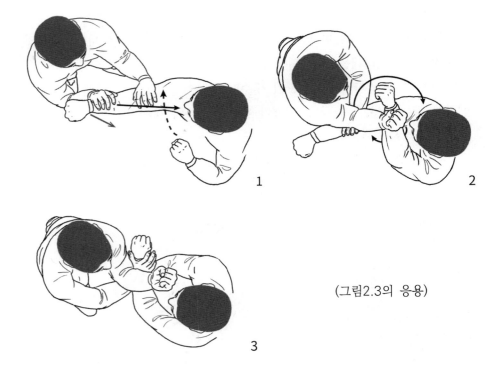

1

2

(그림2.3의 응용)

3

● 導引　體操

● 체조에서 힘을 제대로 기르려면 힘의 강약조절, 호흡이 맞아야 한다. 움직이는 동선에서 속도의 변화는 없다. '백학양시白鶴亮翅'에서 구수를 감아 붕권, 또는 좌공坐功에서 구수를 감아 붕권으로 움직일 때를 예로 들면,

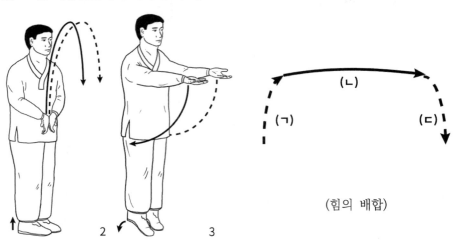

2　　　3

(ㄴ)

(ㄱ)　　　(ㄷ)

(힘의 배합)

(ㄱ)에서는 들어 올리는 힘을 준다. (ㄴ)은 힘을 주는 부위로써, 시작점에서 구수로 손목을 꼬아나가며 힘을 준다. 치는 위치까지 계속 힘을 준다. (ㄷ)에서는 내리는 힘만 준다(완전히 힘을 빼는 것이 아니다). 이 동작에서 어깨를 들면 절대 안 된다.

제 12 세 역호흡逆呼吸

1 예비세는 제1세와 같다.

2 양팔을 앞으로 들어 올려 어깨높이에서 양수兩手를 가슴 앞으로 모아(이 때 남은 숨을 내쉰다) 양장陽掌으로 머리 위로 뻗어 올린다. 동시에 발뒤꿈치를 들어 올린다. 양 손바닥은 위로 향하고(陽掌) 양 손가락은 마주 본다. 숨을 가슴으로 들이마신다. 역逆호흡으로 흡기吸氣를 배합한다.

3 이어서 양팔을 앞을 향하여 허리로 내리며, 발뒤꿈치를 원위치로 내린다. 호기呼氣를 배합한다. 배가 자연스럽게 나온다.

1

2

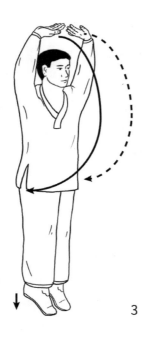

3

4

● 무예 동작의 호흡은 역호흡逆呼吸 밖에 없다. 그 외 다른 도인법導引法 동작은 모두 순호흡順呼吸이다.

● 손을 위로 올릴 때는 하늘을 밀어 올리는 의념으로, 아래로 내릴 때는 스프링을 땅으로 누르는 의념으로 행한다. 양팔을 올릴 때 지기地氣를 끌어올리고, 내릴 때 천기天氣를 끌어내린다. 역호흡을 하는 이유는 들어 올리고 내리누르는 힘을 움직이는 의미가 있기 때문이다.

순호흡은 자연호흡이다. 순호흡은 평상시 호흡을 말하지만, 수련 때는 좀 더 깊고 아랫배까지 호흡이 길어지게 한다. 그러나 인위적으로 무리하면 안 된다. 역호흡은 인위적으로 흡기吸氣할 때 아랫배를 집어넣고 가슴으로 들이마시고 내쉴 때는 자연自然에 맡긴다. 내쉴 때 일부러 배를 내밀지 말고 그냥 배를 자연스럽게 아래로 내리는 식이 되어야 한다.

◉ 역호흡逆呼吸의 착안점

① 시작할 때, 가슴으로 손을 가져오면서 남은 숨을 내쉰다.

② 숨을 먼저 가득 들이마신 후 손을 밀어 올린다.

③ 내장세內壯勢는 아니지만, 숨이 동작을 이끄는 것이다. 신법身法이 더 가벼워진다. 이것을 기준으로 기격技擊에서도 숨부터 먼저 들이마시며 수비하고, 발경을 할 때 폐식閉息하며 짧게 코로 내쉰다. 한꺼번에 다 내쉬면 힘이 끊어져 초식招式을 다 완성하지 못한다.

◉ 도인법導引法에서 위로 팔을 올리는 동작의 구분

① '견담일월肩擔日月'에서 탁탑세托塔勢를 하는 것은 신법을 사용하며 상대 팔꿈치 아래를 탁탑한다. 또는 상대 손목을 탁탑해서 잡는다. 이때 상대 주먹의 진공 방향을 내 의도대로 바꾸면서 잡았던 손으로 바로 들어가며 친다.

② '역호흡'에서 양장兩掌을 올리며 발뒤꿈치를 드는 것은 상대 공격을 위로 들어 올려 막으며 걸어가서 치기 위한 수련이다. 몸과 함께 뒤꿈치를 드는 힘으로 상대 공격을 걸어 올리며, 발끝으로 걸어 들어가 뒤꿈치를 내리며 내려친다.

③ '내장內莊 3세勢', 또는 '붕조전시鵬鳥展翅'에서 손을 위로 올려 하늘을 보는 동작은, 들어가면서 아래서 위로 공격하는 것이다. '내장內莊 3세勢'의 응용수와 같다.

◉ 허리를 잡고 뒤로 도는 '내장內莊 7세勢', 또는 '견담일월肩擔日月'에서 허리를 돌리며 구수鉤手를 만드는 동작에서는 발과 무릎을 움직이지 않고 수련한다. 그래야 허리가 수련된다.

수식收式

① 예비세(吸)에서 양손을 가슴 앞으로 밀어 올리되, 오른손바닥이 왼손바닥 위로 오게 교차시킨다. (呼)

② 양팔을 이마 위로 들어 올리며 손목을 돌려 손바닥이 정면으로 향하게 한다. 계속해서 권拳을 쥐면서 양팔을 몸 측면으로 크게 감아 돌려 양 허리로 가져온다. (吸)

③ 이어서 앞을 향해 양장兩掌을 밀어낸다. (呼)

④ 양장兩掌을 감아 잡아 권拳으로 변하면서 양 허리로 가져온다. (吸) 계속해서 권拳이 장掌으로 변하며 아래를 향해 양장兩掌을 내리누르고 마친다. (呼)

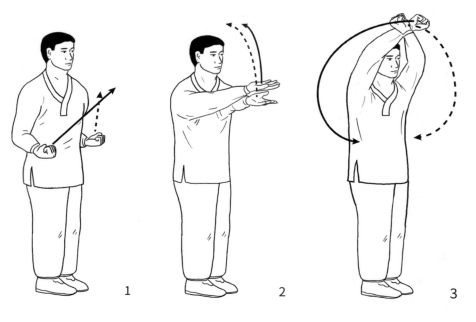

1   2   3

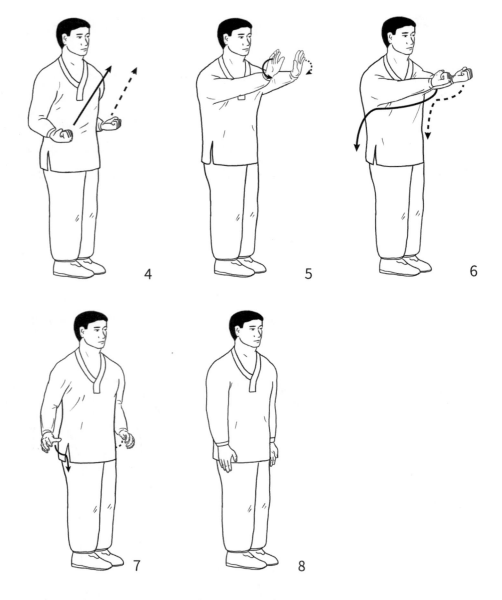

4

5

6

7

8

● 수식收式 마지막 동작에서 양장兩掌을 아래로 눌러 내릴 때, 압력을 주면서 해야 한다. 단전, 명문을 칠 때도 압력을 주기 위해 치고, 잠시 누르듯 멈춘 다음 움직인다. 치고 금방 떼면 안 된다. 상대를 격중擊中할 때도 치고 빠지는 것이 아니라, 친 다음 '압壓'으로 계속 끝까지 밀어친다. 모든 동작을

압력이 있게 수련해야 한다. 그래야 감각적으로 삼절三節이 맞아 들어간다. 예를 들어, '조식토납調息吐納'에서도 기마보로 앉으며 양장兩掌을 누를 때 압력을 느끼며 해야 한다.

  수식收式을 멀리, 크게 뻗으며 돌리는 이유는, 예를 들어 공방에서 상대 우수를 바깥으로 밀어 막을 때, 나의 우수를 쭉 뻗어 상대 팔을 완전히 밀어 놓고 들어가며 우수로 치기 위해서다.

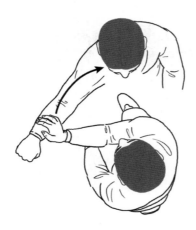

(수식의 수법 응용)

◉ 체조體操와 실전實戰의 관계

  ① 도인법에서 양팔을 올리고, 내리고, 손목을 꺾고 하는 것이 모두 수법手法이다. 실전에서는 원권圓圈이 작아진다. 예를 들어, 상대 우수를 내 좌수로 덮고 우권右拳으로 지를 때, 원권은 작지만, 체조에서 양손이 측면으로 올라갔다 음장陰掌으로 내려오는 동작에서 수련한 동선動線과 힘이다.

  ② 상대 주먹을 내 우수로 젖혀서 막을 때도 체조에서 양팔을 위로 올리면서 손목을 거꾸로 꺾는 것과 같다. 방향은 다르지만, 이 수련에서 얻은 힘이다. 이때 구수鉤手를 할 때처럼 팔뚝을 내 몸 측면까지 와서 붙여 막는다. 그래야 상대 공격이 측면으로 흘러 내 몸(中宮)을 벗어난다. 이때 내 우수로 상대 공격을 감아 내리고 다시 막은 손을 들어 공격할 때, 장掌을 찌르면 손목

을 돌려야 하는 시간 때문에 늦다. 따라서 양장陽掌을 그대로 올려친다. 이 동작이 체조에서 양팔을 들어 올리고 내리고 하는 것과 같다.

(②의 예)

● 체조體操의 삼절법三節法

발뒤꿈치를 들어 올리는 동작들은 모두 기氣(호흡)와 동작 사이의 삼절三節을 맞추는 수련이다. 호흡을 다 들이마시고 동작의 끝에서 힘을 넣으면서 리듬을 잘 맞춰야 한다. 독립보 수련 때도 진각震脚으로 누르면서 반대쪽 다리가 올라가야 한다. 그래야 하체 힘을 쓸 수 있다. 실전도 같다. 무거운 데 가볍게 들어간다. 기氣와 동작의 삼절법이다. 살짝 발을 들며 들어가면서 반대발을 누르며 친다.

【외용세外勇勢】

외용세外勇勢는 기격술技擊術을 의미하는 것이 아니다. 권법拳法, 병기兵器 등 모든 것을 다할 수 있도록 근골筋骨과 관절을 늘여주는 것이다. 외용세는 외공外功이다. 외공은 원래 기격技擊(권법拳法)이 아니다. 몸을 모두 풀어주는 것(解)을 외공이라 한다. 외공은 관절과 근육을 늘여서 저항 근육이 없어지게 한다. 즉 단련을 말한다. 외용세의 목적은 관절을 부드럽게 하는 수련이다 (柔). 따라서 양생養生의 관점에서 외공이라 한다. 그러나 무예武藝에서는 이를 내공內功이라 한다.

외용세는 기예技藝가 아니다. 늘인다(伸). 신법身法 수련이다. 힘은 은은하게 준다. 그래야 늘어난다. 숙련되면 될수록 좋아져야 한다. 외용세는 힘을 빼고 숙련되도록 수련한다. 가볍게, 무게만 있게 하여 자연스러운 힘으로 수련해야 한다. 외용세는 낮게 앉아서 움직인다(기침氣沈). 외용세 수련 후 검劍을 하면 아주 부드럽게 신법身法이 돌아나간다. 외용세는 본래 검법劍法이다.

외용外勇 2세勢는 칠성수七星手지만 손을 약간 멀리 뻗는다. 허보로 옮겨갈 때 손으로 누르며 수법이 움직여야 한다. 4세勢도 손을 누르며 움직인다.

외용外勇 3세勢는 하벽下劈이므로 내려치는 손에 힘을 약간 더 준다. 발은 마지막에 들어서 붙인다.

외용外勇 4세勢는 독립보獨立步로 변하며 좌우 양쪽으로 손을 내려칠 때, 팔을 크게 뻗는다. 독립보는 천천히 하는 것이 아니라 위로 허리와 같이 튕겨 올려 찌른다. 탄력이 있어야 한다.

외용外勇 5勢세는 좌반坐盤으로 앉을 때 많이 앉고 발뒤꿈치 쪽으로 손을 내려친다. 좌반은 자세를 튼튼히 한 기반 위에서 수법을 움직인다. 외용外勇 4세는 내려치며 밀어치는 것이고, 외용外勇 7세勢는 찬격처럼 비벼 찔러 치는 것이다.

외용外勇 7세勢는 일좌보一坐步로 나가는 자세다. 끊어지면 안 된다. 걸어가면서 일좌보가 되어야 하고 수법手法이 계속 연결되어야 한다.

5세勢에서 8세勢까지는 요보拗步(태극보법太極步法)로 걸어가며 하되 확실히 앉은 자세로 해야 한다. 태극보법太極步法은 발을 차듯이 걸어나가야 한다. 발은 바르게 하되 외연의 힘으로 걷는다. 2세의 허보虛步는 더 앉아서 확실히 힘을 잡는다. 앉은 다음 허보를 만드는 것이 아니라 앉으면서 만들어야 한다.

외용外勇 1세勢는 궁보弓步에서 기마騎馬를 거쳐 궁보로 변한다. 2세는 허보虛步에서 기마를 거쳐 허보가 된다. 기마에서 허보로 변하는 것은, 예를 들면 좌각左脚이 우각右脚 앞으로 나가 좌허보左虛步로, 또는 우각이 좌각 뒤로 물러나 디디며 좌허보가 될 수 있다. 즉 앞으로 뒤로 움직여 나간다. 허보에서 앞발을 딛지 않고 살짝 지면에서 들면 독립獨立이 되어 축縮과 발發이 나온다. 발에 힘이 있어야 보법步法을 사용한다. 보步의 변화는 힘이 끊어지지 않고 연결되어야 한다. 그러나 일부러 기마보를 의식적으로 만들면서 수련하면 안 된다. 마보를 거쳐서 궁보, 허보로 움직인다는 의미다.

예를 들어 갑이 우궁보右弓步 우충권右衝拳으로 들어가면 을이 갑의 우수를 받고 우각右脚으로 앞차기를 찬다. 그러면 갑은 기마보로 변하면서 좌수로 을의 발차기를 왼편 바깥으로 걷어내며, 다시 우궁보로 변하며 우충권을 계속 친다. 아니면 기마에서 우수로 을의 발차기를 내려쳐 공격할 수 있다.

【참고】
외용세外勇勢의 도해圖解는 《본국검本國劍》의 〈외용세外勇勢〉 편을 참조하기 바란다.

제 1 세

외용外勇 1세勢는 팔을 뻗어내기 시작할 때 이미 뒤꿈치에 힘이 들어가 있어야 한다. 누르는 손은 누르는 의미를 두되 누르지는 말고, 내미는 손은 누르는 손의 팔꿈치 아래로 나간다.

손은 목 높이로 나가며 좌우수左右手로 공을 잡듯이 모양을 만들어 찌른다. 팔뚝을 의식하며 팔이 나가야 한다. 그러면 진공進攻 방향이 정확하게 잡힌다. 뻗은 손과 뒷발이 일직선이 된다. 손의 진공 방향이 바르게 나가야 앞을 직타直打로 친다. 아니면 곡선으로 찌르게 된다. 즉 제대로 목표지점을 향하지 못하게 된다. 둔부는 낮추고 뒤꿈치는 누르고 몸은 나간다. 뒷발 발뒤꿈치를 틀며 찌르고(묘妙가 있다), 발끝은 앞을 향해야 한다. 이렇게 수련해야 공방에서 발뒤꿈치가 손의 진공 방향으로 비벼 틀어지며 직타直打할 수 있다. 보폭步幅을 넓게 하고 둔부를 낮추고 몸이 앞으로 나가면 앞무릎이 굽어진다. 발뒤꿈치에서 손끝까지 힘이 들어가야 한다. 허리를 늘이는 것에 기본이 있고 그로 인해 발뒤꿈치에서 손끝까지 늘어난다. 손을 뻗어 나가는 것에 핵심이 있지 않다.

요결要訣은 얼굴은 들고·등뼈를 뒤집듯이 펴고(흉추, 요추를 펴는 자세)·엉덩이 내리고·발은 움켜잡고 지르면서 뒷다리를 움직여 발바닥을 비벼 완전히 일직선으로 늘여야 한다. 몸은 옆으로 넘어지지 않게 하면서 최대한 숙인다. 뒤꿈치가 몸의 회전에 맞춰 돌아가면서 찌르고 뒤꿈치가 다 돌고 나면 찌르는 것도 함께 끝난다.

제 2 세

외용外勇 2세勢는 칠성수七星手를 바깥으로 밀어 막을 때 엄지에서 팔뚝 바깥 면으로 강철이 달려있다고 생각하면서 수련한다(심법心法). 쳐내지 말고 상대 공격을 둥글게 걸어서 막는 느낌이다. 이때 상대가 내가 막는 손을 잡아 당기면 나는 차경借勁으로 상대 힘의 세기와 비례해서 공격해 들어간다.

팔뚝을 바깥쪽으로 펴면서 동시에 앞으로 미는 듯이 움직이고, 팔꿈치는 다 펴지 말고(칠성수七星手이기 때문이다) 구부려야 한다. 옆으로 벌리는 힘과 앞으로 밀어내는 힘이 합해져야 한다. 팔뚝에 힘이 집중되어 있어야 하고 허리는 편다.

양팔의 간격은 좁게 운용한다. 벌어지면 힘이 없다. 앞의 손을 발끝(앞의 발)과 맞게 가져가되 발 외측으로 약간 손끝이 나가도 된다. 몸을 벗어나지 않고 코와 어깨 사이에 두어야 한다. 허리 신법으로 움직이고 뒷발 뒤꿈치에 체중을 완전히 싣고 중심이 잡혀야 한다. 마보馬步 때의 발처럼 힘이 잡혀야 한다. 즉 상대의 큰 힘이 공격해 들어온 것을 생각하고 중심을 잡아야 한다.

〈손가락을 가지런히 · 장심掌心을 공空하게(수심공手心空) · 엄지 벌리지 말고(벌리면 상대 손에 걸려서 약점이 되고 접으면 힘이 들어가지 않게 된다) · 힘을 주면서 · 아주 천천히 나간다〉. 모든 손가락이 조금 구부러지는데 엄지는 안으로 구부러지고 나머지 손가락은 위로 장심掌心 방향으로 구부러진다. 손가락 사이 틈도 균일하고 손끝에 힘도 균일해야 한다. 장심掌心을 세우면 절장切掌이 된다. 모든 수법에서 펼친 손은 같은 모양이 되어야 한다.

2세에서 손목만 회전하여 장을 세우듯 들어가면(칠성수七星手) 전사纏絲가 된다. 또는 그대로 상대 공격을 손등(반배장反背掌) 쪽으로 눌러 들어가는 것도 전사다.

삼절三節이 맞게 천천히 수련한다. 미리 장掌을 뒤집어 밀어라. 발이 먼저 나가면 절대 칠 수 없다(삼절三節이 틀려진다). 차라리 손이 먼저 나가는 것이 더 좋다. 실전에서는 약간 위로(掤), 또는 좌, 우 옆으로 움직인다.

내연內沿으로 밀어내며 막고, 손등으로 눌러서 막고, 팔목 전사로 막고, 엄지 검지 부위로 막는다. 엄지를 구부리면 손가락 힘이 없어진다.

양손이 겹칠 때 두 손이 미끄러지듯이 타고 나가고 들어와야 하며, 숙처의 손이 다시 나올 때 반대 팔꿈치에서 상완上腕 아래쪽으로 손이 들어가면 안 된다. 전완前腕 아래쪽으로 들어가야 한다. 엄지손가락부터 새끼손가락까지 힘이 들어가고 응용은 상대 권拳을 굴려서 타고 들어간다. 장掌을 틀어서 산 장散掌으로 머리를 공격하거나, 목 또는 몸통을 공격한다.

예를 들어 상대가 권拳을 지르면 장내연掌內沿(엄지 쪽)으로 막고 이어서 상대가 발차기를 들어오면 나는 막은 손을 뒤집어 상대 무릎을 압壓한다. 고수高手는 상대가 무릎을 눌러 압壓해도 발을 틀어서 돌려차며 들어간다. 멈추거나 회수하지 않고 한 동작으로 이어진다. 그러나 내가 수數가 높으면 상대 무릎을 압壓하면서 공격이 들어간다. 누가 수가 더 높으냐이며 신법身法의 움직임에서 결정된다.

2세는 칠성수七星手, 즉 공격과 방어 손이다. 2세의 응용은, 첫째 손등으로 상대 공격을 누르면서 낙공落空시킨다. 둘째, 우수 반배장反背掌으로 상대 우권右拳을 받고 들어가는 경우(⌒), 우수가 상대 손을 타고 들어가며 돌려 충권衝拳으로 변하다가(⌒) 다시 반대로 돌리며(⌒) 겨드랑이를 상충권上衝拳으로 친다. 한 동작으로 들어간다.

(외용 2세의 수법)

셋째, 막은 뒤에 손을 바르게 뒤집으면서(손등이 위로) 바로 공격하는데, 계속 들어가며 끊어지지 않게 막고 공격한다. 상대 오른쪽 가슴을 절장切掌으로 돌려친다. 절명絶命한다. 또는 반배장으로 상대 우수를 걷어낸 그대로 상대 팔 아래로 들어가며, 손을 뒤집어 배장背掌으로 상대 왼쪽 가슴을 횡격橫擊으로 친다(소지小指가 위로 향한다).

칠성수七星手는 숙처에 있는 손 아래쪽을 확실히 지켜야 한다. 2세에서 숙처의 손이 음수陰手가 되어야 아래를 방어한다. 상대 권拳을 내리누르는 힘을 품고 있어야 한다. 양손 모두 양수陽手일 때는 허리가 움츠러든다. 주의해야 한다. 수법에서 내리는 손은 드는 손보다 강하다. 2세는 신법과 함께 손끝이 앞으로 옆으로 돌아나가지만, 실전에서는 바로 정면으로 들어간다.

칠성수七星手와 외용外勇 2세勢는, 뒷손이 팔꿈치 바로 아래 약간 앞에서 스치며 나가야 한다. 상대가 우수로 찔러오면, 왼손으로 상대 우수를 덮어 막고 내 우수로 상대 우수 바깥에 댈 때 내 좌수의 위치가 바로 팔꿈치 위치다. 이어서 좌수를 우수 아래로 칠성수로 밀어 막으며 우충권右衝拳으로 공격할 때 신법으로 움직이면 칠성수가 아닌 것처럼 보인다. 즉 몸이 돌면서 좌수로 막고, 우수로 찔러 들어가므로 양손이 벌어져 들어가므로 칠성수가 아닌 것처럼 보인다. (그림: 외용2세의 운용)

칠성수는 앞의 손의 팔뚝에 닿을 듯이 붙여서 뒷손이 나가야 한다. 숙처宿處의 손은 항상 앞에 나와 있어야 한다. 팔꿈치 뒤로 당겨오지 않아야 한다. 허리에 붙어있거나 팔꿈치 위쪽(상완上腕)에 있으면 안 된다.

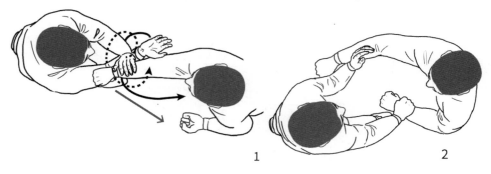

1　　　　　2

(외용 2세의 운용)

◉ 외용세는 관절을 부드럽게 하는 수련이다. 유유柔를 수련하기 위해 반배장反背掌에서 팔꿈치 아래로 나아가는 손을 칠성수七星手로 변화시키지 않고 배장背掌을 바로 밀면서 나간다. 따라서 외용 2세의 움직임과 칠성수의 움직임이 다르다. 칠성수는 기예技藝의 틀이다. 외용세에서 1, 2세가 중요하다.

제 3 세

외용外勇 3세勢는 양손이 같이 돌아서 크게 뒤로 치고 앞으로 내려친다. 몸의 전면에서 45도로 움직인다. 양손이 시작은 같이하지만, 뒷손을 먼저 잡아 힘을 주고, 앞에 있는 손은 앞으로 나가면서 몸 전체가 같이 움직인다. 몸을 숙이는 것이 아니라 축축縮하면서 내려친다. 발을 모을 때 뒤로 당겨오는 발의 무릎이 앞으로 내려치는 손 방향과 일치해야 한다. 그리고 발이 손보다 뒤에 모여야 손과 발의 삼절三節이 맞는다. 모은 발의 발끝으로 땅을 의지해 몸을 지탱한다. 뒷손이 불안하면 앞의 손도 힘이 없다. 확실해야 한다.

중심이 앞으로만 쏠리게 하고(중심을 앞으로 이동하라는 것이 아니다) 한곳이라도 몸이 쉬면 안 된다. 힘을 빼고 기운에 맡기고 신법身法이 운용되도록 수련한다. 나가는 손과 오므려 드는 발이 일치해서 끝나야 한다. 뒷손은 후벽後劈으로 치고, 앞의 손은 어깨 전체를 돌리면서 팔을 회전시켜 내려치되 상완上腕으로 밀어친다. 외용 3세는 신법과 하벽下劈을 치는 연습이다. 상대의 손이든 발이든 공격을 쪼개버리는 수련이다. 즉 벽격劈擊이나 강강强을 수련하는 것이다.

외용 3세와 요단편拗單鞭 외에 허공을 치며 벽권劈拳을 수련하는 것은 없다.

제 4 세

외용外勇 4세勢는 좌궁보로 먼저 한다면, 우수로 손을 올릴 때(上洗)는 허리와 손이 같이 돌아가고 좌로 몸을 틀면서 우수 외연外沿에 힘이 들어가며 가져오고, 한 동작으로 내려친다. 은은하게 힘을 준다. 가슴으로 팔을 정면으로 끌어온다. 양손 내려치는 것은 가슴을 뒤로 젖히지 말고 날개(腋)를 의식하여 날개로 치듯 한다. 뒷손은 배수配手다. 처음에 양손은 균등히 힘을 주지만 나중에 배수가 된다. 즉 힘이 달라진다. 몸을 바로 세우고 손을 머리 위로 크게 올려, 손과 어깨를 늘여 내려치면서 밀어쳐야 한다.

외용 2세와 4세에서 몸 바깥으로 걷어내는 손은 팔꿈치 부위를 구부려야 한다(칠성수七星手). 그리고 팔 전체가 바깥쪽으로 힘이 들어가야 한다. 팔꿈치에만 힘주는 것 아니다. 그리고 가슴으로 당겨서 밀어 내려친다.

손발이 마지막에 같이 떨어지도록 하고, 내려치는 손이 팔꿈치만 펴는 것이 아니고 무겁게 천천히 팔 전체로 한다. 궁보弓步는 낮게 하되, 이때 상체(가슴)를 숙이면 안 된다. 어떤 동작이든 상체를 숙이면 안 된다. 독립보獨立步는 앉았다 일어서듯이 선다. 마지막 내려치는 손은, 실전實戰에서는 정면으로 상대 손을 제압하고 상대 정수리 가운데를 친다. 중앙만 치고 들어가므로 상대는 정신이 없다. 이때 독립보獨立步로 몸을 들게 되면, 점검세點劍勢처럼 진각震脚에 의해 몸 전체에 힘이 강하게 들어가는 것이 된다.

제 5 세

외용外勇 5세勢는 좌반보坐盤步로 장掌을 내려칠 때 허공을 치는 모양으로 천천히 내린다. 공간의 제약을 받지 않고 어깨가 크게 돌면서 내리고 위로 들어 올린 손은 가볍게 들어 올린다. 어깨부터 팔 전체에 힘이 들어가게 친다.

내려칠 때 내려치는 쪽으로 상체를 기울이지 말고 허리 힘으로 자세를 바르게 세워서 친다. 내려치는 힘이므로 팔꿈치를 다 펴면 안 된다.

손 모양으로 큰 바위를 내리누르듯 힘 있게 누른다. 반대 손은 위로 들어올린다. 좌반보를 만드는 동작 과정과 위로 드는 손과 내려치는 손의 과정이 똑같이 일치되어야 한다. 몸이 가라앉는 것과 같이 장장掌을 아래로 내린다. 자세가 끝난 뒤에 계속해서 손을 더 내리면 안 된다. 장장掌을 내려칠 때 장심掌心에 힘을 넣어야 하는데, 잘 안되므로 손가락을 약간 오므려야 힘이 들어간다. 좌반보를 바르게 잡아야 중심이 쏠리지 않는다.

좌반으로 앉을 때 몸이 돌면서 아래로 눌러야 한다. 좌반이 확실해야 힘이 나온다. 장심掌心에 힘이 강하게(은근하게) 들어가야 한다. 〈허리 · 자세 · 장掌〉, 이 세 가지 중심이 똑바르게 되어야 한다.

◉ 외용 5세에서 장장掌은 내리누르는 용법인데, 상대 권拳을 안에서 바깥으로 젖힌다. 만약 상대의 우권右拳이 질러오면 나의 우장右掌으로 위에서 왼쪽으로 아래로 오른쪽으로 눌러 밀어낸다. 발을 받는 것도 같다. 상대 발을 누르는 것이 아니라 더 못 올라오게 방어하는 것이다.

짧은 동작으로 실전實戰에 응용한다면 예를 들어, 갑의 우각右脚이 앞에 있을 때 을의 우충권右衝拳이 오면, 좌각左脚을 앞으로 나가지 않으면서 갑은 오른편으로 돌면서 우수는 상대 우수를 나拿하고 좌수는 장장掌으로 위에서 아래로 상대 팔꿈치 부위를 내려친다. 자세는 꼭 좌반이 아니더라도 돌면서 장장掌을 내려치는 신법이다.

(외용 5세의 운용)

제 6 세

외용外勇 6세勢에서 구수鉤手로 감아 내려갈 때, 구수를 얼굴 앞으로 감아 가야 한다. 상대 공격이 올 수 있는 영역이기 때문이다. 다리 측면 중앙선을 따라 끝까지 아래로 찔러나간 후 손을 당기지 말고 궁보弓步로 변하면서 그대로 찌른 손을 위로 들어 올린다(衝洗). 부퇴仆腿 방향으로 손을 내려 찌를 때 새끼손가락 쪽 팔 외연外沿에 강철이 붙어있다는 느낌으로 움직인다. 반대 손은 찌르는 손의 상완上腕 위에 걸쳐진다.

부퇴仆腿 쪽으로 찔러갈 때 재봉선 약간 바깥(몸 바깥)으로 찌르는 이유는, 실전에서 구수로 상대 공격을 감아 내 몸 바깥으로 젖혀야 하기 때문이다. 궁보弓步로 일어설 때는 충봉세衝鋒勢의 기세氣勢로 위로 올려 칠성수七星手를 만든다. 실전에서 구수로 감아 상대 찌르고, 그 손으로 바로 위로 올려칠 수 있기 때문이다(상충권上衝拳).

외용 6세는 실전에서 상대 발 공격을 막는 동작이다. 갑이 우각우수右脚右手로 있을 때 을의 왼발이 갑의 오른쪽 몸통으로 차오면 우수를 찔러 넣어 을의 발을 몸 오른쪽으로 튕겨낸다. 손등으로 밀며 들어 올린다. 숙련이 안 되면 손을 다치게 된다. 만약 을의 발이 몸통 왼쪽으로 차오면 왼편으로 발장撥掌으로 쳐내고 들어간다. 이때 상대 발 공격을 손으로 막아서 크게 멀리 쳐내버리면 오히려 상대에게 당한다. 상대 팔이 살아나기 때문이다. 살짝 틈을 만들고 들어가야 한다.

(외용 6세의 운용)

제 7 세

외용外勇 7세勢는 만약 우수로 외략外掠을 한다면, 좌일좌보左一坐步로 외략을 한 다음 일어서면서 우각右脚 좌각左脚 순서로 두 번 걸어나가면서 우수, 좌수 순으로 곧게 찌르고, 계속해서 뒤로 돌며 독립보로 들어서 내려친다. 외략을 하는 팔 전체(어깨부터 손까지)의 외연外沿에 힘이 들어간다. 외략한 우수는 걷어서 올려서 어깨높이로 들고 간다. 올리며 찌르는 손에 힘이 들어가고, 몸을 틀면서 뽑아 반대 손으로 밀어친다. 한 동작으로 동작 전체에 힘이 들어간다. 허공 전부를 가르는 것이고, 부딪히면 그 점點에 힘이 다 모인다.

외략外掠은 상대 공격을 흘려서 막는 것이 되고, 어깨높이로 들고 걸어서 들어가는 것은 외략한 손으로 계속 공격을 한다는 뜻이다. 그 뒤에 왼손이 따라오다가 오른손을 추월하면 오른손 역할은 끝나고, 그다음은 왼손이 공격한다는 뜻이다. 왼손 공격이 끝나면 뒤로 돌아 독립보로 오른손을 뽑아서 찌르며 내려친다. 일좌一坐로 걷어 올려 걸어가 오른손 칠 때까지를 연결한다. 한 초식招式이 된다. 외략으로 올라가는 손은 상대 발차기를 들어 올려 던진다.

독립보로 내려칠 때 내려치는 손은, 손을 뽑아내듯이 하여 내려친다. 팔꿈치로 끌어와서 팔꿈치를 움직이지 말고 천천히 밀어친다. 은은한 힘과 천천히 해야 힘이 길러지고 실전에서 그 힘으로 빠르게 간다.

외용 7세는, 본래는 외략外掠으로 걸어낸다. 만약 좌측 발이 걸어나가면 우수로 좌측 바깥을 걸어낸다. 그러나 그다음 보법步法이 잘 안되기 때문에 내략內掠(우족右足이 나갈 때 우수로 몸 안쪽을 걸어내도록)으로 수련하게 했다. 그러나 외략으로 걸어내도록 숙련시켜야 한다.

◉ 7세勢의 응용

① 을이 우수로 찔러오면 갑은 오른쪽으로 몸을 돌리며 양손으로 상대 공격을 외략外掠한다. 우수는 손등으로 외략, 좌수는 장심掌心으로 상대 팔꿈치에 댄다. 이때 축蓄을 하면서 행한다. 이 경우 을의 공격은 주로 중평세中平

勢 또는 아래 방향(신권세神拳勢)이다. 외략인데 내 몸이 오른쪽으로 돌기 때문에 외략 방향이 내 몸의 중앙과 뒤쪽으로 간다. 그렇게 보인다. 다시 을의 좌수가 들어오면 갑은 좌수로 상대 좌수를 칠성수七星手로 걸고 들어가며, 외략했던 우수로 상대 중궁中宮을 파고든다. 그러면 을의 우수가 갑의 우수를 막는다. 이어서 갑의 좌수가 두 번째 공격을 한다. 을의 좌수가 다시 갑의 좌수 공격을 올려 막으면, 갑의 좌수로 을의 방어 손을 눌러 막으면서 좌독립보左獨立步로 변하며 우수로 내려친다(주로 측신側身으로 변하며 친다).

1

2

3

4

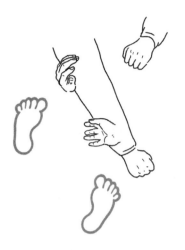

(외략의 동선)

② 팔꿈치로 뽑아 뻗어 칠 때, 끊지 말고 뽑으면서 친다. 칼 동작이다. 수
법手法도 그래야 한다. 예를 들면 첫째, 일반적으로 상대 우수 공격에 상대
중궁中宮으로 들어가면서 내 우수로 안에서 바깥으로 막는다. 상대 중궁을 밟
고 들어갈 때가 가장 위험하다. 상대 좌수가 나오기 전에 쳐야 한다. 그러나
상대 우수가 회수되지 않으면 좌수가 나올 수 없다. 둘째, 팔꿈치를 많이 굽
히며 상대 주먹을 당기듯이 막을 수 있다. 이때 멈추지 말고 계속해서 팔꿈치
를 뽑듯이 찔러 친다.

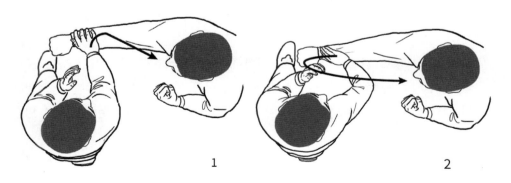

1   2

(②의 예)

제 8 세

외용外勇 8세勢는 몸과 손이 같이 크게 돈다. 칼인 경우 두 사람을 베는 것이다. 앞을 베고 270도 돌아서 벤다. 상대가 더 뒤로 피하면, 몸을 계속 돌려 따라가며 벤다. 이때 발은 좌반坐盤으로 변한다. 반대 손은 머리 위를 막는 형태인데(머리보다 낮으면 안 된다), 배수配手로써 몸이 더 안 돌아가게 만드는 역할을 한다. 둔부가 눌러져 바로잡혀야 하고, 발뒤꿈치를 눌러서 힘을 위로 올리고 허리는 앞으로 늘인다. 앞의 손은 이마 위에 두고 뒷손은 뒤로 뻗는다.

발이 나가며 손을 휘둘러서 상대의 배 높이로 친다. 몸과 같이 팔이 돌아가야 한다. 목을 돌려서 몸을 틀어라. 이어서 궁보弓步로 뒤로 돌며 손바닥을 뒤집어 찌를 때 완전한 궁전보弓箭步로 골반이 돌아가게 늘인다. 허리와 골반이 바르게 정렬해야 하는데, 허리가 앞이나 뒤로 굽지 않고 직선으로 바로 서야 한다. 궁보로 변화할 때 모두 뒷발로 밀어야 한다. 뒤꿈치를 일자一字로 만들어 가는 것이 중요하다.

외용 8세는 칼의 운용이다. 따라서 베고 찌르는 손끝에 힘이 있어야 한다. 막는 손은 영기靈氣가 있어 탄력이 살아있어야 한다. 막는 손이므로 손바닥이 앞을 보게 앞으로 밀고, 위로 올리는 식이 되도록 한다. 등과 엉덩이가 한쪽으로 기울어지면 안 된다. 똑바르게 해야 한다.

외용 8세에서 뒤집어 찌를 때, 엉덩이를 뒤로 빼면서 기마보로 정면으로 주먹 찌르는 신법처럼 한다. 그렇게 해야 중심이 앞으로 쏠리지 않는다. 엉덩이 뒤로 빼는 힘을 주면서 머리 숙이고, 머리 위로 들어 올린 손을 앞으로 민다.

뒤집어 찌를 때 손을 위에서 둥글게 내리는 것 같지만 찌르는 동작이다. 따라서 찌르는 힘이 있어야 한다. 찌르는 손이 뒷발의 다리와 일자一字가 되어 상하上下가 통하는 힘을 느껴야 한다. 눈은 찌르는 손끝을 본다. 팔이 귀를

덮고 나간다. 위로 가는 손 쪽의 등, 골반이 위쪽으로 기울어지게 찌른다(45
도). 막는 손 쪽의 등, 골반은 약간 아래로 비스듬해야 한다. 몸이 삐딱하게
된다. 이것의 응용이 아주 많다. 상대의 측면으로 파고드는 자세다. 상대가
볼 때는 예각이 되어 수비와 공격이 어렵게 된다.

◉ 8세勢의 응용

을의 우수 공격을 갑은 좌수로 덮어 막아 내리며, 동시에 우수로 안쪽 내연
內燃(엄지 쪽)으로 목을 치거나(벤다), 또는 우권右拳(권심拳心이 바깥으로 가게
뒤집어)으로 가슴, 배 등을 사선으로 내려칠 수 있다.

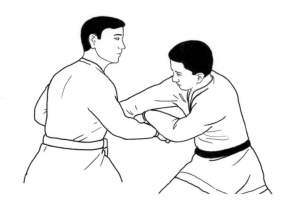

(외용 8세의 응용)

◉外勇勢

【오금수희五禽獸戲】

《용호비결龍虎祕訣》에 수록된 〈오금수희五禽獸戲〉는 역근법易筋法이다. 역근易筋은 힘쓰는 법을 말한다. 지체肢體를 풀면서 힘을 넣는 것, 저항 근육을 없애면서 힘을 기르는 것으로 근筋, 골골骨을 키운다. 역근은 힘을 쓰는 체조로서 맨손으로 되어야 한다. 일반인들이 하면 근육 수련(외형적)만 된다.

1. 학형鶴形(새 자세)

1 예비세 : 두 발을 모으고 자연스럽게 서서 머리를 바르게 하고 눈은 앞을 본다. 마음을 차분히 하고 전신全身의 근육은 느슨히 하고, 양팔은 편안하게 몸 옆으로 내린다. 장심掌心은 안을 향하고, 호흡呼吸은 편안해야 한다.

2 오른발을 들어 좌독립보左獨立步를 만들고, 동시에 양팔을 측면으로 머리 위로 올리며 양수兩手를 구수鉤手로 만든다. 흡기吸氣를 배합한다. 이어서 양수兩手를 장掌으로 변화하면서 측면으로 강하게 내려친다. 호기呼氣를 배합한다. 눈은 약간 아래쪽을 본다. 7회를 행한 다음 좌족左足을 우족右足 옆으로 내려서면서 양팔은 몸 옆으로 내린다.

3 왼발을 들어 우독립보右獨立步를 만들고, 동시에 양팔을 측면으로 머리 위로 올리며 양수兩手를 양장陽掌으로 만든다. 흡기吸氣를 배합한다. 이어서 양수兩手를 구수鉤手로 변화하면서 측면으로 강하게 내리면서 훑어온다. 호기呼氣를 배합한다. 7회를 행한 다음 우족右足을 좌족左足 옆으로 내려서면서 양팔은 몸 옆으로 내린다. 또는 2를 4회, 3을 3회로 해도 된다.

● 五禽戲戲

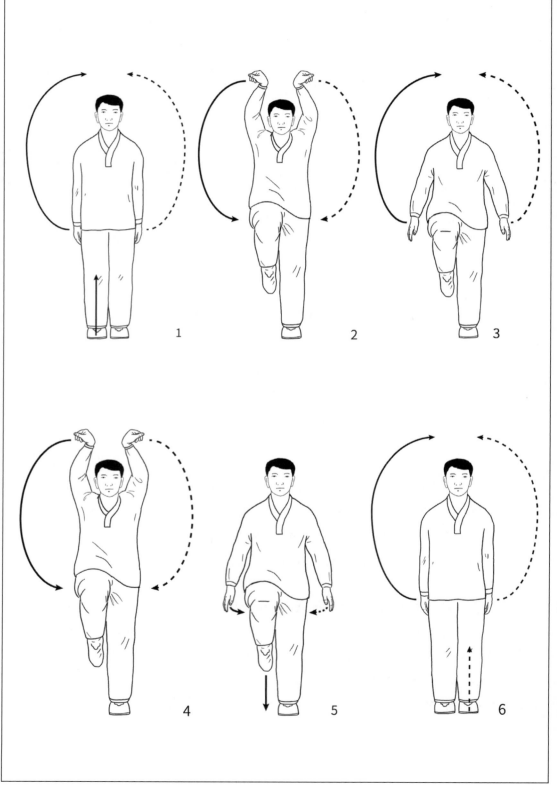

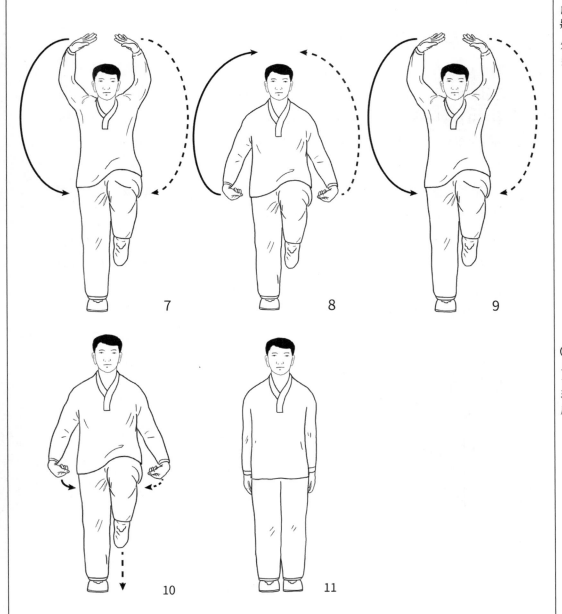

7

8

9

10

11

◉ 새 자세는 좌공坐功 2로路의 횡벽橫劈과 4로路의 제2세를 포함한다.
각 7회씩 행한다.

2. 후형猴形(원숭이 자세)

[1] 예비세 : 두 발을 모으고 자연스럽게 서서 머리를 바르게 하고 눈은 앞을 본다. 마음을 차분히 하고 전신全身의 근육은 느슨히 하고, 양팔은 편안하게 몸 옆으로 내린다. 장심掌心은 안을 향하고, 호흡呼吸은 편안해야 한다.

[2] 왼발을 좌로 어깨보다 더 벌려서 놓으며, 동시에 양손을 장심掌心이 앞을 향하게 하여 머리 위로 바르게 올린다. 흡기吸氣를 배합한다.

[3] 이어서 폐식閉息을 하며 동시에 양수兩手를 권拳으로 변화하여 주먹을 쥐고, 기마보騎馬步로 앉으면서 양팔을 측면으로 구부려 내린다. 그 자세에서 손을 풀며 호기呼氣를 배합한다. [2]·[3]을 7회 행한다.

[4] 몸을 일으키며 권拳을 펴고 양손을 머리 위로 바르게 올린다. 좌족左足을 우족右足 옆으로 당겨서면서 양팔은 몸 옆으로 가져온다.

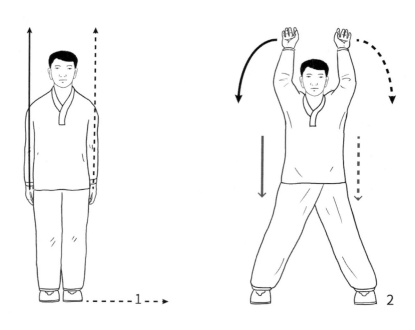

　◉ 가슴을 앞으로 내밀면 뒤로 몸이 젖혀져 안 된다. 그리고 엉덩이가 뒤로 나오게 하면 안 된다. 허리에 절대 힘을 주지 말라. 한없이 부드러워야 한다. 중절에 힘주는 것 아니다. 부드럽게 움직임만 행해야 한다. 역근의 의미를 알아야 한다. 역근은 힘을 쓰는 체조다. 맨손으로만 되어야 한다. 따라서 하중荷重이 없으므로 허리에 힘이 들어가지 않는다.

　위에서 하늘을 당겨 내리는 동작이다. 주먹은 쥐기만 하고 힘주지 않는다. 나한공羅漢功 같은 경우는 하늘을 받쳐 밀어올린다.

　◉ 원숭이 자세는 퇴법腿法(발차기)의 척퇴踢腿(다리올리기)와 와공臥功의 척퇴踢腿를 포함한다. 각 7회씩 행한다.

　◉ **좌공坐功에서 후형猴形**

　좌공坐功에서 양팔을 구부려 측면으로 주먹을 어깨높이로 들고, 주먹을 쥐면서 흡기吸氣하고 약간 숨을 멈춘 후 손을 풀면서 호기呼氣한다.

3. 응형熊形(곰 자세)

① 예비세 : 두 발을 모으고 자연스럽게 서서 머리를 바르게 하고 눈은 앞을 본다. 마음을 차분히 하고 전신全身의 근육은 느슨히 하고, 양팔은 편안하게 몸 옆으로 내린다. 장심掌心은 안을 향하고, 호흡呼吸은 편안해야 한다.

② 왼발을 좌로 어깨보다 더 벌려서 놓으며, 동시에 양손을 장심掌心이 몸 측면을 향하게 하여 바르게 둔다.

③ 이어서 흡기吸氣를 하며, 양팔을 몸 측면에서 오른편으로 머리 위로 왼쪽으로 둥글게 돌리며, 동시에 팔의 움직임에 맞춰 허리를 왼쪽으로 구부린다. 머리 위로 가는 손은 장심掌心이 정면을 향하게 한다. 이어서 호기呼氣하며 허리를 오른편으로 구부림과 동시에 양팔을 몸의 움직임에 맞춰 오른편 측면으로 둥글게 가져온다. 좌로 우로 7회 행한다. (그림3.4)

④ 몸을 바르게 일으키며 동시에 양손을 장심掌心이 몸 측면을 향하게 가져온다.

⑤ 흡기吸氣를 하며, 양팔을 몸 측면에서 왼편으로 머리 위로 오른쪽으로 둥글게 돌리며, 동시에 팔의 움직임에 맞춰 허리를 오른쪽으로 구부린다. 머리 위로 가는 손은 장심掌心이 정면을 향하게 한다. 이어서 호기呼氣하며 허리를 왼편으로 구부림과 동시에 양팔을 몸의 움직임에 맞춰 왼편 측면으로 둥글게 가져온다. 우로 좌로 7회 행한다. (그림7.8)

⑥ 몸을 바르게 일으키며 동시에 양손을 장심掌心이 몸 측면을 향하게 가져온다. 계속해서 왼발을 오른발 옆으로 가져오며 바르게 선다.

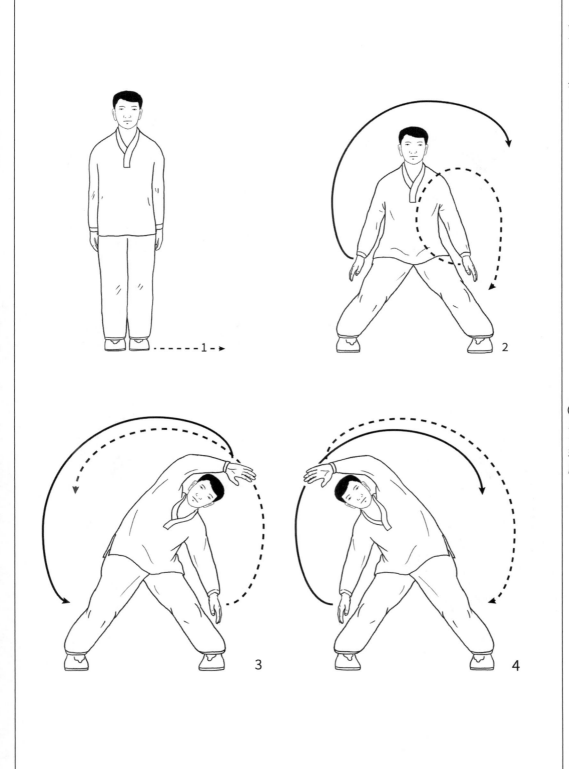

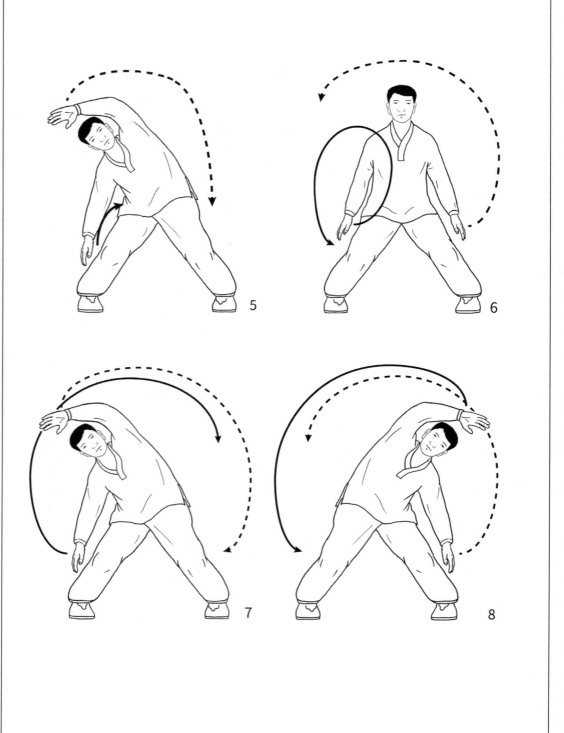

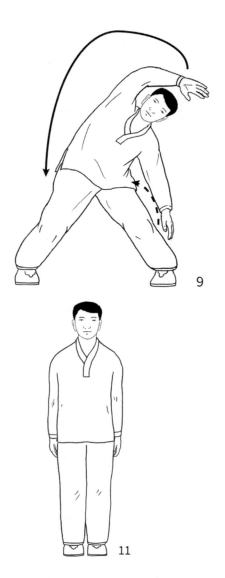

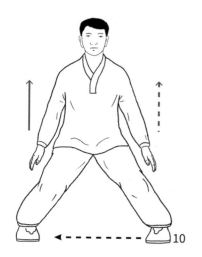

9

10

11

● 다리에 힘을 주고 허리 신법으로 움직인다. 따라서 무릎이 흔들리지 않게 해야 한다. 발바닥 딱 붙이고 탄력 있게, 유柔하게 하면서 손이 몸 뒤로 가서는 안 된다. 지면과 수직으로 나란히 간다. 올라가는 손은 귀뿌리를 넘어 간다. 정좌靜坐를 하듯이 똑바로 꼿꼿하게 서야 한다. 숙이면 발이 뜬다. 반드시 허리를 세워야 한다. 허리와 천추薦椎가 바로 서면 뒤꿈치가 붙는다.

◉ 변형된 동작으로는 부퇴보仆腿步로 선 자세로 허리를 굽혀서 행한다. 또는 기마보騎馬步로 선 자세로 좌우 45도 방향으로 비틀어 허리를 굽힌다.

◉ 곰 자세는 좌공坐功 4로路의 제1세 다리 늘이기와 와공臥功에서 허리와 목을 옆으로 축축縮하여 구부리는 동작을 포함한다. 각 7회씩 행한다.

4. 호형虎形(호랑이 자세)

호랑이 자세 1
뼈를 단련하고, 골반을 단련하는 것이다.

① 지면에 엎드려 두 발을 모으고 발바닥을 지면에 붙인다. 두 팔은 어깨너비로 벌려서 몸을 바르게 지탱한다. 이어서 양팔로 몸을 뒤로 밀어 둔부를 뒤로 빼면서 높이 들고 머리는 지면에 가깝게 낮춘다. 이때 시원한 느낌이 들어야 한다. 흡기吸氣를 배합한다. 둔부를 뒤로 위로 뽑는 것에 주안점을 둬야 한다. 사초四梢에 힘을 주고 해야 몸을 지탱할 수 있다.

② 이어서 상체를 앞으로 밀며 위로 들어 올리고 둔부는 아래로 낮춘다. 복부 속 척추 앞쪽의 근육을 늘인다. 가슴을 들어 올릴 때, 뒤꿈치 떼면서 호기呼氣를 배합한다. 이때 상체는 많이 나가야 하고 허리를 꺾어서는 안 된다. 호랑이가 기지개 켜는 자세다. 20번 행한다.

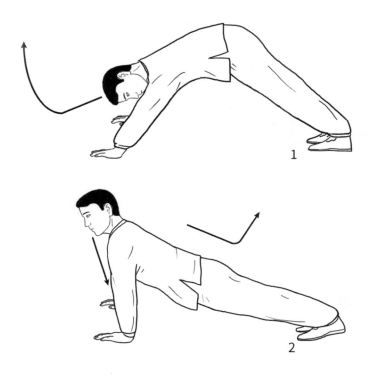

1

2

호랑이 자세 2

1 지면에 엎드려 두 발을 어깨너비보다 약간 더 벌려 무릎을 구부려 앉듯이 발바닥을 지면에 붙인다. 두 팔은 어깨너비로 벌려서 몸을 바르게 지탱한다. 이어서 양팔로 몸을 뒤로 밀어 둔부를 뒤로 빼면서 척추를 늘인다. 흡기吸氣를 배합한다. 둔부를 뒤로 뽑는 것에 주안점을 둬야 한다.

2 이어서 상체를 앞으로 위로 들어 올리듯이 나가며 둔부가 앞으로 따라 나오는 것에 따라서 발뒤꿈치를 들면서 호기呼氣를 배합한다. 허리 힘으로 나간다. 이때 머리는 약간 들어 앞을 주시한다. 다시 뒤로 들어올 때는 무릎을 오므리고 골반이 배와 다리에 파묻히도록 들어온다. 뒤가 갈수록 낮아지게 뒤로 뽑는다. 즉 다리는 앉아야 하고 뒤로 가면서 둔부가 낮아져야 한다. 양 대

퇴 사이로 엉덩이가 지나간다. 골반과 대퇴가 꽉 끼듯이 되어야 한다. 위에서 보면 몸통이 매끄럽게 다리 사이로 들어가듯 뒤로 빼야 한다. 골骨 수련이다. 척추, 골반 대퇴의 뼈를 늘이고 튼튼하게 만든다. 3번 행한다.

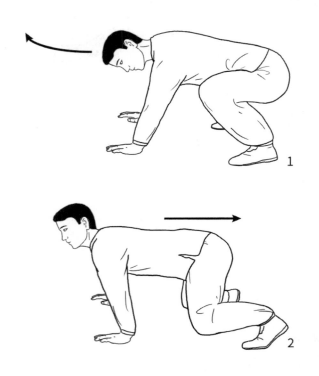

5. 록형鹿形(사슴 자세)

사슴 자세 1

목을 늘어뜨려 목운동하는 동작은 사슴 자세가 유일하다. 머리를 떨어뜨리고 숨을 들이쉬며, 목을 돌리며 천정을 보면서 내쉰다. 팔을 지면에서 수직으로 받친다. 뒤꿈치를 붙인다. 좌우 각 3번 행한다.

사슴 자세 2

　팔을 지면에서 수직으로 받쳐 엎드려, 양발을 반대쪽 다리를 넘어서 좌우 교대로 비스듬히 뒤로 뒤꿈치를 지면에 붙도록 뻗는다. 좌우 각 3번 행한다.

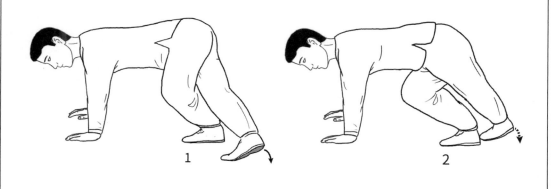

●五禽戲

【범신공帆身功】

범신공帆身功은 좌공坐功으로서 양생법養生法이다. 따라서 정밀하게 수련해야 한다. 좌공은 모두 압壓과 류遛(신축伸縮, 서축舒縮)로 되어있다. 신근伸筋수련이 필요한 이유는 막膜의 힘이 신근으로 전달되기 때문이다. 막은 골骨이 받쳐줘서 단련된다. 정精은 몸, 기氣는 호흡이며, 신神은 마음과 정신精神이다. 〈양생법養生法의 요점은 정精은 기르고 신神은 편안히 하는 것에 있다〉.

좌공에는 모든 수법手法 운용이 다 들어가 있으면서, 동시에 외용세外勇勢, 기예技藝, 역근易筋 등이 포함되어 있다. 손목단련과 팔의 강유剛柔, 변화까지 가지고 있다. 모두 역근易筋 수련이고 막膜을 수련하는 것이다. 막을 단련해야 힘이 생긴다.

좌공 수련 때 미리 온몸을 박타拍打, 안마按摩로 푼 다음에 수련해도 된다. 각 로路의 사이사이, 그리고 운동 후에는 부분적으로 필요한 곳을 안마한다. 좌공 수련에서 몸을 주무르는 것은 풀어주는 것이다(解). 역근易筋에서의 유柔라고 할 수 있다. 풀지 않으면 뻣뻣해진다. 따라서 강유剛柔를 같이 수련하고 있는 것이다.

좌공은 골반을 땅에 꽉 박아 움직이지 않게 힘을 주면서 그 위쪽의 상체를 움직여야 한다. 골반이 고정되어 있으므로 상체의 신법身法이 항상 정확한 그 자리에 가게 된다. 단 정밀하게 수련했을 때이다. 따라서 운동노선과 신神이 무의식화되어 실전實戰에서 자연히 상대방 칠 곳에 손, 발이 가게 된다.

좌공 수련에서 호흡을 내쉴 때 모든 동작에서 배를 집어넣으면서 내쉬어야 한다. 오랜 세월이 가야 기감氣感을 느낀다. 좌공에서 힘은 7할 정도 주고 한다. 그러나 필요한 부위 외에는 모두 긴장을 풀어야 하고 힘을 주면 안 된다.

좌공의 마지막 단계는, 움직임이 완전히 숙련되고 정확해져 동작을 의식하지 않아도 움직여지게 된 다음, 호흡만 의식을 두고 수련하는 수준이다. 그래야 기감氣感을 느끼는 단계가 된다. 도인법導引法도 마찬가지다.

【참고】

〈범신공帆身功〉은 해범海帆 선생께서 창안한 좌공坐功이다. 정좌靜坐 전후前後
에 기혈순환氣血循環과 전신全身을 풀어주기 위해 하는 동공動功이다. 전체적인
흐름을 통해 순환循環과 양생養生에 기본을 두면서, 무예武藝의 기예技藝를 포괄
한 종합적인 동작 형식으로 되어있다. 〈범신공〉 수련은 1로路에서 4로路까지를
죽 연결해서 끝까지 마쳐야 한다.

〈범신공帆身功〉에는 조선朝鮮 중종中宗 때의 학자인 북창北窓 정염鄭磏 선생께
서 지은, 우리나라 도가道家에서 수단지도修丹之道의 귀중한 요결要訣로 비전祕傳
되어 온, 《용호비결龍虎祕訣》에 실려 있는 〈도인법導引法〉과 〈오금수희법五禽獸戲
法〉, 그리고 광해군光海君 때의 문신文臣인 이창정李昌庭이 저술한 《수양총서유집
壽養叢書類輯》의 〈도인법導引法〉 등이 다수 포함되어 있다. 《수양총서유집壽養叢
書類輯》은 선조 때 책으로서 도인법이 동양에서 가장 많이 집대성된 책이다.

【帆身功　第一路】

　장掌과 구수鉤手로 구성되어 움직이는 곳은, 천천히 하더라도 처음부터 수식收式까지 모두 연결해서 해야 하고 힘을 중도에 빼면 안 된다.

반좌예비식盤坐豫備式
　반좌로 앉되 다리를 풀고 편하게 앉고, 상체는 바르게 세우고 양 주먹을 허리에 안정되게 두며 눈은 앞을 향한다.

1. 반좌쌍추장盤坐雙推掌
양수兩手를 들어(吸) 앞을 향하여 장掌으로 밀어낸다(呼).

1

2

2. 쌍구정입붕타雙鉤頂立崩打

양장兩掌을 구수鉤手로 만들고(止) 이어서 아래로 몸쪽으로 당겨(吸) 위로 뒤집어 앞을 향하여 밀어낸다(呼).

3

4

3. 탁료장교구정托撩掌絞鉤頂

구수를 펼쳐 양장陽掌을 만들고 이어서 탁장托掌으로 위로 올리며 구수로 만들어 몸쪽으로 당겨(吸) 가슴 앞에서 꼬아 정면으로 밀어낸다(呼).

5

6

7

4. 렴시도두조탁敛翅倒頭彫琢

양 구수鉤手를 그대로 몸 뒤쪽으로 당겨온다. 이어서 양팔을 위로 듦과 동시에 상체를 앞으로 숙인다.

8

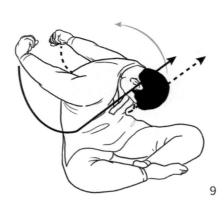

9

5. 반좌쌍추장盤坐雙推掌

상체를 바르게 하며 양 구수鉤手는 허리로 가져오며, 계속해서 양수兩手를 들어(吸) 앞을 향하여 장掌으로 밀어낸다(呼).

10

6. 쌍구정입붕타雙鉤頂立崩打

양장陽掌을 구수鉤手로 만들고(止) 이어서 아래로 몸쪽으로 당겨(吸) 위로 뒤집어 앞을 향하여 밀어낸다(呼).

11

12

7. 탁료장교구정托撩掌絞鉤頂

구수를 펼쳐 양장陽掌을 만들고 이어서 탁장托掌으로 위로 구수를 만들어 몸쪽으로 당겨(吸) 가슴 앞에서 꼬아 정면으로 밀어낸다(呼).

13

14

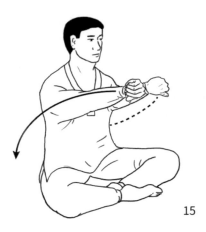

15

8. 렴시앙천탁장斂翅仰天托掌

양 구수鉤手를 그대로 몸 뒤쪽으로 당겨온다. 이어서 구수鉤手를 허리로 가져와(吸) 위로 양장兩掌을 장심掌心을 위쪽으로 하여 뻗어 올린다(呼).

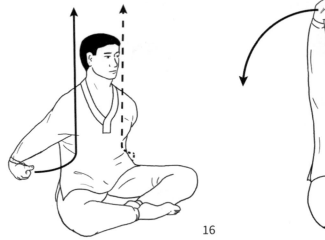

16

17

9. 전시헌천조수展翅鶱天爪手

양장兩掌을 몸의 측면을 향하여 아래로 내리며 양손은 구수鉤手를 만든다 (止). 팔이 내려오는 가운데 구수가 계속 만들어져야 한다.

18

10. 루내선쌍측장樓內旋雙側掌

이어서 양 구수鉤手를 살짝 몸 앞으로(吸) 끌어서 가져와 감아서 몸의 좌우 측면으로 측장側掌으로 밀어낸다(呼).

19

11. 전신좌천장우교구수轉身左穿掌右絞鉤手

상체를 좌로 돌면서 우수는 구수鉤手로 가져와 오른쪽 겨드랑이 아래로 꼬아서 오른쪽 측면으로 밀고 좌수는 구수鉤手로 좌측 허리로 가져와 왼쪽 측면으로 천장穿掌으로 민다. 눈은 왼손을 본다. 양손을 몸으로 가져올 때 흡기吸氣, 펼칠 때 호기呼氣를 배합한다.

20

12. 전신우천장좌교구수轉身右穿掌左絞鉤手

이어서 상체를 우로 돌면서 우수는 구수鉤手로 오른쪽 겨드랑이 아래로 꼬아서 오른쪽 측면으로 천장穿掌으로 변하여 밀고 좌수는 구수鉤手를 만들며 위로 왼쪽 겨드랑이 아래로 꼬아서 왼쪽 측면으로 민다. 눈은 오른손을 본다. 좌우로 돌아보면서 각각 5회를 행한다. 구수를 펴서 측면으로 뒤로 보낼 때 처음부터 장掌으로 만들어 뒤로 뻗지 말고 힘을 빼지 말고 서서히 순차적으로 손바닥을 편다. 그래야 힘이 끊어지지 않는다.

21

13. 전신좌천장우교천장轉身左穿掌右絞穿掌

'11. 전신좌천장우교구수轉身左穿掌右絞鉤手'와 같으나 뒷손을 천장穿掌으로 밀어내는 것이 다르다.

22

14. 전신우천장좌교천장轉身穿掌左絞穿掌

'12. 전신우천장좌교구수轉身右穿掌左絞鉤手'와 같으나 뒷손을 천장穿掌으로 밀어내는 것이 다르다. 좌우로 돌아보면서 각각 5회를 행한다.

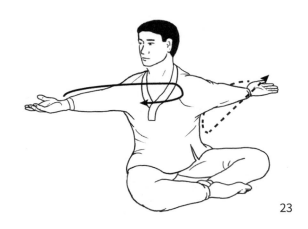

23

15. 우란수좌추장右攔手左推掌

'14. 전신우천장좌교천장轉身右穿掌左絞穿掌'을 마지막으로 이어서 몸을 좌로 돌아 바르게 하며 우수右手를 바깥에서 안으로 끌어와 다시 구수를 만들며 오른 허리로 가져온다(吸). 동시에 좌수는 허리로 가져와 앞을 향하여 장掌으로 밀어낸다(呼).

24

16. 좌구수우추장左鉤手右推掌

이어서 좌수는 허리로 구수鉤手를 만들며 가져오는 동시에(吸) 우수는 앞을 향하여 장掌으로 밀어낸다(呼).

25

17. 우구수좌추장右鉤手左推掌

이어서 우수는 허리로 구수鉤手를 만들며 가져오는 동시에(吸) 좌수는 앞을 향하여 장掌으로 밀어낸다(呼). 이어서 '좌구수우추장左鉤手右推掌'을 한다. 반복하여 좌우 각각 5회를 행한다.

26

18. 수식쌍안장收式雙按掌

'좌구수우추장左鉤手右推掌'을 마지막으로 우장右掌을 허리로 구수鉤手를 만들며 거두어들인 다음(吸) 몸 측면에서 양장兩掌으로 아래를 향해 밀어낸다(呼).

27

28

◉ 좌공에서 양장兩掌을 교대로 뻗기, 측면으로 구수鉤手와 장掌 뻗기, 등의 동작에서는 흡기吸氣 때 몸이 중앙에 바르게 위치한다. 흡기하면서 허리를 바르게 세운다. 기반이 튼튼해진다(흘려듣지 말 것). 이어서 양손을 뻗으면서 호기呼氣하는데 끝까지 호기하면서 상완上腕으로 민다. 구식鉤式을 만드는 동작 때는 모두 폐식閉息이다. 동작은 호흡하고 맞춰서 느리게 해야 한다. 강유剛柔를 단련하는 것이므로 빨리 움직이면 안 된다. 권법은 만련晩練으로 하기도 하고, 빠르게 하기도 한다.

【第一路　各論】

1. 반좌쌍추장盤坐雙推掌

◉ 양장兩掌을 밀 때 외연外沿으로 밀면서 장심掌心이 안보여야 한다. 다 뻗은 다음 장근掌根을 바깥으로 돌려, 장장이 정면으로 올 때까지 전사纏絲로 움직인다. 힘이 끊어지지 않아야 하고 허리를 세우며 꼬리뼈까지 들어 올리며 장장을 뻗는다.

◉ 손을 가슴까지 들어서 밀지 않아야 한다. 들면 어깨가 올라간다. 따라서 힘도 끊기고 시간이 지체된다. 허리에서 유근혈乳根穴 아래를 스치면서 그대 로 나간다. 똑바로 나간다. 기예技藝, 권법拳法에서도 같다. 수비하기 위해 손 이 올라갈 때도 같다. 권법에서도 장掌은 주먹(拳)과 달리 어깨보다 높이 올라 가선 안 된다. 허리에서 어깨높이로 나가야 평직하게 나가는 것이다. 손가락 끝이 눈높이다.

2. 쌍구정입붕타雙鉤頂立崩打

◉ 양장兩掌을 구수鉤手로 만들 때 구수가 결정되는 마지막 시점에서 아래 로 약간 눌러서 가져와 돌린 다음 붕권崩拳을 친다. 붕권을 비뚤어지지 않게 세워서 던지듯이 친다. 장掌에서 구수로 가져올 때, 또는 반대로 탁장托掌에 서 구수로 가져올 때 모두 외연外沿이 오므라져 가져와야 한다. 구수를 바르 게 만든다.

◉ 구수鉤手로 올 때 '가져오고', 즉 앞으로 나가면서 구수로 끌고 온다. 아래에서 탁장托掌으로 구수를 가져올 때 '훑어오고', 즉 앞으로 나가면서 구

수로 훑어온다. 공방攻防에서 상대를 구수로 잡아 올 때 마중하는 법은, 나가서 데려온다. 나가서 맞이해서 가져온다. 뒤로 후퇴하면서 잡지 않는다. 따라서 장掌에서 구수로 변화할 때 약간 더 나가면서 구수를 만들어야 한다.

◉ 실전實戰에서 상대 주먹이 약간 아래로 들어오는 것을 구수鉤手로 받아 (구수 마지막에서 아래로 누르기 시작한다) 아래로 누르는 수련이다. 그리고 바로 손을 뒤집어 붕권崩拳을 친다. 반면에 상대 주먹이 약간 위로 오면 구수의 본래 동선動線으로 채고 반대 손으로 공격한다. '16. 좌구수우추장左鉤手右推掌'에서와 같이 한 손은 구수로 당기고 다른 손은 장掌으로 공격한다.

호흡의 배합은, 실전에서 상대 공격을 마중해 나가며 구수로 나拿하고 들어가며 공격할 때, 마중하러 나가며 흡기吸氣하고 구수로 제압할 때 멈추고(폐식閉息) 들어가 공격할 때 급촉하게 호기呼氣한다.

◉ 실전에서 예를 들어, 을의 양손이 잡으러 오면 갑은 그 손목의 바깥 위에서 안쪽 아래로 바깥으로 구수鉤手로 잡아 내리며, 상대가 버티는 힘을 이용해서 몸이 들어가 상대 뺨을 양수兩手로 친다(借勁). 상대 주먹을 잡아당기고 바로 그 자리에서 붕권崩拳을 치는 것이나, 또는 당긴 손으로 다시 주먹 찌르는 것은 같은 경勁이다.

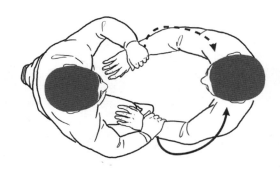

(구수의 응용)

3. 탁료장교구정托撩掌絞鉤頂

◉ 구수를 반배장反背掌으로 펼칠 때, 수평보다 손목을 더 아래로 젖혔다가 오면 안 된다. 손가락을 푸는 듯이 한다. 상대 주먹을 손등으로 누를 때의 힘이다. 또 상대 주먹을 위로 받치는 힘이므로 아래로 젖혔다가 올리면 늦다. 구수가 가는 노선이 정확해야 한다. 손가락을 하나씩 구부려 정확하게 만들어야 한다.

① 구수를 반배장反背掌으로 펼쳤다가 다시 구수를 만들어 위로 안으로 아래로 꼬아 감아 구정鉤頂을 마주하며 미는 것은 상대 주먹이 오는 것을 반배장反背掌으로 바깥으로 밀어 막고, 내 손목을 당겨오며 아래로 꼬아 돌려 권拳을 찔러 들어가는 것을 수련하는 것이다.

② 탁장托掌의 예를 들면, 상대가 우권右拳으로 공격하면 내 우수는 장掌을 세워 소지小指쪽 외연外沿으로 손목을 점點하고, 좌수는 팔꿈치 아래서 장掌으로 위로 받쳐 들 듯이 맞이한다. 이어서 좌우 손을 바꾸어 우수는 상대 팔꿈치 쪽으로 미끄러지며 접근하여 위로 받쳐 잡고(허공으로 진행하면서 상대 좌수를 경계해야 한다), 좌수는 팔꿈치에서 상대 팔에 붙어 미끄러져 내려와 손목을 잡아 위에서 아래로 제어한다(太極).

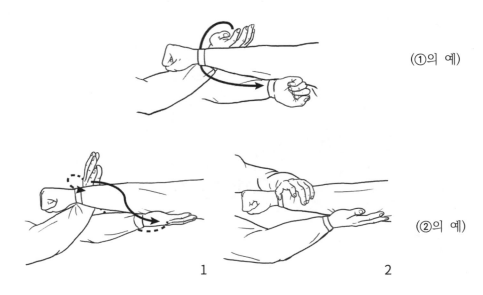

(①의 예)

(②의 예)

1   2

4. 렴시도두조탁斂翅倒頭彫琢

◉ 먼저 구수鉤手부터 만들어 뒤로 젖히고 그다음 상체를 숙이는데, 꼬리 뼈부터 죽 펴서 숙인다. 이때 등을 앞으로 빼면서 숙인다. 등을 둥글게 하는 것이 아니다. 구수로 뒤로 젖히는 동작에서 구수의 힘이 계속 만들어지고 있어야 한다.

9. 렴시앙천탁장斂翅仰天托掌

◉ 상체를 세우고 아랫배 내밀면서 등 뒤로 구수로 젖힌다. 동시에 초절梢節인 가슴을 올리면 척추가 따라 올라가면서 허리가 펴진다. 또한, 동시에 아랫배를 내민다. 양장兩掌을 머리 위로 올릴 때, 머리 위로 손을 완전히 뒤집어 올린다. 몸을 뒤로 젖혀서는 안 된다. 권법拳法 등 비슷한 동작에서 모두 같은 방법으로 움직여야 한다. 양장을 머리 위로 들어 올릴 때 몸(腰)을 밀어 올린다.

장掌을 위로 들어 올릴 때 몸이 끌려 올라간다. 배가 들어가고 엉덩이까지 들려 올라간다. 이어서 몸을 내리면서 구수鉤手를 잡고, 구수에서 돌려서 다시 장掌으로 민다. 그래야 힘이 끊어지지도, 없어지지도 않는다.

11. 루내선쌍측장樓內旋雙側掌

◉ 팔꿈치가 움직이는 선線이 분명해야 한다. 구수鉤手로 구부린 다음 다시 장掌으로 밀 때 구수로 만든 다음 끊지 말고 살짝 안으로 당겨온다. 구수한 손을 살짝 당겨 그 자리에서 돌려 장掌으로 펼친다. 실전에서 구수로 나拿한 다음 바로 나가면서 공격해 들어가므로 완전히 겨드랑이 쪽으로 당겼다가 나가면 안 된다.

12. 전신좌천장우교구수轉身左穿掌右絞鉤手

◉ 가슴 앞에서 꼬아야 한다. 힘이 팔 전체에 통으로 들어가야 한다. 팔 신법身法(梢節)이 중요하다. 구수를 감을 때 얼굴을 약간 지나가게 한다. 상대가 공격해 올 수 있는 영역을 모두 감싸야 한다. 몸을 감싸면서 방어하는 수련이므로, 몸 신법을 수련하는 것과 함께 구수를 운용하는 것이 중요하다. 상대 주먹을 가슴 앞에서 구수로 눌러 막으면서 반대 손은 찌른다. 묘수妙手다.

◉ 허리를 완전히 옆으로 틀어서 옆이 앞이 되도록 몸을 쭉 틀면서 찌른다. 이때 허리를 돌린 후 찌르지 말고 허리를 돌리면서 동시에 찔러 들어간다. 앞으로 상체가 넘어질 듯 숙어지면 안 된다. 허리는 세우고 뒤쪽의 팔은 너무 아래로 내려가면 안 된다. 앞 손을 너무 올리면 뒷손이 내려간다. 수평으로 해야 뒷손도 수평이 된다. 뒷손을 허리에서 뒤로 감아 너무 낮춰서 뒤로 밀면 팔이 확실히 꼬이지 않는다. 팔 전체 높이를 올려서 돌리며 뒤로 밀어야 꼬이는 힘이 느껴지고 수련이 된다.

(×)

(뒷손의 방향)

◉ 구수를 뒤로 뻗을 때는, 초절梢節인 구수만 힘을 주고 나가면 중절中節(팔꿈치)은 그냥 따라가야 한다. 팔꿈치로 밀면 삼절三節이 안 맞다. 팔꿈치를 의식하고 뻗으면 두 단계 동작이 된다. 팔꿈치는 따라가서 받쳐준다. 예를 들어 방어에서 상대와 초절이 부딪혔을 때 팔꿈치는 받쳐준다. 또는 상대를 가격했을 때도 팔꿈치는 초절을 받쳐준다. 초절이 뒤로 튕겨 나오지 않도록 한

다. 〈중절의 역할은 방향 제시와 함께 초절을 받쳐주는 것이다〉.

뒷손 구수에서 검지(食指)를 마지막에 들어올려야 팔이 적절하게 올라간다. 모든 구수는 검지까지 완전히 오므려 힘을 준다. 장掌이나 구수는 검지가 힘이 잘 들어가지 않는다.

◉ 손바닥 펴고 반장反掌으로 뒤로 밀 때는 엄지(拇指)에 힘주고, 엄지를 틀어서 뒤로 밀면 팔 전체가 통나무가 된다. 엄지 쪽 팔이 팔의 내연內沿이다. 엄지를 힘주고 틀면 팔의 내연에 힘이 잡힌다.

◉ 좌공에서 측면으로 천장穿掌을 밀고 구수로 허리에 모아서 몸 측면으로 벌리는 동작 하나하나가 모두 실전이다.

① 구수를 감아 겨드랑이 아래로 꼬아 감는 것은, 상대 공격을 아래로 감아 내 몸 바깥으로 나가게 하는 것이다. 그다음 뒤로 찌르는 힘은 상대 공격을 제압한 다음, 그 손으로 공격을 하는 힘을 끊지 않고 수련하는 것이다. 찌르는 손도 되지만, 다시 회수하며 감아서 나갈 때 반배장이 되어 상대 공격을 걷어내듯이 하여 찌를 때도 쓴다.

② 상대 공격을 우수로 바깥 위 안쪽 아래로 전사로 감아 돌려 상대 팔을 약간 위로 들어 올리며, 손을 떼지 않고 미끄러져 들어가 장으로 친다.

(가슴 앞에서의 손 모양)

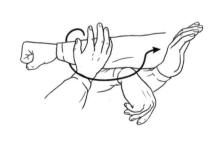

(뒷손의 응용)

③ 갑은 을의 우수를 두 손으로 제압하고, 좌수는 상대 손을 계속 제압한 상태에서 우수가 미끄러져 들어가 공격한다. 이때 을의 좌수가 찔러 들어오면 갑의 우수가 반배장으로 걷어내듯 들어가 친다.

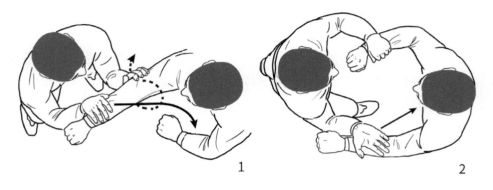

1   2

(수법의 응용)

④ 구수鉤手로 뒤로 갔던 손을 꼬아서 다시 오는 동작의 예는, ㈎ 상대 우수 공격에 나의 우수가 상대 팔을 점點하고 계속 상대 팔을 감싸며 바깥으로 아래로 안쪽으로 돌려세운다. 또는, ㈏ 상대 우수 공격에 내 우수는 안쪽에서 위로 바깥으로 아래로 안으로 감아 돌려세워 팔꿈치를 나拿한다. 한 손으로 수법手法을 익힌 다음 두 손을 다 사용하여 응용해야 한다.

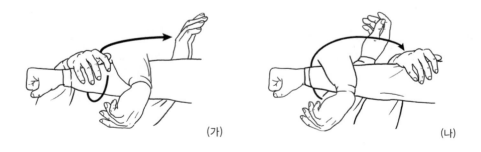

(가)   (나)

⑤ 을의 좌수를 갑이 우수로 위에서 안으로 아래로 바깥으로 구수로 막는 경우, 그 자리서 갑의 좌수로 을의 중궁中宮을 찌른다. 이때 몸은 오른편으로 돈다(A). 혹은 갑이 오른손 구수로 걷어낸 손을 상대 쪽으로 나아가면서 구수를 권拳으로 변화시켜 찌른다. 이때는 몸이 좌로 돈다(B).

⑥ 갑이 을의 좌수를 우수로 막을 때 몸 바깥까지 밀어서 벌려 막을 때는, 신법으로 좌로 돌며 우수로 찌르고 다시 우로 돌며 좌수로 공격한다.

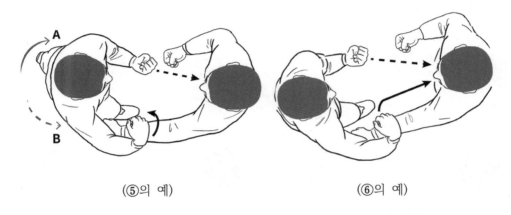

(⑤의 예)　　　　　　　　(⑥의 예)

⑦ 을의 우수를 갑이 우수로 바깥으로 반배장으로 걷어내고, 다시 을의 좌수가 찔러오면 갑은 우수가 나아가, 상대 좌수를 아래에서 바깥으로 위로 안으로 바깥으로 감아 막고, 동시에 갑은 좌수를 찌르고 계속해서 을의 좌수를 챈 우수를 그대로 밀고 들어가 찌른다.

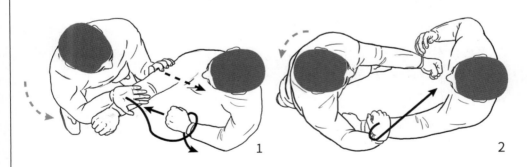

1　　　　　　　　　　　2

(수법의 응용)

⑧ 을이 우수로 공격해 오면, (가) 갑은 좌수로 바깥에서 위로 안으로 바깥으로 막고 우수로 찌른다. 을이 받으면 갑은 우수를 구수로 채면서 좌수 반배장으로 찌른다. 또는, (나) 을의 우수를 갑이 왼손 구수로써 눌러 막았는데 연이어 을의 좌수가 들어오면, 갑은 우수를 반배장으로 찌르듯이 나가며 안에서 바깥으로 막는다(신법이 그렇게 되게 돌아간다). 신법이 같은 방향으로 돌면서 장으로 공격한다. 이 경우 만약 상대 좌수가 높이 들어오면 오른손 반배장이 나가 바깥으로 막는다. 이어서 장掌을 뒤집어 구수로 감아쥐고 당기며 좌수로 찌른다(신법은 좌공 때와 같다). 상대 공격의 좌우고저左右高低를 감안하여 나의 좌우수左右手를 신법으로 연결하여 공격과 방어를 계속해야 한다.

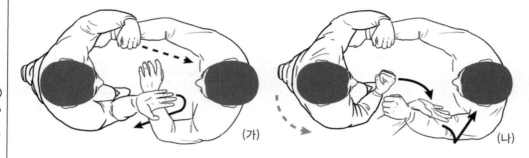

(수법의 응용)

⑨ 좌공에서 장掌을 회수할 때 구수鉤手로 꼬는 힘을 길러야 한다. 실전에서는 상대 주먹이 내 몸에 부딪힐 때(부딪혔지만 막아내야 하므로), 나는 구수의 힘으로 상대 주먹을 걷어내야 한다. 상대 주먹과 내 구수가 몸에 붙은 상태에서 막아 내는 힘을 기른다. 즉, 내 몸에 상대 주먹이 와서 닿을 때, (가) 가위처럼 막을 수도 있고, (나) 구수(손등 쪽)의 손목 힘으로 올려 젖히며 막을 수도 있다. 또는, (다) 몸을 오른쪽으로 살짝 돌리며 좌수로 바깥에서 안으로 막고, 다시 몸을 좌로 돌리며 상대 주먹을 내 좌측 바깥으로 걷어낸다. 상대 주먹이 몸에 붙은 상태에서 두 번의 신법으로 힘을 완화 시키며 막는다.

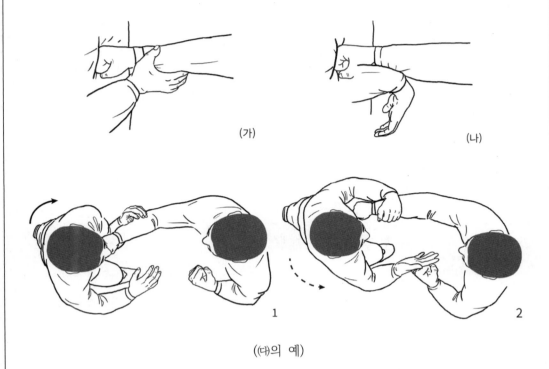

(가)　　　　　　　　　(나)

((다)의 예)

1　　　　　　　　　　2

　⑩ 허리로 구수鉤手를 당긴 다음 구수를 한 손이 펴지며 다시 찔러 들어가므로 실전에서 상대 좌수를 내 우수 구수로 받아(바깥에서 위로 안으로 아래로), 그다음에 우수를 펴면서 찔러나간다. 이때 우수는 구수의 꼬인 힘이 풀리면서 나가, 상대의 다른 쪽 손이 오는 것을 바깥으로 막을 수도 있고 공격할 수도 있다.

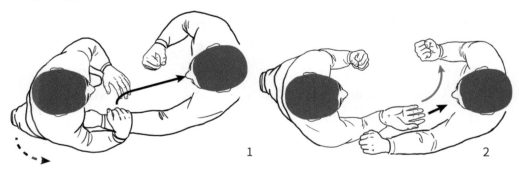

1　　　　　　　　　　2

(수법의 응용)

⑪ 가슴 앞에서 구수鉤手가 교차 되는 동작은, 반대로 돌 때 찔렀던 손이 몸 가운데로 오면서 위에서 겨드랑이 아래로 구수로 눌러서 뒤로 민다. 상대가 약간 아래로 찌르면, 위에서 아래로 내 몸 바깥으로 돌리며 막고 반대 손은 천장穿掌으로 공격하는 수련이다. 몸이 나가며 막아야(우수로 막는다면 몸이 좌로 돌며 막으면서 다시 우로 돌며 몸이 들어간다) 찌를 수 있는 거리가 된다. 이때 상대가 내가 찌르는 손을 반대 손으로 받으면, 눌러 막았던 구수를 반대로 몸을 비틀어 찌른다.

17. 좌구수우추장左鉤手右推掌

◉ 실전에서 장掌으로 치는데 상대 손이 나오면, 장을 친 손을 바로 구수鉤手로 변화해 당긴다. 상대와 양손 또는 한 손을 서로 잡을 때 상대 손을 당겨 그 힘으로 내 몸이 들어가는 수련이다.

◉ 장掌과 구수鉤手를 밀고 당길 때, 당기는 손 반동을 이용하여 반대쪽 장이 나간다. 반동은 기초 잡을 때 잠깐 수련하고 익숙해지면 반탄력으로 장을 밀지 말아야 한다. 잊어야 한다. 찌르는 손만 신경 쓴다. 숙처宿處에 있는 손은 중심만 잡는다. 허리는 아주 부드럽게 움직여야 하고 절대 힘을 주면 안 된다. 관절은 관구關口다. 기氣가 지나가는 자리다. 힘은 부드러워야 한다.
손이 나갈 때 가슴이 반드시 같이 나가야 한다. 이때 허리도 부드럽게 같이 따라 나가야 한다. 무리하지 말고 손, 가슴, 허리가 동시에 나가야 한다. 허리가 돌아가는 동작을 할 때, 손이 위로 가든 아래로 가든 항상 눈은 수평으로 돌아가야 한다. 손을 볼 필요는 없다. 허리가 끝까지 돌아가면 장을 완전히 뻗어야 한다. 왜냐하면, 허리는 다 돌아갔는데 장을 다 뻗지 않으면 삼절三節이 맞지 않은 것이다.
앞에 나간 손은 어깨보다 위로 올라가지 않아야 한다. 어깨 위로 올라가면 어깨에 힘이 들어간다. 따라서 수평이 되어야 한다. 어깨는 힘이 빠지고 상완

上腕이 늘어나야 한다. 이것이 어깨가 늘어나야 한다는 의미다.

◉ 장掌을 찌를 때 팔뚝(前腕)으로 지른다. 손이 어떻게 움직이든 팔뚝은 중절中節(팔꿈치)이 정해진 데로 간다. 장을 뻗을 때 팔꿈치를 떨어뜨려 나가야 한다. 구수로 당겨올 때도 팔꿈치가 낮아야 한다. 팔꿈치보다 구수가 낮으면 안 된다. 실전에서 팔꿈치가 허공에서 움직일 때도 손보다 더 올라가선 안 된다. 팔꿈치가 똑바로 나갔다, 똑바로 들어와야 한다. 또한, 구수로 당겨올 때 팔꿈치가 몸 뒤로 나가면 안 된다.

◉ 끊어지면 안 된다. 즉 장掌을 미는 것을 끝낸 다음 다시 구수 잡는 것 아니고, 장을 끝까지 밀고 그 힘 그대로 이어서 구수를 연결한다. 힘이 끊이지 않으면서 구수로 전환한다. 장掌으로 치는데 상대 손이 나오면 장을 친 손으로 바로 구수로 변화해 당긴다. 앞의 장이 구수로 만들어져 들어오기 시작하면 이미 허리에 있는 구수는 움직여 나와야 한다. 한쪽이 움직이는데 다른 쪽이 멈춰있으면 안 된다.
　꼬리뼈(둔부 쪽)를 들듯이 상체를 세워 올리면서 찌르면 몸이 나아가게 된다. 골반이 고정된 상태에서 몸이 나간다는 이치를 알아야 한다. 몸이 나간다는 것은 앞으로만 나가는 것을 의미하지 않는다. 몸을 뽑아 올리는 것도 몸이 나가는 것이다. 그렇게 해야 신법身法과 삼절三節이 맞아지는 것이다. 그냥 팔을 밀면 팔만 나가는 것이 된다. 좌공坐功에서도 삼절이 다 맞아야 한다. 마지막 양장兩掌을 허리 옆으로 내릴 때는 손끝이 앞을 향해야 한다.

◉ 힘을 논論한다면, 장을 앞으로 밀 때는 상완上腕으로 천천히 민다. 끝까지 뻗은 다음 약간 더 밀어서 구수를 잡고, 당길 때는 상완에는 힘이 전혀 없고 구수(前腕)에만 힘이 들어가 있어야 한다. 그런 상태로 상완으로만 끌고 온다. 쌍장雙掌으로 밀고 구수를 만들 때 또는 양손을 교대로 구수로 당기고 장으로 밀 때, 뻗은 장을 약간 밀면서 구수를 만든다. 실제로는 어깨와 상완 부위를 민다. 힘이 어깨에서 상완 아랫부분과 팔뚝 아래를 거쳐 구수까지 도달

하는 감각을 가져야 한다. 즉, 상대 공격을 잡을 때는, ㉮ 굴리고(纏絲), ㉯ 밀고(掤), ㉰ 챈다(拿). 밀지 않으면 잡히지 않는다. 이때의 운용 힘을 기르는 것이다. 상대 손을 챌 때는 세 가지 변화가 모두 한 동작으로 되어야 한다.

● 구수鉤手와 장掌 수련의 응용

을의 우수 공격에 갑이 좌수로 막고 우수로 상대 중궁을 찔러 들어갈 때,

① 이 경우 갑의 우수 공격에 을이 좌수를 들어 올려 막는다. 갑은 우수로 을이 막아 올리는 좌수를 구수로 걸어서 당기며, 다시 좌수로 공격한다.

② 을이 들어 올려 막으면 갑은 오른손 팔뚝(공격하는 손)으로 상대를 눌러서(올라오는 상대 힘을 와해), 전완前腕을 돌려서(상대 노선을 바꾼다) 계속 나가면서 오른손으로 공격한다.

③ 을이 막으러 올라오면 갑은 상대와 접촉하지 않고 허공에서 변하여 손 모양을 바꿔서 공격한다.

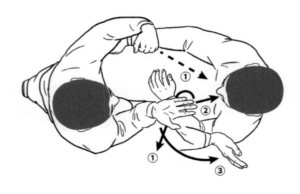

(수법의 응용)

【帆身功 第二路】〔오금수희五禽獸戲(鶴形: 새 자세)〕

횡측橫側으로 붕권崩拳·배장背掌·벽권劈拳·벽장劈掌 등의 수련을 통해 횡격橫擊의 정밀함과 역량을 증가시킨다. 원圓을 그리며 뻗어 나간다. 운동노선에서 속도와 힘을 나누어 안배하는 것이 중요하다. 운동량은 앉아서 횡격을 수련한다면 각각을 10회 이상 하는 것은 과하다. 최대 수다. 만일 10회를 수련한다면 앞으로 지르는 동작도 비슷하게 횟수를 정해 줘야 균형이 맞다.

팔이 나갔다 들어올 때는 권추圈搥의 힘이다. 은은한 힘이 끊어지지 않아야 한다. 팔을 펼 때 힘을 주고, 당길 때는 느슨하고 가슴 앞에 도달하면서 마지막에 힘주는 것이 팔을 다시 펴는 힘이 된다. 주먹은 붕권과 벽권에서 펼치면서 쥐고 권추로 회수하면서 풀어진다. 손가락은 힘이 다 들어가야 한다. 주먹을 쥘 때는 외연外沿에 힘준다. 그러면 팔뚝에 힘이 들어간다. 칠 때 호기呼氣하지만 받은 호흡이 된다.

반좌예비식盤坐豫備式

반좌로 앉되 다리를 풀고 편하게 앉고, 상체는 바르게 세우고 양 주먹을 허리에 안정되게 두며 눈은 앞을 향한다.

1

1. 붕권崩拳

　주먹을 권배拳背를 정면으로 하여 느슨하게 양팔을 가슴 앞으로 모아서 측면을 팔뚝으로 쳐 나간다. 마지막에 주먹을 쥐고 팔뚝과 함께 힘을 준다.

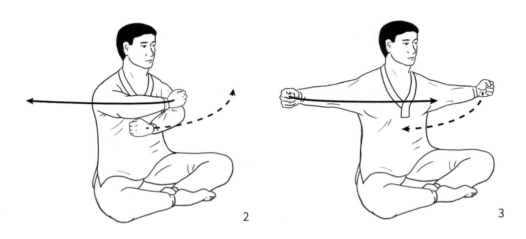

2　　　　　3

2. 배장背掌

　배장背掌으로 양팔을 느슨하게 가슴 앞으로 모아서 측면을 팔뚝으로 쳐 나간다. 마지막에 팔뚝과 손등에 힘을 준다.

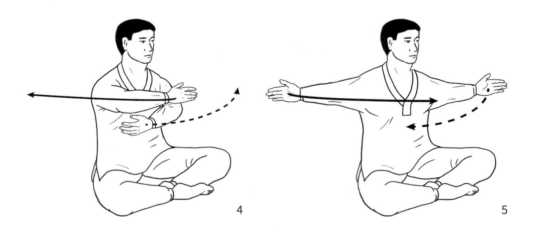

4　　　　　5

3. 벽권劈拳

주먹을 권륜拳輪을 정면으로 하여 느슨하게 양팔을 가슴 앞으로 모아서 측면을 팔뚝으로 쳐 나간다. 마지막에 주먹을 쥐고 팔뚝과 함께 힘을 준다.

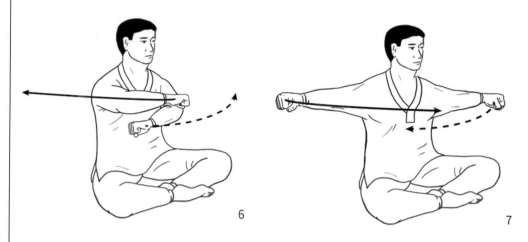

6　　　　　　　　　　　　　　　7

4. 벽장劈掌

측장側掌으로 양팔을 느슨하게 가슴 앞으로 모아서 측면을 팔뚝으로 쳐 나간다. 마지막에 팔뚝과 측장側掌 외연外沿에 힘을 준다.

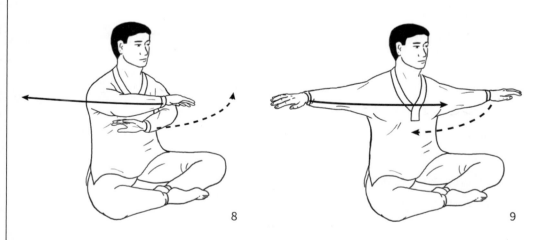

8　　　　　　　　　　　　　　　9

5. 빗겨 막기

횡벽橫劈 수련 후 팔을 풀어줘야 한다. 양손을 가볍게 편 상태로 몸 앞에 모았다가, 무릎을 스치듯이 팔을 둥글게 나가며 주먹을 쥔다. 두 번째는 엄지를 감싸고 주먹을 쥐고, 마지막은 장掌을 편 채로 펼쳐나간다. 각 5회씩 행한다. 공방에서 상대 움직임에 대한 공간 감각과 방어하는 손의 동선動線을 수련하는 것이다.

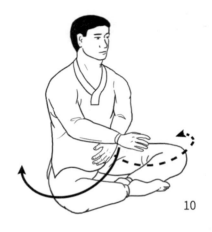

10

11

6. 전견轉肩

어깨 위로 양손을 늘어뜨린 다음 흡기吸氣하면서 허리를 바르게 편다. 이어서 폐기閉氣한 상태로 양어깨를 앞에서 위로 뒤로 아래로 둥글게 회전하며 아래로 내린다. 내리면서 호기呼氣한다. 3회를 천천히 행하고 이어서 가볍게 같은 노선으로 수차례 어깨를 돌린다. 어깨를 회전하는 것이지만 실제로는 어깨를 들었다 놓는다는 감각으로 해야 한다. 어깨를 편안하게 풀어주는 것이다.

12

【횡격橫擊수련의 특점】

◉ 운동노선이 수평이 되어야 하고 굽으면 안 된다. 팔꿈치가 아래로 떨어지면 안 된다. 손목은 안으로 꺾지 말고 팔과 수평이 되게 만든다. 벽劈을 칠 때 가슴 앞에 모은 손의 높이 그대로 벌린다. 앞으로 밀어서 치면 팔이 올라갔다 내려오게 된다. 앞을 치는 것이 아니고 측면을 치는 것이다.

둥글게 쳐야 한다(바람을 가르듯 느껴야 한다). 무극無極이다. 무극은 둥글게 가야 한다. 또한, 개합開合이다. 팔이 갔다가 올 때도 그냥 오지 않는다. 권추圈捶를 칠 때처럼 온다. 상대 주먹이 올 때 벌어졌던 팔을 합하면서(몸 중앙으로 모으면서) 상대 팔목이나 팔꿈치를 친다. 상대 손을 개개開하면서 막고, 합슴하면서 공격하는 것이 된다. 또는 합슴하면서 막고, 개개開하면서 친다.

◉ 속도는 전체적으로 균일하게 행해야 한다. 빨랐다가 느렸다 하는 것은 절대 힘을 기를 수 없다. 균등한 속도로 연습했을 때 힘이 길러진다. 처음이나 끝이나 속도변화가 없어야 한다. 마지막 결정에서 주먹을 쥔다. 마지막에 속도변화 없이 부드럽고 탄력 있게 치고 와야 한다. 탄력이 수련을 통해 나와야 한다. 천천히 균일하게 하므로 빠르게 되는 것이다. 균등한 속도로 연습하는 것은 힘을 기르는 요결要訣이다.

시작점은 허虛하고 갈수록 힘이 들어가야 한다. 팔 전체에 힘이 들어가야 한다(특히 팔뚝 부위로 친다). 손가락 5개의 힘이 균일해야 칠 수 있다. 벽을 칠 때 소지와 약지를 꼭 쥐어야 외연外沿을 보호하고 힘이 들어간다.

붕권과 배장背掌으로 옆으로 벌려 칠 때는, 주가 가운뎃손가락(中指)이다. 그곳에 힘과 의식을 두고 수련해야 한다. 반배장反背掌 공격 때도 같다.

양 측면으로 치고 양팔을 가져올 때의 힘은 권추圈捶의 힘이다. 가져올 때 주먹을 쥐면 안 된다. 주먹을 쥐고 가져오면, 실전에서 권추로 공격할 때 주먹이 먼저 닿는다. 느슨하게 사초四梢에만 힘을 넣고 권추를 쳐야 권추 타격 부위가 목표점에 가서 닿는다. 양팔을 다시 합할 때 힘을 은은하게 주고 들어온다. 권추 힘을 서서히 줘 마지막에 주먹을 쥐어야 한다. 그렇게 해야 들어온 힘에서 다시 나가는 힘이 더 보태진다. 오랜 수련을 통해 경勁이 이루어진다. 정밀하게 해야 뒤에 힘을 얻는다. 근육 힘(뚝심)은 나중에 풀어져 없어진다. 무예武藝를 하려면 자기 힘은 다 버려야 한다. 바꿔야 한다.

◉ 끊어지면 안 된다. 느슨히 가서 칠 때 주먹을 쥐되 끊어치지 말고, 가슴과 날개 죽지가 계속 나가야 한다. 가슴이 계속 옆으로 나가는 영기靈氣가 살아있어야 한다. 주먹을 회수할 때도 영기가 살아야 한다.

◉ 가슴이 오므라져 있어야 한다. 가슴은 움직이면 안 된다. 허리를 세우면서 친다. 양팔을 어깨 뒤로 나가게 하면 안 된다. 흉부를 뒤로 젖히면 흉곽속이 나빠진다. 팔꿈치를 구부려서 친다. 그렇게 해야 가슴이 안 나온다. 팔전체에 힘을 넣어도 힘이 가서 치는 부위는 팔꿈치기 때문이다. 팔꿈치를 많이 구부려 옆을 치는 감感이 나와야 한다. 이때 허리를 세우면서 치면 가슴이 나오지 않고 몸이 약간 앞으로 나온다. 또 양팔을 몸 앞으로 가져올 때 어깨가 올라가지 않게 해야 한다. 팔만 움직이고 어깨는 편안해야 한다. 전체 손높이는 낮게, 가슴은 펴야(젖히지는 말 것, 측면에서 팔을 끌어당길 때처럼 가슴을 편다)한다.

◉ 팔 자체의 삼절三節을 수련해야 한다. 상완上腕에 의식을 두고 수련해야 삼절이 맞아 간다. 횡벽 치기는 어깨를 더 늘어나게 한다. 근절根節의 근절이 단련된다. 근절을 늘여야 한다. 즉 상완을 늘여서 친다. 그렇게 하면 어깨가 뒤로 젖혀지지 않는다. 실전에서 붕권崩拳이나 벽劈을 칠 때 죽 늘어난다. 붕권은 주먹(엄지)을 약간 살려야(약간 든다), 어깨는 내려가고 팔은 수평이 되어 내려가지 않는다. 주먹을 살려서 친다. 근절을 늘여서 친다.

◉ 신법身法 수련이다(가슴 신법). 이렇게 수련이 되어야 한 손으로 한 방

향으로 칠 때 가벼워진다.

◉ 모든 수련은 실전實戰을 위한 것이다. 두 팔로 붕권崩拳을 칠 때 붕권에서 손이 약간 펴져 가슴으로 와, 다시 출발하기 전에 반주먹을 만들어서 출발한다. 손바닥을 편 상태로 나가면서 반주먹을 쥐면 안 된다. 잘 안되면 손을 펴서 오지 말고 반주먹으로만 수련한다. 실전에서 손을 쥐었다 폈다 하면서 잡거나 치거나 해야 하는데, 규격이 정확해야 하기 때문이다. 상대를 막을 때 또는 벽劈으로 칠 때 손은 유柔로써 움직여야 하기 때문이다.

◉ 횡권 수련은 벌리며 치고, 모으며 치는 수련이다. 예를 들어 상대 우권右拳을 좌수로 아래로 눌러 막고 우수로 권추를 치면 모으며 치는 것이다. 철형으로 공격할 때는 벌려 치는 것이 된다. 좌공에서 양손으로 벌려 치고 다시 모으고 할 때 손등(반배장)으로 벌려 쳤다가 손바닥(掌)으로 모아오는 동작은 예를 들면, ㈎ 우수 반배장으로 상대 공격을 바깥으로 벌린 다음, 그대로 장掌으로 상대 옆얼굴을 친다. 또는, ㈏ 우수로 상대 공격을 바깥에서 안으로 장掌으로 막고, 그 손으로 그대로 상대 옆얼굴을 친다.

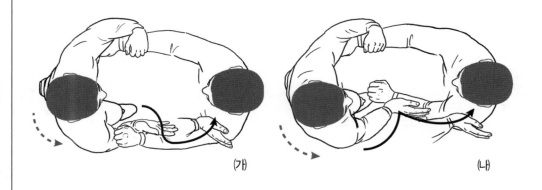

㈎   ㈏

【帆身功 第三路】

1. 목 운동

제 1 세 (앙하仰下)

허리를 세우고 흡기吸氣하며 아랫배는 내밀며(丹田) 머리를 위로 든다. 가슴을 펴고 머리를 뒤로 젖히며 위로 뻗어 올린다. 흡기吸氣를 배합한다. 이어서 허리를 세운 상태에서 호기呼氣하며 목과 흉추胸椎만 앞으로 구부린다. 대추혈, 흉추를 차례대로 구부린다. 머리를 뒤로 젖힐 때는 턱으로 방향을 잡고, 고개를 숙일 때는 정수리로 운전한다. 목젖이 늘어나게 움직이고 기관지 쇄골까지 단련한다. 3회를 행한다. 이어서 손바닥으로 목을 가볍게 훑고 마친다.

제 2 세 (호고虎顧)

좌우로 목과 허리를 함께 돌린다. 허리가 돌아갈 때 가슴을 젖히거나, 펴면 안 된다. 가슴은 품고 세우기만 하고 허리(脊椎) 부위를 세워 돌린다. 좌우로

3회回 실시한다. 목은 똑바로 돌아가며, 손이 위로 가든 아래로 가든 눈은 수평으로 돌아가야 한다. 눈은 전방 1m 정도 지면을 응시하면 목이 바르게 선다. 정면을 보면 목이 젖혀진다. 목이 젖혀지면 흉쇄유돌근이 단련되지 않는다. 돌릴 때 흡기吸氣, 돌아올 때 호기呼氣를 배합한다.

　앉아서 목과 허리 돌리기는 안법眼法 수련이다. 또는 뒤나 측면을 팔꿈치로 공격할 수 있다. 골반이 고정되어 있으므로 허리의 회전 폭이 커진다. 뒤에 일어서서 움직이면 골반까지 돌아가므로 허리 신법이 더 가벼워진다.

제 3 세 (조신鳥伸)

몸을 바르게 세우면서 흡기吸氣하고 목을 좌우 옆으로, 또 사선으로 세 번에 나눠 기울이면서 호기呼氣한다. 안법眼法 수련이다. 정면을 봐야 한다. 목을 기울이는 쪽 어깨를 아래로 내려야 한다. 상대 공격을 피하며 치는 것과 같은 신법身法이 나온다. 예를 들어 목을 좌측으로 기울이면 오른쪽 어깨가 들리고 들린 쪽 어깨가 힘이 강해진다. 자연히 우수가 공격하는 손이 된다.

이때는 몸 전체가 숙어지는 것이 아니고, 약간 자세를 낮추면서 어깨를 기울이면 피할 수 있다. 목을 옆으로 젖혔다가 바로 세울 때 흡기吸氣에 맞춰야 호흡이 끊어지지 않고 움직일 수 있다. 목을 좌우로 늘일 때 방향을 세 군데로 잡아서 한다.

제 4 세 (웅경熊經)

정면을 바라보는 자세에서 고개를 앞으로 기울여 목을 좌로 360도 돌린다. 180도 뒤로 돌리며 흡기吸氣하고, 180도 앞으로 돌리며 호기呼氣한다. 3회 돌린 다음 이어서 오른쪽으로 3회 돌린다. 가운데로 목이 올 때 베어링 위에서 목이 돌아가는 것처럼 해야 한다. 돌리면서 허리 펴고, 가슴 펴고(가슴을 들어 올리면 내밀어진다), 목을 뽑아 올리면 몸이 앞으로 내밀어져야 한다. 그러면 배는 들어가게 된다. 몸(身法)으로 목 회전을 이끈다. 몸과 목이 교류되어야 한다. 몸이 목을 따라간다. 이어서 목과 어깨 그리고 팔과 손을 주물러(按摩) 풀어줘야 한다. 목은 자주 만져줘서 풀어줘야 한다.

2. 회춘미안공回春美顔功

1) 고치叩齒

위 아랫니를 마주친다(36회). 약하게 해야 한다. 머릿속까지 안마하는 것이다. 종이를 한 장 두고 씹듯이 자국만 남게 하라. 신경운동이다. 몇 번 하는 것은 의미가 없다. 무엇을 먹을 때 살살 꼭꼭 씹어 먹는다. 뇌와 치아는 직접 연관이 있다. 정신건강이 온다.

2) 마조磨爪

두 손바닥을 비벼 열이 나게 한다.

3) 우삼풍優三風

손바닥을 눈 위에 대고 덮고(捂), 돌리고(轉), 뜨고(展) 한다(각 8회).

4) 위산근尉山根

양손 손가락으로 눈썹 뼈를 꼭꼭 눌러 안쪽에서 바깥 방향으로 주무른다. 이어서 눈썹과 접한 바로 위 이마를 같은 방법으로 주무른다. 이어서 눈두덩이 아래, 눈 바로 위 부드러운 부위를 부드럽게 양 엄지로 살살 눌러 안마한다. 이어서 눈 아래 안검眼瞼 부위를 같은 방법으로 안마한다.

5) 위명당尉明堂

두 손의 식지, 중지, 무명지를 사용하여 양미간 중앙에서 위로 머리털 난 곳까지 올리면서 좌우로 벌려 태양혈까지 문지른다.

6) 쌍협雙頰

양손을 얼굴에 대고 중지를 코의 양편에 가볍게 대고 위에서 아래로 문지른다. 올라갈 때는 가볍게 내려올 때는 약간 힘을 준다.

7) 격안擊顔

열 손가락 끝부분으로 뺨과 턱을 두드린다.

8) 천고天鼓

두 손바닥으로 귀를 안마한다. 이어서 손바닥으로 귓바퀴를 앞으로 접어 막고 검지를 식지 위에 올려놓고 귀뿌리 부위를 두드린다(5회). 이어서 귀 입구를 손바닥으로 가볍게 덮고 손가락은 뒤통수를 감싼다. 검지를 식지 위에 올려놓고 아래로 튕기며, 뒤통수 위아래로 올라가며 내려가며 내려친다(5회).

9) 찰정擦頂

열 손가락의 끝부분을 사용하여 이마 위에서 머리 뒤로 쓸어 넘긴다(8회).

두피 지압은 손톱으로 하는 것이 아니다. 손가락 지문이 있는 부위로 주물러 준다. 두피를 손톱으로 찍듯이 하면 안 된다.

10) 위천주尉天柱

목 운동, 앙하仰下, 호고虎顧 등을 한 후에 목을 안마한다. 목과 후두부, 귀 뒷부분까지를 양 손가락으로 밀고 당겨 안마하고, 왼손으로 오른쪽 어깨와 견갑골, 흉추에 접한 곳을 두루 누르며 당긴다. 이어서 반대쪽도 실시한다.

11) 위신요尉腎腰

양손을 비벼 열이 나게 한 다음 양 손바닥으로 등 뒤(명문 부위)를 문지른다(36회).

12) 옥액玉液

혀로 치아의 바깥쪽과 안쪽의 위아래를 돌려 씻는다(8회). 이어서 입에 고인 진액을 3회 나누어 마신다.

【帆身功 第四路】

1. 족삼리·음릉천 박타拍打

권심拳心으로 좌우 경혈經穴을 10회씩 친다. 상대 주먹의 손목과 팔꿈치를 공격하는 연습이 된다. 실전에서 상대 손이 길게 들어오면, 나의 정면에서 받지 말고 신법으로 상대 주먹이 나의 측면으로 오게 양손을 사용한다. 상대 우수가 오는 경우, 나의 우수는 손목, 좌수는 팔꿈치에 댄다. 이때 우수를 더 바깥으로 밀어 상대 공격이 내 왼쪽으로 흘러가게 하면서 공격한다.

1   2

(응용의 예)

2. 오금수희五禽獸戲(熊, 鶴)

제 1 세(熊形: 곰 자세)

① 발뒤꿈치 발가락 뿌리, 엄지발가락까지 붙여서 골격을 바르게 해서 다리가 쭉 펴지게 한다. 이어서 손가락으로 발가락을 잡고 머리와 어깨를 위로 들어 고정하고 발을 앞으로 밀어 어깨가 늘어나게 한다. 3회 정도 가볍게 행한다.

② 이어서 발끝을 세운 상태로 발목에 손을 두고, 허리를 앞으로 숙이며 늘인다. 반동을 사용해선 안 된다. 흉추와 척추를 둥글게 늘이는 데 목적을 둔다. 10회 행한다.

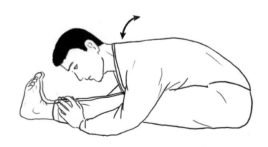

③ 이어서 발목을 자연스럽게 둔 다음, 발목에 손을 두고 허리를 앞으로 숙이며 늘인다. 반동을 사용해선 안 된다. 골반을 늘이는 데 목적을 둔다. 10회 행한다.

◉ ②, ③에서 발목을 잡아당기면 안 된다. 허리만 힘을 써서 움직인다. 필요 없는 곳의 힘을 쓰지 않는다. 엉덩이가 들리면서 뒤꿈치가 땅에 붙어서 앞으로 밀어야 하는데, 이때 무릎이 위로 솟아오르지 않게 해야 한다.

④ 다리를 60도 정도 벌리고 좌우로 상체를 숙인다. 이 동작은 다리운동이 아니다. 자연히 다리가 신장伸長 되지만, 다리를 늘이는 것보다 흉추, 요추의 뒷부분을 늘이는 동작이다. 무릎을 수직으로 누를 때는 흉추, 팔꿈치를 발 방향으로 밀면서 누를 때는 요추를 늘이는 운동이다.

세 군데 중절中節을 한꺼번에 수련하는 것이다. 무릎과 허리 그리고 팔꿈치가 동시에 움직여 나가는데 즉, 가슴이 먼저 나가듯이 팔꿈치가 나가는 느낌, 허리가 늘어나는 느낌, 그리고 무릎이 틀어지는 느낌을 느껴야 한다. 실제 궁보弓步 충권衝拳으로 주먹 찌를 때 몸에 작용하는 중절의 움직임과 같다.

먼저 다리를 벌리고 상체를 자연스럽게 세운 다음, 허리를 세워 살짝만 돌린다. 이어서 양수兩手를 태극으로 움직여 무릎 위치로 가져간다. 허리를 틀어서 완전히 대퇴 위로 고정이 된 뒤에 조금씩 압퇴壓腿가 되도록 무릎을 누르면서 팔꿈치로 밀고 당긴다. 누르면서 단계별로 작은 동작에서 큰 동작으로 옮아가야 폐단이 없다. 좌우 10회씩 행한다. 요결은 양쪽 등판이 늘어나게 허리를 돌려서 누르는 것이다.

이어서 같은 동작으로 좌우 10회를 행하되, 압퇴 위주로만 한다. 무릎 위에 손을 덮고(누르지 말고 살짝 덮고) 무릎에 힘을 주고 상체를 수직으로 누른다.

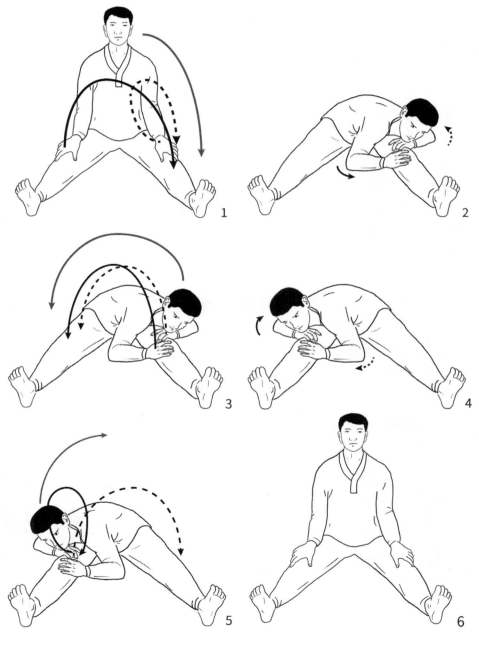

제 2 세(鶴形: 새 자세)

오금희의 새 날갯짓이다. 새는 날갯짓할 때 허리를 펴고 한다. 따라서 이런 의미가 살아나게 수련해야 한다.

1단계: 좌수로 오른 다리의 발목을 받쳐 들고, 우수는 가슴 앞에서 측면을 지나 등 뒤로 구수鉤手로 잡아 나간다. 이때 발목을 잡는 것이 아니고 발목을 받쳐야 한다. 발목을 받치는 경우에는 발을 세운다. 대퇴 안쪽 인대를 단련한다. 손가락으로 발목을 들어 올린다(발이 바르게 세워지게 엄지로 틀어 준다). 발목을 안 잡고, 뒤꿈치를 잡으면 발이 활발하지 못하다. 복사뼈에서 위쪽을 받쳐야 한다. 받친 손은 발을 따라가는 것이고 당겨서는 안 된다.

뒤꿈치를 전방으로 향하고 척추를 구부러지게 하지 말고 살짝 들며 대퇴(골반)로 밀어야 한다. 회심퇴처럼 똑바르게 밀어야 하며, 회심퇴의 턱 차는 수련, 다리 올리는 수련이면서 근육과 인대를 강화해 준다. 무릎에 힘주고 천천히, 속도를 일정하게 밀어낸다. 발을 너무 들어도 안 되고 너무 낮게 뻗어도 안 된다. 약간 높아야 허리가 많이 돌아간다.

뒤로 구수로 벌려 나가는 수법手法은 상대 공격을 우수로 내 몸 뒤쪽으로 흘리면서 우족右足으로 회심퇴 공격하는 것이 된다. 실전에서 좌공坐功 때 숙달된 신법이 그대로 나온다. 정밀하게 수련하면 신법은 저절로 익혀진다(조건 반사로 숙련되므로). 반대쪽도 행한다.

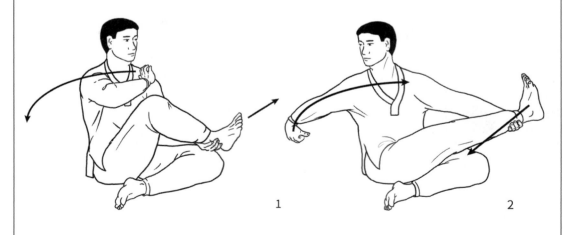

1   2

2단계: 좌수로 오른발 발목의 외연外沿을 잡고 우수는 가슴 앞에서 머리를 지나 등 뒤로 구수鉤手로 잡아 나간다. 다리는 낮게 밀어 나가고 허리를 고동처럼 돌면서 같은 속도로 세워야 한다(나사가 올라오듯이). '1단계'의 발목을 받치고 할 때는 허리를 세우지 않는다.

다리를 낮게 밀 때는 다리를 밀면서 잡은 손이 따라가야 한다. 따라서 외연을 잡고 발을 뻗을 때 손으로 발을 당기는 힘이 없어야 한다. 발을 당기는 힘이 있으면 발의 외연이 버티므로 발바닥이 안으로 굽는다. 발바닥은 버티는 힘 없이 평평하게 펴져 있어야 한다. 발바닥 중간위치를 잡고 장딴지를 앞으로 민다. 오금이 완전히 펴진다. 외연 쪽 다리 바깥을 단련한다. 이것이 발수련의 마지막 단계다. 발바닥 외연을 잡고 구수를 뒤로 보낼 때 양쪽 어깨와 발이 평행이 되어야 한다. 구수가 몸 뒤로 약간 더 가야 그렇게 된다. 뒤로 밀면서 등 뒤로 가야 한다. 또한, 허리를 돌릴 때, 골반은 반대 방향으로 발을 따라가야 한다. 엉덩이가 같이 나간다. 그래야 삼절이 맞게 되고 허리가 선다. 흉추와 요추가 교정된다. 반대쪽도 행한다.

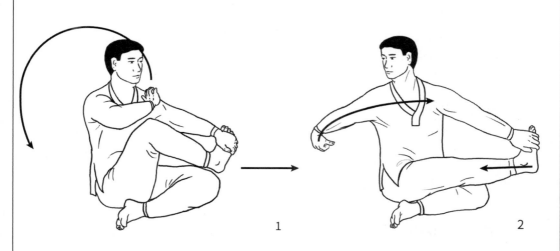

1   2

● 학鶴 자세에서 발목을 받치는 경우는 다리 안쪽의 인대를 단련하고, 외연을 잡는 경우는 다리 바깥쪽 인대를 단련한다.

◉ 학鶴 자세는 온몸의 관절이 다 움직이므로 천천히 해야 한다. 발을 잡는 손이나 등 뒤로 가는 손이나 모두 어깨를 쭉 뽑아야 한다. 마지막에 구수를 잡아야 힘을 빼고 가져온 팔을 마무리할 수 있다(매듭을 짓는다).

◉ 학鶴 자세는 요추腰椎 운동이 아주 잘 되는 자리다. 미리 허리를 의식하고 하면 안 된다. 자연스럽게 수련이 되어야 한다. 신법身法과 척추脊椎 건강을 위한 것이다. 이를 위해 몸을 돌릴 때 허리를 든다(궁보弓步에서 허리를 들 듯이). 절대 과하게 들지 말고 자연스럽게 되어야 한다. 이때 발을 잡은 쪽 둔부의 반대쪽 엉덩이가 살짝 들린다. 그렇게 되어야 흉추가 갈라진다. 허리 드는 것은 살짝 미동微動도 없이 한다. 표시 없이 한다. 중요하다. 왜냐하면, 평소 제일 눌리는 자리가 허리이기 때문이다.

◉ 다리를 들어 뻗을 때 무릎(中節)을 벌렸다가 세우지 말 것. 노선이 중간에 변하기 때문에 시간이 지체된다. 무릎을 접고 펴는데 의식을 두지 말고 대퇴와 골반을 밀어주는 데 의식을 두라.

허리 세우면서 구수를 몸 뒤로 돌릴 때 다리가 10% 정도 덜 펴졌을 때, 다리를 계속 펴지 말고 허리를 더 반대로 돌려 나가면 다리가 저절로 펴진다.

◉ 발목을 받쳐서 발을 뻗을 때는 엄지와 검지 발가락 사이를 바르게 세워 민다. 발 외연을 잡고 발을 미는 이유도 발을 바르게 골격을 잡아 수련하기 위해서다. 발목과 발 외연을 잡을 때 발을 통제하기 위해 잡지 말고 발을 들기만 하고 다리 자체의 움직임으로 뻗는다. 그렇게 해야 대퇴가 단련된다.

◉ 학鶴 자세는 좌, 우 10회까지가 최대수이다. 좌, 우 5회씩만 해도 충분하다.

3. 기지개〔오금수희五禽獸戲(熊形: 곰 자세)〕

　가슴, 머리가 다리에 닿는 것을 목적으로 앞으로 길게 민다. 선골扇骨을 죽 펴서 뽑아서 상체를 앞으로 아래로 숙어서 늘여라.

　곰 자세의 다리 벌려서 상체 숙이는 것과 '좌공 1로의 렴시앙천탁장斂翅仰天托掌'에서도 같다. 허리부터 어깨까지 죽 늘려야 한다. 둥글게 등을 감아서 누르면 상체 위쪽을 수련하는 것이다.

　늘일 때 발가락(엄지)은 붙이는데 이때 발가락에 힘을 주면 안 된다. 기예技藝의 요점을 익히는 것이다. 즉, 힘줄 곳만 힘을 줘야 한다. 다른 곳에 힘이 들어가면 안 된다. 그렇게 되어야 기예가 가볍다.

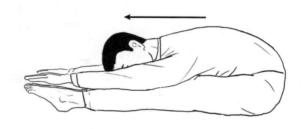

4. 안마按摩 · 박타拍打

　도인안마導引按摩라 하는데, 본래 안按은 편안할 안安을 쓴다. 이것을 해야 하는 이유는, 예를 들어 다리가 딱딱해지면 우리 몸은 이것을 풀어주기 위해 신장腎臟의 힘이 가서 푼다. 다리가 딱딱해지면 신장이 에너지를 계속 보내줘야 하므로 신장 기운이 약해진다. 그러므로 인위적으로 주물러 풀어주면 그만큼 신장이 해야 할 일을 덜어주는 것이다. 즉 오장五臟을 돕는 것이다. 두드리는 것은 순환을 위한 것이고, 당기며 주무르는 것은 막膜을 단련한다.

① 횡벽 수련 후 목, 어깨, 팔, 손에 대한 안마 박타를 행한다. 목 운동이 끝난 후에도 역시 목과 어깨 부위를 주무른다. 경추頸椎는 중요한 곳이다. 가슴은 좌에서 우로 두드린다. 좌혈左血이 우기右氣로 가는 것이다. 정좌靜坐를 위해 혈의 순환이 필요하다. 박타를 할 때 혈이 지나가는 방향으로 해야 한다. 음陰은 내리고, 양陽은 올려서 주무른다. 가슴은 위로 올리면서 주물러 간다. 팔을 바깥쪽을 위에서 내려가면서 주무르고 손 부위까지 내려오면 다시 팔 안쪽으로 올라가면서 주무른다. 이어서 바깥과 안쪽 사이를 다시 내려가면서 주무른다. 손은 손등뼈 사이와 손바닥을 주무르고 손가락까지 하나하나 안마하고 손가락 끝 지문 부위를 반드시 한 번 눌러 안마한다. 이어서 합곡혈合谷穴을 누르고 마친다. 특히 구수를 연습할 때 반드시 안마한 다음 해야 한다. 손목 부위는 중요한 곳으로 당겨서 주물러야 막膜膜이 단련된다.

② 다리운동 전 주먹을 살짝 쥐고 팔을 등 뒤로 돌려 엄지 바깥 부위로 허리 양쪽으로 박타한다. 척추와 천추, 엉덩이까지 박타한다. 명문命門 부위를 한번 주무르고 쓸어 준다. 옛 어른들은 허리를 비볐다.

③ 족삼리, 음릉천을 동시에 치고 난 다음, 다리에 대한 안마와 박타를 한다. 다리 외측면外側面 위에서 아래로 내려오며 박타하고 다시 다리 내측면內側面 아래에서 위로 올라가며 박타한다. 이어서 같은 노선으로 다리를 안마한다. 혈血이 지나가는 방향으로 해야 하고 양경락陽經絡과 음경락陰經絡을 구분해서 한다. 근골筋骨 수련은 뼈를 주무른다. 뼈를 안마해야 막膜膜 단련이 된다. 동공動功을 하고 도인법(안마按摩)을 하지 않으면 유공柔功을 하고 풀어주지 않는 것이다.

박타拍打하는 법은 호권虎拳으로 주먹을 느슨히 쥐고, 권심拳心으로 허벅다리 치기, 또는 권륜拳輪으로 치기 등의 방법으로 안마한다. 이때 손목에 힘을 빼고 권심의 손가락끼리 접촉면에 서로 부딪히게 친다. 이어서 다리 펴고 무릎 주변을 손가락 끝이 들어가게 주무른다. 이때 손가락 마디마디가 모두 삼절三節에 맞게 움직이도록 장근掌根도 사용한다. 발을 펴고 상체를 앞으로 숙여서 발가락을 주무른다. 또 발가락을 당기면서도 주무른다. 발가락을 손처럼 쓰기 위한 수련이다. 구수鉤手를 쥐고 양팔을 사타구니 허벅다리 쪽에 뻗어 붙여 구수를 눌러서 손목단련을 한다. 고관절股關節을 주무를 때는 상체를 반대쪽 옆으로 조금 더 기울이면 고관절 부위가 부드러워져 주무르기가 쉽다.

박타법拍打法은 모두 칠 때 숨을 짧게 내쉰다. 호흡법과 연관되게 해야 한다. 그렇게 안 하면 기혈氣血이 역행逆行한다.

◉ 발 주무르기

수법手法은 구수鉤手로부터 시작되고 보법步法은 발에서부터 시작된다. 다시 말하면 무예武藝의 첫걸음은 발을 안마하는 것에서부터 이루어진다.

발 주무르기는 주로 다리 행공을 마친 후 실시한다. 두 손을 사용하여 발바닥과 발등을 동시에 주무른다. 샤워하면서 발을 주물러도 된다. 발 주무르기 순서는 다음과 같다.

① 뒤꿈치는 지면에 두고, 발가락은 들고, 양손으로 발바닥, 발등 주무르기.
② 뒤꿈치와 아킬레스건 부위 주무르기.
③ 한 발을 두 손으로 받쳐 들고 두 손으로 외연, 발바닥 주무르기.
④ 뒤꿈치 잡고 발바닥 비틀기. 뒤꿈치 잡고 발등 비틀기.
⑤ 발등을 땅에 대고 발등 아래로 손을 넣어 발등 비틀어 당기기.
⑥ 땅에 대고 발등 늘이기.
⑦ 발가락 조르기.

◉ 자고 깰 때 안마

잘 때 허벅지 앞쪽 근육을 풀어준다. 잠에서 깰 때는 기지개 켜기를 행한다.

5. 수식收式

　수식의 주의점은, 양팔을 팔꿈치를 펴면서 귀 옆까지 올린 후 좌우로 감는다. 팔꿈치를 펼 때 손목을 돌리면서(纏絲) 팔꿈치를 끝까지 펴야 끊어지지 않는다. 실전에서 상대 오는 팔을 전사로 막아 잡아채어 허리로 가져올 때, 내 몸 측면까지 상대를 잡은 손이 와야 한다. 이때 팔꿈치는 내 몸 뒤로 약간 가게 되지만, 내 몸은 상대 쪽으로 자연히 접근한 것이 되어 신법이 분명해진다. 즉 내 앞에서 잡아채는 것이 끝나면 안 되고 반드시 내 몸 측면까지 감아채야 한다. 그래야 내가 공격할 거리가 확보되고 상대 손이 내 앞에서 변하지 못하게 된다.

1　　2　　3

4　　5　　6

7

◉ 좌공坐功에 허리 운동이 4가지가 있다. 골반이 고정되어 움직이지 않으므로 허리(中節)의 동선이 커진다. 골반이 권법에서처럼 허리와 같이 움직이면, 허리에 골반이 따라가므로 크게 수련이 되지 않는다.

수련 시에 허리를 똑바로 세워서 돌리는 연습을 해야 허리가 부드러워지고 강해진다. 호고虎顧를 할 때도 허리 세우고, 조신鳥伸을 할 때도 허리 세우고 몸은 좌우로 조금만 눕히고 고개는 늘인다. 주먹 찌를 때도 팔 전체에 은은한 힘이 들어가도록 하여 허리를 똑바로 세우고 연습하고, 상대 주먹을 걷을 때도 허리를 편안하게 돌리며 걷어야 빠르다.

◉ 좌공坐功에서 권추圈捶와 반주盤肘 수련을 해도 되지만 선 자세로 하는 것만 못하다. 신법身法 수련이 되지 않는다. 받는 손은 팔뚝의 양쪽 뼈에 가서 받아줘야 한다. 주무를 때도 양쪽 뼈 쪽을 주무른다.

◉帆身功

【호흡(吐納法)】

◉ 호흡呼吸 자세(방법론과 효과)

1. 앙와공仰臥功

앙와공仰臥功은 호흡의 기초다. 그리고 기본이다. 그 효과는 몸 안의 산소량 배가, 백혈구 증가, 그리고 오장육부五臟六腑를 단련하는 것이다. 옛 문헌에 다시 소년으로 돌아간다고 하였다. 그래서 신선神仙(도가道家 수련을 의미)의 입문법入門法이다. 바르게 누워서 낮은 베개를 벤다. 양팔을 약간 몸에서 떨어지게 펼쳐 놓고 손바닥은 위로 향하게 둔다. 양발은 약간 벌린다. 앙와공仰臥功은 호흡의 입문 단계에서 호흡 길을 잡기 위해 하는 것이다. 이후에도 계속 누워서 수련하면 심장에 무리가 간다.

2. 측와공側臥功

측와공側臥功은 수면 시에 호흡 시간을 길게 가져가기 위해서 하는 법이다. 즉 수면 가운데 계속 호흡 수련을 하는 것이다. 심장이 위로 가도록 옆으로 눕는다. 오른편으로 누워 낮은 베개를 벤다. 어깨가 불편하지 않게 조정한다. 왼팔은 왼쪽 허리에 나란히 올리고 오른팔은 45도 전방을 향하게 두고 손바닥은 위로 향하게 둔다. 오른 다리는 무릎을 구부려 바닥에 눕히고, 왼 다리는 오른 무릎에 포개지 말고 오른 다리 무릎 뒤편에 구부려 둔다. 앞무릎 오금 부위에 뒷무릎을 붙여도 된다. 이때 이불 등 다른 도구를 이용해 편중된 곳이 있으면 받쳐서 바르게 하고 최대한 몸을 편안하게 만든다.

3. 복와공伏臥功

엎드려 누워 머리는 베개를 베지 말고 좌우 어느 한 편으로 돌려 눕고, 양팔은 몸에서 약간 벌려 손바닥이 위로 향하게 하여 둔다. 양발은 살짝 떨어진 상태로 발바닥이 위로 향하도록 한다. 신장腎臟 기운을 강하게 한다. 선천지기先天之氣를 돕는다.

4. 정좌靜坐

정좌靜坐는 호흡 방법 중 가장 귀중하게 평가한다. 내 몸 안의 영혼을 안정시키고, 성품의 계발, 백병百病을 통치하는 위대한 최고의 수련법이다.

매일 새벽 인시寅時(3~5)에 한 시진時辰(2시간)씩 수련하면 신선神仙의 행로를 함께 하고 있는 것이다. 인시가 가장 기운이 맑은 시간이다. 옛사람들은 이 시간에 주로 수련했다. 지금은 사회 환경상 어렵다. 인시 수련은 따로 도인체조 등으로 몸을 풀 필요 없다. 잠에서 깨어나 바로 하는 것이다.

5. 좌재의공坐在椅功

의자에 앉아서 호흡한다. 효과는 정좌靜坐와 같다.

6. 입공立功

서서 하는 호흡으로 다리는 어깨너비로 벌리고 무릎은 구부리지 말고, 자연스럽게 선다. 단전 부위에 양손을 덮듯이 감싸고 호흡한다. 그 효과는 호흡량을 크게 배가시켜 준다. 온몸의 진기眞氣를 유통시키는 것이다. 12경맥經脈을 보補해 준다. 내장을 튼튼히 해준다. 예를 들어, 선 자세로 내장세內莊勢를 하거나, 외용세外勇勢 등의 동작을 가미하면, 그 필요한 오장五臟이나 경맥經脈 등의 부위를 단련하는 것이다.

7. 보행공步行功

걸어가면서 호흡 수련을 한다. 팔자八字 걸음도 안 되고, 안짱걸음도 안 되고 반드시 일자一字 걸음으로 걷는다. 이때 지면에 발이 닿으면 반드시 엄지를 주로 하여 발가락으로 지면을 잡듯이 힘을 줘야 한다. 제1단계가 한 호흡에 8보步다. 제2단계는 일 호흡에 16걸음이다. 제3단계는 일 호흡에 24걸음

이다. 단, 하루 1000보 정도가 적당하다. 무리하면 안 된다. 보행공의 특점
은, 첫째, 몸의 모든 균형을 바로잡아 준다. 둘째, 걸음이 배가 빨라진다. 옛
경신법輕身法은 이것을 떠나서는 되지 않는다. 셋째, 몸의 모든 질환이 저절
로 없어진다. 특히 엄지에 힘을 주고 걷기 때문에 비장과 간장이 튼튼해진다.
엄지발가락이 보補하는 맥이 비장과 간장 맥脈이다. 눈도 밝아진다. 넷째, 고
혈압, 두통, 스트레스 등 두뇌의 모든 질환이 없어진다.

◉ 정좌靜坐후 좌공坐功

　정좌靜坐후 '좌공 1로'를 한다. 방법이 조금 달라진다. 호흡이 길어졌으므로
길어진 호흡에 맞춘다. 구수鉤手를 양쪽 등 뒤로 보내면서 머리를 숙이는 것
은 하지 않는다. 정좌 후이므로 머리를 숙이면 좋지 않다. 이때는 양손은 뒤
로 가지만, 약간 몸을 앞으로 숙이면서 척추를 약간 앞으로 위로 쭉 뽑는다.
정좌 후이므로 척추를 풀어준다. 이어서 수식收式을 하고 마친다.

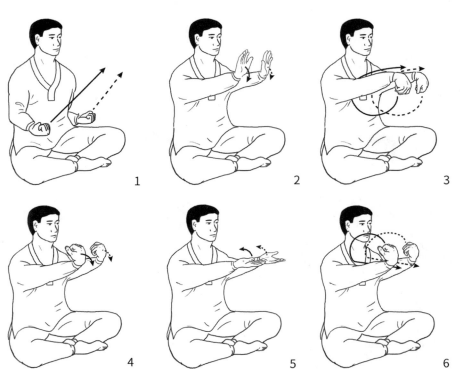

● 吐納法

7

8

9

10

11

12

13

【와공臥功】

【참고】〈와공臥功〉은 해범海帆 선생께서 창안한 동공動功이다.

와공臥功 수련은 척추脊椎와 골반骨盤의 이상을 치료하는 효과와 함께, 누워 있는 상태에서 수비와 퇴법 등을 수련한다. 무예武藝는 서나 앉으나 누워 있을 때나, 모두 대적할 수 있어야 한다. 누워서 몸을 돌리는 수련, 차는 수련을 해야 한다. 누워 있을 때 상대가 공격하면, 주로 발차기가 들어온다. 상대의 반대편으로 몸을 돌려 피하고, 다시 상대 쪽으로 돌며 상대 발을 찬다. 또는 상대가 무기를 들고 공격하면 양손으로 무기 든 손을 감아 잡고 찬다.

제 1 세

시작하기 전에 양손으로 양 옆구리를 안마한다. ㈎ 정강이를 양팔로 감싸 잡고 당겼다 푼다. 골반을 움직인다. 부수적으로 복근도 수련된다. 20회 행한다. ㈏ 이어서 대퇴를 양팔로 감싸 잡고 당겼다 푼다. 20회 행한다. 팔은 고정만 하고 둔부만 들어 올린다. 치료할 때에는 100회 정도 해야 한다.

(가)

(나)

제 2 세

기지개를 켠다. ㈎ 팔과 다리를 약간 오므렸다가 쭉 펴면서 양 손바닥을 위로하여 뻗고, 다리는 아래로 발등을 평평하게 뻗는다. ㈏ 이어서 양 주먹을 위쪽으로 하여 뻗고, 다리는 아래로 발뒤꿈치를 밀어 뻗는다. 각 2회를 실시한다. 등을 뒤로 젖히듯 할 수 있다. 허리는 뒤로 젖혀지면 안 된다.

● 臥功

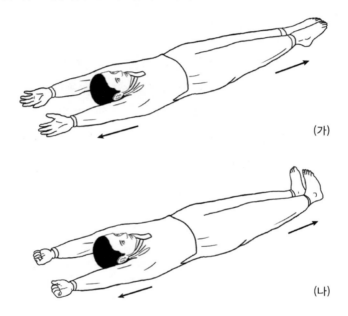

(가)

(나)

제 3 세

제1세를 반복하여 실시한다.

제 4 세

제2세를 반복하여 실시한다.

제 5 세

앞차기를 좌우 교대로 5회씩 실시한다. 우각右脚부터 시작한다.

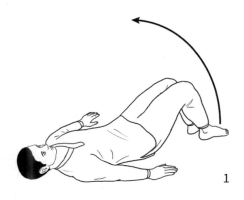

1

2

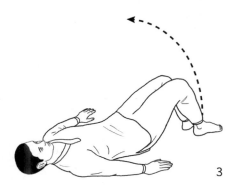

3

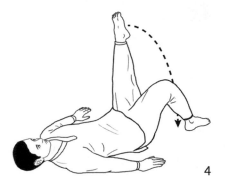

4

5

제 6 세

회심퇴를 좌우 교대로 5회씩 실시한다. 우각右脚부터 시작한다.

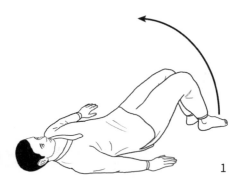

1

2

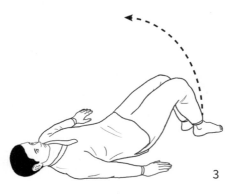

3

4

5

제 7 세

제5세와 제6세를 반복하여 실시한다.

제 8 세

양수兩手로 좌우를 감아서 옆차기를 좌우 교대로 5회씩 실시한다. 우각右脚
부터 시작한다.

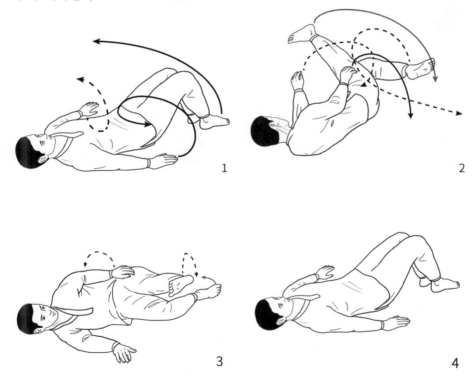

1

2

3

4

제 9 세

돌려차기를 좌우 교대로 5회씩 실시한다. 우각右脚부터 시작한다.

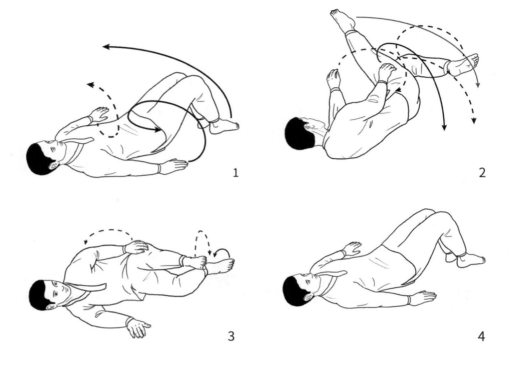

제 10 세 〔오금수희五禽獸戲(猴形: 원숭이 자세)〕

발올리기(踢腿)를 좌우 교대로 10회씩 실시한다. 우각右脚부터 시작한다.

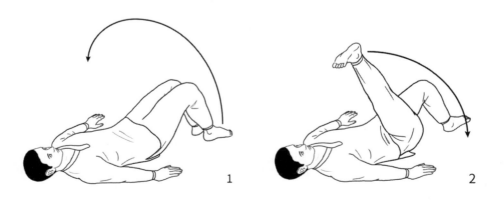

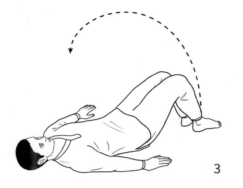

제 11 세

제1세를 반복하여 실시한다.

제 12 세〔오금수희五禽獸戲(熊形: 곰 자세)〕

정강이를 양팔로 감싸 잡고 머리를 지면에서 약간 든 다음, 척주를 중심으로 오른편으로 머리와 골반을 접듯이 축縮한다. 이어서 왼편으로 머리와 골반을 축한다. 좌우로 척추를 구부렸다 펴는 동작이다. 좌우를 1회로 5회를 행한다. 척추를 풀어주는 것이다.

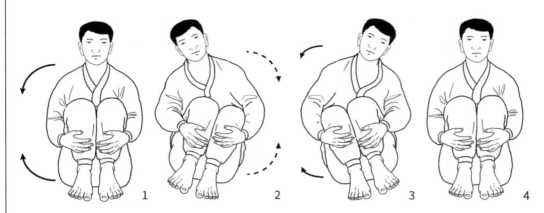

1   2   3   4

제 13 세

　대퇴와 흉추, 경추를 교정한다. 왼쪽 대퇴 앞부위를 오른쪽 발 방향으로 민다. 배와 가슴까지 같이 늘어나도록 한다. 왼손으로 엉덩이를 받치는 것은 흉추교정(약간 꼬이듯)을 위해서 댄다. 이때 몸을 살짝 왼편으로 회전하면서 늘이면 척추까지 교정된다. 얼굴을 좌로 돌리면 경추도 교정된다. 몸 전체를 통으로 늘인다. 반대편도 행한다. 모두 누운 자세다.

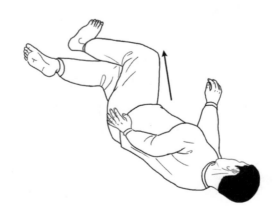

제 14 세

① 배를 양손을 이용하여 안마한다.

㉮ 좌우 손바닥으로 교대로 한 손을 사용하여 좌우로 밀고(장근掌根으로) 당긴다(손가락으로). 우수右手로 우右(氣)에서 좌左(血)로, 좌수左手로 좌左(血)에서 우右(氣)로 주무른다. 복부의 위, 중간, 아랫부분을 나누어 주무른다.

㉯ 양손을 동시에 사용하여 점선 화살표 방향으로 둥글게 주무른다.

㉮, ㉯를 무릎을 세우고 1회, 무릎을 펴고 1회 실시한다.

② 이어서 몸을 왼쪽으로 30도가량 돌려(기울여) 위에서 아래로 내려가며 오른손으로 왼쪽 옆구리를 밀고 당긴다.

③ 몸을 오른쪽으로 30도가량 돌려(기울여) 아래서 위로 올라가며 왼손으로 오른쪽 옆구리를 밀고 당긴다.

④ 몸을 왼쪽으로 90도 돌려 위에서 아래로 내려가며 오른손으로 왼쪽 옆구리를 밀고 당긴다.

⑤ 몸을 오른쪽으로 90도 돌려 아래서 위로 올라가며 왼손으로 오른쪽 옆구리를 밀고 당긴다.

⑥ 마지막으로 한 손 또는 양 손바닥으로 윗배와 아랫배를 시계 방향으로 둥글게 주무른다.

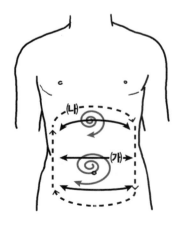

(복부 안마)

● 좌공坐功 때 다리 주무르기는 무릎 아래만 주무르고 엉덩이 허벅다리는 누워서 하면 편하다. 발 주무르기는 심장에 좋다. 손을 주무를 때는 꼭 손목을 주물러야 한다. 관구關口이기 때문이다.

혀의 움직임은 심장을 안마한다. 횡경막(호흡)으로는 오장五臟을 안마한다. 정좌靜坐 때 얼굴을 안마하는 것은 모두 오장의 초절梢節을 움직여주는 것이다. 이어서 호흡을 하면 오장을 안마하는 것이다.

무예에서 하부행공下部行功만 중요시하는 것 같아도 그렇지 않다. 예를 들어, 소림少林의 옛 문헌 등에서도 하부행공보다 주로 상부행공上部行功을 많이 이야기해 놓았다. 실제로는 상부행공을 하지 않으면 하부가 가벼워지지 않기 때문이다. 인체에서 폐나 위장 등 위쪽이 안 좋으면 아래쪽(신장)도 안 좋아지는 이치다. 천지간天地間의 이치다. 소위 〈날씨가 좋아야 일월日月의 기운이 잘 들어온다《세수경洗隨經》〉. 횡경막과 골반막 사이가 천지간 공간이다.

第五章

技藝

【현각권懸脚拳】

32세勢 장권長拳 이야기는 《기효신서紀效新書》와 《무비지武備志》에 나온다. 무예문자武藝文字로만 기록되어 있다. 반면에 《무예도보통지武藝圖譜通志》에는 투로套路로 되어있어 수련 위주로 짜여 있다. 선조先祖들이 연결해 만들어 단련해 온 것이다.

《무예도보통지》에 증보增補된 내용은 당시에 하지 않던 것이다. 《무비지》의 세勢만 가져다 두었다. 그 외 다른 세勢들은 모두 동작 풀이로 설명되어 있으므로, 그 당시 그런 동작으로 수련하던 것이다. 증보된 것은 무학이론武學理論으로만 설명되어 있다. 따라서 무학武學을 알아 해석을 정확히 하더라도 사람에 따라 풀이가 달라진다. 즉 그 사람의 무예 수준과 개성에 따라서 다르게 표현된다.

◉ 증보된 것 중 6세勢, 즉 난찰의출문가자변하세懶札衣出門架子變下勢 · 금계독립세金鷄獨立勢 · 귀축세鬼蹴勢 · 수두세獸頭勢 · 일조편세一條鞭勢 · 조양수세朝陽手勢 등은 모두 변화수變化手다. 즉 정세定勢인데, 하나하나 모두 정세로 연습할 수 있는 것이다.

◉ 빠져있던 10세勢는 위의 6세勢와 나머지 정란세井欄勢 · 지당세指襠勢 · 신권세神拳勢 · 작지룡세雀地龍勢 등 4세勢다.

오화전신세五花纏身勢는 32세의 정세定勢가 아니고 여기서는 신법身法에 따른 칠성권세七星拳勢로 보면 된다. 권법拳法을 만드는 데 필요 없는 동작은 없다. 정세定勢로서, 구류세丘劉勢는 32세 중에 하벽下劈이다. 〈권법拳法〉 투로 중에는 하벽이 포함되어 있지 않다. 포가세抛架勢는 방어세다. 점주세拈肘勢는 공격세攻擊勢로서, 곧 횡격橫擊과 같이 본다. 포가세抛架勢와 점주세拈肘勢는 모양은 같지만 다른 것이다.

〈현각권懸脚拳〉은 《무예도보통지》의 〈권법拳法〉을 새로 이름한 것이다. 32세勢 장권長拳이다. 고대古代에 누가 만들었다는 기록이 없다. 원래 초식招式으로 하나하나 떨어져 있던 동작들로서 권법의 문자文字, 격권擊拳이다. 즉 단권單拳이다. 모든 권법은 32세에서 비롯된다.

예를 들면, 이를 가지고 무당의 장삼봉은 태극권太極拳을 만들었다. 32세 중 13세를 가져가 만들었다. 태극권 세명勢名이 처음에는 원세명原勢名과 같았는데 후대에 세명이 바뀌어 나갔다. 태극권은 내기內氣 흡수, 즉 상대 힘을 빌리는 권법이다. 그래서 태극권을 축발蓄發(움츠렸다 펴는 것)이라고 한다. 그러나 그렇게 하지 못하면 소용없다. 태극권은 견인牽引(상대 힘을 받아)하여 원래는 빠르고 강하게 수련하는 것이다. 따라서 지금처럼 태극권 보법을 느리게 하면 원래의 수법手法과 맞지 않는다.

32세勢는 뒤에 변화를 구할 때 유권柔拳으로 변한다. 우리가 하는 〈현각권懸脚拳〉은 권법拳法의 원原 틀(골격骨格)이다. 이것을 터득하지 못하면 유권柔拳으로 변형된 것을 이해하지 못한다. 유권柔拳은 옛 어른들이 권법을 기초로 하여 모두 터득한 다음, 더 응용하기 위해 체조 형식으로 수련한 것이다. 원태극元太極이라 한다. 수법手法이 솜뭉치처럼 되는 것이다. 장掌을 단련하지 않고는 솜뭉치처럼 될 수 없다. 밀어내고 받아들이고 태극太極 안에서 돈다. 음양陰陽, 강유剛柔를 터득해야 그렇게 할 수 있다. 모든 무예는 태극으로 이루어져 있다. 태극으로 되어있지 않으면 무예武藝가 아니다.

태극太極은 음양陰陽(허실虛實, 대립對立, 강유剛柔)이기 때문에 모든 무예에서 논론論한다. 강유, 허실이 교차, 교환되면서 변화되어 하나로써 조화되어 서로 도와나간다. 변화가 없으면 편중이다. 느림과 빠름이 겸하고, 강유가 서로 도우고, 허실의 변화에서 탄력이 생긴다.

하나의 원圓이 그려지면 원圓이 태극으로 쪼개진다. 즉 힘이 변화한다. 변화하는데, 상대의 힘을 의지해서 들어간다. 약간의 힘만으로도 타고 들어간다. 변화하면서 연이어 타고 들어간다. 신법身法이 하는 것이다. 무극無極에서 태극太極이 생생生生한다. 무한 변화를 말한다. 태극이론은 무예武藝의 기본이다.

현각권懸脚拳의 세勢 구성	
당시 수련하던 22세勢	현재 증보되어 수련하고 있는 10세勢
1. 탐마세探馬勢	1. 난찰의출문가자변하세
2. 요란주세拗鸞肘勢	懶札衣出門架子變下勢
3. 현각허이세懸脚虛餌勢	2. 금계독립세金鷄獨立勢
4. 순란주세順鸞肘勢	3. 귀축세鬼蹴勢
5. 칠성권세七星拳勢	4. 수두세獸頭勢
6. 고사평세高四平勢	5. 일조편세一條鞭勢
7. 도삽세倒插勢	6. 조양수세朝陽手勢
8. 일삽보세一霎步勢	
9. 요단편세拗單鞭勢	7. 정란세井欄勢
10. 복호세伏虎勢	8. 지당세指襠勢
11. 하삽세下插勢	9. 신권세神拳勢
12. 당두포세當頭砲勢	10. 작지룡세雀地龍勢
13. 기고세旗鼓勢	
14. 중사평세中四平勢	
15. 도기룡세倒騎龍勢	
16. 매복세埋伏勢	
＊오화전신세五花纏身勢	
〈권법대련에 포함된 세〉	
17. 안시측신세雁翅側身勢	
18. 과호세跨虎勢	
19. 구류세丘劉勢	
20. 금나세擒拿勢	
21. 포가세抛架勢	
22. 점주세拈肘勢	
＊갑을상부甲乙相負	

【참고】

　해범海帆 선생에 의해 전승되어 온 〈오령권五靈拳〉은 투로의 형식이 아닌 격권擊拳, 즉 초식招式의 형태로 전해져 왔다. 해범 문중의 권법拳法인 〈오령권五靈拳〉에 대해 선생께서는 다음과 같이 말씀하셨다.

　『조선 초기 북창北窓 정렴鄭礶 선생이 남긴 《용호비결龍虎祕訣》이 있다. 양생법養生法, 즉 내공內功을 표현한 책이다. 《권법요결》에 싣지 않은 내용 중에는, 요결要訣인 〈자미부인복출법紫微夫人服朮法〉과 《용호비결》 후편後篇에 움직이는 동작에서, 열네 가지의 〈도인법導引法〉과 다섯 가지의 〈오금수희법五禽獸戲法〉 등이 있다. 여기에는 한 권券마다 간단하게 10여 개의 동작 정도로 되어있으나 제5권은 대투로大套路로 권법拳法이 되어있다. 아깝게도 후권後券(제5권)은 필사본이 소실되어 참고가 되지 못하나 권법은 문중에 전승되고 있다.

　웅주포가권熊走抛架拳(熊)·맹호권猛虎拳(虎)·후권猴拳(猴)·칠성권七星拳(鹿)·선학권仙鶴拳(掌法)(鶴) 등 〈오령권五靈拳〉이다.』

　〈오령권五靈拳〉은 《용호비결》에 대투로大套路의 원세명原勢名을 기록한 부분이 있었으나 그 부분이 소실되어 잃어버렸다고 한다. 그러나 세勢의 동작과 초식招式이 문중에 전승되어 왔으므로 초식을 연결해 투로를 만들었다고 한다.

　오백년 전만 해도 오늘날과 같은 투로가 없었다. 〈오령권五靈拳〉 역시 해범海帆 선생이 투로로 연결하기 전까지는 격권법擊拳法으로 수련했다. 권법이 아닌 초식으로 수련하는 것을 권격拳擊, 혹은 격권법이라 한다.

　이 장章에서는 먼저 《무예도보통지》의 〈권법拳法〉인 〈현각권懸脚拳〉에 대한 이론을 간략히 밝히고, 〈오령권五靈拳〉 중 〈웅주포가권熊走抛架拳〉에 대한 해제解題를 통해 권법의 구성과 본래의 초식 수련법, 그리고 실전實戰 대련법對鍊法 등에 대해 소개한다. 이어서 기본으로서 수련해야 할 권법대련에 대한 주의점 등을 설명하고, 계속해서 〈공방攻防〉의 장章을 덧붙여 기예技藝의 단편적인 예들과 요결을 싣는다.

　〈웅주포가권熊走抛架拳〉의 잃어버린 세명勢名을 대신해, 필자가 이해를 돕기 위한 간단한 동작명動作名을 만들어 붙였다.

【참고】

　《무예도보통지武藝圖譜通志》〈권법拳法〉에서 빠져있던 10세勢는 문중에서 전해 오던 것을 해범海帆 선생께서 풀어 22세와 연결해 현재 완전한 32세를 구성하게 되었다.

　〈현각권懸脚拳〉의 명칭은 단순히 〈권법拳法〉으로만 지칭되어 온 《무예도보통지》의 권법을 해범海帆 선생께서 한국무예韓國武藝 〈십팔기十八技〉를 공개하면서 새로 지은 것이다. 그 이유는 원보原譜에서 빠져 있던 10세勢를 더하였고, 선조 先祖들이 현각허이세懸脚虛餌勢를 강조하면서 최고의 운용 수준으로 짜놓았기 때문이다. 앞으로 차는 것은 무슨 형태든 현각허이세懸脚虛餌勢다.

【참고】

　〈현각권懸脚拳〉의 도보圖譜는 《권법요결拳法要訣》의 〈권법拳法〉편을 참조하기 바란다.

1. 나찰의세懶札衣勢

　나찰의懶札衣는 반보半步 물러난다. 상대가 주먹을 찌르면 양손으로 받으면서 살짝 물러나기 때문이다. 나찰의세에서 바로 나가면서 독립보獨立步로 변하며 우수右手로 상대 머리를 친다. 금계독립세金鷄獨立勢에서, 독립보에서 한 걸음 나가는 이유는 독립獨立이 앞으로 나간다는 뜻이 내포되어 있기 때문이다. 발을 지면에서 떼면 걸어간다는 의미다.

　◉ 나찰의세懶札衣勢의 변화수는, 보步의 변화와 함께 태극으로 들어가고 나온다. 예를 들면, 상대 우권右拳이 오면 양손으로 상대 손목과 팔꿈치를 감아서 들어가 우수右手 좌수左手 순으로 잡는다. 다시 상대 좌수가 나오면 상대 좌수의 손목과 팔꿈치를 좌수 우수 순으로 잡아 내 좌측 허리로 당겨온다. 동시에 좌장左掌으로 상대 몸통을 공격한다.

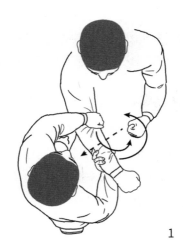
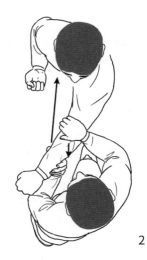

1   2

(나찰의세)

2. 탐마세探馬勢

탐마探馬는 동작을 의미한 것이다. 말 위에서 멀리 사방四方으로 탐색한다. 산 높이 올라가서 탐색한다. 손을 올리는 이유는 수법手法으로서 손을 올리라 는 뜻이다. 눈이 탐색하면 손이 가서 상대를 쳐야 하니까, 하벽下劈을 하려면 손이 올라가야 한다. 내려칠 때, 몸을 앞으로 숙이면 안 된다. 배꼽 높이까지 내려친다. 탐마는 탐색과 동시에 공격으로 들어가는 것이다. 탐색해서 공격으 로 이어져야지 멈춰있으면 안 되므로 요란주拗鸞肘까지 한 초식이 된다.

탐마세探馬勢는 위로 손을 든 자세, 즉 그다음 동작을 위한 예비 자세로서 어느 방향, 어떤 공격으로 변화할지 모르는 상태다. 〈맹호권猛虎拳〉에서 독립 보獨立步로 변하며 왼손은 아래를 수비하고, 오른손은 위로 든 자세도 탐마 다. 무예 동작은 세勢가 가진 의미를 완벽하게 표현해야 한다.

3. 요란주세拗鸞肘勢

새(鳥)가 날 듯이 가볍게 위로 당긴다. 밑으로 당기면 새의 움직임이 아니다. 요拗는 꺾는 것이다. 팔꿈치를 꺾는다. 란鸞은 공중으로 움직인다는 의미다. 오른손은 귀밑에까지만 온다. 더 올리지 말아야 한다.

요란주세拗鸞肘勢에서 좌붕권左崩拳은 팔로 치는 것이 아니고 허리를 오른쪽으로 돌리는 신법으로 친다. 실전에서는 몸통뿐 아니라 목(좌충권挫衝拳)도 친다. 아래에서 상대가 모르게 위로 올라간다. 수련할 때는 명치 높이로 친다.

요란주拗鸞肘는 탐마세探馬勢에서(손만 들면 모두 탐마다) 내려치고, 상대가 막으니까 걸어서 당기고 좌수로 친다. 모두 신법, 즉 몸으로 해야 하는데, 골반骨盤도 같이 돌린다. 팔만 따로 움직이면 안 된다. 그리고 바로 현각허이세懸脚虛餌勢로 앞을 향해 발과 장掌으로 친다(彈踢).

◉ 독립 → 탐마 → 요란주는 한 초식이다. 독립에서 우각右脚을 땅에 놓고, 그리고 온몸으로 좌로 돌리면서 좌각左脚과 팔을 나가게 해야 한다(신법). 발을 놓으면서 팔을 돌려 나가면 안 된다. 독립, 탐마는 진각震脚으로 밟는다.

4. 현각허이세懸脚虛餌勢

선조先祖들이 기발하게 해놓았다. 허이虛餌는 앞으로 뻗는다는 뜻이다. 여기서는 발차기가 허이虛餌(미끼)다 상단으로 차면서 손으로 부딪히게 해서 수련이 잘 되게 만들었다. 상, 중, 하단까지 다 공격할 수 있도록 수련한다. 중요하므로 세 번 반복하여 넣은 것이다.

현각허이세懸脚虛餌勢는 발을 높이차고(높게, 중간, 아래로 차는 것을 모두 포함한다), 동시에 장掌으로 발등을 치는(장掌으로 공격하는 수련, 무릎을 보호, 완충하는 역할도 하여 양생養生에 도움이 된다)동작이다. 그것의 장점은 첫째, 높이 찼을 때 손을 대주지 않으면 허虛해져서 무릎이 상한다. 둘째, 세 번씩 연속 공격으로 차기를 수련한다. 셋째, 장掌과 퇴법腿法을 동시에 수련한다.

5. 순란주세順鸞肘勢

《무예도보통지武藝圖譜通志》에서는 발이 주가 된다. 선조先祖들이 기가 막히게 발로 하는 것을 넣었다. 중국의 다른 문파에서는 손(手)으로 한다. 손을 써서 신법身法을 운용한다.

새로 〈현각권懸脚拳〉을 구성하면서 처음으로 손과 발을 연결했다. 현각허이세懸脚虛餌勢에서 우각우수右脚右手를 차고 뒤로 빠지면서 좌수左手 순란주順鸞肘를 넣었다. 선조들이 수련한 원보原譜에는 발만 나와 있다. 원래 실전實戰에서 발이 빠질 때 좌수左手로 치는 것이다. 즉 발이 뒤로 빠지면 순順이든, 역逆이든(역전사逆纏絲) 반드시 수법手法이 배합되어야 한다. 그냥 오면 안 된다.

일삽보세一霎步勢 역시 원보原譜에서는 그냥 뒤로 물리지만, 장掌으로 앞으로 밀면서 살짝 물리는 것이다.

순順은 쫓아간다. 란鸞은 공중으로 움직인다는 의미다. 주肘는 손을 의미한다. 세勢의 의미를 더 깊이 들어가면, 순順은 몸이 돌아가 발이 쫓아 차는 것이다. 발로 차는 것이 순란주順鸞肘다. 따라서 손만 운용하는 것은 순란주順鸞肘의 의미를 다 살리지 못한다. 마보馬步로 당겨올 때 손이 빠져있기에 손으로 순란주順鸞肘를 넣었다. 이것은 신법을 살려서 순란주順鸞肘를 한 것이다. 발만 표현하면 완전하지 않다. 무예武藝에서는 손발이 잠시도 쉬어서는 안 된다.

순란주세順鸞肘勢는 손과 발이 같은 것을 의미한다. 세 번 차고 마보馬步로 팔을 휘둘러 오는 것은 순란주順鸞肘의 의미를 완벽하게 살리기 위해 삽입한 것이다.

한 세勢 안에서 기氣의 흐름이 끊어지면 안 되므로 현각허이세懸脚虛餌勢 후 우각右脚을 뒤로 내리며 권추圈揷를 치고 이어서 내파각內擺脚을 찰 때 멈춰서는 안 된다. 즉 완전히 마보馬步가 형성되기 전에, 그리고 권추로 오는 손이 다 완성되기 전에 왼쪽으로 몸이 돌아가며 파각擺脚을 차야 한다. 다시 말하면, 마보로 앉으면 안 된다. 그냥 신법으로 측신側身으로 회전하며 손으로 순란주順鸞肘를 하고 다시 발로 순란주順鸞肘를 한다. 투로套路 수련 때 시선은 정면을 공격하는 것이므로 계속 앞을 보면서 움직여야 하고, 권추가 내 몸 오른쪽으로 과하게 돌아와서는 안 되고, 일부러 기마보를 만들지 말고 몸이 측신側身이 되는 것뿐이다. 손, 발을 끊지 말고, 측신에서 멈추지 말고 발을 차야 한다.

선 자세에서 파각擺脚 연습은 고관절, 무릎에 좋지 않다. 몸을 돌면서 하는 연습은 부담이 없다. 내파각內擺脚을 찰 때 신법으로 몸을 움직여 찬다. 발의 높낮이는 상관없다.

◉ 순란주順鸞肘의 사용은 권추대련圈捶對鍊과 유사하다. 팔꿈치를 굽혀서 팔꿈치에 힘이 들어간다.

예를 들어, 상대가 우수右手로 들어오면 오른손으로 나의 바깥으로 걷으면서 나아가 왼손 권추圈捶를 장掌으로 친다. 상대가 숙어 피하면 우권右拳을 아래서 위로 올려친다(上衝拳). 이때 왼손은 상대 좌수左手를 잡아 아래로 꺾는다. 또는 상대가 만약 오른손 순란주로 들어오면 몸을 상대 순란주가 오는 쪽으로 90도 돌려 왼손을 들어 막고(세워서), 그리고 우수로 붕권을 친다.

◉ 발의 순란주順鸞肘

상대 좌수左手 공격을 우수右手로 왼쪽으로 걷으면서 오른발 들어 살짝 돌려찬다. 이때 몸을 같이 돌리면 파각擺脚이 된다. 몸을 돌리니까 파각이 된다. 발의 높이는 자유롭게 하는데, 허리 또는 발목을 찬다.

순란주를 우각우수右脚右手가 같이 동시에 해도 된다. 을의 좌수 공격을 갑이 좌수로 왼편에서 오른편으로 아래로 왼편으로 걷어내며 우수와 우퇴右腿로 동시에 공격한다. 순란주의 손(권추)과 발(파각)은 끊지 말고 연결해야 한다.

(손과 발의 순란주)

6. 칠성권세七星券勢

북두칠성北斗七星 모양, 즉 형상을 딴 것이다. 허보虛步도 형상을 딴 것이다. 칠성보七星步라 한다. 본래 칠성수七星手라고 하면 '허보로 칠성수를 만드는 것'을 의미한다.

7. 고사평세高四平勢

창세槍勢에서 '고高'는 나를 기준으로 한 창槍의 위치를 의미한다. '사평四平'은 창법槍法의 사평과 같은 의미다. 창과 마찬가지로 투로套路에서도 나를 기준으로 위치를 잡는다. 상대 기준이 아니다.

8. 도삽세倒插勢

도삽세倒插勢는 새로 시작하는 세勢인데, 고사평高四平 다음에 도삽세倒插勢를 하는 것은 연결을 매끄럽게 하기 위한 것이다. 도삽세倒插勢는 팔꿈치로 가는 것이 아니다. 몸과 어깨로 움직인다.

상대가 우수를 지르면 나는 우수로 바깥에서 감아 잡으며 좌각좌수左脚左手로 좌도삽세左倒插勢로 들어가며 상대 팔을 팔꿈치로 친다. 그다음 팔꿈치를 펴면서 상대 머리, 몸통 등 다른 부위를 벽으로 칠 수 있다.

또는 상대가 우수를 지르면 나는 우족右足을 뒤로 반보 물러나면서 내 좌수로 상대 공격을 바깥에서 위로 아래로 눌러 막고(⌒), 다시 상대 좌수가 오면 내 좌수로 한 번 더 상대 팔 아래서 위로 안으로 막으며(⌒) 우족은 반보 걸어 들어가며 우도삽세右倒插勢로 상대 왼팔을 친다.

(도삽세)

9. 일삽보세一霎步勢

일삽一霎은 잠시 오는 비(雨), 즉 잠시라는 의미이다. 일삽보一霎步는 살짝 빠진다는 의미로서 퇴보退步가 아니다. 살짝 잠시 물리다가 바로 요단편拗單鞭으로 들어간다. 원보原譜에서는 장掌을 정면으로 밀지 않고 권拳을 허리에 그대로 둔다. 세勢의 표현이 부족한 것이다. 삽보霎步는 상대가 눈치채지 못하게 미끄러지듯이 뒤로 물러나야 한다. 나찰의懶札衣도 삼보로 물러난다.

도삽倒插에서 일삼보一霎步의 전환은, 도삽한 다음에 허리를 틀어서 정면으로 방향전환 후 발을 뒤로 빼면서 찌른다. 一霎步勢일삽보세는 앞으로 나아가며 할 수도 있다.

10. 요단편세拗單鞭勢

요단편세拗單鞭勢는 원래 손을 휘두르는 것이다. 채찍을 휘두를 때의 손동작과 같다. 쾌만快慢이 있다. 채찍은 몸쪽으로 휘둘려 당겼다가 앞으로 치는데, 당길 때는 약간 느리고 칠 때는 빠르다. 권법拳法에서 단편單鞭 동작의 의미를 다 표현하지 못하면 잘못 만든 것이다.

요단편세拗單鞭勢는 발을 튕겨 나가면서 벽권을 쳐야 한다. 요단편세는 뛰어나가는 의미가 포함되어 있다. 수법의 쾌만을 운용해야 하기 때문이다.

◉ **도삽세 · 일삼보 · 요단편세**는 합하여 한 초식招式이다.

① 원식대로 내가 우궁보 우수로 상대 좌수를 내 좌수로 잡고 도삽세로 치면, 상대는 막으며 밀고 들어오니까 일삼보로 물러나며 좌장左掌으로 친다. 장掌은 위, 아래, 빈곳, 아무 곳이나 친다. 또는 권拳도 칠 수 있다. 이때 나는 물러나면서, 상대가 못 물러나게 내 우수로 상대 팔을 잡고 있어야 한다.

② 일삼보를 앞으로 나가며 행해도 된다(도삽 했는데 상대가 물러나면). 이때 그냥 전진이 아니고 허리가 오른편으로 도는 방향으로 앞으로 나가며(약간 오른쪽으로 돌며 나가게 된다), 좌장左掌은 왼쪽에서 오른쪽으로 돌아가듯(◠) 상대 오른쪽 얼굴을 친다. 그리고 우수로 또 정면으로 친다(요단편). 나머지 손은 항상 상대 숙처의 손을 찾아 나拿해야 한다.

도삽세 · 일삼보 · 요단편세의 연결은 삼절三節이 맞아야 한다. 왼발이 뿌리가 되어 몸을 지탱해야 삼절이 맞다.

11. 복호세伏虎勢

복호세伏虎勢는 자세를 낮추는 것이다. 다리를 낮게 해서 자세를 낮춘다. 복호세는 여러 가지로 변화된다. 엎드리는 것이 복호伏虎다. 발을 좀 펴고 앉는 것이다. 일좌와 부퇴를 합한 것이다. 이런 경우 몸이 돌면 소퇴掃腿가 나온다. 소퇴를 돌 때 원圓이 끊어지지 않고 연결되어야 한다. 원보原譜에서는 앉는 이유가 소퇴를 돌기 위해 앉는 것이다. 즉 복호세는 앉으면서 공격하는 것이다.

12. 하삽세下揷勢

하삽下揷은 아래로 찍어 내려친다. 낭심, 무릎 위치로 내려치는 것이다. 하벽下劈은 중단까지가 위치다. 즉 하삽은 하벽보다 더 낮게 치는 것이다.

아래로 내려찍는 것이 하삽下揷이다. 하삽下揷은 원래 발로써 내려찍는 것이다. 현각허이세懸脚虛餌勢를 하고 발이 떨어질 때 손으로 먼저 내려찍게 했다. 원보原譜에는 발로 하는 것으로 되어있다. 한 바퀴 돌아서 하삽한 이유는 하삽을 신법으로 돌아서 내려찍도록 한 것이다.

13. 당두포세當頭砲勢

공격이 아니고 방어다. 당當이란 글자가 들어가면 대개 방어를 뜻한다. 원보原譜의 그림은 중간 동작을 그려놓은 것이다. 자신을 완전히 감싸며(가슴 보호) 상대를 공격하는 의미가 있다.

변화수變化手의 예는, 을의 좌수가 오는 것을 갑은 우수로 태극太極으로 감아 오른편 바깥으로 아래로 누르면서, 좌수로는 손가락이 우측을 보게 장掌으로 찌른다. 을의 오른손이 갑의 좌장左掌을 받으면 갑은 을의 손을 걷어 올리면서 우장右掌으로 손가락이 오른편으로 오게 눕혀서 공격한다. 또는 절장切掌으로 세워서 공격한다. 모두 좌로, 우로 태극을 운용하는 것이다.

1

2

(당두포세)

14. 기고세旗鼓勢

북 자체를 기고旗鼓라고 한다. '북 고鼓'에서 기고는 움직이는 것을 말한다. 즉 북을 치는 효과처럼 신법身法이 두 손으로 치는 것으로 움직인다. 한 손으로 막고 한 손으로 치는 것은 모양이 비슷하더라도 기고세가 아니다. 북을 칠 때와 같은(身法) 타격 효과가 나와야 한다. 양팔을 수평으로 돌려친다. 45도 정도 내려치기도 한다. 팔꿈치를 구부리면 안 된다. 양팔을 같이 치는 것이 아니다. 따로 기고세를 하는 것을 수련은 같이 연습하는 것이다. 실전에서 같이 칠 수도 있으나 한 손은 걷어내고 한 손은 돌려친다. 이어서 오른손은 비틀어 허리로 당기고 왼손은 누른 후 앞으로 밀어 들어가 중사평을 한다.

변화수變化手의 예는, 을의 우수가 오는 것을 갑은 우수로 태극太極으로 받아 흘리며 좌수 반배장半背掌으로 목을 친다. 을의 좌수가 갑의 좌수를 막으러 오면 갑은 좌수를 변화하여 을의 좌수를 잡아 좌측으로 당기며 우수 반배장으로 겨드랑이 아래를 친다.

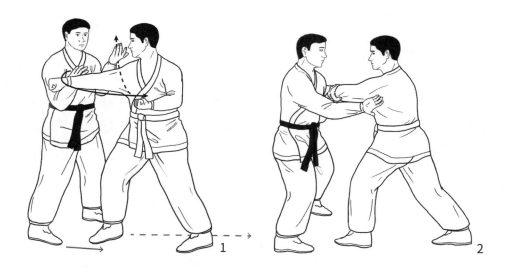

(기고세)

15. 도기룡세倒騎龍勢

도倒는 거스르고 거꾸로 하는 것으로, 측면으로 빠지고 몸 뒤쪽으로 막으므로 도倒라고 한다. 용龍은 앞으로 가며, 기騎는 걸터앉는 것이다. 기룡騎龍은 공격하려고 하는 순간, 즉 공격 대비 자세다. 막고 있지만 치는 것이 주가 된다. 막고, 걸고, 치고 한다. 걸터앉으므로 요보拗步로 한다.

◉ 나찰의세는 상대 공격을 두 손으로 잡아채어 당기는 세勢며, 기룡세는 상대 공격을 밀어붙이는 세勢다. 따라서 나찰의세는 상대에 붙어서 운용되고, 기룡세는 상대와 간격을 띄워서 운용한다. 예를 들어 상대와 같이 도기룡세를 취하면 상대가 요단편 혹은 반주 공격으로 들어올 수 있다. 이때 공간이 있으므로 옆차기로 상대를 공격할 수 있다. 기룡세는 몸이 너무 옆으로 빠지거나 손이 과하게 뒤로 가지 않게 해야 한다. 간격과 중궁中宮을 지켜야 한다.

16. 매복세埋伏勢

매복埋伏은 몰래 숨음, 쪼그리고 앉는 것이다. 일좌보一坐步가 매복세의 한 가지라고 생각하면 된다. 엎드리는 것이다.

매복세로서 일좌보의 운용은, 상대가 발 공격을 해오면 뒤로 움츠려 피하는 것, 즉 뒤로 등을 돌리며 일좌로 앉는 것이다. 또는 상대 앞에서 사라지듯 아래로 앉아 일좌로 들어가며 공격하는 자세다.

17. 일조편세一條鞭勢

일조편세一條鞭勢는 좌궁보 우벽右劈 내려치고, 뒤로 돌려칠 때 손을 몸 왼쪽으로 갔다가 뒤로 치지 말고 우벽 내려친 지점에서 바로 뒤로 친다. 연결세이기 때문이다.

실전에서 갑이 우수로 내려치면 을의 우수가 올라오면서 막는다. 갑은 좌수로 을의 우수를 눌러서 걷고 동시에 우수로 계속 상대 오른쪽 목을 친다. 연결 동작이다. 그다음 귀축세를 차고 좌각左脚 나가며 좌장左掌을 치는 것은 연결세다.

(일조편세)

◉ 30. 일조편세一條鞭勢 → 31. 귀축세鬼蹴勢 → 32. 지당세指當勢

일조편세一條鞭勢에서 좌로 돌아보면서 좌수左手로 상대 목을 친다. 상대는 좌수를 들어서 내 좌수를 바깥에서부터 막는다(막지 않으면 목을 치니까). 이때 상대 좌수를 나拿하며 우각右脚이 나가 우장右掌으로 얼굴을 치며 귀축세鬼蹴勢를 한다. 이어서 우각은 진각震脚(우측 뒤꿈치)으로 힘을 주어 밟고(그래야 신법이 빨라지고 힘을 얻는다), 좌각左脚으로 들어가 지당세指當勢로 좌장左掌으로 친다. 우수右手로 계속 칠 수도 있다.

귀축세鬼蹴勢는 상대가 예측을 못 하게, 손을 움직이면서 아래로 발을 사용하는 것이다. 많이 앉아야 한다. '단권 2로'에서 발이 아래로 들어가면 귀축세이다. 따라서 귀축세와 작지룡세의 손의 높이가 다르다.

18. 수두세獸頭勢

수두세獸頭勢로 우수右手를 내려치고, 상대가 막으면 상대 손을 눌러 막고, 계속 앞으로 나가며 올려치고(挫衝拳), 다시 상대가 막으면, 몸 전면에서 휘감아 누르고 붕권崩拳을 친다. 이때 상대 손을 잡아 뒤로 당기지 말 것. 즉, 우수를 내려친 다음 내 손을 뒤로 당겼다가 올려치지 않는다. 신법身法은 계속 왼편으로 돌면서 행한다. 붕권을 치기 위해 휘감아 내리는 손은 상대 반대 손을 걸어 내리는 것도 되지만, 아래로 오는 공격을 방어할 수도 있다. 손이 낭심 앞까지 온다.

수두세獸頭勢는 하벽下劈을 내려치고, 몸이 계속 왼편으로 돌리면서 올려친다. 끊어지지 않고 계속 연결되어야 한다. 상대 좌수左手를 내 좌수로 막아 감아 당기며 나가면서 내 우수右手로 하벽을 치니까 상대는 다시 우수로 들어 막는다. 그러면 나는 다시 아래로 상대 우수를 누르듯이 하면서 몸을 계속 왼쪽으로 돌리며 올려친다. 턱 아래까지가 올려치는 한계선이다. 실전에서는 약간 낮게 몸통을 친다.

● 33. 수두세獸頭勢 → 34. 신권세神拳勢

수두세獸頭勢와 신권세神拳勢는 연결한다. 신권세는 우족右足 발끝을 땅에서 살짝 끌어서 당겨와 디디며 뒷발을 체보掣步로 들고 붕권을 치고 좌각左脚이 앞으로 나가면서 우수로 좌로 젖히며 왼편 주먹을 찌른다.

앞발을 드는 이유는 몸을 당기는 데 있다. 이때 발을 내 몸 가까이 가져오면 안 된다. 거의 그 위치에서 살짝 들었다 진각震脚으로 놓으면서, 그 힘으로 뒷발이 들어가면서 신권세를 한다. 뒷발은 끌려오듯이 오지 말고 의도적으로 나가야 한다. 앞발 복사뼈를 스치듯이 들어간다. 앞발에 힘이 있어야 한다.

신권세神拳勢에서는 수련이므로 눈을 약간 아래로 본다. 실전에서는 상대를 바로 보면서 아래를 친다. 눈과 손은 선후가 없다. 동시에 가서 격중擊中하는 것이다. 눈이 가면 손이 가 있어야 한다.

● 35. 정란세井欄勢 → 36. 작지룡세雀地龍勢

뒤돌아서 반주를 칠 때 몸과 반주가 함께 돌아가야 한다. 실전에서 좌족을 앞에 두고, 좌수가 좌반주로 상대 공격하고 좌족을 들었다가 놓지 않아도 진각으로 밟으며 그 힘으로 우퇴가 낮게 파고들어 자세가 낮아진다. 작지룡세는 낮게 치는 동작이다. 상대 몸 아래로 들어간다. 몸은 앞으로 기울이지 않는다.

● 37. 조양수세朝陽手勢는 상대 공격을 받아서 장掌으로 쳐올리는 것으로, 실전에서 장의 모양은 변화할 수 있다. 팔 관절 부위, 또는 얼굴 등을 직접 공격한다. 예를 들면, 상대 좌수 공격을 내 좌수로 받으며, 우장右掌으로 상대 팔꿈치 윗부분을 올려쳐 부러뜨린다. 다시 손을 바로 해서 상대 목 부위를 장으로 칠 수도 있다. 또는 상대 좌수 안으로 들어가 위로 턱을 공격한다.

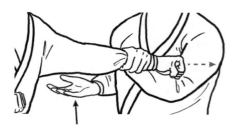

(조양수세)

19. 오화전신세五花纏身勢

오화五花는 어깨높이로 올려서 움직이는 것이다. 무화舞花처럼 휘두르는 것이다. 쌍검雙劍에서 좌우로 감는 것도 오화다. 전신纏身은 한바퀴 도는 것도 전신, 좌우 옆으로 살짝 몸통을 돌리는 것(약 20~30° 정도)도 전신이다.

20. 과호세跨虎勢

과호세跨虎勢가 공격세攻擊勢이다. 과호세跨虎勢는 기마보騎馬步의 변형이다. 공격할 때의 자세다. 기마보에서 약간 허보虛步 비슷하게 만든 것이 과호세다. 마보와 허보의 중간 동작이다. 단 한쪽 다리에만 중심을 둔다. 양발 끝이 모두 전방으로 비스듬히 향해야 한다. 궁보弓步로 변하며 공격하기 위한 세다. 예를 들어 허보虛步로 상대 공격을 받는 것은 공격이다. 들어가려는 의도가 있으므로 수비세가 아니다. 즉 앞발은 살짝 허虛가 되면서 계속 들어가기 직전이기 때문이다.

21. 안시측신세雁翅側身勢

안시雁翅는 예로부터 기러기 날아가는 것을 보면, 앞으로 가는 것처럼 보이는데 기러기 옆을 보고 있는 것이다. 안시측신세雁翅側身勢는 옆으로 앉는 것이다. 안시측신세雁翅側身勢는 부퇴보와 비슷하다. (그림)에서처럼 좌수左手는 거의 90도 정도로 구부려 들고, 우수右手는 좌수 팔꿈치 옆에 둔다. 오른팔을 몸에 자연스럽게 붙여서 선다. 측신세는 수비세다. 〈부퇴보+허보〉 비슷하게 상대 공격을 받는 것을 말한다.

안시측신세와 과호세, 이 두 가지 자세는 정해진 자세가 아니다. 같은 세勢로 대적하면 공방이 안 되므로 서로 바꾸어 잡는다.

(과호세)   (안시측신세)

◉ 방어는 항상 측신세側身勢로, 공격은 항상 과호세跨虎勢로 한다.

　창법槍法에서 난란攔·나拿는 측신세, 찰扎은 과호세다. 권법대련에서도 상대 발을 막을 때, 또는 권拳을 막을 때는 측신側身, 권拳을 찌르거나 철형 등으로 들어갈 때는 과호跨虎다. 상대의 권拳을 막을 때는 자신의 공간을 구해야 한다. 그러기 위해서 물러나든지, 상대 권拳을 좌우로 젖히면서 공간을 만들어 공격한다.

【권법拳法의 이해】

무학종사武學宗師가 아니면 권법拳法을 창안할 수 없다. 고칠 수도 변화할 수도 없다. 권법의 구성은 횡橫과 수竪의 흐름, 그리고 전체적인 조화가 다 맞아야 한다. 권법은 형태(외형의 모습)로 분류하지 않고, 흐르는 힘(氣)의 균형으로 만드는 것이다. 따라서 힘의 흐르는 균형을 터득하지 못하면 그 권법은 한 것이 아니다.

권법拳法은 기氣의 흐름에 맞게 짜야 한다. 기氣와 몸(五臟)에 대한 의미를 알아야 한다. 앞뒤 세勢의 흐름과 그것이 가진 기氣의 힘, 그리고 투로套路 전체의 힘을 알아야 한다. 처음부터 끝까지 흐름이 맞아야 한다.

예를 들어 〈오령권五靈拳〉은 각각의 권법의 흐름이 모두 다르다. 즉 하나하나가 모두 다른 권법이다. 반면에 소림少林의 〈소림간가권〉은 13로路 전체 투로가 모두 흐름이 같다. 당랑권螳螂拳의 〈매화락, 매화로, 매화란〉 등도 같은 흐름이다. 이런 권법의 흐름을 알아야 종사宗師라 할 수 있다.

'좌혈우기左血右氣', '좌신수우명문左腎水右命門' 등, 가설假說이 있다. 즉 음陰과 양陽을 주관하는 인체가 다르다. 왼손이 할 일, 오른손이 할 일이 따로 있다. 권법을 만들 때도 인체 원리에 맞춰서 만든다. 시작할 때 방향도 왼쪽으로 돈다. 오른손이 힘을 쓴다. 발차기도 오른발부터 시작한다. 안마按摩를 할 때도 오른쪽부터 주물러 기氣를 발동시킨다.

기예를 배울 때, 체질에 맞는 권법이 따로 있는 것이 아니다. 기본적으로 배웠던 권법을 맞춰서 다 연습해야 한다. 다 터득한 다음에 다른 것을 한다. 속도, 변화 등을 터득해야 한다. 권법 자체의 수준의 높낮이는 없다. 각 권법이 같다. 어떤 권법을 하더라도 스스로 터득하는데 달려있다.

〈웅주포가권熊走抛架拳〉을 말하자면, 초식招式을 연결하는데 다른 것이 많이 들어갔다. 원래 단권單拳 방식으로 되어있었다. 또는 두 초식招式씩 연결되어 있었다. 이것을 격권擊拳 또는 권격拳擊이라 한다. 즉 실전세實戰勢다.

예를 들어 웅주포가권熊走抛架拳은 16세勢이다. 1세勢 배우고 다음 세勢 배우는 식이다. 6세勢까지 배우면 '나는 웅주포가권 6세勢까지 배웠다.'라고 한다. 세勢를 배운 다음 초식招式으로 연결해 수련한다. 살수殺手가 들어간 중요한 세는 뒤로 간다.

권법拳法은 기예技藝다. 실전實戰이다. 따라서 보步는 보지 않고 수법手法과 신법身法에 기준을 둔다. 즉 권법을 한다는 것은 경勁을 익히는 것이고 단련 하는 것이 아니다. 그래서 기본 단련이 숙련된 다음 권법을 해야 한다. 반면 에 병장기兵仗器는 제멋대로 하다가 뒤에 고치면 고쳐진다. 그러나 맨손으로 하는 기본자세, 기본 틀(機)은 한 번 틀어져 잘못되면 못 고친다.

다시 말하면, 봉이나 검은 많이 휘두른 다음 고치면 된다. 병장기는 다 그렇다. 그런데 권법은 그렇지 않다. 막 움직이면 절대 안 된다. 조신調身이다. 즉 몸을 바르게 다듬는 동작이다. 따라서 권법 수련은 오래 쉬면 안 된다. 몸 이 굳어버린다. 오법五法 즉 신법身法·삼절三節 등이 권법에서 좌우되기 때 문이다. 권법이 바르게 되어있으면 병장기는 휘두르기만 해도 나중에 고치면 바르게 된다. 그러므로 권법을 잘 배우는 것이 가장 중요하다. 권법의 틀(機) 에서 몸이 모두 다듬어지기 때문에 병장기는 뒤에 손동작만 교정하면 된다.

기격술技擊術(拳法)은 기예技藝에 들어간다. 공功을 쌓는 것과 다르다. 권법 은 몸 단련이 아니고 기예에 해당한다. 따라서 기예의 감각을 익히는데 기준 을 두고 수련한다. 수법手法·보법步法·신법身法·삼절三節 등…….

〈기예는 생사生死를 두고 수련하는 것이므로 하나라도 틀리면 안 된다〉.

수법手法, 퇴법腿法부터 3년 정도 단련하고 권법에 들어간다. 권법은 난도 難度가 높은 기예 수련이다. 내장內壯·외용세外勇勢는 단련에 기준을 둔다. 공功을 쌓는 것이다. 기예를 하기 위한 절대적인 기본이다. 숙련이 되어야 효 과가 나온다.

권법拳法의 원原 수련은, 기본 수련이 된 이후에 초식招式으로써 하나씩 터득해 나가야 한다. 초식은 처음부터 수련하면 절대 발전할 수 없다. 반드시 기본 수련이 된 후에 자연스럽게 기예技藝로서 받아들여야 한다. 권법을 가지고 단련을 해서는 안 된다. 만약 권법을 가지고 기초 수련을 하면 복잡해진다. 그런 경우 배우는 사람이 모두 형태가 달라진다. 발전에 한계가 있다. 기초 수련이 된 경우에는 순서만 알려줘도 완벽하게 몸이 돌아간다.

권법拳法은 오법五法에 맞게 구성되어 있다. 즉 변화수變化手가 아니다. 〈권법을 수련하는 목적은 기예를 이해하고 초식을 숙련시켜 절기絶技를 만들기 위한 것이다〉. 권법 수련은 여러 가지를 하되, 한 가지를 끝까지 수련해 자기 것으로 만든다. 한 가지를 오래 한 사람이 다른 권법을 배우면, 몸이 한 가지 권법을 수련한 그만큼 잘 돌아간다.

무예武藝 투로套路의 모든 초식招式은, 권법이나 병장기를 막론하고 한 사람을 대적하는 것으로 만들어져 있다. 초식은 2인人 이상을 대적하는 것으로는 짜지 않는다. 초식은 공격수攻擊手가 1→2→3, 또는 1→2로 구성된다. 세 번 공격이 주로 많다. 퇴법腿法(발차기)은 본래 초식에 포함되지 않는다. 수법手法 사이에 그냥 가미한 것이다. 퇴법腿法은 정해진 순서에 포함될 필요가 없이, 어떤 순간에도 허점이 보이면 찰 수 있기 때문이다. 또한, 걸어가는 발이 언제든 퇴법으로 연결되기 때문이다. 그러나 퇴법은 세勢로는 반드시 존재하는 것이다. 〈현각권〉에서 '현각허이세縣脚虛餌勢'가 초식이 되는 이유는 32세로 구성된 권법의 원세명原勢名에 퇴법腿法의 변화가 하나의 세勢로써 존재하고, '현각허이세'를 강조하기 위해 하나의 초식으로 연결했기 때문이다. 투로에서 발을 떼서 움직이는 것은 모두 차는 동작을 품고 있다. 따라서 '단권 1로'에서 전진하는 발을 변형해 차는 것이 '단권 2로'가 되는 것이고, 〈반뢰권磐擂拳〉에서 장掌과 등퇴蹬腿를 함께 공격해 나가는 것도 모두 보법步法이다.

철형대련鐵形對鍊은 철형鐵形과 중사평中四平, 두 개의 동작이 한 초식으로 되어있다. 그다음 차고 이어서 지르는 주먹은 상대와의 연결 때문에 붙인 것이다. 철형대련과 권추대련圈椎對鍊은 전체가 1초식이고, 기각대련起脚對鍊은 발의 1초식이다. 격권擊拳, 즉 초식招式 수련은 반드시 보법步法(1~2걸음)과 배합되어 있다. 왜냐하면 신법身法이 운용되어야 하기 때문이다. 제 자리에 서서 수법手法만 운용하는 것은 초식이 아니다.

권법拳法은 기예技藝다. 즉 기술技術이다. 초식마다 기술이 실제 응용되는 동작으로 돌아가야 한다. 자세는 보형步型으로 단련하는 것이지 권법에서 단련하지 않는다. 권법은 신법身法과 수법手法을 본다. 보법步法은 보지 않는다. 즉 기술을 연마하는 것이므로 실전에 써먹을 수 있도록 돌아가야 한다. 동작마다 쓸 수 있는 기법技法으로 돌아가야 한다.

권법拳法을 기본적 공방攻防인 것 외에 이해를 못 하는 이유는 권법을 골격으로 만들어 놓았기 때문이다. 즉 경勁을 익히기 위해서는 변화수가 아닌 오법五法에 맞는 동작으로 움직여야 하기 때문이다. 따라서 초식 수련을 통해 권법의 흐름과 응용, 그리고 변화에 대한 이해도를 높여가야 한다.

권법의 원原 수련은 화려하지 않다. 소박하다. 필요 없는 동작은 하지 않는다. 내가 방어할 만큼만 움직인다. 절대 과대, 과소하게 움직이지 않는다. 학鶴처럼 움직인다. 권법은 내공內功과 외공外功이 함께 드러나야 한다.

권법을 처음 수련할 때는 동작의 정확성을 염두에 두고 연습한다. 숙련되면 상대가 근접하여 존재한다고 생각하면서 상대에 의지하며 수련한다(心法). 권법에서 원식原式을 숨기고 자유로이 투로套路를 행할 때 한 가지 권법을 세 가지 길로 나타낼 수 있어야 한다. 그래야 깨달음이 온다(三分法). 권법은 보통 세 가지 변화로 분화할 수 있고, 권법의 문자인 〈현각권〉은 다섯 가지의 변화수가 그 안에 있다.

처음에 수련할 때는 동작의 원圓이 커야 한다. 모양(멋)을 내려 해선 안 된다. 원칙대로 수련해야 한다. 무예에서는 원길(原)은 남에게 보여주지 않는다. 원길 자체는 둔하다. 보면 보잘것없다. 화려해야 잘한다고 생각하는 것은 틀렸다. 원길을 모르면 권법 터득이 안 된다. 권법은 수법手法이 숙련될 수 있도록 짠 것이다. 그러므로 화려하지 않다. 둔한 것을 했을 때 뒤에 짧게 돌면 활발해진다. 짧게 하면 발전이 없다. 원길을 많이 숙련한 사람이 짧게 한다.

수련할 때 천천히 해야 한다. 그것이 빠른 것이다. 빨리 수련해서는 되지 않는다. 병기兵器 수련도 느리게 해야 한다. 급타急打 수련은 권법대련拳法對鍊 등을 하는 것으로 수련한다. 만련慢鍊 수련은 단련이다. 〈좌공坐功〉 수련이나 '단권 1로'의 충권衝拳 지르기 등을 할 때 속도다. 권법 수련은 단련하는 것은 아니지만 단련하듯이 느리게 해야 한다.

젊었을 때 일정 기간 힘을 빼고 수련해야 한다. 그래야 막膜이 단련된다. 힘을 빼고 느리게 수련해야 한다. 상체에 완전히 힘을 빼고 느릿느릿하게 수련하는 것이다. 이 과정을 반드시 거쳐야 한다. 그다음 자세 낮추는 것으로 들어간다. 처음부터 자세를 낮추라고 가르치지만, 의식적으로 해서는 안 된다. 상체에 힘이 들어간다. 권법 수련 때 자세를 낮게 하고, 특히 기마보인 경우 많이 앉아야 안정이 된다. 또한, 무릎을 많이 구부려 궁보弓步를 수련하지 않으면 중심이 뜨게 되어 안 된다. 다시 말하면, 권법 수련 때 팔을 지탱하는 힘만 쓰고 근육 힘을 쓰면 안 된다. 내기內氣로써 단련된 힘(기본수련에서 얻은 경력勁力)을 쓴다. 이 기간을 거친 다음 권법 수련 때 필요한 힘을 줘야 한다. 힘을 빼지 않는다. 또한, 수련 때 힘을 주면 '막히는 힘'이 된다고 말한다. 그 차이를 구분해서 잘 이해해야 한다. 권법 수련 때 발을 움켜쥐고 힘이 있어야 한다. 천천히 해도 탄력을 살려서 한다. 또한, 권법을 구성하는 수법手法보다 움직임에 내포된 신법身法을 먼저 수련해야 한다.

권법拳法은 천천히 해야 실전實戰에서 빠르다. 빨리 수련하면 실전에서 빨리 움직이지 못한다. 또박또박 동작을 분명히 하되 연결하면서 한다. 동작 하나하나 선을 살려 연습하라. 찌르는 것은 찌르는 것처럼 분명히 해야 하고 리듬을 타야 한다. 고수高手들은 수련할 때 절대 빨리 안 한다. 쾌만快慢 수련을 병용하지만, 대부분의 과정은 느리게 수련한다. 느리게 해야 모든 것을 느끼면서 수련할 수 있다. 즉 실전에서 상대가 움직이는 것이 완전히 보인다. 또한, 수련을 천천히 해야 실전에서 빠르다. 빨리 수련하면 마음(心)이 먼저 간다. 마음(意)이 지금(神)에 있지 않으면, 실전에서 상대 움직임을 볼(觀) 수 없을 뿐 아니라 빨리 움직이지도 못한다. '의기경형意氣勁形'이 일체가 되는 수련이 되어야 한다.

한 동작 안에도 쾌만快慢이 있다. 쾌快는 공격이고 만慢은 방어 동작이다. 충권衝拳을 지를 때 감아 오는 손은 만慢이고 지르는 손은 쾌快다. 쾌만 수련은 균형이 익혀진 다음에 하는 법이다. 그렇지 않으면 중심이 흐트러진다.

〈권법拳法 수련의 요결은 원칙대로 죽죽 늘이면서 동작을 분명히 하되, 연결하면서 또박또박해야 한다〉. 권법은 정밀하게 수련되어야 한다. 권법대련 때도 똑같다. 권법은 틀대로 수련하되 응용은 자유롭게 되도록 해야 한다.

권법을 정밀하게 수련해야 한다는 말은, 〈처음 배울 때, 느리게·힘을 빼고·몸을 늘이며, 보형과 수법 등을 정확히 해서 형태와 규격만 만들어, 1년 6개월에서 약 2년 정도를 수련하면 평생 자신의 자세가 변하지 않는다. 그렇게 수련하면 처음에는 힘이 없어 약하고 보잘것없이 보이나, 일정 기간이 지나면 경勁이 생겨 유柔한 가운데 강剛이 생긴다〉. 그러한 것을 정밀하게 수련한다고 한다. 뒤에 빠르고 자유롭게 투로를 할 때는 원식에서 탈피해야 한다.

처음에는 몸을 늘이는 것으로 규격을 맞추고 다음에는 탄력으로 튕겨서 공격력을 기른다. 튕겨 치는 것은 8수八手가 모두 같다. 밀어치는 것이 아니다.

권법은 당기는 힘과 미는 힘, 두 가지를 수련한다. 수법手法이 들어가고 나오고 할 때 어깨가 오르내리면 안 된다. 가슴(몸통)으로 치고, 당기고 해야 한다. 회수하는 손의 반사력反射力은 손으로 당기는 것이 아니다. 가슴으로 당기고 반대편 가슴으로 친다. 어깨는 관구關口이므로 편안하게 수평으로만 돌아가야 한다.

〈자세가 낮지 않으면 수법手法이 없는 것이다〉. 권법拳法 수련 때 자세가 낮아야 한다. 그리고 수련 때 손이 덜 나가고 회수되면 안 된다. 또 허리를 꼿꼿이 세우면 둔해진다. 물 흐르듯이 몸이 가야 하는 곳에 가야 한다.

권법은 정밀하게 수련되어야 한다. 즉 간격間隔이 정확해야 한다. 간격이란 형태상의 손, 발의 동선動線의 위치가 정확해야 한다는 뜻이다. 천천히 해도 끊어지지 않게 수련해야 한다.

몸이 손을 못 이기면 안 된다. 즉 손이 가볍지 않으면 안 된다. 발도 손처럼 가볍고 빠르게 움직여야 한다. 또한, 손은 무거워야 하고 중절中節을 움직여야 한다. 외형外形의 힘이 잡히면 손이 무거워진다. 수법手法이 무거워지도록 해야 한다. 무거워야 가벼워진다.

권법 수련은 넓은 공간에서 활발하게 해야 한다. 그러지 못해 제자리에서 돌며 한다 해도 활발하게 해야 한다.

권법에서 뒤로 돌 때, 초식招式을 중간에 끊고 돌면 안 되고 한 초식을 완결한 다음 돌아야 한다. 즉 뒤로 돌면 새롭게 다음 세勢가 시작되는 것이다. 좁은 장소에서도, 권법에서 전진前進은 반드시 전진해야 한다. 아니면 흐름이 끊어지지 않게 뒤로 돈다.

권법 수련 때 팔로 감아서 허리(宿處)로 오는 동작은 우리 무예의 특징이다. 팔 모양은 수평으로 감아도 안 되고, 위로 올려서 내리듯이 감아도 안 되고 (그림)과 같은 모양이 되게 멀리 감아서 허리로 가져온다. 이때 좌측만 방어하는 것이 아니다. 전면을 둥글게 감아 어느 동선에서도 상대와 점點할 수 있어야 한다. 실전에서 어거격御車格에 해당한다. 팔 전체가 전사纏絲다.

(어거격)

【초식招式 수련】

◎ 초식招式 대련 때는 상대방에 손동작을 맞추고, 혼자 권법을 수련할 때는 자신의 몸에 수법手法의 높이를 맞춘다. 예를 들면, 기마보로 반주를 칠때 권법에서는 낮게 측신側身으로 서지만, 초식 대련 때는 상대 공격에 맞춰야 하므로 선 자세로 측신이 되고 반주로 공격하는 경우다.

◎ '곡비곡직비직曲非曲直非直'은 중절中節을 뜻한다. 중절은 변화가 나오는 자리다. 즉 다 뻗어서는 안 된다. 팔꿈치에 여유가 있어야 한다. 특히 붕권崩拳을 칠 때 주의해야 한다. 초식 수련 때 찔러 치는 것은 팔을 다 뻗지만, 팔꿈치를 다 펴면 안 된다. 다 뻗으면 힘이 없다.

◎ 초식招式 대련 때 필요한 힘을 줘야 한다. 힘을 빼지 않아야 하고 수법手法 보다는 신법身法을 먼저 수련해야 한다. 신법身法은 허리만 좌우로 돌리는 것이지 몸을 좌우로 기울여서는 안 된다.

◎ 상대 공격을 받는 손에 너무 과도한 힘을 줘서는 안 된다. 과도한 힘때문에 상대가 변해버린다. 과도한 힘은 둔탁하게 되므로, 상대가 변화하는데로 따라 변화하기 어려워진다. 상대 공격을 젖힐 정도로 약하게 힘을 주고 나머지는 신법으로 운용해야 한다. 그래야 사지四肢에 영기靈氣가 살아있으면서 학鶴처럼 가볍게 공방할 수 있다. 다시 말하면, 상대 손을 받은 다음 힘없이 따라 들어가 칠 때만 힘을 쓴다.

◎ 초식招式 수련 때 공격은, 권법 동작 형태로 수련하면 된다. 받는 것은 권법 형식으로 할 필요 없다. 상황에 맞게 수비하면 된다. 그러나 상황에 따른 정확한 수비의 틀을 익혀야 한다.

◎ 수비守備의 요점

첫째, 수비하며 물러날 때, 상대 발이 움직이면 내 발도 움직인다. 시작은 같이했지만 물러나는 발이 먼저 가서 지면에 닿지 말고, 상대 몸이 오는 것과 보조를 맞춰서 뒤로 물러나야 한다. 달리 말하면 항상 상대와의 일정 거리를 유지해야 한다.

둘째, 상대가 마음대로 뻗고 공격하는 것을 중간에 차단하지 않아야 한다. 즉 강彊으로 막지 않아야 한다. 상대가 어떻게 공격하든 그것을 유柔로써 받아야 한다.

셋째, 막고 공격할 때 뒤로 물러나지 않아야 한다. 상체를 물러나면서 치는 것이 습관이 되면 안 된다. 방어 동작에서 상대 공격이 오면 물러나야 할 경우라도, 몸을 뒤로 젖히지 말고 몸으로 물러서면서 받는다. 방어손은 전진 시에는 손을 밀고 나간다. 후퇴 시에는 쓸어 당긴다(洗).

◎ 초식招式에는 흐름이 같은 동작이 모인 것과 흐름이 다른 동작들이 모인 것이 있다. 흐름이 같은 것은 한 보형步型에서 상체만 움직이면 된다. 그러나 흐름이 다른 것은 보步를 움직여야 한다. 이는 전적으로 상대의 대응에 맞춰서 움직여야 한다. 예를 들어 〈웅주포가권熊走抛架拳〉처음 초식에서 좌궁보左弓步 좌충권左衝拳 후, 우각右脚이 걸어 나가며(상대가 물러난다는 가정) 우붕권右崩拳을 칠 때 상대가 물러가지 않는다면, 우각右脚이 걸어나가지 않고 제자리에서 붕권崩拳을 쳐도 된다. 왜냐하면, 한 초식 안에 있고 흐름이 같은 동작이기 때문이다. 그러나 흐름이 바뀌는 동작은 상대가 물러나지 않아도 제자리에서 반드시 보步를 들었다 놓아야 한다. 따라서 초식의 의미를 모르고 권법을 수련하면 생기生氣를 잃은 것이 된다.

◎ 발이 먼저 가고 손이 뒤따라가는 듯해야 동작이 완전해진다. 즉 손이 발보다 먼저 가지 않게 된다. 다시 말하면 삼절三節에 의해 근절根節이 좇아 가지만, 발이 먼저 가서 몸을 받쳐야 한다. 손과 발이 시작은 같이하지만, 발이 손보다 빨리 가야 한다는 뜻이다. 다리를 말할 때 〈근절根節이 좇아간다〉

고 하고, 〈발은 몸을 받쳐 준다〉는 말의 이치를 깨달아야 한다. 외적外的인 삼절과 내적內的인 삼절이 다른 것이다. 삼절에 대한 이해는 오랜 수련을 통해 조금씩 이루어진다.

◎ 초식招式에서의 힘의 연결은, 1 초식招式은 하나의 힘으로 움직여야 한다. 힘을 뺐다 넣었다 하면 안 된다. 한 초식招式은 하나의 힘이 흐르고, 초식과 초식 사이는 다만 동작의 연결일 뿐 힘을 계속 연결하는 것이 아니다.
1 초招는 실전實戰에서 순식간에 이루어지므로 하나의 힘으로 운용하는 것이 가능하다. 단, 수련할 때 천천히 해야 하므로 한 초식 안에서도 힘을 연결하지 못하는 폐단을 주의해야 한다.

◎ 초식招式 수련을 할 때, 상대에게 붙어가면서 쳐야 한다. 그냥 몸만 간다고 되는 것 아니다. 착착 달라붙어야 한다. 상대가 느끼기에 고무줄이 당겨오듯, 상대와 얽은 손을 이용해 붙으면서 치고 들어가야 한다.

◎ 초식招式 대련에서 반드시 주의해야 할 점은, 첫째 정확성이 있게 목적한 위치에 주먹이 가야 한다. 둘째 발차기는 정확한 위치에 찔러 차야 한다. 셋째 가슴(몸)이 움직여 수법手法이 들어가게 해야 한다. 이렇게 해야 실전 감각을 익힌다. 또 수비하는 사람도 수비가 제대로 된다.

◎ 초식招式 대련에서 수법手法이 한 번 나가면 회수하지 않는다. 한 번 나가면 공격을 완성하고 들어와야 한다. 즉 상대가 내 공격을 점點하고 나면, 상대가 팔을 회수하므로 그대로 붙여서 따라 들어가 친다. 따라서 상대가 내 공격을 막으면 내 손을 회수하지 않고 그 위치에 두고 다른 손이 나간다.

◎ 초식招式 수련 때 손이 정확한 위치에 가야 한다. 숙처宿處의 중요성이다. 예를 들면 ㉮ 철형대련에서 상대 충권衝拳을 우수右手로 막을 때 왼손을 오른손 팔꿈치에 항상 붙여서 움직인다. 그래야 막든지 공격하든지 움직임이

빠르게 나온다. ㉯ 철형대련에서 상대가 내 철형을 막으면 바로 채서, 숙처에 있던 오른손으로 상대의 왼손 팔꿈치를 장掌으로 친다. 상대 손을 채서 조금만 당기면 상대 팔이 펴지므로 팔꿈치 공격이 쉬워진다. 부가적으로 내 좌각左脚은 체보掣步로 움직이므로, 좌족을 들어 상대 다리를 함께 찰 수 있다.

㉯-1 ㉯-2

◎ 초식招式 수련의 요결

㉮ 팔로 하지 말고 철저히 신법身法으로 수련하라. 신법의 원칙은 몸을 좌우로 돌리는 것이지, 몸을 좌우로 기울여서는 안 된다. 하체는 절대 흔들리게 하지 않게 하면서 허리만 돌아가게 수련해야 한다. 그러나 뒤에 고수高手가 되면 신법 운용이 달라진다. 보步가 변하고 몸이 상하좌우로 틀어진다. 몸의 신법이 먼저고, 그것이 숙련된 후에 손 신법과 발 신법으로 발전해야 한다.

㉯ 허리와 팔이 먼저 가거나 뒤에 가거나 하지 말라(三節).

㉰ 천천히 힘은 빼고(의식이 가는 힘), 마지막 결정 지점에서 주먹 쥐면서 힘을 주라.

㉼ 공격이나 수비에서 절대 어깨를 들지 말라. 어깨를 들지 않아야 안정이 되고 힘을 쓰고 변화할 수 있다. 예를 들어 첫 초식 '우란수右攔手·좌충권左衝拳'에서 상대 좌수를 받고 내 좌수로 충권衝拳을 치면 상대가 올려 막는다. 이때 내 어깨가 팔과 같이 들리면 안 된다. 어깨가 가라앉아 있어야 상대 막은 손 아래로 다시 미끄러져 들어갈 수 있고, 아니면 상대를 아래로 왼쪽으로 바깥으로 돌려 젖히며 우수로 붕권崩拳을 칠 수 있다. 어깨가 안정되어야 변화하며 힘을 쓸 수 있다.

㉽ 권법의 한 초식招式만 떼서 몇 번 연습하고, 다시 두 사람이 공방을 몇 번 하는 형식으로 수련한다. 그렇게 해야 원길(原)이 기억되며 권법을 기예技藝로써 수련할 수 있다. 그렇지 않으면 권법으로 체조하는 것밖에 안 된다. 매일 1~3시간씩 쉬지 않고 앞에 상대가 있다고 생각하면서 지금까지 배운 기본 초식을 가지고 연습한다. 그래야 무의식화가 되고 실전에서 쓸 수 있다.

단수單手를 익힐 때는, 규격을 만들 때는 천천히 힘을 빼고 하지만 숙련 시에는 한 동작 한 동작 확실하게 하며 탄력을 주어 강하게 수련해야 한다.

원식原式을 완벽하게 수련해서 익히는 것에서 운용이 나온다. 원식이 익으면 그다음 다른 수련법이 있다. 초식 한두 개를 그 응용까지 완전히 터득하면 다른 초식도 터득이 된다. 그러나 실전에서는 내가 터득한 수만 쓴다.

㉾ 요결要訣은 수법手法의 숙련이 아니고, 발이 편하고 자유롭게 되어야 터득한 것이 된다. 가장 중요한 말이다. 수법만 잘 된다고 터득한 것이 아니다. 초식 대련 때 발이 움직여 나가는 것이 불안정하면 안 된 것이다.

〈발이 아주 편해서 자유롭게 움직일 때까지 숙련되어야 한다〉.

무언武諺에 이르길, 『손으로 삼 푼을 치고 발로는 칠 푼을 치며, 상대를 이기려면 손발이 같이해야 한다.』는 뜻이다. 또 그것이 '보법步法이 훌륭하다'라고 하지 않고 '신법身法이 훌륭하다'라고 하는 것이다.

【웅주포가권熊走抛架拳】

해제解題

예비세豫備勢

두 발을 모으고 자연스럽게 서서 머리를 바르게 하고 눈은 앞을 본다. 마음을 차분히 하여 잡념을 없애고, 신의神意를 안으로 거두어들인다. 전신의 근육은 느슨히 하고, 양손은 권拳으로 허리에 바르게 댄다. 권심拳心은 위를 향하고, 호흡은 평온해야 한다.

기식起式

① 양손을 장掌으로 바꾸면서 앞을 향해 오른 손목을 왼 손목 위에 교차하여, 장심掌心은 위를 향하고 장지掌指는 앞을 향해 뻗는다. 남은 숨을 내쉰다.

② 이어서 양 손목을 돌리면서 팔꿈치를 약간 구부려 머리 위로 들어 올린다. 양장兩掌은 권拳으로 변화하고 권심拳心은 앞을 향한다.

③ 계속해서 양손은 좌우 옆으로 원을 그리면서 허리로 거두어들인다. 흡기吸氣를 배합한다.

④ 위 동작에 이어서 양손을 장掌으로 변화시키면서 앞을 향해 나란히 뻗는다. 장심은 앞을 향하고, 장지掌指는 위를 향한다. 호기呼氣를 배합한다.

⑤ 이어서 양권兩拳을 허리로 거두어 바르게 댄다. 권심은 위를 향한다. 흡기吸氣를 배합한다.

●熊走拋架拳

1

2

3

4

5

6

1. 전신우란수轉身右攔手

몸을 왼편으로 90도 돌리는 동시에 오른손을 왼편을 향해 장掌으로 감싸며 세워 막는다. 눈은 오른손을 본다.

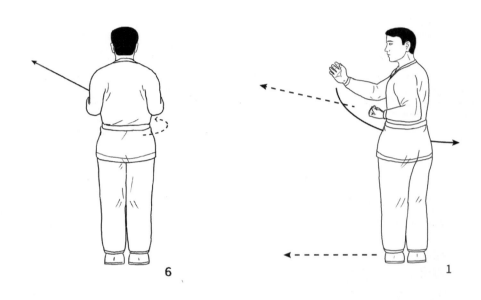

2. 좌궁보좌충권左弓步左衝拳

왼발이 앞으로 한 발 나가는(左弓步) 동시에, 오른손은 눌러 잡아 오른쪽 둔부 옆으로 당겨친다. 동시에 좌권左拳을 앞을 향해 찔러 친다. 눈은 왼손을 본다.

3. 우궁보우붕권右弓步右崩拳

오른발이 앞으로 한발 나가는(右弓步) 동시에 왼손은 아래로 눌러 막으며, 오른손은 허리로 붙듯이 통과해 왼손의 권배拳背 위를 거쳐서 붕권崩拳으로 친다. 왼손의 권배는 오른손의 팔꿈치 아래에 위치한다. 눈은 오른손을 본다.

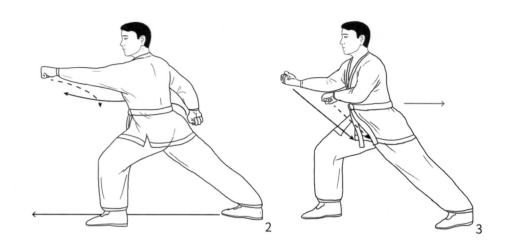

4. 우허보쌍발장右虛步雙撥掌

왼무릎을 구부려 앉으며(右虛步) 동시에 몸을 90도 왼편으로 돌리며 양손의 장심掌心을 바깥으로 하여 직선으로 아래로 내려 막는다. 눈은 정면을 본다.

5. 우궁보우횡권右弓步右橫拳

오른발이 앞으로 나가는(右弓步) 동시에 몸을 오른편으로 90도 돌리며 오른손의 권륜拳輪으로 앞을 향해 밀어친다. 왼손은 오른손 팔꿈치에 붙어 따라간다. 눈은 오른손을 본다.

6. 좌일좌쌍붕권左一坐雙崩拳

양팔을 아래로 내려 감고 이어서 왼발이 앞으로 나가는 동시에, 양손을 들어 위로 아래로 정면으로 감는다. 계속해서 앉으며(左一坐) 양손을 붕권崩拳으로 찔러 친다. 눈은 정면을 본다.

7. 우탄퇴우궁보좌충권右彈腿右弓步左衝拳

몸이 일어나며 양손은 칠성수로 만들며 오른발로 앞을 향해 찬다. 이어서 오른발을 앞을 향해 놓으며(右弓步) 오른손은 앞을 멀리 감아 허리로 가져오고 동시에 왼손은 앞을 향해 찔러 친다. 눈은 왼손을 본다.

6

7-1

7-2

8. 마보채수횡붕권馬步採手橫崩拳

몸을 왼편으로 90도 돌리며 동시에 오른손은 장심掌心을 위로 향하여 정면으로 내밀어 잡고, 왼손은 몸이 돌아가는 것이 이끌게 하며 권배拳背를 위로 향하게 하여 오른 팔꿈치 옆에 위치한다. 계속해서 몸이 측신側身으로 돌아오며(騎馬步) 양권兩拳을 그 모양 그대로 왼편 허리에 가져온다. 계속해서 양권을 양측兩側으로 벌려 횡으로 붕권崩拳을 친다. 눈은 정면을 본다.

9. 전신마보우반주轉身馬步右盤肘

왼편을 향하여 오른발이 한 걸음 나아가고 동시에 왼손은 앞을 향하여 둥글게 감아서 왼편 허리로 가져오며, 계속해서 왼편으로 90도 돌며(騎馬步), 오른손은 반주盤肘를 만들어 몸 앞을 향하여 돌려친다. 눈은 정면을 본다.

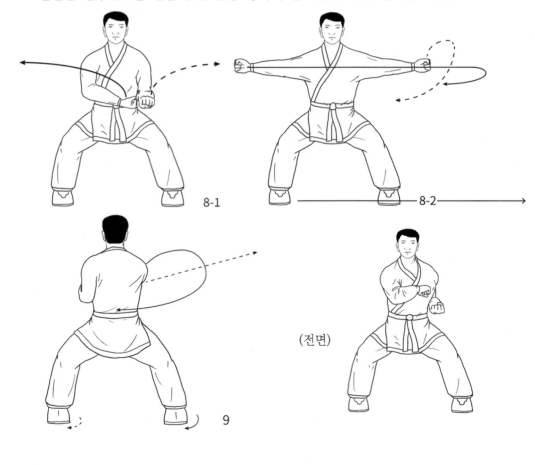

8-1

8-2

9

(전면)

10. 우궁보좌충권右弓步左衝拳

오른편으로 90도 돌며 오른손은 앞을 향해 둥글게 감아 오른편 허리로 가져오고 왼손은 앞을 향해 충권衝拳으로 찔러 친다. 눈은 왼 주먹을 본다.

11. 도보우궁보쌍천장跳步右弓步雙穿掌

양손을 잡아 몸 앞으로 당겨오는 동시에 좌각左脚과 우각右脚이 교대로 뛰어나가며 양손을 앞을 향해 천장穿掌으로 찌른다. 눈은 양장兩掌을 본다.

12. 좌붕권左崩拳

이어서 왼손을 왼쪽으로 아래로 오른쪽으로 둥글게 감아 돌려 붕권崩拳을 친다. 동시에 오른손은 장심을 아래로 하여 왼손의 하완下腕을 눌러 막는다.

13. 전신우등퇴轉身右蹬腿

왼편으로 180도 뒤로 돌며 양손을 둥글게 감아 허리로 가져오며 동시에 우각右脚을 들어 등퇴蹬腿로 앞을 향해 찬다.

14. 번신좌궁보우충권飜身左弓步右衝拳

우각右脚을 좌각左脚 옆으로 가져와 놓으면서 동시에 좌각을 들어 앞을 향해 나가며(左弓步), 왼손은 앞을 향해 둥글게 감아 왼쪽 허리로 가져오고 오른손은 앞을 향해 충권衝拳으로 찔러 친다.

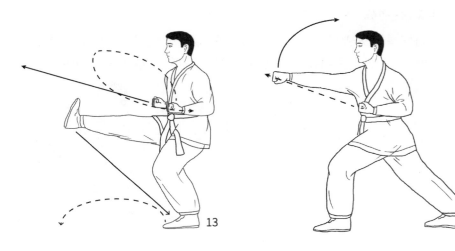

15. 우호두가타右護頭架打

이어서 오른손을 위로 들어 올리고 동시에 왼손은 앞을 향해 충권衝拳으로 찔러 친다.

16. 우궁보좌호두가타右弓步左護頭架打

우각右脚이 앞으로 한 걸음 나가며 왼손을 위로 들어 올리고 동시에 오른손은 앞을 향해 충권衝拳으로 찔러 친다.

17. 번신부퇴좌논벽翻身仆腿左掄劈

양발을 동시에 뛰어오르며 우각을 좌각 옆으로 가져와 놓고 좌각은 들어 앞을 향해 놓으면서 몸을 오른쪽으로 90도 돌아 측신側身으로 앉으며(仆腿步), 왼 주먹을 왼 허리에 둔 상태로 오른손은 아래에서 위로 오른편으로 둥글게 감아 내리고, 동시에 왼손을 올려서 논벽掄劈으로 내려친다. 오른 주먹을 왼팔 팔꿈치 옆에 둔다.

(전면)

18. 우궁보우천장右弓步右穿掌

왼편으로 90도 돌아 우각右脚이 앞을 향해 나가며 동시에 왼손은 앞을 향해 둥글게 위로 앞으로 아래로 눌러 막으면서 오른손은 천장으로 앞을 향해 찌른다.

19. 전신좌호두가타轉身左護頭架打

왼편으로 뒤로 180도 돌아 왼손을 위로 들어 올리고 동시에 오른손을 앞을 향해 충권衝拳으로 찔러 친다.

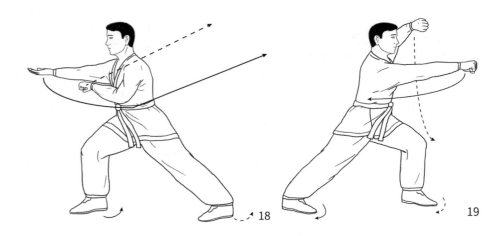

20. 좌부퇴횡소벽左仆腿橫掃劈

오른편으로 90도 돌아 측신側身으로 만들며 오른 다리는 구부리고 왼 다리를 곧게 펴서 앉으며(仆腿步), 동시에 왼손은 아래로 왼편 바깥으로 벽劈으로 밀어친다. 동시에 오른손은 허리에 가져온다.

21. 궁보우란수弓步右攔手

계속해서 왼편으로 90도 돌며(左弓步), 앞을 향하여 오른손으로 오른쪽 바깥에서 안으로 장掌으로 감싸 막는다.

22. 마보좌충권馬步左衝拳

이어서 오른편으로 90도 측신側身으로 돌며(馬步), 오른손은 눌러 잡고 뒤로 당기고 왼손은 충권衝拳으로 찔러 친다.

23. 우궁보우반주右弓步右盤肘

우각右脚을 한 걸음 앞으로 걸어 나가며, 왼손은 앞을 향해 둥글게 감아쥐고 오른손은 반주를 만들어 앞을 향해 밀어친다. 왼손으로 반주를 받는다.

24. 퇴보우괘벽退步右掛劈

이어서 좌각左脚을 구부려 뒤로 앉으며, 오른손은 오른편 바깥으로 아래로 둥글게 걸어서 당겨온다. 왼손은 장掌으로 세워 가슴 앞에 둔다.

25. 우궁보우격벽右弓步右擊劈

계속해서 앞으로 일어나 전진하며 오른손을 뒤로 위로 앞으로 둥글게 돌려 벽격擊劈으로 내려친다.

23

(전면)

—24→

25

26. 도보우측단퇴跳步右側踹腿

계속해서 도약하여 측단퇴側踹腿를 찬다.

27. 우궁보우천장右弓步右穿掌

두 발을 내려 딛고 좌수는 앞을 향해 위에서 아래로 덮어 누르고 우수는 천장으로 찌른다.

28. 전신좌호두가타轉身左護頭架打

뒤로 180도 왼편으로 돌며 좌수는 들어서 이마 위로 막고 오른손은 충권衝
拳으로 찔러 친다.

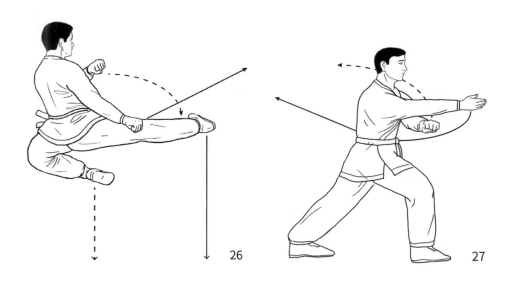

26

27

28

수식收式

　이어서 오른발을 왼발 옆에 가져오며 오른편으로 90도 돌며, 왼손은 왼 허리로 가져오고 오른손은 위로 둥글게 감아 오른 허리로 가져온다. 계속해서 양장을 교차하여 앞으로 밀어내고, 이어서 장을 뒤집으며 이마 위로 올려 권으로 변하며, 양 측면으로 감아서 허리로 가져와 정면을 향하여 양 권을 밀어낸다. 이어서 양 옆구리로 권을 가져와 허리 아래로 장으로 눌러서 마친다.

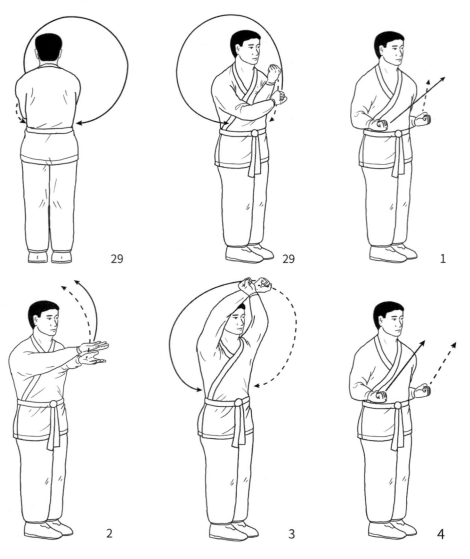

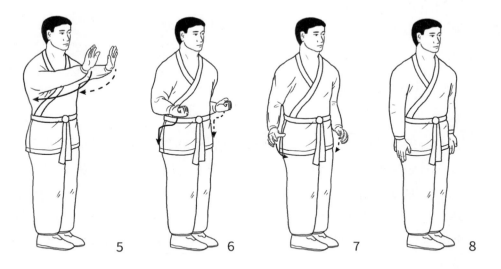

5　　　　6　　　　7　　　　8

【熊走抛架拳 各論】

1. 전신우란수轉身右攔手

우수右手로 상대 좌충권左衝拳을 막을 때, 우수 안쪽 겨드랑이에 팔을 붙이며 당기듯이(채듯이) 잡아야 한다. 이때 숙처의 손(왼손)이 쉬고 있으면 안 된다. 영기靈氣가 살아있어야 한다. 먼저 상대 좌수左手를 잡아 누른 다음 내 좌각左脚이 나가면서 좌수로 지른다. 권법拳法 수련 때는 우수가 오른쪽 둔부 바로 뒤를 당겨치고 더 뒤로 당기면 안 된다. 더 뒤로 오면 다음 동작이 느려지게 된다.

우수로 상대 손을 막을 때 모든 손가락이 가지런하게 가져가야 한다. 좌수로 주먹 찌를 때도 손가락 움직이지 말고 허리에서 주먹 쥔 손으로 그대로 나간다.

상대 공격을 란수攔手로 젖힐 때 머리가 앞으로 나가면 안 된다. 당당히 서서 젖혀 막아라. 머리가 앞으로 나가면 당한다. 또한, 가슴을 돌리는 것이 아니다. 허리를 틀어 상대의 권을 피하는 것이다(落空). 적절히 틀어야 한다. 이어서 왼손이 충권衝拳으로 나갈 때 허리를 세우고 허리가 돌면서 나가야 한다. 어깨가 나가는 것이 아니다. 어깨를 돌려 나가는 것에 의식을 두면 어깨가 굳어버린다. 어깨는 허리로 인해 돌아가도록 두고 허리를 틀어서 움직여야 한다. 어깨는 편안해야 한다. 다시 말하면 수련 시에 팔에 힘을 주면 몸이 뻣뻣하게 된다. 신법身法을 사용하는 이유가 거기에 있다. 외용세外勇勢를 하듯이 죽죽 늘여 수련한다. 격타擊打할 때만 주먹이 살짝 쥐어진다. 평소에는 주먹을 쥐는 힘만 있으면 된다. 격타 시에 조금 더 힘 있게 쥐어진다.

몸을 웅크리면서 막으면 안 된다. 상체를 앞으로 숙이지 말고 오히려 뒤로 젖혀지는 것은 괜찮다. 또는 몸은 움츠리며 막더라도 가슴은 바르게 펴서 막는다. 허리를 움직이되 많이 돌지 말고 상대 주먹이 내 중궁中宮을 겨우 지나 갈 정도만 돌린다. 신법身法은 필요한 만큼 움직여야 한다. 내 몸 좌측으로 과도하게 막지 말고 몸 중앙에서 약간 더 왼쪽으로 막은 다음, 아래로 채고 좌수로 찌른다.

몸 가까이 상대 주먹이 오더라도 뒤로 물러나지 말고 내 몸을 돌려서(身法) 주먹과의 간격을 넓혀야 한다. 그리고 상대 팔뚝의 중간 부위를 막아야 한다. 신법으로 간격을 만들었다고 해서 주먹 끝을 막으면 안 된다.

권법 시작 때, 옆으로 서서 좌左로 90도 돌면서 막는 것은 모두 신법身法 수련이다. 실전에선 정면에서 움직인다. 서 있는 자세에서 좌로 돌려막을 때 양 무릎을 구부리지 않아야 한다.

상대 공격의 방향에 맞춰 약간 위로 막으면 상대 좌수 아래 몸통을 공격하고, 약간 아래로 막으면 상대 위쪽 몸통을 공격한다. 방어하는 손에 힘이 있어야 한다. 완전히 잡고 눌러서 좌수와 같이 교차하듯이 움직인다. 상대 공격을 옆으로 밀어내지 말고, 좌로 막든, 우로 막든 주먹이 오는 길을 따라 받아들이며 수비한다.

상대 권拳을 막는 것이 확실히 되어야 한다. 내 몸 중앙에서 완전히 좌나, 우로 빗겨 나가게 해야 한다. 상대 공격을 점點했을 때 상대가 저항하지 않으면 좌로, 상대가 저항하면 그 힘을 이용해 우로 빗겨낸다. 즉 눌러서 내 몸 우측으로 당겨낸다.

팔은 수평으로 움직여 가져오고, 손은 전사纏絲로 가져와서 막는다. 막으러 나가는 손은 허리로 끌어서 나간다. 손은 전사로써 장심掌心으로 보자기를 만들어 막고(손가락 또는 장근掌根으로 막지 말 것) 상완上腕으로 움직인다.

손 모양은 완전 입식立式이 아니라 약간 비스듬하게 움직인다(자연스러운 모양이다). 입식으로 들어가면 상대 공격에 가서 닿기 전에 손에 힘이 들어간다.

막는 손은 상대 주먹 끝 부위를 막으면 안 된다. 상대 주먹의 힘이 모두 완성되는 시점이므로 실전에서 당한다. 따라서 상대 팔꿈치와 손목 사이 반半이 되는 부위에 외연外沿이 가서 닿고 손목 쪽으로 손바닥으로 덮어 막는다. 이렇게 막아야 상대 힘이 빠진다. 만약 상대 주먹의 끝단(상대 권륜拳輪 부위)을 막으려면 상대가 일어나기(起) 전에 막아야 한다. 즉 힘이 형성되기 전에 막아야 한다.

란수攔手에서 상대 좌수를 내 우수로 왼쪽으로 밀어 막고 누를 때 반드시 왼쪽으로 밀어서 막은 다음에 눌러야 한다. 처음부터 누르면 안 된다. 이때 내 좌수는 같이 움직여야 한다. 즉 끊어지지 않고 나拿하여 뒤로 당기는 것과 찌르는 것이 이어져야 한다.

란수攔手로 막는 것은, ㈎ 손바닥 편 상태 + ㈏ 잡아서 눌러 당기는 상태 두 가지가 혼합되어 있다. ㈎은 상대 공격을 빗겨 흘러나가게 할 때 사용하고, ㈏은 상대를 나拿해서 당길 때(제압할 때) 사용한다. 따라서 한 동작 안에 두 가지 의미를 내포하고 있다.

(ㄱ)　　　　　(ㄴ)

(란수로 막을 때)

만약 수비 손이 가서 상대 뿌리(상완 부위, 팔꿈치 바로 위쪽)를 막으면 상대 등 뒤에 붙는다. 상대 중궁中宮을 피해 가는 것이다. 중궁中宮을 보면서 안에서 밖으로 막으면 위험하다(상대 우수를 내 우수로 막을 때). 상대 좌수가 바로 들어온다. 실전에서는 상대 좌충권左衝拳에 대해 우편섬右偏閃으로 움직여 낙공落空시키고 공격한다. 중궁中宮을 밟는 것이 어렵다. 중궁은 수手가 높은 사람이 승리한다. 확실할 때 들어가는 것이다. 상대 바깥으로 돌면 나는

원권圓圈이 작고 상대는 원권이 커진다. 따라서 상대 측면을 밟는다. 고수高
手는 측면을 내어주지 않는다.

◉ 란수攔手는 많이 연습해서 완벽해야 한다. 실전에서는 강한 주먹이 들
어온다. 어떤 공격도 능히 수비할 수 있어야 한다. 자신의 중심이 흔들림 없
이 제압하려면 숙련이 되어야 한다. 반드시 발이 든든해야 한다.

◉ **란수攔手의 응용수應用手**
① 을의 좌권左拳을 막고 갑이 우각右脚을 상대 쪽으로 한걸음 들어가면서
아래로 감아서 오른쪽으로 빗겨낼 때는 을의 복부 쪽을 우권右拳으로 친다.
② 을의 좌권左拳을 왼쪽으로 밀어내며 막을 때는 우벽右劈으로 친다.
③ 갑이 을의 좌수를 우수로 막고 동시에 갑의 좌수로 을의 얼굴 쪽을 찌
른 다음 우각이 다시 걸어가면서 ①과 같은 방법으로 공격한다.

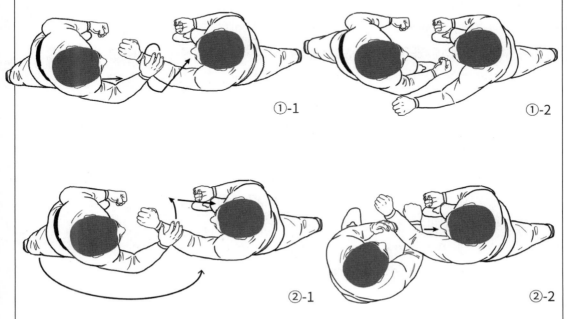

①-1

①-2

②-1

②-2

2. 좌궁보좌충권左弓步左衝拳

권법 수련 때 우수를 몸 측면 선線 이상 뒤로 보내지 않아야 하고 대퇴大腿 부위까지만 당겨서 왼손으로 친다. 지르는 손과 삼절三節이 맞아야 한다.

좌충권左衝拳은 반드시 우수 손등 위로 나간다. 실전에서는 상하上下 자유롭게(상대에 따라) 움직일 수 있다. 분명하게 상대 주먹을 받은 다음 길을 터놓고 그 틈으로 충권衝拳을 쳐야 한다.

공방에서는 상대 공격 때 주먹으로 얼굴을 치지 않는다. 좌충권左衝拳으로 얼굴을 치는 것은 상대 손을 위로 올려 막게 유도하는 것이다. 실전에서는 상대 가슴 부위를 기본 공격 부위로 한다.

● 1.병보우란수竝步右攔手 2.좌궁보좌충권左弓步左衝拳

상대 좌수를 내 우수로 젖히고 좌충권左衝拳을 칠 때 상대 우수가 나의 좌수를 너무 강하게 올려 막으면 나는 권拳을 회수하지 않고 팔꿈치를 구부려 좌수를 미끄러뜨려 상대 팔 아래로 들어가 계속 충권衝拳으로 친다.

란수攔手로 하는 수비는 상대 손이 좌, 우 어느 쪽이 오든 막을 수 있다. 수비한 다음에 좌충권左衝拳으로 공격하는 순서대로 하는 것이 아니고 방어와 동시에 함께 나가듯 빠르게 쳐야 한다. 즉 동시에 양손을 쓰는 것이다. 상대 반대쪽 손이 나오기 전에 들어간다.

란수攔手로 하는 수비 손은 상대 주먹을 약간 위로, 옆으로, 또는 아래로 3가지 방향으로 막을 수 있다. 위로 약간 들면서 막는 경우는 아래로 공격하기 위해서고, 아래로 약간 눌러서 막는 경우는 위로 공격하기 위해서다. 이때 공격은 상대 주먹을 막고 조금 틈이 생기게 해서 바로 들어간다. 상대 공격을 너무 크게 벌리고 들어가선 안 된다.

만약 내 좌수 공격을 상대가 막으면(채採하면) 좌수를 계속 뻗지 않고, 바로 되막으면서(되챈다) 우붕권右崩拳이 들어가야 한다. 상대가 막는데 내가 계속 뻗어 치면 상대는 내 좌수를 들어 막고, 들어 막은 우수로 내 목을 내려칠 수 있다. 반면에 내가 뻗지 않고 바로 되채면, 상대는 막던 손을 바로 빼야 나의 우붕권右崩拳에 당하지 않는다.

◉ 1.병보우란수竝步右攔手 2.좌궁보좌충권左弓步左衝拳은 공방의 틀이다. 란수攔手로 수비하고 공격해 들어가는 것은 공방에서 막고 들어가는 표준이므로 완벽하게 숙련이 되어야 한다.

3. 우궁보우붕권右弓步右崩拳

◉ 2.**좌궁보좌충권左弓步左衝拳** 3.**우궁보우붕권右弓步右崩拳**
좌충권左衝拳을 하고, 나가면서 우붕권右崩拳을 칠 때, 허리까지 손을 들어 올리면서(이때 멈추지 말고) 바르게 심장으로 나아간다. 중간에 멈추지 말고 허리를 지나 바로 결정되게, 즉 일정한 노선과 속도로 목적하는 곳까지 바로 가게 수련한다. 다시 말하면 허리로 주먹을 들어 올려 붕권崩拳 노선으로 상대 심장을 향해 바르게 나간다. 이때 손이 허리를 스쳐 가면 힘을 더 얻을 수 있다. 붕권崩拳은 너무 높이 치면 안 된다. 허리 높이에서 직선처럼 들어간다.
상대 좌수를 우수로 막으며 좌수로 찌르고 이어서 우수로 붕권을 치는 것까지, 신법身法으로 모두를 연결해서 한다.
우수로 막고 좌충권左衝拳을 들어가면서 칠 때, 두 동작이 되면 안 된다. 막는 것과 치는 것이 같은 동작이 될 정도로 연결한다. 그래야 뒤 동작(붕권)이 연결된다. 순서대로 우수로 막고 좌수 충권 지르고 우수 붕권이 들어가면 우수가 쉬고 있기 때문이다. 즉 우수로 막은 손이 바로 붕권으로 연결되어야 한다. 상대가 변화하는 중간에 공격하면 못 막는다(공격의 시점이다).
붕권崩拳은 주로 명치를 친다. 또는 늑골 아래 복부를 파고들 듯이 친다. 반대(뒤로 가는 손)손은 항상 앞 손과 같이 영기靈氣가 살아있어야 한다. 즉 사지四肢가 같이 움직이고 살아있어야 한다. 정체停滯되면 패망敗亡한다.

상대 좌수 공격이 내 자오선에서 좌측으로 약간 치우쳐 들어오면 포가권 원식대로 하고, ㉮ 우측으로 약간 치우쳐 들어오면 내 우수를 좌에서 우로 손등으로 막으며 좌수 찌르고 다음 공격을 한다. ㉯ 상대 우수 공격이 내 중심선에서 좌측으로 약간 치우쳐 들어오면 신법으로 좌로 돌면서(정면으로 들어가거나, 우각右脚을 전방으로 옆으로 45도 정도 나가면서) 내 좌수(손등)로 막으며 우수로 충권을 치고, 이어서 좌수로 충권을 친다. 좌우수를 바꿔서도 자유롭게 운용할 줄 알아야 한다. 우각右脚 우붕권右崩拳을 칠 때 좌수는 주먹 쥔 그대로 오른쪽 팔꿈치 아래로 가져오며(宿處), 이때 몸통의 중절中節인 허리가 돌아야 한다. 멋과 율동, 경력勁力을 발發하게 하는 요령이다.

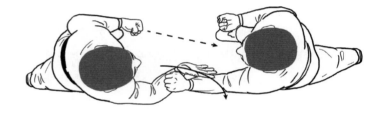

(상대가 우측으로 들어올 때)

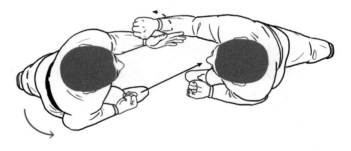

(상대가 좌측으로 들어올 때)

● 우란수右攔手 · 좌충권左衝拳 · 우붕권右崩拳의 응용수

① 상대 공격과 상관없이 내가 먼저 들어가며, 우수로 상대 중궁을 지키는 손을 제압하며 막고, 좌수로 충권을 치고 우수 붕권으로 공격할 수 있다. 내

의도대로 자유롭게 공략할 수 있어야 한다. 그렇게 되도록 수련해야 한다.

　② 상대 좌수를 우수로 막되 몸을 낮추면서 상대 공격 손을 약간 아래로 비스듬히 내려오게 막는다. 이때 수비하는 손은 (그림)에서처럼 손목의 외연으로 막거나, 구수로 손목을 구부려 상대 손목을 끼워 당기듯 막는다.

　③ ②의 경우 몸은 허리(등판 전체)를 힘을 주어 축蓄을 하듯 살짝 낮춘다. 신법은 그대로 돈다. 이어서 몸을 바르게 하면서 아래에서 위로 철형을 비스듬하게 상대 뻗은 팔을 따라서 올라가면서 상대가 우수로 철형을 막도록 천천히 유도하며, 상대가 막으면 상대 우수를 내 우수로 나拿하고 번신飜身으로 앉으며 좌수로 상대 팔 아래 몸통을 공격한다. 상대가 다시 막으면 다시 번신한 몸을 풀며 우수로 공격한다.

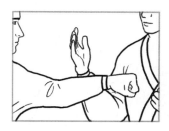 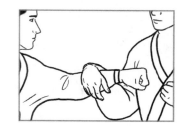

(②의 예)

1　　　　　　　　　　　　　2

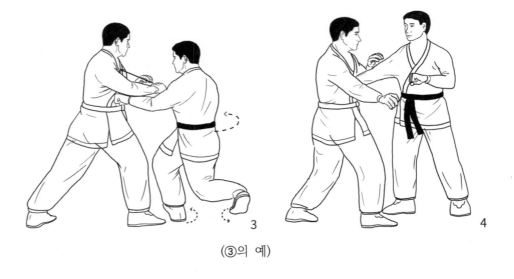

(③의 예)

④ 상대 좌수를 우수로 막고 바로 우수 철형으로 목을 공격한다. 이때 팔꿈치로 운용해서 두 번 동작이 안 되게 한 동작이 되게 운용해야 한다. ②에서 몸을 낮춰 상대를 손목의 우수 외연外沿으로 막고 철형 칠 수도 있다.

⑤ 우수가 들어가 상대 공격을 좌로 막으면서(반배장으로 상대 팔을 눌러 막으면서), 좌수도 손바닥을 위로하여 배장背掌으로 상대 목을 찔러 들어간다. 상대가 막으면 바로 변해서 양 주먹으로 공격한다.

(⑤의 예)

⑥ 왼편으로 신법을 많이 돌리지 않고, 상대 공격을 좌로 걷는 동시에 몸이 들어가면서(측면으로) 좌, 우 권拳으로 상대 겨드랑이 아래 늑골을 친다. 상대 측면을 타고 들어가는 것이 어렵다. 고수高手일수록 측면을 안 내어준다. 따

라서 상대 주먹을 걷는 것과 동시에 몸이 들어가, 상대가 반응을 못 하게 들어가야 한다. 몸이 들어가면 벌써 공격이 이루어져야 한다.

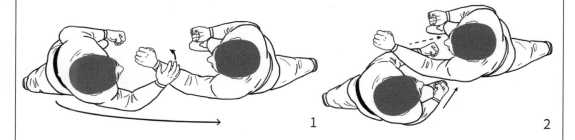

(⑥의 예)

4. 우허보쌍발장右虛步雙撥掌

허보로 상대 발을 걷어낼 때 반드시 두 장심掌心이 모두 바깥으로 돌아가야 한다. 전진前進하는 동작이기 때문이다. 태극太極의 이치다. 이때 왼손이 좌각左脚 대퇴 이상 뒤로 당겨서는 안 된다. 튕기듯이 막는다. 측신側身으로 치고 막고 할 때, 모두 다리도 같이 움직여야 한다.

◉ 3.우궁보우붕권右弓步右崩拳   4.우허보쌍발장右虛步雙撥掌

붕권崩拳을 치면 신법身法에 의해 측신側身이 된 상태이므로, 이 경우 다시 몸을 정면으로 바르게 한 다음 측신으로 돌리면서 막으면 안 된다. 양손만 내리고 몸은 뒤로 앉으면서 막는다.

뒷발을 구부려서 막고 뒷발을 펴면서 횡권橫拳을 친다. 즉 붕권崩拳을 찌른 데서 바로(측신이 되어 있으므로) 막는다. 허보虛步로 변할 때 앞발을 당겨오지 않아야 한다. 나가는 발이기 때문이다. 발 막고 바로 횡권을 친다. 측신이 되어있으므로 그냥 몸만 낮춰 손으로 막고 바로 공격한다. 횡격橫擊을 칠 때 권

拳을 전사로 움직여 만들어 간다.

① 직선으로 내려오며 막는다. 뒷발 대퇴 뒤로 양손을 둥글게 휘두르지 말고 절대 손가락을 쓰면 안 된다. 장심掌心으로 막는다. 허리는 굽히지 말고 허리를 틀어서 막는다. 오른손이 상대 발목 뒤로 갈 때는 왼손은 발차기가 위로 못 오게 상하로 막는 것이다. 여기서는 옆으로 쓸어서 막는다.

② 상대가 고수高手라면, 만약 발을 막은 손이 내 대퇴 뒤로 빗겨 나가면 상대는 찬 발로 다시 찬다. 또는 막은 손 아래로 누르듯 찍어 찬다. 내 손이 더 뒤로 가 있으면 상대가 나보다 먼저 공격할 수 있기 때문이다. 막은 손이 다시 뒤로 갔다가 나가면 헛동작이 된다. 몸이 일어나면서 몸이 나가면서 팔꿈치(中節)로 친다. 초절梢節(前腕)은 끌려온다. 팔꿈치로 쳐야 발을 막은 다음 손이 뒤로 갔다가 다시 나오는 폐단이 없어진다.

③ 막는 왼손이 상대 발끝(상대 힘이 발출되는 부위)을 막는다. 뒷손(왼손)을 죽 뻗는 힘으로 막는다. 발차기를 양장兩掌으로 막고 들어가는 방법은 수법手法에서도 적용된다.

(발장撥掌의 예)

④ '우허보쌍발장右虛步雙撥掌'은 신법身法으로 운용한다.

첫째, 허리로 움직일 것. 둘째, 손을 상대 오는 발에 거의 붙은 상태로 함께 움직일 것. 즉 상대 발차기 진공 방향을 받아들이며 뒤로 움직이고, 상대 발차기를 회수하는 방향으로 같이 전진한다.

허리를 중심으로 몸을 좌로 돌린다. 이때 발 전체가 몸과 같이 움직인다. 발이 멈춰있으면 안 된다. 즉 허리가 중심이 되어 상하가 모두 따라 움직여야 한다. 몸으로 돌리며 막고 상대 발에 닿는 손 위치를 정확하게 한다.

【비교】 상대 발의 장딴지를 안아서 막으면 상대가 머리를 공격할 수 있다. 아니면 장딴지를 안아 올리며 상대 낭심을 공격하기 위한 변화수가 된다. 그렇지 않으면 장딴지 안은 것 때문에 횡권橫拳을 치는 것이 늦게 된다.

5. 우궁보우횡권右弓步右橫拳

● 4.우허보쌍발장右虛步雙撥掌 5.우궁보우횡권右弓步右橫拳

양수兩手를 직선으로 내리며 막는다. 이때 끊어지게 내리면 안 된다. 즉 멈추지 말고 바로 이어서 우횡권右橫拳으로 공격한다. 몸으로 가서 쳐야 하고, 손만 가면 안 된다. 몸으로 물러나고 몸으로 공격해야 한다.

발을 막을 때 권법대련 때처럼 상대 차기를 눌러 막는 것과 〈포가권〉에서처럼 발장撥掌으로 좌로 쳐내듯이 막는 것은 완전히 의미가 다르다. 실전에서는 두 손으로 발을 눌러 막는 동작이 가장 어리석다. 발장撥掌은 좌수로 발을 막으면서 우수로 공격해 들어가므로 눌러 막지 않는다. 예외적으로 눌러 막는 경우는, 상대 발이 펴지기 전에 우수로 누르고 그 손으로 상대를 바로 공격할 때나, 혹은 한 손으로 막고 다른 한 손으로 공격하는 때이다. 권법 대련에서 눌러 막는 것은 장掌과 발등의 수련을 위해서다.

뒤로 앉으며(虛步) 상대 발 공격을 막을 때, 앞발은 앞으로 나가듯이 살짝 공중에 띄우며(掣步) 막고 횡권橫拳으로 연결한다. 뒤로 몸을 빼면서 막을 때도, 뒷발이 움켜잡은 힘을 바탕으로 손, 몸, 발을 당겨온다. 막은 손을 다시 몸 뒤로 더 보내지 말고 양손을 들어서 친다(몸이 들어가면서).

상대 발 공격을 막고 횡권橫拳으로 연결하며 허리를 돌릴 때 골반을 돌려야 한다. 우수右手는 중절中節(팔꿈치)로 끌고 가서 마지막에 주먹을 쥔다.

횡권橫拳은 정면 공격이므로 공격하는 손이 자신의 양어깨를 벗어나지 않고 쳐야 한다. 측신側身으로가 아닌, 앞으로 나가며 치는 벽은 붕권崩拳이다. 이

때 팔을 위로 들어 아래로 치면 안 된다. 위에서 내려치는 것이 아니다. 위에서 치려고 들면 겨드랑이가 다 빈다.

상대 발 막고 횡권橫拳을 칠 때 몸이 나가야 한다. 이때 보폭이 크면 안 되므로 뒷발이 따라 들어간다. 허리를 돌리든지 아니면 몸이라도 나가야 한다.

발은 뒤에 있고 상체가 앞으로 멀리 나가서 치면 헛치는 것이다. 상대가 막으니까 치는 느낌이 나지만 사실은 공허하게 치는 것이다. 몸을 바로 세우고 몸이 앞으로 기울어지지 않게 친다. 상대가 뒤로 많이 물러나면 보법步法으로 따라가서 쳐야 한다. 상대와 거리를 조절하며 따라 들어가야 한다.

일반적으로 상대가 발차기한 다음, 발을 놓는 것에 따라 거리를 조정하고 다음 격타擊打가 이루어지는 것이다. 거리조절은 상대 발의 위치로 정해진다.

권법拳法 수련은 기예技藝의 큰 덩어리를 법法에 맞게 수련하는 것이다. 따라서 과도하게 나가지 말고 허보虛步로 뒤로 빠진 만큼만 전진前進하면서 친다. 진퇴進退가 중요한 것이 아니고, 허리가 좌로 틀어졌다 원위치로 가면서 치는 것이 중요한 요결이다.

실전에서는 제자리서 측신側身으로 막고 허리를 돌리면서 친다. 상대가 물러나기 때문에 상대를 따라 나가면서 치더라도 허리를 돌리는 힘으로 치고, 앞으로 나가는 힘으로 치지 않는다. 전진은 따라붙는 의미밖에 없다.

상대가 많이 물러나면 몸을 따라잡으면서, 동시에 횡격을 치는 신법을 같이 하면서 움직인다.

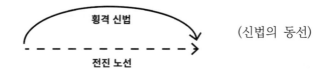

횡격 신법

전진 노선

(신법의 동선)

● 우횡권右橫拳을 칠 때 좌수를 우수 팔꿈치 근처까지 같이 온다. 좌수의 힘이 우수에 전해지도록 하기 위해서다.

뒤의 손은 숙처宿處의 손이므로 앞의 손과 같이 움직이며, 주먹도 같이 잡고 나가야 한다. 앞의 손힘으로는 약하다. 뒤의 손이 손바닥으로 오른손을 받쳐도 되지만, 원래는 실전에서도 뒤의 주먹이 팔꿈치 근처 오도록 해야 바로 뒤의 주먹으로 공격해 들어갈 수 있다. 수련 때도 손을 받치지 않고 한다.

횡권橫拳이 너무 높으면 안 된다. 내 어깨 아래로 친다. 주먹이 팔꿈치보다 낮게 해서 치지 않아야 한다. 또한, 횡권이 내 몸 오른쪽 바깥으로 나가면 안 된다. 정면이 공격 부위이므로 정면으로 허리를 돌리며 친다. 즉 들어가면서 몸으로 친다. 허리를 쭉 펴서 친다.

◉ 실전實戰에서 좌수와 우수의 움직임은,

① 상대가 횡권橫拳을 강하게 막아 버티면 좌수를 우수 팔뚝에 갖다 대고 치고, 아래로 우수를 감아 돌려 상대 아래쪽(복부)을 붕권崩拳으로 친다.

② 상대가 내 횡권橫拳을 막아 감아서 변화시키려 하면, 내가 먼저 우수로 상대 변화 손을 감아 잡으며 내 좌수로 상대 위쪽(가슴, 얼굴)을 친다. 그러므로 왼손의 위치가 중요하다. 우횡권右橫拳을 친 후, 좌수는 위를(上), 우수는 아래(下)를 공격한다.

③ 횡권橫拳을 치는데 상대가 부딪히면 바로 변해서 상대 손목과 팔꿈치를 잡는다. 오른손은 팔꿈치로 붕崩의 힘으로 밀면서 상대 손목을 구수鉤手로 감아쥐면서 들어간다. 그렇게 하지 않으면 상대가 변한다. 혹은 상대에게 변할 시간을 주지 않으려면 횡권을 크게 쳐서 상대를 밀어버린다.

④ 막는 쪽에서도 전사纏絲로 살짝 받는다. 상대 벽劈 공격을 제자리에서 받으면서 전사한다. 미끄러지면서 전사하지 말 것. 상대가 횡권을 치고 잡고 들어오면 양손으로 막은 손의 팔꿈치를 움직여, 전사로 상대가 잡아 감으려는 방향으로 같이 돌리며 아래로 빠져나간다. 또는 상대 횡권 공격을 뒤로 살짝 빠지며 오른쪽으로 피하며(신법), 상대 팔을 우수로 좌로 젖히며 연이어 우수로 횡권으로 공격한다. 만약 좌수로 막는다면 우수로 동시에 공격한다.

수비하는 손은, 양손으로 횡권을 받을 때 손목의 강유剛柔와 전사로 받아야 한다. 상대 손이 부딪히면 변화한다. 그대로 있으면 안 된다. 부딪히는 순간 유柔하게 변해야 한다. 실전에서 상대가 강強하면 유柔하게 받고, 상대가 유하게 오면 강하게 누르고 들어간다.

⑤ 응용수로는, 보步를 움직여 상대 발차기가 지나가게 측신側身으로 서서 횡권橫拳을 친다 측신일 때 횡권이 가장 힘을 받는다(작용과 반작용의 힘이다).

이 경우에는 신법이 좌左로 돌지만, 원식에서는 우수 횡권을 치고 계속 허리를 더 돌리면서, 좌수로 횡권을 다시 칠 수도 있다. 이 경우에는 허리를 두 번 돌리는데 신법을 오른편 같은 방향으로 계속 돌리며 공격한다.

⑥ 상대 발차기를 막으며 벽劈으로 치고 들어갈 때는, 상대 발차기나 상대 주먹이 내 아랫배 쪽으로 오는 것과 같은 것으로 생각해야 한다. 이때는 주먹을 발차기 막듯이 좌로 튕겨내고 우수로 벽劈을 치고, 발을 막았던 좌수로 다시 충권衝拳으로 들어간다. 또는 상대가 우벽右劈을 막으면 우수를 감아 내리며 좌권左拳을 친다.

㉮ 상대 주먹이 얼굴로 오면 발차기 때와 같이 막고 (좌수는 손등으로 막아도 된다. 이때 허리가 90도 체보摯步로 돌아간다) 우수로 상대 얼굴(손등)을 공격하고 좌수는 아래로 내려와 다시 90도 오른쪽으로 돌며 충권을 친다.

(㉮의 예)

㉯ 상대 발이 낭심 위치로 들어오면 몸통 공격이므로, 좌수로 상대 발차기를 왼쪽으로 걷어내며 우수로 상대 목 부위를 벽劈으로 공격한다. 그다음 내 몸을 오른쪽으로 돌리며(일좌로 변화) 좌수로 입권立拳을 친다. 발을 차는 사람은 상체로 들어오는 공격을 절대 못 막는다. 발이 한쪽 들려있고 허리 신법을 쓸 수 없기 때문이다.

(㉃의 예)

6. 좌일좌쌍붕권左一坐雙崩拳

◉ 4.우허보쌍발장右虛步雙撥掌　5.우궁보우횡권右弓步右橫拳

　6.좌일좌쌍붕권左一坐雙崩拳

　상대 발을 막을 때 양수兩手를 왼쪽 바깥으로 걷어내지 말고, 칼이 떨어지듯 아래로 내려치듯 막는다. 이어서 궁보弓步 횡권橫拳은 내 명치 높이에서 상대 명치를 벽劈이 아닌 주먹망치(권륜拳輪)로 밀어친다. 오른쪽 옆으로 반원을 그리며 치는 횡벽橫劈이 아니다. 권拳이 직선으로 나간다.

　그다음에 자세는 움직이지 않고 상대 손을 앞으로 걷고 들어가 일좌一坐로 붕권을 친다. 걷어 올릴 때 옆으로 하지 말고, 아래로 돌리지 말고, 새끼손가락을 위로한 모양 그대로 아래로 내려서 위로 올리며 돌려막는다.

　횡권橫拳을 친 다음, 팔을 아래로 내려 돌리며 왼쪽 전방에서 채서 자신의 몸쪽으로 당겨야 한다. 우측 바깥으로 팔이 나가게 오른쪽으로 채서는 안 된다. 그 이유는 상대 발 공격을 튕겨 막고 우횡권右橫拳으로 공격할 때 상대가 나의 횡권橫拳을 막고 찼던 발로 다시 차는 경우를 생각하고, 우횡권右橫拳으로 친 팔을 다시 왼쪽으로 내려 막듯 하다가, 다시 상대 주먹이 오는 것을 채서 당겨 나아가 지르는 것이다.

대련對鍊에서는 횡권 후에 멈추지 말고 바로 감아서 들어가 찌른다. 권법을 할 때는 권拳을 아래로 떨어뜨려 팔꿈치를 올리지만, 대련할 때는 팔꿈치를 살짝 위로 들어 감아 찌른다. 감을 때 상대 손목을 감아야 한다. 만약 멈추면 상대가 나의 벽劈을 누르면서 공격해 온다. 그래서 초식招式에서 멈추지 않는 것이다. 응용으로는 우횡권右橫拳을 보조하는 왼손이 상대 팔꿈치를 움직이지 못하도록 잡지만, 원식은 좌수는 우수를 도와 보조하고 우수만 감아 돌려 붕권을 친다. 우수를 밀고·감아·당기며 친다. 이것이 상대 손을 '감아 찌르는' 것이다.

상대가 나의 횡권橫拳을 막으면 붕掤의 힘으로 내 우수右手를 〈굴려·밀면서·감아 잡고·들어가듯〉 연습한다. 몸도 허리를 전사로 움직이며 해야 한다. 실전에서는 왼손으로 제압하고 오른손으로만 찌르는 것이다. 상대가 막은 손을 회수하면 따라붙으며 공격이 들어가고, 상대가 양수兩手로 밀어 막으면 상하上下로 변화해서 들어간다.

권법 수련에서 감는 동작이 정확해야 한다. 앞의 횡권을 치는 동작에서 원래 하나의 초식招式 동작이 마무리된 것이므로, 감는 동작은 양손을 다시 아래로 많이 떨어뜨려야 한다. 즉 횡권이 결정되었으므로 다시 손을 아래에서 위로 감기 위해 떨어뜨리는 것이다. 또는 상대 발차기가 들어올 경우를 대비하는 것이다. 이때 양손을 함께 감아올린다. 단 내 몸을 벗어나지 않고 내 몸 가까이 가슴 아래의 위치에서 약간 앞으로 위로 감아올린다.

이때 허리를 오른쪽으로 돌려서 손을 감으면 안 된다. 두 손으로 붕권을 쳐야 하므로 허리를 너무 오른쪽으로 돌리면 안 된다. 정면까지만 감아서 뒷발과 맞춰서 붕권을 찌른다.

● 횡권橫拳에 대한 상대 수비를 와해할 때

① 상대가 양장兩掌으로 막는 것을 뒤집어서(엄지 쪽으로 젖히며) 양장陽掌 (반배장)으로 막는 방법.

② 상대가 양장兩掌으로 막는 것을 음장陰掌으로 구수처럼 나拿하듯 막는 법(바깥에서 안쪽으로). 또는 상대가 양장兩掌으로 막는 것을 구수鉤手로 감아 채서 내 허리로 가져오면서 막는 방법.

① ②

상대 발을 막고 횡권橫拳을 칠 때, 허리 힘으로 연결해야 한다. 이어서 횡권橫拳을 친손을 멈추지 말고(끊지 말고), 양손을 신법身法으로 감아 들어가 약간 당겼다가 붕권崩拳을 친다(허리로 양손을 잡아당기지 말 것).

구수로 감을 때 손 모양이 손바닥을 벌리며 손목을 뒤로 젖혔다가 감으면 안 된다. 실전에서 상대 팔에 걸린다. 손가락이 약점이기 때문이다. 보자기 모양으로 감는다. 양손이 모두 감아 돌리는 의미가 있다.

　권법 수련 때 아래로 손을 내리지 않는 방법은 횡권을 친 다음, 좌수는 그 자리서 계속 권심拳心이 위로 오게 좌로 돌리며 주먹을 잡고 우수는 우로 휘감으면서 권심을 위로 오게 하여 주먹을 잡는다.

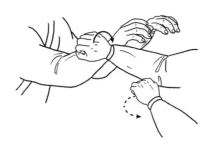

(권법에서의 손 모양)

　두 손이 가지런하게 되게 움직이면서, 왼발이 앞으로 나가 땅에 닿을 때 같이 양권兩拳을 찌른다.

　먼저 발과 조화되게(양팔이 움직이면서 발이 나간다) 움직여야 하는데, 실전에서는 아주 빠르게 운용되기 때문이다. 눈 깜짝할 사이에 걸어 나가며 친다. 또한, 실전에서는 한 손으로도(우수로) 상대 손을 감아 돌려 아래로 내리고 찌른다(발이 나가면서). 이때 좌수로는 반드시 상대 좌수를 잡든지, 또는 경계하면서 찌른다.

◉ 양수兩手의 공격 시점의 비교

　권법에서 좌우수左右手 동시 공격은 시차로 벌어질 수도 있고, 순서대로 행하는 수비와 공격은 반대로 같은 시점에 동시에 시행할 수도 있다. 이때 손과 발이 같이 따라붙는다. 발도 연속으로 같이 움직여야 한다.

◉ 응용수應用手

　① 상대가 막은 손을 나 쪽으로 밀고 오면, 내 횡권橫拳을 왼쪽으로 감아 상대 팔 아래로 들어가 횡橫으로 붕권崩拳을 친다. 이때 중절中節로 운용한다.

② 상대 발 공격을 막고 횡권으로 칠 때, 상대 발이 들어오면 좌수로 발 막고 동시에 같은 시간에 우수는 횡권으로 친다. 상대 발이 오지 않으면, 우 붕권에 이어서 바로 횡권으로 목 부위를 친다. 상대가 우수 횡권을 막으면, 우수로 감아 돌리며(살짝 당겨) 좌수로 붕권 친다. 우수, 좌수로 동시에 치는 것이지만 실전에서는 약간 시간 간격을 두고 두 번 공격할 수도 있고, 한 손 만 공격할 수도 있다.

보법步法은 상대와의 거리를 맞춰 한쪽 발이 나갈 수도 있고, 거리가 한 걸 음 나갈만한 거리가 아닌 경우, 내 뒷발을 들었다 놓는 것만 해도 거리가 확 보되고 한 걸음 들어간 것이 된다.

③ 횡권을 치고 우수로 상대 수비 손을 감으며 동시에 내 좌수로 상대 우 수를 쥐고(상완 부위) 들어가면서 우수로 친다.

③

◉ 6.좌일좌쌍붕권左一坐雙崩拳

쌍수雙手로 지를 때 손이 가서 찌르지 말고, 팔은 모양만 만들고(뻗지 않는 다) 몸으로 들어가서 친다. 일좌붕권一坐崩拳에서 허리로 온 손이 멈추면 안 된다. 허리로 오자마자 끊지 말고 계속 나가야 한다. 우수로 감아 누르면서(손 등이 아래로 오게) 들어가며 좌수, 우수로 계속 친다.

중간에 멈추지 말고 상대 수비를 감아 막는 것과 붕권이 연결되어야 한다. 허리까지 손을 가져오지 말고, 배꼽 앞까지 당기고 몸이 나가면서 찌른다(멀 리 찌르는 것이므로).

붕권을 칠 때 팔꿈치는 둔각이 되어야 하고, 손목은 안쪽으로 구부리면 안 된다. 힘을 못 쓴다. 적당히 약간 구부려야 한다. 주먹을 안으로 오므려서 정권正拳 부분이 가서 치게 한다. 직선으로 치지만 주먹 모양으로 인해 붕권의 힘이 나오게 된다. 올려치는 맛이 나와야 한다. 일좌붕권一坐崩拳은 쭉 뻗어 치면 허리춤에서 상대 몸통 쪽으로 가게 되므로, 자연히 아래에서 위로 올라가듯 주먹이 움직이게 된다. 따라서 붕권을 칠 때 양손을 퍼 올리면 안 된다. 낮게 잡아서 직선으로 찌르며, 팔꿈치로 밀어친다.

일좌一坐로 들어갈 때 처음부터 앉지 말고 횡권 친 상태에서 선 자세 그대로 감아서, 들어가면서 비행기가 착륙하듯 미끄러지듯이 앉으며 들어간다. 이때 필요 없는 동작을 해서는 안 된다.

일좌一坐는 엉덩이 내리고 상체를 세우며 들어간다. 다시 말하면, 일좌로 앉으면서 찌를 때 앉은 다음에 찌르는 것이 아니고 앉으면서 찌른다. 즉 앉으면 찌르는 것이 완성되어 있어야 한다. 요결要訣은 상대 얼굴을 똑바로 보면서 찌르면 된다. 아래쪽을 공격하면서 얼굴을 숙여선 안 된다. 앉는 힘(落의 힘)으로 찌르는 것이다(身法).

일좌一坐를 만들 때 뒷발을 끌지 말고 들어서 가져다 둔다. 끌면 한 박자 느려진다. 먼저 좌족左足이 충분히 걸어간 다음 뒷발이 따라가야 한다. 둔부를 내리고 상체는 바르게 하여, 손은 그냥 가고 주먹이 위로 약간 꺾여서 살아있어야 한다. 붕권은 직선으로 몸으로 들어가며 찌른다. 손이 몸보다 먼저 가든지 나중에 가든지 하면 안 된다. 일좌붕권一坐崩拳은 몸으로 깊게, 길게 들어가야 한다.

● 일좌붕권一坐崩拳의 수비

양손으로 붕권을 눌러서 손을 좌우로 벌리며 막을 때, 상대 손을 눌러서 계속 유지하면 안 된다. 살짝 낙공落空만 시키고 바로 손을 떼고 물러 나와야 한다. 계속 대고 있으면 상대가 변화하여 다시 공격한다.

일좌붕권一坐崩拳을 찌르면 상대는 양손으로 벌려 막는다. 이때 상대 손을 아래로 바깥으로 위로 안으로 감아 젖히고 양손으로 다시 붕권을 친다. 붕권 높이는 상하上下로 다르게 하면서 동시에 칠 수도 있다. 실전에서 상대의 붕권을 하삽下插으로 찍어 막는 경우도 있다. 발공격 역시 하삽으로 찍는다.

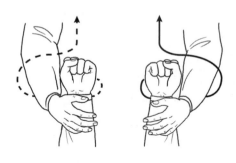

(붕권의 수비와 공격)

◉ 붕권崩拳의 의미

〈포가권抛架拳〉에서 양팔로 붕권崩拳을 칠 때 주먹이 수평으로 나가야 한다. 위로 퍼 올리면 안 된다. 팔목이 꺾여 있어 수평이지만 위로 올라가는 힘이 나온다. 〈현각권懸脚拳〉의 탐마, 요란주세도 왼 주먹을 어깨 이상 올리면 안 된다. 모두 붕권이다(직붕直崩). 좌충권挫衝拳이 아니다.

상대 공격을 전사로 막는 것도 붕권이다. 붕掤의 힘이다.

횡橫으로 손등으로 치는 것도 붕권이다. 좌공坐功에서처럼 벌리며 친다.

손등 쪽(拳背)으로 위에서 아래로 내려치는 것도 붕권이다(입붕立崩).

좌충권挫衝拳과 상충권上衝拳은 찌르는 방향이 사선斜線으로 위쪽이다. 예를 들어 상대가 뛰어 위에서 아래로 내려오면서 공격해 올 때 나는 아래에서 위로 올려치는 것이 상충권이다.

◉ 붕권崩拳의 예

① **입붕立崩**의 예를 들면,

㉮ 〈후권猴拳〉의 우허보右虛步에서 좌권左拳을 지르고 좌수로 누르며 우궁보右弓步로 나가며 우수로 입붕立崩을 치는 것은 낮게 치는 것이다. 입붕立崩은 위에서 아래로 치는 것이다. 위로 치면 팔 힘으로만 치는 것이다. 허보에서 궁보로의 변화는 신법이 낮게 안정되는 변화이므로 자연히 붕권도 아래로 치는 것이다.

ᄂ 상대 좌수가 오면 내 우수로 바깥에서 안으로 막고 계속해서 막은 상대 팔을 누르면서 그 손으로 들어가며 상대 가슴 부위를 붕권으로 친다. 이때 몸을 낮추면서 낮게 친다. 상대가 무너진다.

ᄃ 상대 우수가 찔러오면 내 좌수로 살짝 걷으면서(좌수의 검지 중지 두 손가락으로 안에서 바깥으로 걷는다) 우수가 들어가며 정면으로 붕권을 친다.

ᄅ 독립보로 서면서 치는 입붕도 몸은 일어나지만 아래로 내려친다. 아래로 친다고 붕권 모양이 유지되지 않으면 안 된다. 예를 들어, 상대가 우수로 찔러오면 나는 신법으로 오른쪽으로 돌며 좌독립左獨立으로 서면서 우붕권右崩拳으로 상대 팔의 뿌리(팔꿈치부터 그 이상 부위)를 눌러 막고, 우독립右獨立으로 일어나며 좌붕권左崩拳을 친다. 우수로는 상대 오른손을 제압해야 한다.

② **직붕直崩**의 예로는, 상대 우수 공격을 양손으로 막고 들어가 겨드랑이를 붕권으로 친다. 이때도 상대를 수비한 그 높이에서 바로 붕권을 치므로 수평으로 주먹이 간다.

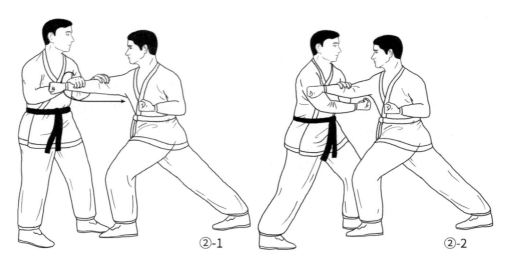

②-1   ②-2

③ 일좌붕권一坐崩拳의 운용은, 약간 시차를 두고 좌우를 교대로 친다. 또는 위, 아래를 교대로 친다. 또는 한 부위를 교대로 친다. 상대 좌수를 내 우수로 받아 막고, 그대로 좌로 아래로 감아 바깥으로 상대 팔을 젖히고, 우수

로 붕권을 치고 계속해서 좌수로 붕권을 친다. 반드시 신법으로, 몸이 들어가면서 몸으로 친다. 또는 상대 수비하는 손을 양손으로 잡아 꺾는 경우, 내 우수로 상대 손목을 비틀다가 떼면서 멈추지 않고 그대로 우수로 붕권을 친다.

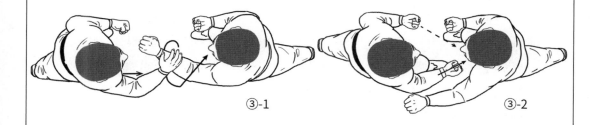

③-1   ③-2

7. 우탄퇴우궁보좌충권右彈腿右弓步左衝拳

◉ 6.좌일좌쌍붕권左一坐雙崩拳　7.우탄퇴우궁보좌충권右彈腿右弓步左衝拳

일좌로 앉을 때 뒷발이 무게 중심(눌러야 한다)이다. 일어서며 앞차기를 할 때 무게 중심을 앞발로 옮기고 뒷발은 땅을 튕겨서 일어서며 찬다. 기락起落의 힘으로 운용한다.

◉ 7.우탄퇴우궁보좌충권右彈腿右弓步左衝拳

앞차기 때, 상체가 앞으로 약간 나가야 한다(뒤로 젖히지 말 것). 상체는 펴야 하고 옹색하게 숙인 자세로 차지 않아야 한다. 이어서 찬 발을 놓으며 좌수로 충권을 칠 때, 몸이 따라 나가지 말고 허리만 오른쪽으로 돌리며 쳐야 한다. 상대는 나의 발차기를 장掌으로 눌러 막고 바로 우권右拳으로 찔러 친다. 상대 우권을 우수로 감아 좌수로 찌를 때 감는 손은 칠성권七星拳에서 주먹을 등이 하늘로 가게 돌려(평평하게) 앞으로 밀면서 감아 당긴다. 팔뚝으로 막는 동작이므로 감는 손의 손목은 구부리지 않아야 한다.

앞차기 찰 때 칠성수七星手는 붕권 찌른 위치에서 바로 위로 올려서 만들며, 허리로 손을 가져왔다 칠성수를 만들면 안 된다.

상대 우권右拳을 막는 손은 나拿해도 되고, 막은 다음 그냥 허리로 가져오면서 좌권左拳을 찔러 쳐도 된다. 상대 우권을 내 우수로 막을 때 몸은 왼쪽으로 살짝 돌리며(身法) 상대 팔꿈치를 잡는다. 그래야 그다음 좌수나 우수로 상대를 공격할 수 있는 신법身法을 쓸 수 있다.

상대 우권이 깊게 들어오거나 멀리서 들어오거나 위치에 상관없이 점點하고 화化하며, 공격하는 쪽이 상대와의 적절한 거리를 만들어야 한다. 앞을 찬 발이 공중에 있을 때 상대 손을 나拿하고 발을 놓으면서 좌권左拳을 찔러야 한다. 칠성수 위치에서 앞으로 밀면서 감아 허리로 오며 좌수를 찌른다. 우수를 멀리 밀면서 둥글게 막는다. 감을 때 머리 부위에서 둥글게 감아야 한다. 실전에서 상대 주먹을 감을 때 그 위치가 되기 때문이다. 이때 왼 주먹을 허리에 가져왔다 나가도 되고 칠성권에서 그대로 찔러도 된다.

상대 우권을 눌러 막은 내 우수 위로 좌권左拳을 찌를 때, 정밀하게 상대 손을 누른 바로 위를 스치듯이(좌수가 지나갈 길을 만들자마자 찌른다) 공격한다. 너무 많이 누른 다음에 찌르면 늦다.

상대가 내 발을 막을 때 다시 찰 수 있다. 그러기 위해서는 서 있는 발이 제대로 되어야 한다. 찬 발을 땅에 살짝 놓은 다음 다시 차기, 또는 공중에서 뒤로 살짝 뺏다가 다시 차기, 공중에서 각도를 바꾸어 다시 차기 등으로 응용한다.

● 수비守備의 간격

수비가 상대의 발 공격을 장掌으로 막고 우충권右衝拳을 치면 공격자는 우수로 막으며 밀고 들어온다. 그러면 수비하는 사람의 뒷발이 상대 미는 손에 의지해서 물러나야 한다. 즉 뒷발이 적정 위치까지 밀려 물러나고, 앞발이 당겨오는 식이 된다. 뒷발이 먼저 가서 착지하면 안 된다.

● 초식 대련에서 도중에 쉬는 시간이 있으면 안 된다. 예를 들면, '7. 우탄퇴우궁보좌충권右彈腿右弓步左衝拳'에서 발을 차고 내리면서 상대 주먹을 우수로 막고 좌수를 우궁보로 찌르는 경우, 이때 막고 찌르는 것을 순서대로 하

면 쉬는 시간이 생긴다. 막는 것과 찌르는 것이 따로 움직이지만, 거의 같은 시간에 이루어져야 발이 땅에 떨어질 때 쉬는 시간 없이 공격이 연결된다.

다른 예로는 '우란수右攔·좌충권手左衝拳·우붕권右崩拳'에서 붕권을 찌르는 손을 뒤로 뺏다가 찌르면 쉬는 틈이 생긴다. 오른손이 상대 팔을 나拿한 위치에서 골반이 들어가면서 바로 찌른다. 상대를 막고 누른 다음 그 위치에서 앞으로 나가는 것이다.

8. 마보채수횡붕권馬步採手橫崩拳

무예武藝에 있어 채법採法은 〈포가권〉에 그 이치가 있다. 숙련되면 간단하게 상대를 채採해서 무너지게 한다.

양손으로 동시에 상대 팔을 잡고 움직여야 한다. 좌수는 팔꿈치가 벌어지고 우수는 늑골에 착 붙는다. 채수로 당길 때 왼쪽 허리를 향하여 당기는데, 위에서 아래로 당긴다. 원圓을 그리며 오른쪽 어깨로 상대 몸을 받쳐 지렛대 역할을 하여 당긴다. 무릎으로 채採한다. 채수採手는 상대 공격을 자기 쪽으로 끌어당기는 것이다. 예藝가 높은 사람은 정면으로 채수한다. 이때 주의할 것은 상대가 나의 정면으로 공격해 들어오는 경우다. 그러나 상대 공격이 있든 없든 내가 들어간다. 정면으로 아래로 당긴다.

상대 힘이 더 좋으면 더 강하게 무너진다. 상대가 버티니까 상대 팔에 힘이 들어간다. 그 힘을 이용한다. 궁보를 그대로 두고 둔부를 틀며 채하는 것은 가볍게 하는 것이고, 마보로 변하면서 발과 둔부를 함께 틀며 채하는 것은 강하게 채하는 것이고 힘을 쓰는 것이다. 고수高手는 상대를 채하는 힘으로 자기 몸이 날아서 들어간다. 채採하기 위해 궁보에서 마보로 앉을 때 허리를 돌려서 앉는다(落).

상대를 채採할 때 내 좌수를 찌른 다음 적절한 위치로 당겨와야 한다. 우수는 동시에 찔러 들어가서 제 위치에 가야 한다. 상체를 숙이며 오른손이 들어가선 안 된다. 좌우 두 손의 동작이 동시에 이루어져야 한다(두 손의 간격이 정밀해야 한다). 그다음 두 손을 같이 당긴다. 그러면 좌수는 멈췄다 가는 두 동작이 아닌 계속 당겨지는 것이 된다. 내가 찌르는데 상대가 부딪히니까 변화하는 것이다. 상대 손을 양수로 잡을 때 내 어깨보다 낮게 잡는다. 실전에서 그런 모양이 나오기 때문이다.

(채수)

우수로 들어가며 상대 팔을 채採할 때 우수를 구부리지 않으며, 손을 보자기 모양으로 만들어 찔러 들어간다. 손을 위로 드는 것이 아니다. 잡은 다음 이어서 끊지 말고 허리를 좌로 돌려 채採한다. 몸이 좌로 90도 돌면 우수는 자연히 뻗어지므로 의도적으로 손이 뻗어 나가지 않는다(身法).

측신側身으로 채採할 때는 팔로 당기지 말고, 몸을 앞으면서 팔을 끌어오듯이 한다. 이때 두 손으로 상대 팔을 잡는 것이 먼저다. 동시에 잡아야 한다. 그다음 끌어와야 하고 끌어오면서 잡으면 안 된다.

양손으로 나拿하여 마보로 앉으며 채採할 때 우수는 상대 팔꿈치, 좌수는 손목을 잡는데 팔꿈치는 꽉 잡지 말고(팔꿈치 뼈 바로 위를 잡는다), 상대가 빼려고 하면 비틀어 부러뜨릴 수 있는 형태로 쥔다(반대 방향으로 비튼다).

팔은 당기지 말고 잡은 상태로 고정하며, 허리를 살짝 돌리는 힘으로 팔이 약간 끌려오게 수련하고, 돌리는 힘으로 상대 팔 아래로 우수로 벽劈을 친다.

허리를 돌리면서 채採하는 기법인데, 마보로 앉으며(側身) 채採하는 힘을 상대가 뒤로 빠지려는 힘으로 이기지 못한다.

권법 수련에서 채수採手는 상대 팔꿈치를 잡고 허리로 오는 것까지가 한 동작으로서 도중에 끊어서는 안 된다. 채수는 분명히 연습해야 하므로, 그다음 양쪽으로 횡붕권橫崩拳을 치는 것은 다른 동작이다. 횡붕권橫崩拳과 연결수로 연습하면 채수의 수련이 안 된다. 채수와 끊어서 연습해야 한다.

양손을 측신側身으로 당겨온 후 좌수를 몸 중간으로 보낸 다음 치지 않아야 한다. 그동안 우수가 쉬고 있기 때문이다(끊어진다). 따라서 왼 허리에 양손이 오면 그 자리서 바로 벌려 친다. 즉 우수가 주가 되어, 왼 허리 쪽으로 상대 팔을 우수가 채서 온 다음 멈추지 말고 바로 쳐야 한다.

초식대련招式對鍊 때는 연결해야 하는데, 가슴 앞까지 당기지 말고 살짝 당기고 상대 팔을 놓고 친다. 중간에 쉬고 치면 안 된다. 즉 마보로 앉으면서 쳐야 한다. 마보를 만든 다음 치면 늦는 것이다. 실전에서는 가슴까지 당기지만 연습을 원활히 하려고 하는 것이다. 실전에서는 완전히 채수를 완성하고 몸이 들어가면서 몸으로 친다. 채수횡붕권馬步採手橫崩拳은 오른손이 주가 된다. 실전에서 좌수로 상대 좌수 손목 잡고 우수로 팔꿈치를 잡자마자 당기는 반탄력으로 그대로 쳐야 한다. 또는 좌수, 우수 순으로 당기면서 몸이 들어가면서 친다. 또는 우수는 잡지 않고 좌수로만 잡고 당기면서 우수로 친다.

◉ 7.우탄퇴우궁보좌충권右彈腿右弓步左衝拳

8.마보채수횡붕권馬步採手橫崩拳

발차기는 일좌보一坐步에서 일어나지 말고 뒷발을 찬다고 생각한다. 그러면 자연히 일어나진다. 일어난 다음 차면 두 동작이 된다. 이어서 상대 우수를 막고 좌수로 찌를 때 상대가 나의 좌수를 막는 순간 바로 우수를 아래서 위로 보자기처럼 올려 잡는다. 이때 찌른 손도 상대 손목을 같이 잡는다. 동시가 되어야 한다. 그다음에 당겨온다. 이때 동시에 살짝 돌려 꺾는다. 제대로 안 맞으면 상대가 팔꿈치를 아래로 구부려 내가 채採하지 못하게 막는다. 좌수 지르고 나서 끊어지면 안 된다. 바로 우수로 잡고 몸을 틀어 와야 한다.

수비하는 쪽은 상대의 오른발 앞차기를 막고 우궁보우충권右弓步右衝拳을 찌르고 상대가 다시 왼손 충권을 찔러오면, 가슴과 팔꿈치(中節)로 상대 공격을 방어해야 한다. 손목으로 방어하는 것이 아니다. 항상 중절中節과 근절根節이 따라붙고 움직여야 여유가 있다. 상대와 거리가 가까워져서 권拳이 거의 닿아서 타격 될 간격으로 공방을 하며 신법을 수련해야 한다. 또 상대와 손이 접하면 유柔하게 되어 변해야 한다. 방어할 때 힘있게 막으면 변화할 수 없다. 상대는 그때를 놓치지 않고 타고 들어온다. 변화하지 못하면 당한다.

채採할 때 상대 발 쪽에 허점이 보이면 바로 내 왼발을 들어 상대 발을 걸어 앞으로 당기면서 넘어지게 한다. 손이든 발이든 상대 허점이 보이면 바로 공격으로 이어져야 한다.

채수에서 상대 팔꿈치 챌 때 좌측으로 몸을 돌린 상태에서 그대로 우수로 상대 겨드랑이 아래를 벽劈으로 친다. 이때 허리를 세우면서 친다. 또는 상대 팔꿈치를 챈 다음 좌측으로 돈 몸을 오른편으로 돌리며(身法), 내 좌수로 상대를 가격해도 된다. 아니면 (그림)에서처럼 을의 우수가 앞으로 나오는 것을 살짝 갑의 좌수로 좌로 바깥으로 젖히며 계속해서 좌수로 상대 안면을 친다.

(채수의 예)

실전에서는 일반적으로 차는 것을 생략하고, 보통은 제자리 또는 걸어가면서 상대 우수를 나의 우수로 막고 좌수로 내가 찌르면 상대가 좌수로 막는다. 나의 좌, 우수로 상대 좌수를 채採하여 잡아당기며 다시 우수로 상대 몸통을 공격한다. 이때 꼭 횡벽橫劈, 또는 횡붕권橫崩拳만으로 공격하지는 않고, 상대 복부 아래로 비스듬히 사선으로 하벽下劈 공격을 할 수도 있다. 또는 (그림)에서처럼 우수가 상대 좌수 팔 아래로 들어가 상대 경동맥을 손등으로 공격한다. 이때 내 몸을 약간 뒤로 눕히듯 하면서 몸으로 친다(身法). 이때 나의 좌수는 쓸데없는 것이 아니다. 우수로 공격하고 다시 몸을 오른쪽으로 돌리며 좌수로 공격하는 의미가 있다. 투로 연습이 완전히 되어야 기예技藝가 된다.

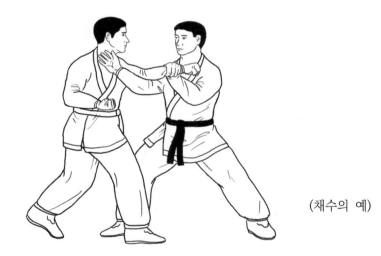

(채수의 예)

● 채수횡붕권採手橫崩拳의 수비

① 우수를 세워 X 모양으로 막는다. 상대가 약간 높게 공격하는 경우다.

② 우수를 아래로 X로 세워 막는다(손이 아래로 팔꿈치는 위로). 상대가 약간 낮게 공격하는 경우다.

③ 상대 팔뚝 전체와 같이 면이 맞닿게 횡으로 우수를 포개듯 막는다. 또는 약간만 엇비슷하게 X 모양으로 막되 막는 손의 외연外沿 부위로 상대 팔을 약간 누르듯 하면서 막는다. 우수로 막을 때는 약간 몸을 뒤로 뺀다.

④ **좌수로 막는 방법**

㉠ 갑이 횡으로 공격하는 손은 을의 좌수를 잡았던 손이다(팔뚝 잡은 손). 따라서 갑이 좌수를 놓고 치러오는 순간 을은 좌수를 갑의 우수와 나란히 같이 움직여(떨어지지 않고 붙어서), 몸은 뒤로(약간 좌회전하면서) 빼면서 왼쪽으로 돌린다. 이때 을의 좌수는 갑의 공격에 붙어 상대 중궁中宮과 간격을 일정하게 만들면서 뒤로 빠진다. 동시에 을은 우수로 갑을 공격한다.

㉡ 또는 내 우수로 상대 팔뚝 안쪽에서 끌어내 걷어낼 때는, 내 우족右足이 상대 쪽으로 한 걸음 나가면서 몸은 좌로 틀면서 우수로 상대 팔 안쪽에서 왼쪽으로 걷어내고, 다시 상대 겨드랑이 아래를 횡격으로 친다.

⑤ 방어하는 을의 관점에서는 갑이 우수로 바로 공격하지 않고 멈추어 있으면 을은 자신의 우수로 공격하는 갑의 우수를 세워 막으면서(밀면서) 좌수를 갑의 손에서 빠져나오게 한 다음 손등(좌수)으로 갑의 얼굴을 친다.

⑥ 을이 갑의 우수 공격을 안에서 바깥으로 벌려 막으며, 왼쪽으로 몸을 돌면서 우수로 갑의 왼쪽 얼굴을 공격한다. 이때 갑이 막으면 을은 우수로 걸어서 당겨 풀고 다시 친다. 또는 처음부터 치지 말고 숙처에 있는 상대 좌수를 풀어 내리고 우수로 친다. 이것은 초식 대련에서 을의 원原 수비 방법이다.

⑤ ⑥

⑦ 을이 ⑥에서처럼 신법으로 피하면서 우수로 공격하면 갑은 왼손으로 막는다. 그러면 을은 다시 자신의 왼손으로 갑의 왼손을 나拿하면서 우수로 반주를 만들어 갑의 왼쪽 상완上腕을 친다.

⑧ 방어의 원칙은 첫째 몸을 뒤로 빼면서, 둘째 몸을 좌로 돌려 상대 공격을 흘려버린다. 셋째 상대와 대적 거리를 정확히 맞추면서 움직여야 한다. 가까워도 멀어도 안 된다. 오른손은 공격 자세가 되어있어야 한다.

● 채수採手의 주의점

첫째, 공격하지 않고 채採하면 안 된다. 채수採手는 본래 상대가 막으러 오는 손을 채採하는 것이다.

둘째, 상대가 내 공격에 대해 부딪쳐왔는데 변하지 않으면 안 된다. 공격하다가 상대가 막으면 바로 변화해야 한다.

셋째, 채수採手하면서 상체를 앞으로 숙이면 절대 안 된다. 기마보나 마보로 움직이는 동작에서는 반드시 허리를 바르게 해야 하고 숙이면 안 된다. 상체를 상대 쪽으로 기울이면 마보가 되는 의미가 없어진다.

◉ 채수採手의 응용수

① 내가 좌수 충권으로 찌르고 상대가 막으면 내 우수가 상대 팔 아래로 들어간다. 이때 상대가 팔을 빼지 않고 나 쪽으로 들어오면 채採를 할 필요가 없으므로 우수로 상대 좌수를 아래에서 위로 장掌으로 쳐올리고, 내 좌수는 상대 좌수 잡은 곳을 아래로 누른다.

② 내가 우수로 들어가 채採하려고 할 때 상대가 오히려 좌수를 빼지 않고 나 쪽으로 나오면, 상대 팔을 내 오른쪽에서 왼쪽으로 수평으로 밀어 막으면 상대 몸이 측신側身으로 오른쪽(상대 관점에서)으로 돌아가 버린다(횡과 수의 힘이다). 이 경우 우수로 상대 팔을 잡지 않고 옆에서 장掌으로 밀어버린다.

③ 상대 손목을 잡은 좌수를 살짝 누르면서 우수로 상대 좌수 위로 넘어가 찌른다.

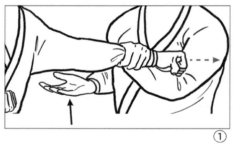 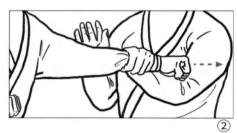

①　　　　　　　　　　　②

9. 전신마보우반주轉身馬步右盤肘

◉ 8.마보채수횡붕권馬步採手橫崩拳　9.전신마보우반주轉身馬步右盤肘

횡붕권橫崩拳으로 좌우를 치고 좌로 걸어 나가며 왼손을 둥글게 감아서 오른손으로 반주盤肘 칠 때, 오른손을 허리로 가져오지 않고 횡권橫拳 친 곳에서 반주를 만들어 앞으로 나간다. 즉 반주 높이를 어깨높이로 미리 만들어 그 높이에서 계속 반주를 진행한다. 허리에서 올리며 반주 만들지 말 것.

반주를 칠 때 둔부를 낮춰야 바르게 들어간다. 반주 공격은 팔이 가서 치지 않고 몸이 가서 쳐야 한다. 권법도 마보로 몸이 돌아가며 치지 않느냐! 반주를 막는 것도 몸을 돌려막으면서(먼저 우선시 된다) 발이 뒤로 빠진다.

무릎과 배(丹田), 하초下焦로 중심을 싣고 상초上焦(가슴, 팔)가 자유로이 나가야 한다. 양 무릎 안쪽에 공격하는 손이 가야 한다. 예를 들어 상대 좌충권左衝拳을 좌수로 막고 우 반주로 공격할 때 몸 중심이 반주 치는 타점과 일치해야 한다. 다시 말하면 〈골반의 중심이 손의 타점과 일치해야 한다〉. 권법이나 발차기에서 한 발에 중심을 실어야 다른 발이 가볍게 자유롭게 나간다.

◉ **반주盤肘의 수비**

① 반주로 막는 법.
② 손바닥(掌)으로 막는 법.
③ 전사纏絲로 위로 올리면서(원래 허리에 있던 손이니까) 팔뚝으로 막는 법.
전사로 수비할 때는 손목을 완전히 반대로 꼰 다음 풀면서 돌리며 막는다. 올려서 막았으니까(힘의 방향) 전사 후에 상대 팔을 꺾어서 내린다. 올리는 힘에 상대는 아래로 저항하는 힘이 있으니까 아래로 내리며 꺾을 수 있다.

기마보 반주는 실전에서 측신側身으로 움직이며 그 형태 그대로 쓰는 것이다. 상대 늑골 뒷부분을 공격한다. 허리가 부러진다. 권법을 정확히 수련해야 실전에서 쓸 수 있다. 반주 공격은 완전히 몸을 측신으로 만들어 돌려쳐야 한다. 권법에서는 앞을 향해 쳐도, 실전에서는 앞을 향해 반주를 치면 안 된다.

우반주右盤肘는 상대 좌수를 잡고 치는데, 상대 좌수를 잡아 유지하면서 반주를 쳐야 한다. 반주는 상대 손을 잡아야 공격할 수 있다. 실전에서 몸이 들어가면서 상대 좌수를 잡고 왼쪽 상완上腕 위쪽으로 우반주가 들어가면 상대가 잘 막지 못한다. 또는 상대 손을 좌수로 잡고 우수 장근掌根으로 상대 팔꿈치 부위를 반주의 신법身法으로 들어가 친다. 반주를 상대가 막으면 그때 좌수를 잡은 손을 놓고 충권으로 친다.

우반주를 칠 때 상대가 우수로 막으면 우수로 잡고 바로 좌수로 붕권 친다. 또는, 좌수로 상대 우수를 좌수로 누르고 반주한 팔을 펴서 상대 좌측 목을 벽권으로 친다. 만약 내 좌수가 잡은 손을 상대가 빼서 회수하면 그 위치에서 반주 친 다음 바로 좌수(右弓步左衝拳)로 찌른다. 좌수 공격의 시작점이 내 가슴 부위가 된다. 그래야 빠르다. 그러므로 숙처宿處가 중요한 것이다.

10. 우궁보좌충권右弓步左衝拳

● 10.우궁보좌충권右弓步左衝拳　11.도보우궁보쌍천장跳步右弓步雙穿掌

쌍수雙手로 찌르는 것은, 실전에서는 우궁보右弓步 좌수左手로 지를 때 상대가 받으면 그 막는 손을 아래로 눌러 들어가며 찌르는 것이다. 따라서 누르는 힘 때문에 허리로 손이 왔다 나가야 한다. 몸으로 팔을 이끌어야 한다.

쌍천장雙穿掌은 좌충권左衝拳에서 좌수를 당기는 반탄력으로 튀어 나간다. 반주盤肘·좌충권左衝拳·쌍천장雙穿掌이 한 초식으로 되어있다. 제자리서 치는 좌붕권左崩拳은 천장穿掌에 연결된 연속 공격이다.

11. 도보우궁보쌍천장跳步右弓步雙穿掌

상대 손을 잡아채면서 진각震脚으로 들어가는 연습은 손이 당겨질 때 발이 같이 움직여야 한다. 당기는 주먹은 비틀면서 허리로 가져왔다가 나간다.

쌍천장雙穿掌을 수비할 때 벌려서 막는다. 찌르는 것을 벌려서 막는 것은 어거격御車格이다. 따라서 자기 몸쪽으로 당기며 막지 말고 밀면서 막는다. 앞으로 나아가면서 밀어 막는다. 그리고 팔꿈치가 바깥으로 벌어지면 막는 손에 힘이 없다. 약간 팔꿈치가 안으로 모이듯이 바로 서야 한다. 한 손으로 막을 때도 팔꿈치를 약간 안으로 모이게 세워 팔꿈치를 의지해야 한다. 단 강하게 오는 주먹을 막을 때는 몸으로 상대 주먹을 당겨오면서 막는다. 손만 당겨오며 막으면 안 된다. 강한 주먹을 모두 받을 수 있도록 수련해야 한다.

12. 좌붕권左崩拳

양 천장을 찌르고 좌수를 아래로 돌려 좌붕권左崩拳을 칠 때 요점은, 주먹을 돌린 다음 위를 향해 치는 것이 아니라 앞으로 치는 것이다. 붕권이므로 위로 올리는 주먹이 아니다. 체중을 실어 쳐야 한다.

실전에서는 권추로 공격하거나 주먹을 찌를 때 상대가 막으니까, 상대가 막은 손 아래로 돌려 앞으로 밀어치는 것이다.

좌붕권左崩拳을 칠 때 좌수를 크게 돌리지 말고 그 자리서 짧게 둥글게 친다. 내 좌수를 상대 우수가 막아 올려 벌리니까, 나는 상대 우수 바로 아래로 돌리면 되므로 원권圓圈이 커서는 안 된다. 따라서 너무 아래쪽으로 치지 말고, 가슴을 치는 위치로 보고 들어간다. 삼절三節에 맞게 연습해야 한다.

주의할 점은, 손을 절대 뒤로 당겨서 돌려서는 안 된다. 그 자리에서 팔꿈치와 초절梢節만 이용하여 감아서 치는 수련이 되어야 한다. 공격할 때 손이 뒤로 왔다 가서는 안 된다.

예를 들어, 아래 (그림)에서처럼 상대 우수가 들어오면 나는 우수 배장背掌으로 막아 들어간다. 그리고 손등을 상대 팔 아래 전사로 돌리며 들어가 그 자리에서 감아서 붕권 친다. 권법 수련에서 붕권을 칠 때 우수로 좌수 팔뚝을 아래로 누르듯 치는 것은 중요하다. 모든 상대 손은 팔뚝 부위를 방어해야 한다. 그 감각을 익혀야 하고 저항하는 힘으로 인해 붕권 자체의 힘이 잡히는 수련이다.

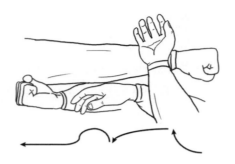

(붕권의 동선)

◉ 13.轉身右蹬腿, 14.翻身左弓步右衝拳에서 우등퇴右蹬腿를 차고 번신翻身할 때 좌각左脚 우수右手가 동시에 삼절三節에 맞게 떨어져야 한다. 발부터 먼저 떨어지면 안 된다.

15. 우호두가타右護頭架打

◉ 15.우호두가타右護頭架打　16.우궁보좌호두가타右弓步左護頭架打

호두가타護頭架打는 양손이 동시에 앞을 향해 움직이므로 반드시 허리가 돌아나가야 한다. 좌수左手가 숙처로 오면 오른편 가슴이 나가지만, 좌수가 앞으로 나가므로 오른편 가슴이 나가지 못한다. 그래서 허리를 돌려 나가는 것이다. 그렇지 않으면 팔로만 치는 것이 된다. 이때 좌호두가타左護頭架打에서 우수右手를 찌를 때는 가슴 앞으로 우수를 내려 바로 찔러도 되고 허리로 왔다 나가도 된다. 허리로 왔다가 나가는 뜻은, 상대 숙처의 손의 변화에 따라 내 우수가 변할 수 있기 때문이다. 호두가타는 위로 막는 것이다. 또는 상대 손을 잡아 위로 들어 올려 공격할 간격을 만드는 것이다. 위로 들어 막을 때 절대 머리를 숙여서는 안 된다. 혼자 권법을 수련할 때, 상대를 느끼면서 상대 몸, 팔 등에 의지하는 느낌을 느껴야 한다. 중요한 심법心法이다.

17. 번신부퇴좌논벽翻身仆腿左掄劈

◉ 17.번신부퇴좌논벽翻身仆腿左掄劈　18.우궁보우천장右弓步右穿掌

번신하며 부퇴보로 좌 하벽下劈을 내려칠 때, ㉮ 좌수는 허리에 오고, ㉯ 우수를 팔뚝 외연을 뒤집어 크게(위를 보게) 원을 그려 잡는다(힘이 팔 전체에 흘러야 한다). 우수는 완전히 꼬아서 감아서 아래로 챈 다음, ㉰ 환보換步하면서 허리의 좌수로 하벽을 친다. 이때 양발이 정확히 같이 떨어져야 한다(땅을 세게 밟지 않아야 한다).

한 동작씩 순서대로 또박또박 실행한다(그렇게 하면 수련이 된다). ㉯번처럼 해야 상대를 나拿할 수 있다. 상대를 제압해야 공격이 성공한다. 수련은 그렇게 하되 실전에서는 양손으로 동시에 제압하며 공격한다. 크게 돌려서 몸 가까이 붙여 내려쳐야 다음 동작이 바로 연결된다.

실전에서는 상대를 끌어당겨 치는 것이다. 변화수變化手로서는 대련 때 부퇴보 뻗은 다리를 살짝 무릎을 구부려 자연스럽게 할 수도 있다.

이때 환보換步는 나가는 것이 아니고 제자리서 방향을 바꾸는 것이다. 번신翻身을 하는 이유를 알아야 한다. 방향을 바꿔야 상대를 대적하는 동선動線이 넓어진다. 방향의 변화를 위해 실전에서 뒤로 물러나면서 막으면 안 된다. 무엇이든 그 자리서 돌아쳐야(우족은 좌족, 좌족은 우족 위치로 부퇴보 만들어야) 힘이 산다. 권법 수련에서 부퇴보로 논벽을 칠 때나 우궁보로 걸어나가서 찌를 때도 허리가 살짝 돌아가야 한다.

좌수로 하벽下劈을 치고, 계속해서 좌수로 누르면서 좌궁보로 변하며 걸어나가서 우궁보로 천장穿掌을 찌를 때, 좌수와 좌측 가슴이 같이 돌아나가듯이 몸이 좌로 돌면서 좌수로 누르고, 우수가 쉬지 않고 연결된다. 좌수는 약간 타원형으로 둥글게 앞을 감아 누르면서 우수 팔꿈치 정도에 위치하게 한다.

일반적으로 실전에서, 상대가 우수를 찔러오면 나는 양손으로 동시에 움직여, 우수는 나拿하고 좌수는 하벽으로 상대 상완上腕을 내려친다. 상대가 좌수를 들어 나의 하벽을 막으면, 좌수로 상대 좌수를 눌러 막고 내 우수로 찌른다. 이때 반드시 몸이 같이 전진하면서 쳐야 한다.

◉ 수비守備의 예

① 이때 수비하는 상대는, 갑이 좌수로 을의 좌수를 누르고 우수로 반배장을 찔러오면, 을은 좌수를 오른쪽으로 비틀면서 팔꿈치 부위로는 상대 찔러오는 손을 살짝 들면서 막고, 이어서 구부러진 팔뚝을 펴면서 갑의 중궁에 철형을 친다. 을은 좌수를 비틀면서 갑의 우수가 튕겨 나가 노선을 벗어나게 하고 좌수로 철형을 친다. 몸의 신법을 오른쪽으로 회전하며 측신으로 서면서 친다. 이때 먼저 막고 먼저 쳐야 한다. 늦으면 갑이 비튼 을의 손을 꺾어 버린다.

(①의 예)

1

2

3

② 갑이 을의 좌수를 누르며 반배장으로 들어오면 을은 좌수를 칠성수처럼 만들고 우수는 왼손 팔꿈치에 두면서, 갑의 두 손을 동시에 을의 왼쪽 측면으로 둥글게 밀어낸다.

(②의 예)

◉ 19.전신좌호두가타轉身左護頭架打에서 뒤로 도는 가타架打는 뒤로 돌기 위해 넣은 것이다. 즉 연결수로 넣은 세勢다.

20. 좌부퇴횡소벽左仆腿橫掃劈

◉ 20.좌부퇴횡소벽左仆腿左橫掃劈　21.좌궁보우란수左弓步右攔手
　　22.마보좌충권馬步左衝拳

권법 수련에서 부퇴로 아래를 쓸어 막을 때 몸과 손이 빗기듯 가위처럼 힘이 상반되게 움직여야 한다. 즉 몸은 오른쪽으로 팔은 왼쪽으로 상대적 힘을 이용한다. 허리를 반대로 틀며 힘을 발해야 한다. 그다음에 우수로 막고 측신으로 좌수로 찌르는 것까지, 세 가지 동작이 분명해야 한다.

'호두가타轉身左護頭架打, 부퇴횡소벽左仆腿橫掃劈'에서 부퇴보로 아래를 쓸어 막는 것은, 우수가 먼저 허리로 온 다음 좌수가 움직여야 한다. 동시에 두 손을 움직여 꼬이면 안 된다. 실전에서 상대 우수를 내 좌수로 덮어서 막거나, 발이 들어오면 발 공격을 막는다. 그다음 상대 좌수 오면 내 우수로 막되 바깥에서 감싸듯 안에서 바깥으로(내 몸 오른쪽) 상대 좌수를 걷어낸다. 그리고 좌수로 친다.

① 상대 우수를 부퇴로 빠지며 내 좌수로 바깥에서 안으로 막는다. 바깥으로 쓸어 내지만 신법상 바깥에서 안으로 움직여 바깥으로 밀어낸다.

② 다시 상대가 좌수를 찌르면 내 우수로 바깥에서 안으로 막고,

③ 마보로 변하며 우수를 거두어들일 때 내 좌수가 따라 들어가며 찌른다.

②번 경우는 안에서 바깥으로 막아도 된다. ①번의 막는 방법은 부퇴로, 측신으로 빠지기 때문에 내 몸통으로 오는 주먹을 거의 다 막을 수 있다. 그러기 위해서는 첫째 장심掌心이 상대 손목에 착 붙어야 한다(찰떡처럼). 둘째 '유柔' 수련이 완성되어 힘이 생겨야 상대 강한 주먹을 가볍게 막을 수 있다.

【비교】 만약, 내 우수로 막을 때, 상대 우수가 오는 경우라면 내 우수로 걸어 오른쪽으로 당겨내는 것이 아니고, 그냥 왼쪽 바깥으로 쳐내고 좌수로 친다. 즉, 상대 중궁을 치기 위해서는 막는 법이 달라진다.

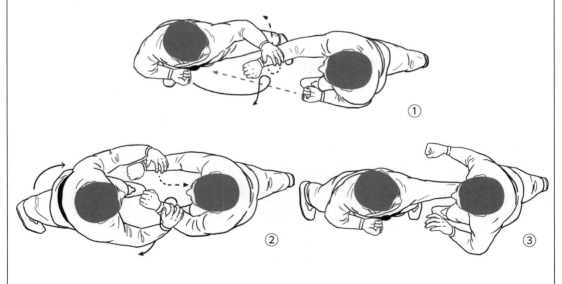

24. 퇴보우괘벽退步右掛劈

● 23.우궁보우반주右弓步右盤肘　24.퇴보우괘벽退步右掛劈
　　25.우궁보우격벽右弓步右擊劈

　반주盤肘는 위쪽을 공격하는 것이므로 아래가 비어 상대가 쉽게 아래를 공격한다. 퇴보退步는 골반이 움직이지 않으면서 30cm 정도 뒤로 크게 물러나는 것이다. 상대 발 공격을 찍어 치기도 하고, 발을 오른쪽으로 젖히고 벽권擘拳을 치거나, 발을 왼쪽으로 젖히고 횡권橫拳을 칠 수 있다. 각도에 따라 내 공격이 두 번일 수도, 여러 번 치고 들어갈 수도 있다. 우괘벽右掛劈으로 상대 공격을 걸 때, 앞발 뒤꿈치와 둔부를 뒤로 빼면서 몸을 뒤로 젖히면 안 된다. 몸 전체로 내려치듯이 몸을 움츠리면서 상대 발을 막고, 나아가 내려칠 때도 어깨를 뒤로 젖히지 말고 앞으로 나가면서 내려친다. 우각右脚이 약간 전진하며 내려친다. 발만 막는 것이 아니고 상대 손도 막을 수 있다. 앞으로 뻗은 좌수 역시 상대 수법手法을 막는 손이다.

　① 괘掛는 상대 발을 오른쪽 바깥으로(손등 쪽으로) 걸어내고 엄지로 위로 들어 올린다. 또는 상대 발을 오른쪽 바깥으로 걸어내고 계속 바깥으로 밀어 버린다. 상대 몸을 돌려버린다. 또는 상대 발을 역시 바깥으로 걸어내고, 계속 내 팔꿈치를 구부려 팔뚝 전체로 상대 발을 감싸듯이(안에서 밖으로) 팔을 구부려 들어 올리면서 막는다.

(괘掛의 응용)

② 권법 수련에서 우벽격右劈擊을 칠 때 머리 뒤에서 잘 끊어진다. 안 끊어지게 수련해야 한다. 퇴보로 물러서며 발을 막을 때까지 느리게, 그다음 휘둘러 칠 때는 빠르게 수련한다. 내려칠 때 손, 발이 잘 맞아야 한다(三節). 실전에서는 발을 막고 팔을 뒤로 돌리지 않고, 바로 나간다.

③ (그림)에서 ㉮의 위치에서는 몸이 뒤로 앉는 것과 손을 아래로 쓸어내리는 것이 삼절이 맞아야 한다. 다시 뒤로 앉는 힘으로 내린 손을 멈추지 말고 계속 머리 위로 들어 올린다. 이때 중간에 멈추기 쉬운데, 탄력으로 올라가야 멈춰지지 않는다.

(그림)에서 ㉯의 위치에서는 ㉮에서 뒷발의 탄력을 이용해 궁보로 나아간다. 삼절이 맞아야 한다. 체조 수련 등에서 뒷발의 탄력을 수련해야 한다. 우족이 걸어 나가며 좌족이 따라간다. 창보搶步다. 오른손 내려칠 때 궁보의 보폭은 좁게 선다.

② ③

26. 도보우측단퇴跳步右側踹腿

◉ 26.도보우측단퇴跳步右側踹腿에서 좌수 우수 순서로 걸고 막으며 옆차기 찰 때 우수를 우측으로 당기는 것도 막는 것이다. 상하로 상대 손을 젖히는 것이다. 항상 검劍의 배수법처럼 두 손이 붙어 다녀야 한다. 우수는 좌측으로 젖히고, 이어서 동시에 좌수는 좌로 젖혀 막고(상단), 우수는 우측 하단으로 내려 젖혀 막는다. 내 좌수로 상대 앞의 손(우수)을 막아 잡고 우수로 상대의 반대쪽 손(좌수)을 빠르게 바깥으로 아래로 쳐 막아 벌려 내리면서(젖히면서) 옆차기를 찬다. 옆차기는 진각震脚으로 뛰어나가면서 찬다. 제자리서 차는 것이 아니다. 정면으로 도약하여 공중에 뜬 상태로 몸을 측신으로 돌리면서 차야 원식原式이다. 공중에서 몸의 방향을 자유롭게 할 수 있어야 한다.

◉ 27.우궁보우천장右弓步右穿掌에서 우수로 찌를 때 왼손은 우수 겨드랑이 아래까지 와도 된다. 우수가 길게 들어갈 때 좌수를 우수 팔꿈치에 위치시키면 옹색해지고 우수가 뻗어 나가지 못하기 때문이다. 이때 나의 좌수는 상대의 앞에 나와 있는 손을 누르면서 우수로 쳐야 한다(반드시 제압하면서). 미끄러지듯이 찌르는 것이 요결이다.

◉ 23.우궁보우반주右弓步右盤肘, 24.퇴보우괘벽退步右掛劈, 25.우궁보우격벽右弓步右擊劈, 26.도보우측단퇴跳步右側踹腿, 27.우궁보우천장右弓步右穿掌은 특히 삼절三節이 맞게 수련해야 한다.

◉ 28.전신좌호두가타轉身左護頭架打에서 바로 설 때 우수를 둥글게 감아 오른 허리에 온다. 상대 좌수가 오면 나는 좌수로 들어 올리며 막고, 우수로 다시 상대 좌수를 들어 올려 오른쪽으로 감아 돌리며 좌수로 찌르는 것이다.

◉ 수식收式은 역호흡逆呼吸이긴 하지만 내쉴 때 순호흡順呼吸처럼 한다. 수식 때는 입으로 내쉬기 때문이다. 수식收式 때 양손을 가슴 높이로 찌른다.

◉熊走拋架拳

【권법대련拳法對鍊】

권법대련拳法對鍊은 약속대련約束對鍊이지만 실전實戰과 직접적으로 통한다. 권법대련을 통해서 투로套路를 이해하고, 투로를 통해서 대련을 이해한다. 권법대련은 재미있게 수련해야 한다.

권법대련은 기예技藝의 기초이므로 또박또박해야 한다. 상대가 잘 받고 공격할 수 있도록 해야 한다. 천천히 분명하게 연습하여 약속대련에서 공방攻防의 감각을 익히지 않으면 안 된다. 즉 권법대련은 근접해서 공방하는 원리이다. 상대 공격을 맞받고 하는 것은 초보지만, 그런 기초 없이는 안 된다.

권법拳法이나 권법대련은 손을 지탱할 정도의 힘으로 힘을 빼고, 죽죽 늘이면서 해야 한다. 옹색하면 안 된다. 다리에 힘이 없으면 신법身法이 안 나온다. 신법으로 팔다리를 움직여라. 속도는 좀 빠르게 공격하듯이 한다. 느린 수련은 초보 때 하고, 뒤에도 계속 느리게 수련하면 굳어버려 안 된다. 그리고 자세를 낮춰서 들어가고 나와야 한다. 자세가 높으면 아무것도 안 된다. 과도한 신법을 쓰지 말아야 한다. 상대 공격을 막을 정도만 몸을 움직이고, 수비할 때는 상대 공격보다 손이 먼저 가서 미리 막아선 안 된다. 칠성수七星手를 하고 기다렸다가, 수법手法이나 퇴법腿法이 오는 것을 기다려 상황에 맞게 막아야 한다. 그러므로 물러나면서 바로 방어 자세로 발을 막는 것이 아니다. 위나 아래로 뭐가 오든 수비할 수 있어야 한다. 그리고 힘으로 하고, 억지로 하고, 거리도 맞지 않게 하지 말라. 기예로 하는 것이므로 절대 힘으로 해서는 안 된다. 그래서 오래 수련해도 지쳐서는 안 된다. 상대와 가깝고 맞을 거리에서 자주 움직여야 숙련됨이 있고 깨달음이 있다. 상대가 못 막으면 가다 멈춰야 한다. 또 상대를 치려고 하지 말라. 그러면 규격에서 벗어나게 된다. 정확하게 부딪히는 힘을 느끼고 경勁을 사용하라. 자신의 중심을 잡아야 하고 공격 때에 몸을 숙이지 말라.

권법대련을 수련할 때 상대가 마음 놓고 공격하도록, 상대가 공격하기 쉽게 대응해 준다. 고단자가 초보자에게 공격할 때는 상대가 잘 받도록 공격해 줘야 한다. 즉 상수上手는 하수下手를 받아줘야 한다. 그렇게 해야 다양한 공격을 받을 수 있다. 방어는 상대 위주, 공격은 내 위주로 되어야 하고 공격은 빠를수록 좋다.

권법대련을 상대와 연습할 때는 상대의 어떤 모양의 공격도 능히 받아내는 연습을 해야 한다. 즉 규격에 어긋나는 공격에도 충분히 공수攻守가 가능하도록 연습한다. 실전에서 상대는 규격대로 공격해 오지 않는다. 또 힘이 강強한 사람이 들어오면 더 좋다. 강한 상대는 기예技藝 수련으로 더 좋은 것이다.

권법대련은 상대 위주로 하는 것이다. 권법대련을 하게 되면 손이 아니면 발이 온다. 따라서 손 막고 발 막으면 된다. 즉 발차고 주먹 찌르는 것이다.

이것을 제대로 하지 않으면 기예技藝 연마硏磨가 안 된다. 체조하는 것밖에 안 된다. 착착 붙어서 상대 신법身法을 받아 주고 해야 한다. 기예가 익혀지면 몸에 이로운 데, 몸에 이로우면 기예도 뛰어나게 된다. 결국, 기예를 잘하는 것이 양생養生에도 성공하는 것이다. 몸을 자연에 맡겨놓고 하는 것이다.

● 권법 대련의 요점

① 공격과 방어 모두, 좌우수가 반동 없이 각각의 목적대로 움직이고 쉬지 않아야 한다. 어느 쪽이든 손이 나가는 것은 반대쪽 손의 반동反動으로 나가선 안 된다. 발도 마찬가지다(발 공격, 보법).

② 권법대련에서 〈몸으로 쳐라〉는 말은, 상체를 앞으로 들어가듯 숙이는 것이 아니라 허리 움직임의 신법으로 치라는 말이다. 즉 몸을 밀어치지 말라. 또한, 보폭步幅을 너무 벌리지 말라. 이 두 가지가 안 되면, 한번 낙공落空하면 상대 공격을 피하지 못하게 된다.

③ 찌르는 주먹은 찌르는 것이 정확해야 하고, 상대가 막으면 걸어서 당겨야 한다(구수의 힘으로). 상대가 막는 손을 잡듯이 들어가면 안 된다.

④ 수비 손을 위로 들어 올려 막지 말고 옆으로 전사纏絲로 막는다. 보통은 마보馬步에서 궁보弓步로 움직이며 수비하므로 기起의 세勢가 되어 들어 올리는 수비 동작이 나오지만 들어 올리는 것이 주가 아니다. 수비 손은 힘주면서

소리 나게(强) 막지 말고, 가벼우면서 유柔하게, 아주 짧은 거리로 상대가 적
중하지 못하게 하는 위치까지만 신법으로 수비한다.

　수비 손은 상대 주먹이 거의 다 펴졌을 때 막는다. 그러나 권이 오기 전에
방어가 시작되어야 한다. 고수高手가 되면 상대가 팔을 다 뻗었거나 덜 뻗었
거나 상관없이 나拿한다. 발차기도 신법으로 막지 않고 몸을 낮추면서 상대
발을 칠 수도 있다. 이때 상대가 발끝에 힘을 주면 오히려 발목 부위 혈穴자
리(곤륜崑崙, 중봉中封)가 위험한 급소가 되어 당한다. 또는 상대가 나의 앞차
기 발을 받으면 받게 두고, 손을 빼듯이 발을 빼서 턱을 차올린다. 이때 디딘
발은 완전하게 힘이 실려야 한다. 강유剛柔가 되어야 한다.

　⑤ 상대방 키가 크면 위로, 작으면 아래로, 주먹 가는 방향이 달라져야 한
다. 대련은 상대적이고 권법은 자기 기준에 맞춰야 한다. 선線을 고쳐야 한다.
상대와의 간격은 여러 사람과 바꿔서 해도 적절히 맞게 수련해야 한다. 완전
한 공격, 완전한 방어로 절대 나를 적에게 내어주지 않는 수련을 해야 한다.

1. 철형대련鐵形對鍊

　철형대련鐵形對鍊에서 상대 오른발을 막고 일어나며, 오른손으로 상대 공격
을 막을 때 왼손을 따로 두면 안 된다. 오른손 팔꿈치에 왼손을 붙여 뒷손이
팔꿈치를 밀어줘야 한다. 왼손이 뒤로 가 있으면 너무 먼 거리에서 철형을 쳐
야 하므로 늦다. 모든 공격에서 손이 뒤로 갔다가 공격해선 안 된다. 있는 자
리에서 앞으로 나가며 쳐야 한다. 양손이 각기 따로 놀아서는 안 된다.

　철형은 본래 실전에서는 우수로 나拿해서 당기는 상대 손 아래로 들어가
친다. 상대의 우수 위로 들어가면, 상대가 공격해 온 팔을 들어버리면 수비를
당하는 것이 된다. 또 힘과 동선動線의 논리로 보면 아래로 누르지 않고 상대
가 공격하는 주먹 아래로 들어가는 것이 자연스럽게 공격하는 것이다. 그러나

수련이 목적이므로 상대 팔 위로 철형을 하는 것이다.

철형은 상대 측면에서 들어가야 한다. 철형은 장掌을 보자기 모양으로 만들어야 한다. 철형은 앞으로 밀어제친다. 좌로 돌면서 좌수로 밀어제쳐 치는 것과 우수 입권立拳이 신법으로써 동시에 이루어져야 한다.

철형대련에서 철형鐵形과 중사평中四平을 정확하게 제대로 다 쳐야 한다. 가다 말면 안 된다. 몸으로 치고 나가고, 철형을 치고 나오는 반탄력으로 중사평을 쳐야 한다. 실전에서 최소 두 번 이상 연속으로 공격한다는 의미다.

철형은 사혈死穴을 치는 것이다(목이 아니면 눈을 쳐도 된다). 상대가 받으니까 중사평으로 들어간다. 이어서 상대가 빠지니까 바로 차고 들어간다.

신법身法에서 주의할 점은 허리가 가기 전에 손부터 나가서는 안 된다. 허리 움직임을 확실히 해야 한다. 팔이 가는데 허리가 따라가니까 늦다. 중절中節(베어링처럼 움직여야 한다)이 따라 주어야 하는데, 같이 돌려주어야 한다.

철형공격 후 손을 회수하면 안 된다. 상대가 변하므로 계속 상대가 막은 손에 붙여서 나간다. 오른손은 왼손의 철형공격으로 몸이 좌로 돌아가니까 찌르기 전에 살짝 뒤로 빼야 한다. 그러나 오른쪽 허리까지 가져오면 안 된다.

철형 때 좌각左脚이 체보掣步로 들고 있는 상태에서 오른손으로 중사평 찌를 때 몸이 계속 나간다. 좌궁보左弓步로 자세가 잡혀도 칠 때까지 계속 몸이 나간다. 아무리 상대와의 거리가 짧아도 몸이 계속 나가야 한다.

◎ 공격攻擊의 요점

상대 충권衝拳은 기마보로 상대 발을 막고 바로 일어나면서 붕掤의 힘으로 바깥으로 걷어내며 막아야 한다. 이때 몸이 일어나는 힘과 함께 수비 손을 위로 들어올려려야 한다.

상대 주먹을 내 전방에서 걷어내고 시야가 확보되면 철형으로 들어간다. 이때 허리보다 손이 먼저 들어가선 안 된다. 상대 주먹을 들어 올려 막으면, 들어 올렸다 다시 누르고 철형을 쳐야 한다. 그러면 두 번 동작이 된다. 따라서 들어 올리되 옆으로 젖히면서 바로 상대 팔을 타고 들어가야 한다. 이때 왼발이 같이 따라 들어간다(掣步).

철형을 친 앞 손은 뒤로 회수하면 안 된다. 모두 신법으로 움직인다. 철형으로 공격한 다음에 중사평을 찌르면 상대는 눌러 막으며 물러나므로, 나는 앞으로 찔렀던 손을 칠성수七星手로 만들며 우각右脚으로 차고 우충권右衝拳을 찌른다. 이때 칠성수와 충권이 끊어지면 안 되고 충권을 찌르기 위해 상대 손이 방해되므로, 오른손을 칠성수를 만들기 위해 들어 올리며 약간 내 오른쪽 바깥으로 손목을 이용해 걷으며 충권이 되는 식으로 변해야 한다.

철형으로 공격하고 중사평을 찌를 때 오른발을 살짝 땅에서 든다(진각震脚으로 튕겨 올리는 것이다. 무의식적으로 습관이 되어야 한다). 그래야 상대가 막으면서 물러나면, 그대로 따라 들어가 오른손으로 상대 막는 손을 젖히고 계속 칠 수 있다. 이 경우 뒷발은 따라 들어가므로 상대가 물러나더라도 내 발이 먼저 들어가기 때문에 상대가 내 공격을 피해서 물러나기 어렵다.

칠성수는 나가면서 만드는 것이지 내 몸으로 팔을 회수(뒤로)하면서 만들면 안 된다. 중사평에서 붕掤의 힘으로 손을 들어 올리며 손목으로 상대 수비 손을 살짝 젖히고 그 위치에서 바로 찌른다(너무 바깥으로 젖혀 막으면 상대가 내 중궁으로 들어온다). 이때 다리 힘이 없으면 허리 신법이 나오지 않는다. 한쪽 발로 선 상태에서 손, 발을 같이 운용해야 하기 때문이다.

앞으로 차면서 충권이 동시에 들어가야 한다. 따라서 칠성수로 상대 수비를 걷어내는 것에서 멈추면 안 된다.

◎ 수비守備의 요점

철형을 막으려면 어깨와 배에서 나오는 힘으로 막아야 하는데, 안 그러면 상대 공격이 강하면 방어 손이 부러진다. 적절하게 머리카락 한 올 차이가 나서도 안 된다. 철형을 막을 때는 상대 공격이 결정되기 전에, 팔꿈치가 구부러져 있을 때 막아야 한다. 상대 철형공격을 받을 때 비벼 올린다. 또는 옆으로 젖혀 막는다. 상대 팔꿈치 부위를 막는다. 팔뚝으로 전사로 틀어서 막는다. 만약 손목 부위를 막는다면 상대의 팔꿈치를 확실하게 제어하면서 막아야 한다. 권추 공격의 수비도 상대 팔뚝을 막는다. 철형 수비 후 상대 오른손 중사평이 오기 전에 내가 우권右拳으로 공격해도 된다. 또는 철형 다음 상대 중사평 공격을 오른손으로 좌로 걷어내며 계속해서 오른쪽 주먹으로 공격한다.

상대의 충권은 들어 올려 걷어내야 한다. 옆으로 밀면 상대 주먹이 강할 때 그 힘에 밀려 끊어진다. 충권에 대한 수비는 내가 앉았다 일어서니까 들어 올리며 하는 것이다. 상대 주먹이 강해 보여도 기마보에서 앉았다 일어서며 횡橫(起)으로 받으므로 힘이 안 든다(水克火). 다른 위치에서는 오행五行에 따라 힘의 움직임이 달라진다. 상대 충권을 막을 때 끊어지지 말고(멈칫 서지 말고) 나가야 한다. 수비할 때 부딪혀 막거나, 막으면서 계속 위로 들어 올리면 안 된다. 상대가 아래로 다시 들어온다. 전사로 돌리며(化) 상대 공격을 받는다. 막은 다음 철형과 중사평이 계속 신법으로 연결되어야 한다. 끊어지면 안 된다. 막을 때도 신법(허리)으로 움직이며 막아야 한다.

실전에서 상대 발차기는 수비하는 내 손으로 오는 것이 아니다. 어디를 차든 내가 가서 막아야 한다. 이때 기마보가 과호세跨虎勢다. 과호세로 수비한다. 방어 자세를 분명히 해야 한다. 궁보에서 측신側身으로 변하며 왼손은 발끝을 받아 왼쪽 바깥으로 젖히고 오른손은 발목을 받는다.

철형대련에서 물러날 때 정면으로 물러나야 한다. 옆으로 요보拗步로 걸어가며 물러나면, 상대가 다리 측면을 찰 수 있어 당한다.

막는 쪽에서는 너무 몸을 돌려 상대 공격을 벗어날 필요는 없다. 예봉銳鋒을 피할 정도로 살짝 돌려 피한다. 이때 안정되게 뒤꿈치로 중심을 잡는다.

상대가 철형으로 들어오면, 나는 오른손을 회수하되 철형을 막은 왼손의 숙처宿處(팔꿈치)까지만 회수해야 한다. 그래야 상대의 중사평 공격을 앞에 둔 왼손으로 눌러 걸고, 상대 오른 발차기를 뒤로 빠지며, 숙처에 있던 오른손을 그대로 아래로 뒤로 당겨 내리며 막을 수 있게 된다. 상대 중사평을 수비하기 위해 내 왼발을 뒤로 뺄 때 삼절三節에 맞춰 번개처럼 빼야 한다.

3번 수비하는 것이 한 호흡에 연결되어야 한다. 따라서 오른손이 숙처에 있지 않고 허리까지 회수했다면 다시 오른손이 앞으로 나갔다가 당겨야 하므로 늦고 끊어진다. 체보掣步로 물러나면서 3번 막는 것이 된다.

철형대련에서 공격할 때, 또는 방어로 물러날 때 모두 한 호흡에 거미줄이 연결되듯이 동작이 연결되어야 한다.

◎ 철형대련의 삼절三節

철형대련에서 중절中節의 의미를 가르쳐 주었다. 삼절은 무릎·허리·팔꿈치, 사실은 상중하초上中下焦의 9마디가 합해야 한다. 완벽해야 한다. 손 두 개, 발 두 개 6마디를 합쳐 15마디가 한 번에 맞아야 한다. 두 발과 오른손은 삼절에 맞게 잘했는데 왼손은 잘못할 수가 있다. 틀리면 안 된다.

상대 중사평을 막을 때 뒤로 빠지면서 팔꿈치를 쳐들면 안 된다. 중절(방향 제시)을 들면 상대 공격을 걷어 올리는 것이 된다. 그러면 손에 힘이 없어진다. 옆으로 젖히는 것이 되어야 한다. 만약 중절을 든다 해도 옆으로 가는 것이다. 훑으면서 뒤로 빠지는 것이므로 팔꿈치를 아래로 당겨야 젖혀진다.

다시 말하면, 중사평을 막을 때 팔꿈치를 들면 안 된다. 팔꿈치가 들리면 힘이 없다. 반면에 팔꿈치를 펴면 상대가 손목을 잡아 비틀어 버린다. 펴진 팔은 약하기 때문이다.

◎ 철형의 두 가지 신법身法

철형공격 때 (그림1)의 상태에서 가슴을 약간만 오른편으로 틀어야 횡격이 안 되고 철형이 된다. 철형은 앞으로 나가며 친다. 몸을 너무 오른쪽으로 돌리면 옆으로 치는 횡격이 된다. 그렇게 되면 횡격 치는 위치도 틀리게 된다. 횡격에는 (그림2)의 A 부위가 공격점이 되므로 위치가 달라진다는 뜻이다.

좌수로 철형 칠 때는 몸이 약간 왼쪽으로 살짝 돌리며 치고(신법), 이때 몸이 나가면 자연히 그렇게 되는 힘이 나온다. 그다음 몸을 더 왼쪽으로 돌리며 중사평을 쳐야 한다. 이것이 원래 방법이다. 다리 힘이 있어야 그렇게 된다.

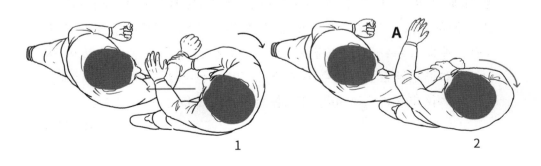

1   2

다리 힘이 있어야 한다는 의미는, 상대 충권을 막을 때 우궁보가 완성되어야 한다. 즉 과호세에서 궁보로 변하며 상대 권拳을 점點하면, 궁보를 완전히 만들어야 화化할 수 있다. 연이어 궁보 앞발의 힘으로 체보를 운용해야 왼편으로 도는 신법이 나오게 된다.

◎ 철형대련의 응용

① 갑이 우수로 을의 우수를 막을 때 반배장反背掌으로 바깥으로 밀어 막고(막을 때는 무엇이든 반드시 바깥으로 밀어내야 한다. 위로 들어서 막지 않는다), 을의 두 번째 나오는 손도 계속 반배장으로 전진하며 막는다. 상대가 두 번째 손이 나오는 이유는, 안 나오면 배장背掌이 그대로 나가 찌르기 때문이다. 이어서 갑의 좌수로 철형이 들어간다. 또는 손등을 위로해서 천장穿掌을 찌를 수도 있다.

② 철형대련에서 상대 우수를 걷고 좌각左脚이 나가며, 내 좌수가 상대 팔꿈치에 닿자마자 그 위치에서 바로 철형으로 친다. 상대가 막으니까 우수로 상대의 중궁을 친다. 이때 좌수로 상대 막은 손을 아래로 살짝 누른다(치는 우수와 함께 동시에 몸을 굴리면서 한다). 그리고 나면 상대 목이 비게 되므로 아래로 눌렀던 좌수로 바로 목을 공격한다.

③ 철형을 치는 왼손을 장掌으로 좌측으로 상대를 넘기듯이 훑어 젖히고 우권으로 아래를 찌른다.

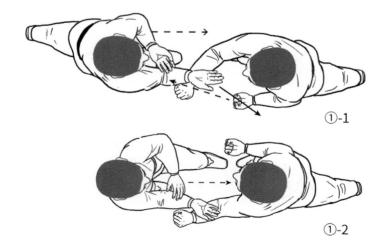

①-1

①-2

2. 권추대련圈捶對鍊

　　권추대련圈捶對鍊은 두 사람이 선 자세로 인사하고 바로 갑이 오른발 차기로 공격하면 을은 왼발이 뒤로 물러나면서 막는다(騎馬步). 이어서 갑이 오른손 충권衝拳을 찌르면 을은 궁보弓步로 일어서면서 위로 막는다. 막는 손은 위쪽이 아닌 옆으로 젖혀야 한다(어깨 높이). 이때 수비하는 손은 탁탑托搭의 의미를 살리면서 비스듬해야 한다. 처음부터 굽은 팔 모양(鈍角)으로 통짜로 위로 막는다(전사纏絲를 이용). 팔을 90도로 구부렸다가 팔꿈치를 펴면서 막으면 안 된다.

　　다음 좌각左脚이 나가면서(掣步) 권추圈捶를 치고 좌각을 놓으면서 붕권崩拳 친다. 붕권은 위로 올려치지 말고 뒷발 뒤꿈치와 둔부를 낮추면서 친다.

　　철형대련처럼 상대 충권을 먼저 받고, 몸은 나가지만 오른손 팔꿈치에 있던 왼손이 허리로 오면서 둥글게 권추를 친다. 이때 팔이 몸 뒤로 가면 안 된다. 모든 손은 자신의 뒤쪽으로 흘러가서는 안 된다. 권추는 반드시 허리에서 출발해야 한다. 허리(측면)와 권추가 같이 들어가도록 해야 한다.

◎ 수비守備의 요점

　　허리를 돌려서 도망가라(中節). 권추대련에서 발 공격한 다음 바로 찬 발이 땅에 닿음과 동시에 탄력 있게 뒤로 돌아 튕겨서 도망간다. 상대 권추 공격이 빠르면 발차고 충권을 찔러 들어가다가 바로 돌아서 피해야 한다.

　　권추 공격의 수비는 머리를 숙이며 뒤로 돌아야 다음 공격에 격중되지 않는다. 권추를 피하는 동작은 꼭 그렇게 해야 한다. 제자리서 앉듯이 피하면 당한다. 권추대련은 권추 다음 뒷손(右崩拳)이 상대 턱과 목을 친다(死穴이다). 따라서 도망갈 때 뒷손이 기문혈期門穴을 지켜야 한다. 뒤로 물러갈 때 양손으로 엄격히 몸을 지켜야 한다. 이것이 매복세埋伏勢다.

　　권추대련에서 상대 권추를 마보馬步로 피하며 오른쪽 팔꿈치(肘法)로 상대를 공격하거나, 뒷발(右脚)로 낭심을 공격할 수 있다.

◎ 권추대련의 응용

상대 우수를 내 우수로 막고 허리를 오른쪽으로 돌리며 좌수로 권추를 치고(擊步), 그 자리서 상대 왼팔을 권추를 친손으로 나拿하며 동시에 허리를 다시 왼쪽으로 꼬면서(상대 몸 전체를 비틀어 꺾듯이, 내 허리를 비틀면서) 붕권崩拳을 친다. 철형도 마찬가지로 운용할 수 있다. 대신 철형은 밀어치는 것이다.

● 철형·권추대련에서는 '단권 4로' 때처럼 몸이 들어가라. 뒷발에 중심이 잡혀야 한다. 기울어지면 중심이 흐트러진다. 이 두 가지 권법대련은 다양하게 응용할 수 있다. 철형과 권추 다음에 중사평과 붕권은 수평으로 친다.

3. 삼권대련三拳對錬

삼권대련三拳對錬은 상대 주먹을 세 번 막는 것이다. 오른손으로 막아 들어갈 때 왼손바닥 장심掌心 부위를 오른손 팔꿈치에 반드시 댄다. 또는 왼손을 주먹을 쥐고 오른손 팔꿈치에 가볍게 감싸고 막는다.

왼손을 대고 있는 이유는, 힘을 도와주는 것이 되어 힘이 배가倍加된다. 상대 주먹 힘에 나의 막는 팔이 손상되지 않는다. 또한, 받친 손이 바로 공격할 수 있어야 한다. 오른손으로 상대 오른쪽 주먹을 좌로 막고 다시 상대의 왼 주먹을 우로 막은 뒤, 상대방 왼손이 회수될 때 내 오른손으로 따라 들어가 친다. 이때 오른손은 막고 왼손으로 바로 찔러도 된다. 왼손은 상대 오른손이 나오는 것을 막는다.

① 나의 오른쪽 바깥으로 막을 때 받쳤던 손으로 바로 공격한다.

② 우수로 막고 좌수로는 바로 내 오른손의 우측으로 찔러 친다. 상대가 막으면 좌수로 상대 막은 손을 나拿하고 바로 우수(막은 손)로 횡으로 친다. 가슴이 '단권 4로'에서처럼 좌우가 교대로 나가며 들어가야 한다.

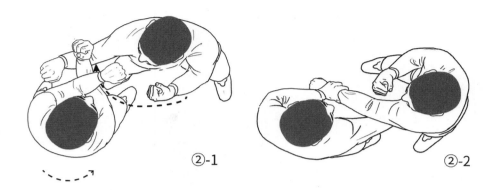

②-1　　　　　②-2

4. 기각대련起脚對鍊

기각대련起脚對鍊은 원래 상대 무릎을 밟고 목을 차는 것이다. 대적 시에 상대 발이 하나는 앞으로 나와 있다. 그것을 살짝 밟고 차는 것이다. 목발을 두고 연습할 수 있다. 기각대련 같은 수련법은 장애물을 최대한 이용하여 공방하는 연습이다. 기각대련에서 옆차기는 상대 공격 손을 받고 상체를 기울이지 말고 서 있는 상태로 차야 한다. 서 있는 발이 튼튼하게 잡혀야 한다. 요점은 몸을 기울이지 말고 차야 한다.

기각대련에서 상대가 두 번 차올 때, 물러나면서 궁전보나 허보로서 막아야 한다. 기마보로 측신側身으로 막으면 락落이 되어 퇴보退步로 계속 연결할 수 없으므로 상대 연속 발차기를 막을 수 없다. 측신으로 막는 것은 수비 후 바로 공격할 때다. 따라서 철형대련이나 권추대련에서는 측신으로 막아도 되는 것이다.

5. 강기대련 剛氣對鍊

강기대련은 중후하게 움직이며 해야 한다.

① 뛰어 들어가 벽으로 공격할 때 공격자는 몸을 오른쪽으로 돌리는 신법으로 친다. 따라서 공격이 완성이 안 된 상태에서 상대가 막으므로 궁보가 완성된 상태가 아니게 된다. 즉 앞무릎이 덜 구부러진 상태가 된다. 이때 막는 사람은 몸이 정면으로 돌아오고 궁보가 정확해야 한다. 막는 동작은 원原 보형으로 자세가 결정되어야 한다. 앞무릎이 받치는 힘으로 막는다. 무릎을 구부려야 받치는 힘이 나온다. 점點과 화化 사이에서 자세가 완성되어야 한다. 그러면 앞발에 힘을 싣고 공격을 할 수 있다. 무릎 방향을 잘 잡아야 한다.

② 들어가며 권추를 칠 때 몸이 앞으로 기울어져 치는 경향이 많다. 몸이 상대에게 가까이 가서 기울어지면 상대에게 노출이 쉽게 된다. 몸은 바르게 두고 팔(등 근육)이 늘어나면서 길게 쳐야 한다. 충권 등 정면으로 찌르는 공격도 등 근육을 늘여서 쳐야 한다. 상대와의 간격은 가까워도 멀어도 안 된다. 주먹을 뻗으면 맞을 거리로 균일하게 유지해야 한다. 예를 들면 상대가 물러나면 같은 속도로 걸어 들어가 공격한다. 그래야 공방이 이루어진다.

③ 권추를 칠 때는 상대 팔을 누르면서 들어가고, 상대 권추를 쌍벽雙劈으로 막을 때 주가 되는 손은 상대에게 가까운 손(앞에 있는 손)이다. 뒷손은 받쳐주고 앞의 손에 힘을 주어 막는다. 상대 권추는 팔꿈치 쪽에 가까운 팔뚝을 막으면 힘을 못 쓴다. 상대 충권을 막을 때도 상대 손목이 아니고 팔꿈치 가까운 부위를 밀어내 막으면 상대가 힘을 못 쓴다. 즉 방어는 상대 손목을 막는 것이 아니다. 권추가 높이 오면 양장兩掌으로 받는다. 팔뚝으로 막으면 내 손이 너무 위로 올라가므로 중궁이 비게 되어 안 된다. 반면에 권추가 낮게 올 때는 쌍벽으로 막는다. 이때도 손목 부위가 다치지 않게 조심해야 한다.

④ 상대 발차기를 기마보로 막을 때 좁게 서면 안 된다. 힘도 없고 손 공격이 뒤따라오면 못 막는다. 따라서 상대와 폭이 좁으면 신법으로 발의 폭을 충분히 벌려서 막는다. 그렇게 해야 힘이 있고 다음 공격에도 대비가 된다.

【공방攻防】

【참고】

공방攻防의 영역은 오법五法이 응용되어 적용되는 자리다. 기예技藝의 우열優劣이 상대적으로 드러나는 장場이므로 정해진 바가 없다. 격투는 상황에 따른 방어와 공격으로 표출되지만, 결국은 숙련된 경勁에 의한 수법手法과 신법身法의 움직임으로 대적한다.

아래에 설명하는 공방의 논리는 해범海帆 선생의 가르침 중에서, 초법招法의 운용에 대한 표준적인 형태와 짧은 요결要訣을 수록한 것이다. 공방은 순식간에 이루어지는 것이므로 생각해서 하는 것이 아닌, 조건반사적인 움직임이다. 그러므로 신神의 단련이 중요하다.

《본국검本國劍》에 이르기를, 『검을 배우는 사람은 정精과 신神을 가장 중시한다. 정精이 있은 후에 기氣가 있게 되고, 기氣가 있은 후에 신神이 있게 되기 때문이다. 검술의 도道는 모두 신神에 달려 있으니 신神이 충분하면 도道가 이루어진다. 다시 말하면 정精을 단련해 기氣로 화하고, 기氣를 단련해 신神으로 화하며, 신神을 단련하여 도道를 이룬다는 것과 정精을 보호하고 기氣를 길러서 신神을 평안히 하는 원칙을 지켜야 한다는 것은, 무예계武藝界에서 천고에 변함 없는 논리로 받들어지고 있으며 또한 인생의 양생요도養生要道인 것이다.』라고 하였다.

정精을 단련한다는 말은 무예 수련의 관점에서 육체의 단련을 의미하고, 기氣로 화化한다는 말은 무예 운동을 통해 경력勁力을 단련한다는 것을 의미하며, 신神으로 화한다는 말은 그로써 정신精神이 깨끗해짐을 의미한다. 그로 인해 비로소 상대의 움직임과 자신의 동작을 파악한다는 뜻이다. 그러므로 기예技藝의 발전은 올바른 정신精神의 추구를 통해 이루어진다.

기예技藝는 그 사람의 수준에 따른 상대적 관점으로 이해된다. 따라서 공방의 예들에 대한 구분과 특점은 공수攻守의 변화에 대한 골격으로서 이해해야 하며, 수련과 터득을 통해 부분이 아닌 전체의 흐름을 보는 눈을 키워 나가야 한다.

【공방攻防의 요결要訣】

◎ 선제공격이 승세勝勢가 높다. 그래서 하수下手 보고 먼저 공격하라고 한다. 대결에선 선수先手가 먼저 기선을 잡는다. 내가 주먹을 찔러 들어가는데 상대가 받으면 젖히고 그대로 계속 들어간다.

◎ 아무리 작은 동작도 신법身法을 100% 사용해야 한다. 상대가 아무리 하수下手라도 최선을 다해야 한다. 자만에 빠지면 안 된다.

상수上手와 하수下手의 차이는 종이 한 장의 극소한 차이밖에 없다. 즉 절대적인 공격방법은 존재하지 않는다. 언제나 상대적이다. 방어 역시 같다. 상대가 권拳을 치고 들어오면, 사혈死穴을 찍으며 들어온다. 대련 시 언제나 방어만큼은 확실하고 완벽해야 한다. 수련을 통해 방어의 요결을 터득해야 하며, 단수單手 한두 개는 절기絶技가 되도록 정통해야 한다.

◎ 방어는 짧고 촉박 되게, 공격은 빠르게, 방어 수련은 동작을 크게 해도 공격수攻擊手 보다는 짧게 해야 한다. 공방攻防에서 공격은 최대한 빨라야 한다. 수련은 천천히 해야 하는데, 뒤에 탄력이 생긴다. 던지듯이 탄력이 있어야 한다. 방어는 상대와의 공간이 필요하다. 맞붙은 상태에서는 방어가 불가능하다. 즉 막았다고 생각해도 상대가 치면 맞아서 밀려나게 된다. 따라서 방어를 위해서는 어느 정도 공간을 확보하면서 상대 수법을 무마시키고 자신의 손을 변화시켜야 한다.

◎ 다양한 수비守備를 할 수 있어야 한다. 첫째, 채는 것은 위에서 아래로 움직이고 가장 많이 힘을 준다. 둘째, 끄는 것은 바로 막고 손으로 공격한다. 셋째, 거는 것은 흘려보내고 발로 공격(위로 걸 때)한다. 발로 공격하면 잡을 필요 없다. 흘려보낸다.

〈상대 공격을 몸으로 받지 않는 손은 못 쓴다〉.

손은 걷어내야지, 누르면 소용없다. 상대가 누르는 힘을 빌려 다시 들어온다. 누르려면 걷어 낸 다음 살짝 축蓄하듯 누른다. 막는 손은 3부, 공격 손은 7부의 힘으로 분배한다. 예를 들어, 좌궁보左弓步에서 왼손으로 상대 공격을 둥글게 감고 우권右拳을 지를 때, 힘의 분배가 적절해야 율동이 나온다. 세게 막는 경우는 상대 공격 손을 공격하는 의미다.

발을 막을 때 벽劈으로 내려치는 것은 막는 것이 아니라 공격이다. 옆으로 튕겨 막는 것은, 상대의 노선을 흔들어 공격자가 약간 더 시간을 벌기 위해 튕겨 막는다. 정면에서 움츠리며(蓄) 두 손으로 받아서 막는 것은 바로 공격의 의도가 있기 때문이다. 손끝이나 발끝은 힘이 없다. 상대가 끝을 돌리면 돌아간다. 힘이 있는 곳은 팔뚝이나 종아리에 힘이 있는 것이다. 상대 발차기는 아무리 강해도 상대 발가락 끝을 눌러버리면 힘을 못 쓴다. 상대 발차기가 깊이 들어오는 것을 예상하여, 항상 왼손은 상대 발등을 좌우로 감아 위에서 누르는 힘과 동시에 바깥으로 쳐낼 준비를 하고 있어야 한다.

발은 발로 방어하고 역공逆攻한다. 상대가 회심퇴를 차려고 하면 손이 얽혀 있어도 상대 무릎(중절中節)이 들리면 보인다. 상대 발목을 밟는다. 또 상대가 한발 물러날 때, 물러나는 순간 상대 중심 발이 허虛해진다. 상대 중심 발을 밟아 들어간다. 상대 발차기가 들어와도 내게 적중하지 못하는 각도로 들어간다. 발을 경계하면서 무시하고 친다. 단 상대가 물러나면서 차는 것을 조심해야 한다. 방심하기 때문이다. 상대가 대적對敵 자세를 잡고 들어오는 경우는 쉽다. 자세 없이 갑자기 들어오는 것이 막기 어렵다.

◎ 상대의 공격은 반드시 그 뿌리(肩, 어깨)를 보고 내가 들어간다.

상대의 공격은 반드시 막고 들어가야 하고 물러나면 안 된다. 상대가 오면 방어를 먼저 하는 것이 아니고 같이 공격해 들어간다. 즉 방어와 공격이 같이 나가는 것이다. 손이든 발이든 뿌리(根節)와 중절中節을 보고 방향을 파악하고, 머리가 아닌 신神으로 아는 것이다. 상대와 대적 시 떨어져 있어도 상대의 영기靈氣를 느끼며 대적해야 한다.

공방의 예를 들면, 상대와 대적 시 갑은 우右로 약간 움직이며 우수 반배장反背掌으로 칠성수七星手를 만드는데, 양손이 거의 가까이 붙어야 한다. 즉 왼손이 오른손 팔꿈치에 있어도 되지만 앞으로 나가 오른손 손목 가까이에 위치한다. 그렇게 하면 공방에서 두 손 모두 숙처宿處에 위치해 나아가는 데 빠르다. 이때 을의 우권右拳이 찔러오면 갑은 을의 우권을 좌장左掌으로 감싸며 정면으로 받고, 을의 좌수가 나오든 말든 갑은 우수로써 을의 좌수를 바깥에서 안으로 감싸 잡아 제압하며 들어가 좌장左掌으로 친다.

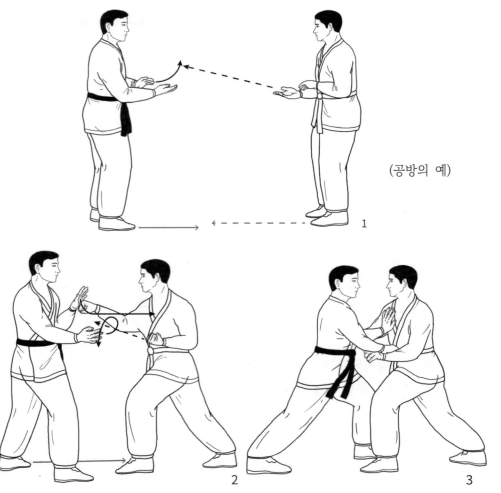

(공방의 예)

1

2

3

공방攻防이란 접근전接近戰이다. 접근전은 상대 공격이 다 뻗어지지 않았을 때 막으면서 가까이 붙어야 한다. 상대 힘이 약한 상태이므로 쉽게 접근한다. 그러나 상대가 다 뻗은 후 막으면, 상대 힘이 강한 상태이므로 가까이 접근하지 못한다.

공격은 모두 몸을 낮추며 들어간다. 앞으로 숙이는 것이 아니다. 숙이면 상대와 부딪힌다. 상대와 대련 때 상대 공격이 들어오면 우선 슬쩍 피하면서 한 번 본다. 그때 상대 수준을 파악한다. 아니면 허초虛招를 먼저 던진 다음 상대 허점이 드러나면 들어간다.

◎ 공격과 방어는 하나다.

공수일체攻守一體란 상대 공격을 막으면 그냥 있지 말고(습관이 되면 안 된다), 잠시도 멈추지 말고 공격하기 위해 움직여야 한다는 것을 뜻한다. 막고 나서 가만히 있으면 안 되고 반드시 움직여야 한다. 모든 막는 동작은 몸(身法)으로 막아야 한다. 막는 부위를 젖히든지 감든지 하는 동작은 모두 손, 발이 살아있어야 한다. 상대의 손과 내 손을 확실히 봐야 하고, 정확해야 한다. 공수일체의 또 다른 의미는, 공방에서 방어가 정확해야 공격이 들어갈 수 있다. 동시에 이루어지는 한 동작이기 때문에 방어가 허술하면 공격할 수 없다.

◎ 와도 가고 안 와도 간다.

상대 칠 곳을 보면 무조건 그곳을 쳐야 한다. 중간에 상대 수비를 모두 제치고 들어가야 한다. 두 손을 모두 이용하더라도 가야 한다. 눈이 가면 그곳에 공격이 이루어진다.

〈와도 가고 안 와도 간다〉의 의미는, 예를 들어 '단권單拳 1로路'의 충권衝拳으로 한 점點을 공격하는데 상대 주먹이 찔러오면, 상대 팔 위로 찬격鑽擊하면서 끝까지 그 점點을 향해 내 주먹이 나간다는 뜻이다. 즉 나간 다음 변화하는 것이다. 검법劍法에서 봉두세鳳頭勢로 내려 베는데, 상대가 피하고 내리쳐 오면 바로 거정세擧鼎勢가 된다. 변화하는 것이다. 처음부터 거정세가 되는 법은 없다. 내가 우권右拳을 찔러 들어가는데, 상대가 우수로 막으면 내 우권을 굴려 돌려서(양장陽掌으로 변화) 상대 힘을 뺀 다음, 다시 장掌을 좌로 돌리며 권拳으로 변화해 찔러 들어간다. 또는 상대를 낙공落空시키고 상대 좌측으로 돌아나가 우권으로 찌른다. 손이 살짝이라도 닿아서 눌러지면 낙공이 된다. 상대 팔을 엄지 중지로 잡고 손을 푸는 것과 동시에 눈이나 목을 검지로 찔러 들어가거나, 엄지 약지 소지로 쥐고 검지 중지로 찌른다.

'와도 가는 것'은 상대의 막는 손이 강하게 뻗어오는 경우이고, '오지 않아도 간다'라는 것은 상대의 막는 손이 힘이 없이 머물고 있을 때이다. 어떤 경우라도 내가 먼저 들어간다.

◎ 타격점과 공격방법

공격할 때는 강하거나 약하거나 반드시 급소急所를 쳐야 한다. 급소急所 부위를 알아야 한다. 예를 들면, 둔부 아래 대퇴 부위를 약간 측면에서 뒤로 잡으면서 장掌과 손가락으로 치면서 쥔다. 머리 뒤를 깊이 감싸며 목 뒤를 장掌과 손가락으로 친다. 늑골 바로 아래 측면을 친다. 이런 부위는 모두 급소다. 명치明治(환혼혈還魂穴)·유근혈乳根穴은 장掌으로 가격한다. 상대가 주저앉는다. 늑골肋骨 가장 아래쪽 간肝 부위는, 손가락 끝으로 늑골 안으로 파고들게 공격한다. 약간 앞쪽은 손가락 둘째 관절로 공격하고, 가슴 위로는 권拳으로 치지 않는다. 상대에게 상처가 생기게 한다. 배(腹)는 장掌으로 공격하지 않는다. 장腸이 파열된다.

배꼽 아래 아랫배 부위는 주먹(正拳)으로 치되 신권神拳으로 치거나, 일좌보一坐步로 확 앉으면서 입권立拳(低四平)으로 가격한다. 권拳으로 칠 곳은 배밖에 없다. 나머지 부위는 장掌으로 친다. 낭심을 공격하는 경우는, 예를 들어 좌수가 철형으로 들어가며 우수로 낭심을 친다. 낭심 부위는 손가락 전 마디를 이용해 회초리처럼 치는데, 큰 타격을 주지 않기 위해서이다. 목도 살짝 잡아주는 것에서 멈추는데, 위험한 부위기 때문이다. 목은 엄지와 네 손가락으로 잡고 비틀어 버린다. 살수殺手다. 출혈되어 기도가 막힌다. 겉모습은 멀쩡하다. 상대의 상완上腕부위는 입권立拳·중지中指·중사평中四平·벽격劈擊

등으로 공격한다. 상완上腕은 약한 부위다. 자주 공격 목표가 된다. 상완上腕
과 어깨의 연결부위(根節)는 장장掌으로 공격한다. 살수殺手다. 장장掌 공격 때는
언제나 장근掌根으로 친다. 명치明治는 검지를 구부려 치는데, 치는 순간 비
틀어 버린다. 옆구리는 〈후권猴拳〉의 가타횡권架打橫拳으로 돌려친다. 혈穴자
리는 주로 손가락을 구부려 손가락 중간 마디로 찍어 친다. 팔로만 치는 것이
아니라 발도 같이 찍어 들어간다.

옛날에 내경內勁이 깃든 사람에게 환혼혈還魂穴(명치), 기문혈期門穴, 장문혈
章門穴 등 급소를 타격 당했을 때는 운기조식運氣調息으로 풀었다. 충권衝拳
으로 일 초식招式을 칠 때 계속 들어가면서 위의 세 혈穴자리를 공격한다. 검
법劍法 수련도 혈穴자리를 외우면서 타격연습을 해야 한다. 수법手法에서 상
대 목을 공격하는 것은 나뭇가지 등을 잡으며 감각을 익힌다.

신법身法으로서 살수殺手의 예는, 상대 우수를 내 우수로 몸을 돌리며 받아
서 막는 동시에 체보掣步로 전진하며 그대로 상대 팔과 가슴 연결 부위를 장
掌으로 친다. 이런 것이 살수다.

1   2

(살수의 예)

◎ 상대와의 거리

상대가 나를 치기 위해서는 상대 발이 항상 내 가까이에 와 있다. 발은 발로 상대한다. 손은 손으로 상대한다. 상대와 최소 접근이라도 발과 발 사이가 한 걸음 떨어져야 기술技術이 이루어진다. 상대가 한 걸음(一足) 내게 들어오면 접근이 된다. 그때 상대가 한 걸음 들어오고, 내가 한 걸음 나가면 등(背)이 된다. 즉 등을 보이는 것이다. 최소 한 걸음은 떨어진 곳에서 공격하고 방어해야 한다. 더 붙은 상태에서 치면 안 된다. 한 걸음 떨어진 곳에서 상대가 한 걸음 들어오면 붙게 된다. 그럴 때 선 자리에서 공방해서는 안 된다. 한 발을 움직여야 한다.

2장丈 거리에서 서로 견제하다가(상대의 허점을 찾는다), 각자 1족足씩 들어오면 1장丈 거리가 된다(1장丈 거리는 이미 교전 상태가 된다). 1장丈 거리에서는 1족足씩 들어오면 손이 부딪힌다. 내가 한 걸음 나가면서 쳤고, 완전히 상대의 급소急所가 맞아떨어지는 공격을 했다. 그러면 상대는 적중당하지 않으려고 피하게 된다. 1보步의 간격으로 인해 그만큼 큰 양의 공격이 들어가는 것이다. 그래서 최소 접근이라도 1보步(2足)를 떼고 대적하는 것이다.

1장丈 거리(180cm)가 대적하는 원권圓圈이다. 서로 한 걸음씩 들어가면 대적이 시작되기 때문이다. 2장丈이면 서로가 공방하고 있는 거리, 자세 같은 건 필요 없다. 이미 대결 중이기 때문이다. 1장丈은 보통 발걸음으로 세 걸음 폭을 말한다. 상대가 볼 때 1장丈, 내가 볼 때 1장丈 거리를 물러나 있으면 이미 공방攻防이다. 한 걸음씩 걸어 들어가면 공격할 수 있는 거리가 된다. 대련 상대와의 간격은 여러 사람과 해도 적절히 맞게 수련되어야 한다. 공방攻防에서 상대와의 각도는 본인이 맞춰야 한다. 그리고 수비할 때나 공격할 때나, 뒤꿈치(뒷발)를 땅에 박으며 힘을 줘야 그 힘으로 탄력을 받아 수법手法이 완전해진다.

만약 불시에 상대로부터 공격을 당하는 경우에는, 상대도 내 손이 닿는 곳에 위치하고 있다. 그러므로 맞게 되더라도 물러서지 말고 그 자리에서 상대 권拳이 날아온 곳을 향해 권拳을 뻗어라. 그러면 자연히 신법身法이 돌게 되어 충격이 완화되고 나는 상대를 격중할 수 있다.

◎ 내 몸의 자오선子午線(수직 중심)을 지켜야 한다.

자오선子午線을 지켜야 몸의 좌우를 보호한다. 코, 손, 발이 중심선에 위치한다. 앞발을 확실하게 움켜쥐면서 허리의 전사가 되어야 힘을 쓸 수 있다.

㉮ 자오선을 지키면서, 상대가 우수를 찔러오면 나는 우허보右虛步·우칠성수右七星手로 상대를 받는다. 상대가 뒤이어 좌수를 찔러오면 나는 우족右足을 오른쪽으로 한발 옮겨 딛고 움직이는데, 좌족左足이 요보拗步로 걸어가며 기룡세騎龍勢가 된다. 나의 자오선을 지키기 위해 자연히 나오는 신법身法이다. 이때 나의 좌수가 상대 좌수를 점點하여 제압하는 형태(붕掤의 힘, 화化로써 눌러야 한다)가 되어야 하고 우수가 공격한다. 기룡세는 반드시 보법과 배합해야 하고 실전에서 중요한 수비다. 또 기룡세는 반드시 공격이 뒤따라야 한다.

1

2

(자오선의 변화)

㉯ 상대 우수를 우수로 받고 내 좌수를 내 우수 아래로(또는 내 우수 위로 움직인다) 움직여 들어가 상대 좌수를 잡고 우수로 상대 왼쪽 얼굴을 공격한다. 상대가 변화하든 그냥 있든 반드시 상대 손을 찾아내어 나拿해야 한다. 이런 것이 나의 자오선을 지키며 공방하는 것이다.

◎ 실전에서의 보법步法

㉮ 서로 엇갈려 서는 것이 유리하다. 마주 보고 있는 상태에서 상대가 보步를 움직이면 나도 엇갈리게 움직인다. 유리한 면을 얻기 위해서 엇갈리게 움직인다. 다시 말하면 상대의 중궁中宮으로 들어가는 것을 피하고, 또는 나의 중궁을 상대에게 열어주지 않고 상대의 측면을 점占하기 위해 엇갈리게 움직이는 것이다. 공방에서 나의 측면을 상대에게 허용하지 않도록 해야 한다.

㉯ 사우스포(southpaw)로 서면 불리하다. 상대가 보步를 변화하는데 내가 그대로 서 있는 것은 상대를 무시하는 것이다. 또는 바로 공격하기 위해서 보步를 바꾸지 않는다. 상대가 나보다 하수下手라면 사우스포일 때 상대가 더 불리한 보步가 되어있으므로, 내가 수법手法으로 상대를 제압해 들어가면 내가 더 우위를 점하게 되는 것이다. 내가 들어가면 보步가 엇갈리게 되고, 그때 상대 손을 나拿하면서 들어간다. 상대 공격을 채서 당기려면 허보虛步로 움직인다(허보는 활보活步다). 상대 공격을 흘리고 상대 측면으로 들어갈 때에도 허보虛步로써 앞발을 움직여 들어간다.

㉰ 공격 때 앞발 무릎을 구부려 앞으로 들어가지 않으면 주먹이 목표한 대로 가지 못한다. 중절中節이 들어가야 한다.

㉱ 공방攻防에서 보법步法의 원활함은 신법身法에 따른 보법의 움직임이 되어야 한다. 즉 허리의 사용법이 살아나야 한다.

예를 들어 기룡보騎龍步의 경우, 상대가 우충권右衝拳으로 들어오면 상대 우측면으로 걸어 나가며 나의 우수로 상대 우권右拳의 손목을 잡고 좌수로 상대 팔꿈치를 내려칠 때, 우각右脚이 살짝 요보拗步로 걸어 나가며 챈 다음 좌각左脚은 허리의 회전력으로 미끄러지듯 상대방 쪽으로 돌며 전진한다. 상대보다 먼저 움직인다.

㉲ 처음에 한걸음에 한 공격이 기본이다(수련해야 한다). 뒤에 한걸음에 2~3차 공격으로 발전한다. 유사시 1보步 이상 물러나면 도망가는 것이다. 1보까지만 물러나는 것이 허용되는 한계다.

◎ 실전에서의 호흡

㉠ 상대 주먹을 끌어들이며 수비하고 공격할 때 호흡의 흐름은, 〈흡吸·축蓄·발發〉의 순서다. 흡과 축으로 힘을 축적하고 발경發勁 때는 쪼여진 힘이 100% 발發해지는 것이다. 기예技藝이므로 상대는 모른다. 실전에서 상대를 칠 때 호기呼氣 하면서 치지 않는다. 흡기吸氣한 상태로 멈추거나, 또는 받은 호흡이 된다(짧게 뱉는 호흡). 자연히 그렇게 된다. 그렇게 해야 축기蓄氣가 계속되면서 공방을 할 수 있다.

㉡ 한 호흡에 한 초식招式을 운용한다. 먼저 들이마시고 멈춘 뒤 받은 숨을 내쉬면서 찌른다. 살짝 코로 내쉰다. 예를 들어 '철형대련'은 한 호흡에 한 초식으로 되어있다. 그래서 빠르다. 공방 때 힘을 비축하면서 호흡이 안정되어야 한다. 꼭 필요한 힘 정도만 사용해야 한다. 공격 시에 힘은 마지막 칠 곳의 10cm 정도 앞에서 들어간다. 그전에는 최소의 힘으로 막고 움직인다. 상대방 힘을 계속 소모하게 한다. 막고 치는 순서에서, 막으러 가면서 치는 손이 먼저 갈 때도 있다.

◎ 실전에서의 수법手法

㉠ 공방에서 언제나 내 무릎 안쪽으로 주먹이 나가야 한다. 내 중궁中宮을 지키고 힘이 들어가게 된다. 내 몸 가운데로 주먹이 가야 한다. 벽劈도 마찬가지다. 전면으로 내려치는 벽劈·횡벽橫劈·하벽下劈 모두 해당한다. 모든 찔러 들어가는 것은 똑같다. 앞무릎 바깥으로 나가면 허虛해진다. 실전에서 신법이 틀어진다. 쌍장雙掌은 쌍장 전체가 몸 중앙으로 간다. 따라서 바깥으로 가는 장掌은 앞무릎 바깥으로 조금 나갈 수도 있다.

㉡ 상대 우수가 오면, 나는 우수로 상대 손목을 채고(拿) 좌수로 팔꿈치 잡을 때 보통은 챈 다음 뒤로 당긴다. 이것은 우수로 당기는 반동을 이용해 좌수가 나가는 것이 된다. 반동을 이용하면 좌수는 앞으로 나갈 수 있지만, 당긴 우수가 나가려면 다시 좌수의 반동이 필요하게 된다. 따라서 반동으로 좌, 우수가 나가면 양손을 따로 자유롭게 사용할 수 없다.

　양팔은 자유롭게 각자 목적대로 움직여야 한다. 따라서 우수로 채서 뒤로 당기지 말고, 〈손목을 나拿하는 손은 약간 앞으로 옆으로 밀면서 잡고 동시에 좌수로 팔꿈치를 잡아야 한다〉. 내가 우수로 공격하는데 상대가 막는 경우, 내가 좌수를 연이어 지를 때 우수를 반동으로 당겨오면 좌수가 나갈 때 왼쪽 어깨가 움직여 상대가 알게 된다. 따라서 반동 없이 좌수를 찔러야 한다.

　㉱ 내가 우수로 상대 우수를 제압했을 때, 상대 좌수가 가만히 있더라도 반드시 내 좌수로 상대 좌수를 찾아 제압하면서 우수로 공격해야 한다. 만약 상대 손이 다 뻗어졌을 때는, 그 상태에서 상대 손을 당기면 상대의 펴진 손은 공격도 수비도 못 한다. 무용지물이 된다. 양손을 이용하여 공격하는 것은 동시에 두 곳을 공격하는 의미이다. 높은 단계에서는 상대의 힘에 맞서지 않고 흘리면서 공격한다.

　㉲ 진짜 무예는 손과 발을 빠짐없이 사용한다. 예를 들어, 상대가 우수로 공격해 오면 나는 우수로 상대 공격을 바깥으로 밀어 막고 배장背掌으로 상대 오른편 얼굴을 친다. 막고 치면서 동시에 우퇴右腿를 들어 같이 찬다. 손과 더불어 발을 쉬지 않는다.

(수법과 퇴법의 활용)

◎ 실전에서의 강유剛柔

대련 때 유공柔功이 완성되지 않은 사람이 주먹을 펴고 공방을 해서는 안된다. 무겁지 않고 가벼워진다. 따라서 꼭 펴야 하는 때 외에는 주먹을 쥐고 대련해야 무거워진다. 필요한 시점에서만 편다.

상대 주먹이 오면 그 주먹이 강强으로 오는 것인지, 약弱으로 오는 것인지를 감각으로 알아차려야 한다. 그에 따라 알맞은 힘과 신법으로 막아야 한다. 예를 들어, 상대가 어떻게 나오는지 보려고 힘을 빼고 내 우수를 슬쩍 뻗었을 때, 상대가 막으러 오면 그 순간 강强으로 변해 상대 막는 손을 제압하고 들어가 공격한다. 만약 이때 변화할 수 없으면 상대에게 오히려 당한다. 따라서 힘의 변화도 할 줄 알아야 한다.

실전에서 상대가 힘을 주고 들어오는 것은 처리하기가 아주 쉽다. 또 내가 들어가는데 상대가 '유柔'로 막지 않고 강하게 막으면, 상대가 막은 손을 떼자마자 바로 들어가 친다. 강으로 들어온 상대의 손은 움직이지 못한다. 상대가 강하게 막으면 막게 한 다음, 상대 막은 손을 그대로 두고 바로 다른 경로로 찔러 친다. 따라서 실전에서 '유柔'를 잃어서는 안 된다. 칼이든 손이든 원래의 공격으로 가다가 상대가 막으러 오면 허공에서 변하여 다른 공격으로 들어간다. 〈유柔하지 않으면 변화할 수 없다〉. 상대와의 기격技擊 시 상대에 따라서, 필요에 따라서 적절하게 힘 조절이 되어야 한다. 솜뭉치처럼 가볍게…….

◎ 상대의 변화에 따른 대응의 예

내가 공격해 들어가는 경우, 상대가 내 공격을 강하게 받으면 타고 들어가고, 부드럽게 받으면 상대 방어 손을 누르거나 채採하여 변화해서 들어간다. 즉 상대가 힘이 있으면 흘리고, 상대가 힘이 없으면 누른다. 내가 마음먹은 대로 움직이는 것을 신神을 단련하는 것이라 한다.

기격技擊 때 결정하는 공격이 아니면 절대 중간의 공격 때 끝까지 뻗지 않는다. 상대가 막으면 저항하지 말고 변해야 한다(버티지 말 것). 특히 마지막 공격, 즉 발경發勁 때는 몸이 낮아지며, 죽 들어가면서 친다. 예를 들어 상대가 내 권拳을 막으려고 할 때 구수鉤手로 변해야 상대가 꺾는 것을 벗어날 수 있다. 척택혈尺澤穴을 완전히 당하지 않는다.

상대가 공격해 오는 경우, 상대가 우수로 찔러올 때 나의 양수兩手로 우수는 상대 손목을 점點하고, 좌수는 상대 척택혈尺澤穴 근처에 가져다 대고 있다가 상대가 우수를 회수하려 하며 당길 때, 내 좌수 엄지로 척택혈尺澤穴을 누르면서 상대 힘에 맞춰 따라 들어가며 우수로 환혼혈還魂穴이나 목을 치고, 연속하여 좌수로 상대 목을 치거나 목 뒤를 잡는다. 목은 네 손가락으로 잡고 엄지로 누른다. 척택은 엄지로, 곡지曲池는 중지 약지 소지로 잡는다.

㉮ 상대가 잡힌 손을 빼려고 자신 쪽으로 팔꿈치를 구부리면서 당기면, 나는 상대 팔을 내 오른쪽(상대는 자기 몸 중심 쪽), 상대 쪽으로 민다. 밀면서 상대 우협右脅(빈다)을 우권右拳으로 치든지 좌로 90도 돌면서 우벽권右劈拳으로 상대 빈 곳을 친다. 혹은 상대가 잡힌 팔을 반주盤肘로 밀고 들어오면 나의 왼쪽, 즉 상대 등 쪽으로 민다.

㉯ 또는 상대 좌수가 공격해 올 것에 대비해 내 몸을 오른쪽으로 90도 틀면서 상대를 받아 상대 좌수가 공격 못 하게 한다. 혹은 상대 좌수가 들어오면 나는 상대 척택혈尺澤穴을 내 좌수 엄지로 쥐면서. 우수로 상대 좌수를 란수攔手(바깥에서 안으로)로 막으면서 한 바퀴 손목을 돌려 권추圈捶로 공격하든지. 배수排手(안에서 바깥으로)로 바로 받고 나서 양수兩手로 상대 양쪽 기문혈期門穴을 두 번 공격한다.

◎ 승부가 났을 때 예의

낙점落點은 대적對敵 시에 상대 공격이 적중的中하지 못하게 하는 것을 낙점이라 한다. 이때 상대 공격이란 완전히 출수出手한 상태를 말한다. 낙점落點을 당하면 패배한 것이다. 바로 물러서서 항복을 표시하거나 그 자리에 앉아버린다. 또는 눈을 감는다. 상대가 패배를 인정했는데 공격을 해서는 안 된다. 이상이 무예계武藝界에서 대적 시 물러난다는 신호다.

공방에서 상대를 제압한다 함은, 상대의 손목과 팔꿈치(곡지혈)를 제압하는 것이다. 이때 제압을 완전히 당하면 움직여서는 안 된다. 움직인다 하는 것은 상대에게 공격하라는 뜻을 내포하고 있기 때문이다. 제압당했을 때 움직이지 않으면 항복을 선언하는 것이다.

◎ 공방을 위한 기본 수련

1족足씩 나가며 공격하고 수비하는 수련으로, 두 사람이 함께해야 한다. 보통 양발을 평행하게 병보並步로 서서 대적한다. 한쪽 발을 앞으로 더 나가지 않게 서야 움직임이 자유롭다. 을이 우각우수右脚右手로 찔러오면 갑은 좌각左脚이 나가며 양수兩手로 상대 공격을 막는다. 계속해서 갑이 우각우수右脚右手로 나가면서 입권立拳으로 공격한다. 갑은 을이 공격해 올 때도 물러나지 말고, 1족足이 나가면서 막고 다시 1족足이 나가면서 공격한다. 발이 무조건 나간다. 손을 한번 움직이면 발도 반드시 나가야 어색하지 않고 공격 거리가 만들어진다. 만약 1족足이 나가지 않고 거리가 적당하다고 해서 그 자리서 공격하면 어색하고 공격 시점이 형성되지 않는다.

갑의 관점에서 보면, 을이 뒤로 물러나려고 하면 갑이 나拿한 을의 우수를 좌수 손가락(새끼손가락)으로 걸어 못 물러나게 하면서 들어간다. 을이 볼 때는 갑의 좌, 우수가 을의 우수 주먹을 (〇) 이렇게 감아 들어오므로 을은 우수를 같은 방향으로 감아 갑의 수비하는 팔을 약간 우측 바깥으로 밀어낸다. 이때 팔 전체를 사용하고 신법身法으로 움직여야 한다. 이어서 을은 앞에 있는 우족右足을 약간 나가면서 계속해서 우수로 찌른다.

상대 권拳이 빠르게 들어왔다 가는 것을 처리하는 연습을 해야 한다. 모든 공격이 그렇게 온다. 결정타 외에는 길게 찔러오는 경우가 잘 없다.

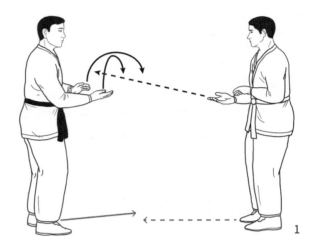

1

2

3

(기본 수련의 예)

1. 공방攻防의 기본 틀

공방攻防의 기본은 상대 공격을 막고 공격하는 것이다. 〈포가권抛架拳〉의
첫 초식에서 좌각左脚이 나가며 우수로 밖에서 안으로 막고 좌수는 충권衝拳
으로 칠 때, 또는 신법으로 좌로 돌며 좌수가 횡벽橫劈을 칠 때, 이것이 공방
의 기본 틀이다. 모든 상대 주먹을 막고 치는 것이 공방의 기본이다. 다시 말
하면 어떤 상황에서도 상대 손을 먼저 제압한다. 빈틈이 생겼다고 상대 손을
제압하지 않고 들어가면 안 된다. 여기서 상대 손을 제압한다는 것은 상대 손
이 나를 공격하거나 내 공격을 방어하지 못하게 한다는 뜻이다. 예를 들어 상
충권上衝拳으로 위로 들어오면 들어 막고, 아래로 들어오는 것은 좌우로 젖혀
막는다. 상대와 붙으면 상대 손을 젖히며 채야 한다. 채는 것과 동시에 발경
이 이루어진다.

1️⃣ 예를 들어, 을의 좌수가 오는 것을 갑이 좌수로 막는데, 위치로 봐서 우
수로 막아야 하는 자린데 상황이 좌수로 막아야 한다면, 우수로 막는 것을 생
략하고 우수가 좌수 막는 위치로 함께 배수配手로 따라가다가 갑의 좌수가 완
전히 을의 좌수를 제압하면, 신법으로 몸이 도는 힘으로 을의 팔 아래로 우수
횡벽橫劈으로 공격한다. 횡벽을 칠 때, 우족右足을 밟고 좌족左足은 자유롭게
두고 우족을 중심으로 몸을 좌로 빠르게 회전하면서 횡벽을 친다. 이러한 것
이 한 손으로는 상대를 막고 다른 손으로 공격하는 것이 된다.

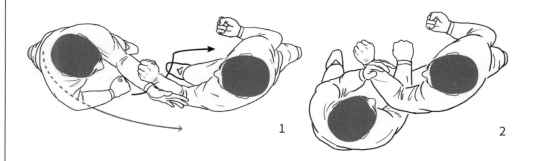

② 갑이 우수를 찌르면 을이 우수로 올려 막는다. 계속해서 갑이 을의 우수를 누르면서 좌수로 찌르면 을의 좌수가 올라와 막는다. 그러면 을의 명치가 빈다. 빈 곳을 갑이 우수로 찌른다. 마지막 찌를 때 몸이 들어가며 찔러야 한다(발도 들어가며). 실전에서는 처음부터 몸과 보步가 들어가며, 체보掣步로 3가지 공격을 한꺼번에 한다. 이때 을의 우수를 누르는 힘의 반탄력을 끊지 말고(가만히 있다가 다시 치는 것이 끊는 것이다), 굴려서(化) 연결해 친다.

③ 갑이 우수로 찌를 때 을이 갑의 손을 들어 올리면서 감아 좌권左拳으로 갑을 공격하기 위해 오면, 갑은 을의 우수를 잡아 갑의 오른쪽, 아래쪽으로 당기면 을의 좌권은 몸의 중심이 틀어져 못 올라온다. 상황에 맞게 을의 좌수만 못 올라오게 살짝 당겨도 된다. 이것은 두 사람이 수련해야 한다. 서로 칠성수七星手처럼 좌우로 손을 부딪치다가 상대가 내 부딪친 손을 누르고 반대쪽 손이 들어올 때 내가 상대가 누르는 손을 잡고 잡은 손을 당겨 상대 반대손이 못 나오게 한다. 이런 것이 어거격御車格의 본질이다.

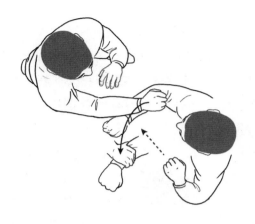

(상대 숙처 손의 방어)

4 보步의 형식에 따른 공방의 효율성

① 을이 우각우수右脚右手로 공격해 올 때, 갑이 좌각좌수左脚左手로 나가며 막으면(손등으로, 장掌의 힘으로 막는다), 50%의 수비공격의 효과가 된다. 왜냐하면, 좌수로 막고 좌수로 공격할 수 있지만, 우수를 쓰기 위해서는 다시 우각右脚이 걸어 들어가야 하므로 50%로 본다.

② 을이 우각우수右脚右手로 공격해 올 때, 갑이 우각右脚이 나가면서 좌수로 상대를 막는 동시에 우수로 상대 목을 찔러 들어간다. 이 경우에는 100% 수비공격의 효과가 있다. 상대와 어긋나게 발을 움직여야 우수를 바로 칠 수 있고 1초식(3번 공격)이 가능해지기 때문이다. 그리고 상대의 중궁中宮을 밟고 들어가는 것이 된다. 이 경우 신법을 쓰는 것이 아니다. 정면으로 들어가며 좌수를 들어 배장背掌으로 상대를 막고 바로 우수로 치는 것이다. 따라서 좌수의 수비 방법이 중요한 요점이다. 즉 장掌의 강한 힘으로 막는 것이므로 신법 운용 없이 들어가는 것이다.

③ 신법으로 움직이는 경우는, 을이 우각우수右脚右手로 공격해 올 때 갑은 우각右脚이 들어가며 좌수로는 예봉銳鋒만 살짝 피하면서 우수로 공격한다. 그러면 을은 좌수가 나와서 막는다. 계속해서 갑은 을의 좌수를 우수로 걸어 당기며 동시에 우각이 약간 더 들어가면서 다시 우수로 빈 곳을 찾아 찌른다.

④ 또는 갑이 찌르는데 을이 갑의 예봉을 피해 우수로 찔러오면, 갑은 공격하는 손을 변화하여 을의 오른편 팔의 안쪽을 장掌으로 친다. 상대를 수법으로 막지 않고 신법으로 상대 예봉을 피하며 공격하는 것이 능숙해져야 한다. 주의점은 상대 주먹 끝의 초점을 잘 피해야 한다.

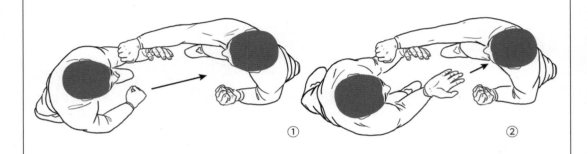

① ②

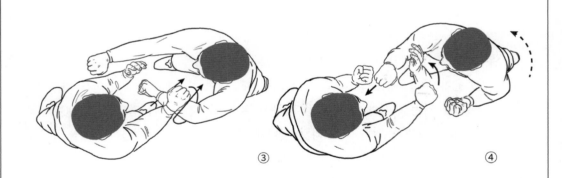

③ ④

2. 신법身法에 따른 보步의 변화

① 기마보騎馬步의 용법 (측신側身의 운용)

을이 우각右脚을 차면 갑은 몸을 좌로 틀며 기마보의 힘으로 을의 발 공격을 왼편 바깥으로 걷어내 막은 다음, 계속해서 우궁보右弓步로 바꾸면서 우수로 찌른다. 을이 발차기한 다음 자연히 을의 우수가 나오므로 갑은 좌수로 을의 우수를 경계하면서 우수로 공격하게 되는 것이다. 따라서 발은 오른편으로 도는데 상체는 왼편으로 돌며 찌른다. 뒷발을 오른편으로 틀며 우수로 찌른다. 갑이 측신으로 움직이며 좌족左足을 힘주어 받치면 기마보다. 상대 발차기를 막는 것은 상대의 대퇴부위 또는 무릎을 눌러 막아도 된다.

1

2

3

② 허보虛步의 용법

을의 우수 공격에 대해 갑이 왼편으로 돌며 우수로 막을 때 좌허보左虛步가 된다. 연이어 갑이 몸을 오른편으로 돌며 좌수로 공격하면 좌허보의 발이 빠르게 앞으로 나갈 수 있다. 허보虛步는 공격하는 발이다. 그래서 활보活步라고 한다.

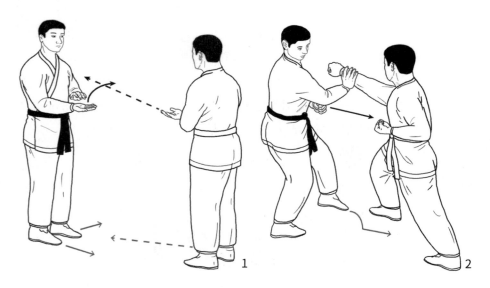

③ 독립보獨立步의 용법

① 을이 우수로 찔러오면 갑은 좌족左足을 살짝 움직이며, 몸은 오른편으로 약간 돌려서 상대 우수를 좌수로 막고 우각右脚을 들어서 찬다. 독립보로 발을 들어 어느 방향이든 찰 수 있다. 이때 골반과 둔부가 살짝 오른편으로 돌면서 막고, 다시 든 발로 차면서 왼편으로 돌아가는 신법이 중요하다.

② 독립은 걸어가는 것이다. 걸어가면서 방어하고 공격한다. 을의 우수 공격을 갑은 좌수로 막으며 우수로 아래로 푹 찌른다. 점검세點劒勢와 유사하다. 좌각左脚을 들면서 상대에게 깊이 들어가 무너뜨린다. 좌각이 들린 상태에서 앞으로 걸어 들어가며 우수로 공격하고, 이어서 좌각이 앞으로 들어가며 좌수 공격으로 연결된다.

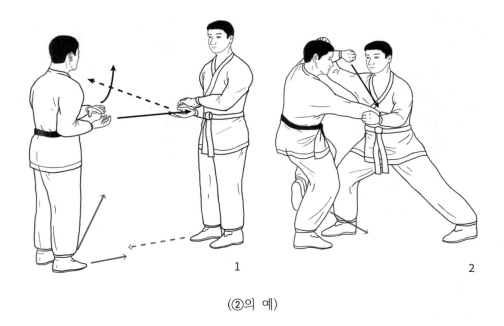

1   2

(②의 예)

④ 일좌一坐와 좌반坐盤의 용법

실전에서 일좌보一坐步와 좌반보坐盤步의 관계는 밀접하다.

① 갑이 좌각좌수左脚左手가 앞에 있을 때 을이 우수로 찔러오면 갑은 좌족左足을 살짝 뗐다가 붙이며 양손으로 막고 몸을 왼편으로 돌리며 좌각우수左脚右手로 찌른다. 이때 발은 일좌一坐처럼 되지만 역시 좌반의 힘이다. 즉 좌반이 덜 돌아간 것이다. 중요한 것은 신법으로 오른편으로 몸을 틀었다가 왼편으로 돌리면서 찌르는 것이다. 이때 좌각, 뒤이어 우각이 수법手法과 같이 움직여야 한다.

② 갑의 우각右脚이 앞에 있을 때 을이 우수로 찔러오면 갑은 오른편으로 돌며 좌반으로 앉는다. 동시에 을의 우수를 갑의 양손으로 감아 막는다. 이때 좌족左足이 뒷발이 되므로 좌족에 힘을 주고 우수로 상대를 찌른다(落). 좌수로는 상대 공격 손을 누르면서. 몸은 오른쪽으로 돌렸지만 좌족에 힘을 주고 우수로 찌른다. 이때 상대와의 거리가 멀면 몸을 왼쪽으로 돌리며 좌반의 꼬여 있는 힘을 풀면서 쳐도 된다(起).

(①의 예)

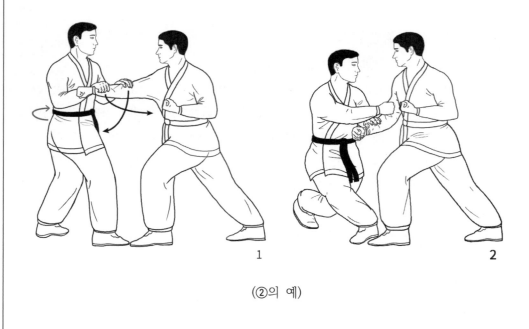

(②의 예)

3. 진퇴進退

공방에서 물러나는 것은, 뒤로 물러나는 것 같아도 사실은 전진해야 한다. 예를 들어 을이 우충권右衝拳으로 들어오면 갑은 우각우수右脚右手의 자세에서 좌족左足을 살짝 뒤로 물리며 우허보右虛步로 을의 충권을 나拿해서 몸을 뒤로 물러난다. 앞발은 그 위치에 두고 뒷발만 약간 뒤로 빠지면서 상대를 당기는 데 힘으로 당겨서는 안 된다. 힘으로 당기면 벌써 늦어진다. 살짝 걸듯이 뒤로 당겼다가 그대로 몸이 앞으로 나가며 우수는 찔러 치고 좌각左脚은 들어서 찬다.

① 진퇴의 신법에서는 발의 방향을 유의해야 한다. 예를 들어, 을이 우수로 질러오면 갑은 우수로 상대 주먹을 아래서 왼편으로 위로 오른편으로 아래로 감아 누르고, 감아 돌린 상대 팔 아래에서 우족右足을 똑바로 상대 쪽으로 들어가면서 우수로 횡격橫擊을 친다. 신법은 좌우로 움직이지만, 가슴은 계속 전진하고, 발은 몸과 상관없이 목적한 곳으로 가야 한다. 이때 우족을 옆으로 나가 벌어지게 가면 상대와의 거리가 멀어지고 중심이 흐트러진다.

② 을의 우수가 찔러오면 갑은 왼편으로 몸을 틀며 을의 공격을 흘려보내고 바로 우수로 횡격橫擊을 친다. 이때 좌수를 앞으로 내어 상대 좌수 공격에 대비해야 한다. 예藝가 높을수록 상대와 부딪히지 않고(무시하고) 친다. 이때도 앞발은 상대 중궁中宮을 밟는다. 발도 정밀하게 수비, 공격해야 한다.

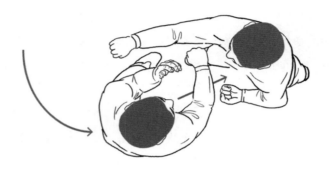

(발의 방향)

4. 방어防禦

1 방어의 요점

① 언제나 첫 공격을 잘 방어해야 한다. 실전에서는 상대 주먹이 다 뻗은 것은 막지 않는다. 손이나 발을 막을 때 상대 공격이 완성되지 않은 중간 시점에 막아야 한다. 같이 나가서 상대 주먹이 50% 정도 형성될 때 막는다. 상대를 내 손을 사용해 막으려면, 상대 손이 칠성수七星手 정도로 팔꿈치가 펴졌을 때 막아야 한다. 즉 상대가 오고 있는 중간에 막아야 한다. 반면에 상대 주먹이 다 뻗도록 막지 않고 두는 것은 낙공落空시키며 바로 공격하기 위해서다. 그러나 권법대련 때는 상대 손이나 발 공격이 완성되도록 하면서 막아야 한다. 공격과 방어를 또박또박하는 수련이므로 그렇게 해야 수련이 된다.

② 막는 수법은 모두 팔꿈치(中節)로 움직인다. 한 손으로 막더라도 양손 팔꿈치가 일치되어 동시에 움직여야 한다. 〈신법(허리)으로 움직여도 팔꿈치가 의도적으로 이끌어야 한다〉. 또 상대 공격은 허공으로 흐르게 하면서 내 몸은 상대 쪽으로 나아가야 한다. 공격하기 위해 물러나면서 막지 않는다.

③ 상대 공격의 수비는 반드시 몸이 상대 예봉銳鋒을 피하는 것이 주主다. 예봉을 피하면 굳이 손으로 막을 필요 없다. 처음부터 강하게 공격해 들어오는 상대는 볼 것도 없다. 상대 공격이 중사평中四平일 때 가장 막기 어렵다.

④ 방어는 꼭 상대의 공격이 있을 때만 하는 것이 아니다. 대적 때 서로 한두 번 탐색한다. 이때는 손으로 가볍게 받으면서, 상대 허점을 찾고 상대수준을 본다. 일부러 함정을 보여서 끌어들이기도 한다. 이때도 완전히 자신을 보호하면서 움직이는데, 방어의 기세氣勢를 잃어버리면 안 된다.

⑤ 방어 시간을 아껴야 한다. 예를 들어, 상대 우수가 찔러오면 대개 상대 공격을 내 좌수가 나가서 손바닥으로 덮어 아래로 누르지만, 그러면 손바닥을 뒤집는 시간을 잃게 된다. 따라서 왼편 허리에 내 좌수가 있었다면 손바닥 자체를 돌리지 말고 팔이 나아가, 손등으로 그대로 상대를 눌러 막으며 반대 손으로 공격한다. 고수들 대결에서는 최대한 지체되는 동작을 꺼린다.

② 방어의 손 자세

상대와 대적할 때 태극太極의 움직임으로 방어 자세를 취한다. 맷돌처럼 좌우 교대로 손을 비벼 나가며 상대 공격을 받거나 대비한다. 평소 자신의 정면에 손을 두는 것은 모두 나를 보호하는 것이다. 예를 들어, 앉아 있을 때 무릎에 양손을 올려놓는 것, 두 손을 모아 잡고 아랫배에 두는 것 등이다.

(⑤의 예: 시간의 단축)　　　　　　　(방어의 손 자세)

③ 상대 공격의 처리(방어 수법手法)

① 상대 주먹을 신법身法으로 틀며 막는다. 동시에 상대 권拳의 새끼손가락 쪽으로 상대 주먹의 1/2만 가볍게 막는다(고수들이 하는 법이다).

② 일반적으로 상대가 우권右拳이 오면 내 우수를 몸에 붙이듯 몸을 오른편으로 돌면서 막는데, 상대가 계속 깊이 찔러오면 몸에 붙여 돌던 우수를 멀리 밀어버린다.

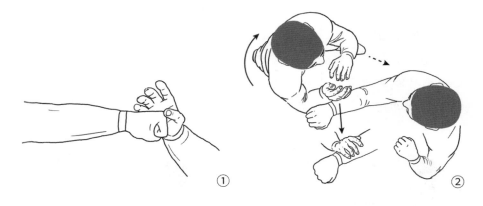

③ 몸 신법으로 방어할 때는, 상대 주먹이 들어오면 병보並步로 서 있다가 약간 몸을 좌, 또는 우로 살짝 이동하며 예봉銳鋒을 피하며 제압한다.

④ 공격하는 방법으로는, 상대 주먹을 정면으로 권면拳面을 장장掌으로 치듯이 막는다. 상대가 다 찔렀을 즈음, 살짝 스치며 장掌으로 권면을 밀어친다. 상대는 자신의 권拳을 상대가 막지 못한 것처럼 느껴진다. 고수는 상대 팔이 다 나왔거나, 나오려 하거나 상관없이 바로 장掌으로 들어간다.

⑤ 낙공落空하는 방법은 상대 힘의 의도를 바꿔버리는 것이다. 예를 들어, 상대 권拳이 들어오면 내 주먹으로 상대 손목 아래 부위를 툭 쳐서(또는 엄지 부분을 친다) 상대 노선을 순간 변화시킨다. 이런 것을 낙공했다고 한다.

⑥ 상대 공격을 감아서 채는 것은, 첫째, 손가락(鉤手)으로 잡아채는 것, 둘째, 반배장反背掌의 손등으로 감아 잡아채는 것으로 배장背掌은 상대 팔을 잡지는 못 하지만 힘의 원리로 상대를 제압한다. 셋째, 손가락 두 개로만(엄지와 4지) 잡아채는 것으로 구수의 변화다. 상대가 구수로 잡아챌 때 빠져나가려면, 상대가 감아 들어오는 방향으로 먼저 유도하듯 움직이며 상대 아귀힘을 해체하고 빠져나간다. 점경點勁을 터득하기 위해 이런 연습을 많이 해야 한다.

⑦ 상대가 가까울 때는 상대의 권을 나의 몸에서 가장 벗어나기 쉬운 곳으로 젖힌다. 얼굴과 몸을 피하면서 맞받아치지 않고 흘려버린다. 흘려버리는 연습을 많이 해야 한다. 가까운 거리에서 호두가타로 방어하기는 어렵다. 만약 상대를 밀치고 나가는 경우는, 상대의 권이 중간쯤 나왔을 때 상대 팔꿈치 부위를 제압해야 한다.

⑧ **횡橫의 방어**

㈎ 횡橫의 힘은 수竪로 막는다. 또는 같은 횡으로 막을 수 있다. 수의 힘으로 밀면서 위로 올리며 막는다. 또는 아래로 내리며 막는다.

㈏ 횡은 횡으로 오른편으로 돌리며 막는다.

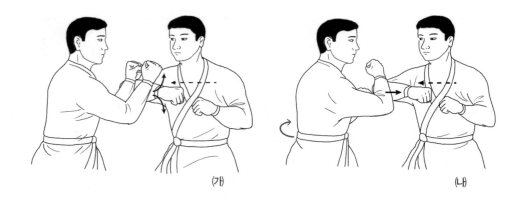

㈎   ㈏

⑨ 상대가 위나 아래로 공격이 올 때 수비 손의 변화의 예.

4 상대의 양수兩手 공격에 대한 방어

일반적으로 상대가 우수로 공격해 오면 내 우수는 상대 손목 내 좌수는 반주盤肘의 힘(내 팔꿈치가 아래로 된 상태에서 움직이므로)으로 팔꿈치 부위를 밀어 막는다. 상대 측면으로 들어가고 상대 반대 손보다 더 빨리 내가 공격할 수 있기 때문이다. 상대의 반대 손이 나오지 않게 하는 방법이다.

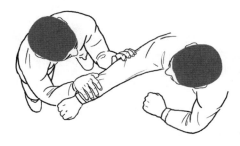

① 상대 공격이 연속으로 두 번 들어오는 것을 좌, 우로 막지 않고 똑같은 방법으로 두 번 막는다. 한 박자 늦게 두 번째 공격을 막는 것이다. 상대를 무시하는 방어다. 상대 우권을 바깥으로 막고 이어서 오는 좌권을 발이 약간 전방 우측으로 빠지면서 다시 같은 방법으로 막는다. 두 번째 막은 다음 정지하고 있다가 상대가 움직이면 좌수로 들어가며 친다.

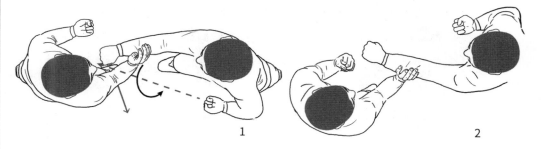

1   2

② 상대의 원투 스트레이트는, 한 손으로 오는 순서대로 두 번에 걸쳐 막는다. 상대가 같은 높이로 공격하는 수가 있고, 다른 높이로 공격하는 수가 있다. 또는 첫 번째 주먹이 나오다가 들어가며 거의 동시에 반대 주먹이 오는 때도 있다. 주의해야 한다. 빠르게 나왔다 들어가는 주먹은 멈칫거리지 말고 반대 손이 나오든 말든 계속 몸이 나가며 공격하거나 상대 다음 공격을 막는

다. 상대 양손을 모두 파악하면서 들어가야 한다. 상대가 강하게 올수록 수비하기 쉽다(나의 막는 동작이 끊어지지 않으므로).

1

2

③ 상대 우수를 내 우수로 배장背掌으로 눌러 막고 상대 좌수가 계속 들어오면 내 우수를 멈추지 말고 우수 손등 쪽 손목 부위로 막고 계속해서 우수로 상대 목을 공격한다. 첫 방어 후에 내 좌수로는 상대 우수를 제압하면서 우수를 계속 움직여야 한다. 눌러 막은 다음 거의 손목으로 비스듬히 누른다.

1

2

⑤ 방어의 간극間隙

예를 들어, 상대가 얼굴로 권拳을 질러오면, 그것을 바깥으로 막아 걷어낼 때 귀를 스치는 정도의 선까지만 걷어낸다. 내 중궁을 다 열어 버리도록 상대 주먹을 걷어내면 상대가 중궁을 치고 들어온다. 살짝 예봉만 피하게 막는다.

상대 주먹이 정면으로 올 때 내가 그 손을 막듯이 속임 동작(feint)을 취하고 이어서 바로 찌르면, 상대는 멈칫하며 주먹이 더 못 나오고 내 주먹 때문에 뒤로 크게 물러나게 된다. 살짝 바깥으로 막듯이 하고 찌른다(상대 팔에 접촉하지 않는다). 이때 항상 상대는 앞발이 내 앞에 있으므로 앞차기를 늘 서비스로 찬다. 상대가 공격하려면 접근해야 하므로 상대 발은 항상 내 것으로 생각하면 된다. 역으로 상대의 발 공격을 경계해야 한다.

⑥ 방어의 손 변화

① 상대 공격에 내 손이 구수鈎手로 움직여 상대 팔을(손목) 잡게 되더라도 손등(背掌)이 상대 손목에 붙게 활짝 장근掌根을 뒤집었다가 연결하여 다시 뒤집어 구수로 잡는 식이 되어야 한다. 구수로만 잡아가면 불안정해질 수 있다. 모든 방어는 완전해야 한다.

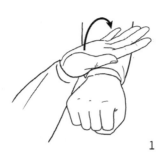

1

2

② 상대 우수가 오면 내 우수는 배장背掌으로 상대 손목을 비껴내고, 좌수는 손바닥으로 상대 팔꿈치를 감싸고, 계속해서 우수는 상대 팔에 접한 상태에서 계속 오른편 바깥으로 아래로 안으로 감아 돌려서 상대 팔꿈치로 타고 올라가 붕권崩拳을 치듯이 상대 팔 아래로 들어가 손바닥으로 위로 들어 올린다. 좌수는 상대 손목 쪽으로 미끄러져 손바닥으로 상대 팔목을 누른다.

1

2

③ 내가 주먹을 찌르는데 상대가 막으러 오면(반주의 힘으로 온다), 바로 두 손으로 손목과 팔꿈치를 잡아버린다(상대 힘이 약한 경우).

7 가架의 용법

① 아래에서 위로 받쳐 막을 때

가架는 손을 들어 올려 멈추는 것이 아니다. 거정세擧鼎勢도 가架인데 상대 팔을 베어나가는 것이다. 손으로 들어 막는 것은 모두 가架다. 역시 멈추어 있는 것이 아니다. 즉 들어 올려 내 몸통(中節)이 움직이는 것에 따라 함께

흐른다. 예를 들어, 후권猴拳에서는 우좌충권右挫衝拳 뒤에 좌수로 상대 좌수
를 걷어 올리는 것도 걷어 올려 가만히 두지 말고, 다시 내 우수가 횡벽橫劈
을 치러갈 때 자연히 내 몸이 왼쪽으로 움직이므로, 상대를 잡은 내 좌수도
상대 좌수를 같이 끌고 가야 상대 왼쪽 옆구리가 비게 되고 공격 부위가 만
들어진다. 권법은 모두 그런 식으로 되어있다. 상대가 가만히 있는 데 가서
치는 것이 아니라 움직임 자체가 칠 자리를 만들어 주기 때문에 가서 치는
것이다. 공간은 동작(시간)의 흐름을 따라 변화한다.

(架架의 예)

상대 주먹을 막기 위해 손등이나 장掌으로 상대 팔을 밀어 올리는 경우의
원칙은, 반드시 반대 손으로 상대 팔의 뿌리(根絶)인 팔꿈치 근처(팔뚝 위)를
같이 제압해야 한다. 또한, 상대 공격을 아래서 위로 들어 막을 때 그냥 위로
들면 든 팔 아래 공간으로 상대가 다시 공격한다. 따라서 앞으로 밀면서 들어
막아야 못 들어온다.

가架는 붕掤인데 수竪의 힘을 가지고 있다. 가架는 무예에서 중요한 것으
로, 변화가 많다. 내 손을 이마 이상 들어 올리지 않아야 한다. 이마까지만
올리면 팔이 둔각 상태가 되므로 자연히 상대 손이 미끄러져 흘러내리게 되어
있고, 길게 오더라도 상대 손 각도가 내 이마 위로 상승하게 되어있다.

② 양손으로 아래서 위로 받쳐 막을 때 가슴도 같이 위로 움직여 몸으로 막고 잡아야 한다. 몸이 팔을 고정하도록 움직인다.

③ 상대 주먹을 아래서 위로 장掌으로 받쳐서 막을 때의 요결은, 상대 손이 나올 때 내 손도 똑같은 순간에 뻗어 나가야 한다. 그리고 내 손이 가는 것이 아니라 내 손을 굴려 올리면 자연히 상대가 온다. 톱니가 맞물리듯이 해야 하는데, 이런 것을 절기絕技라고 한다. 따라서 이런 방어를 피하기 위해 공격하는 충권衝拳의 숙처를 너무 위로 올려 잡으면 안 된다. 위로 은은하게 솟으면서 주먹이 나가야 한다. 고사평高四平은 수竪의 힘(세로)이 있기 때문이다.

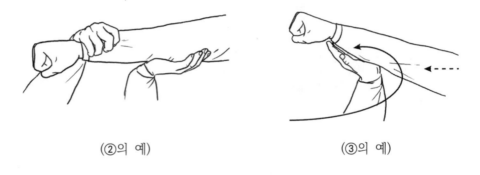

(②의 예)   (③의 예)

④ 상대 공격을 받쳐 올려 막으며(架) 낙공落空 시키는 경우는, 예를 들어 상대가 우수로 내려치면 나의 우수로 우회전하며 들어 올려 약간 비스듬히 받는다. 이어서 내 팔뚝을 세우는데, 받은 후 막은 손을 세우면서 전완前腕을 좌회전하며 전사한다. 상대 팔은 미끄러져 내린다.

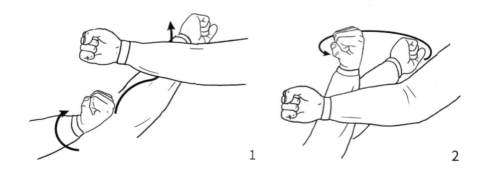

1   2

8 낙공落空

① 상대 공격은 살짝만 닿아도(수비) 공격의 힘이 빠진다. 상대 충권이 오면, 상대 손목을 장掌으로 살짝 닿고, 연결하여 뒤로 빠져 권면拳面을 막는다. 닿는 것은 상대 힘을 빼기 위함이다. 상대방은 자기 공격에 상대가 수비하다가 실수한 것으로 안다.

② 장掌 또는 권拳으로 치고 가는데 상대가 막으면, 공격하던 손으로 살짝 상대 수비를 누르면서 계속 들어간다(縮, 掤). 상대 수비하는 손은 약간만 눌러도 힘을 잃는다. 누르면서 상대 힘을 빌려 더 큰 힘으로 들어갈 수 있다.

③ 상대 공격을 점點하여 감아 누를 때, 수평 이하로 누르면 상대가 버티지 못한다. 그 시점에서 누른 손으로 상대를 친다. 그 위치 높이에서 그대로 수평으로 밀어 공격한다. 상대는 위로 들어 막으려 해도 이미 낙공落空 당하여 걷어내지 못한다.

④ 상대 주먹을 제압할 때 반드시 눌러야 힘이 빠진다. 옆으로 밀지 말고 (옆으로 미는 것은 걷어내는 것이다), 상대 주먹을 아래로 누른 다음 눌렀던 손을 돌려 찌른다. 예를 들어 상대 우수 공격에 내 좌수는 상대 팔꿈치, 내 우수는 반배장反背掌으로 상대 손목을 막을 때 오른손 배장背掌을 눌러야 상대힘이 빠진다. 손목 부위의 힘을 죽여야 한다. 그러면 공간이 생긴다. 그러나 내 우측 바깥으로 밀어내기만 하면 힘이 빠지지 않아 공격이 어렵다. 그러므로 상대 공격을 막을 때는 반드시 두 가지 힘을 동시에 줘서 상대를 낙공시켜야 한다. 즉 걷어내는 힘과 누르는 힘이다. 붕掤의 힘을 말한다.

⑤ 상대 방어의 와해

㉮ 내가 공격해 들어가는데 상대가 막아 들어 올려 내 손목을 감아 잡으려 한다면 상대가 잡는 방향, 즉 내 손을 상대가 감아 오는 방향으로 약간 먼저 돌아가면 상대가 못 잡는다. 상대 수비를 와해시킨 다음 계속 찔러 들어간다.

㉯ 횡벽橫劈을 치는 데 상대가 막으러 오면 변화하여 상대 막는 손을 잡는다. 즉 같이 부딪히지 않는다. 부딪힐 때(點) 전사로 순간적으로 변화하여(化) 상대를 나拿한다. 그냥 팔뚝으로 부딪히면 강한 힘이 함께 부딪히므로 전사를 하여 상대 힘을 약화한다.

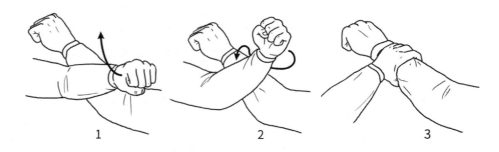

1   2   3

⑨ 방어 후 들어가는 방법

방어보법防禦步法으로는, 상대가 들어오면 한 발 빠지고 두 번째 발엔 옆으로, 세 번째 상대가 들어올 때 반격한다. 섬閃으로 피한다. 그래야 피하면서 반격할 수 있다. 뒤로 물러나 피하면 당한다. 옆으로 피해야 한다. 거정세擧鼎

勢를 양손으로 운용하면서, 섬閃으로 들어가는 것과 동시에 피하며 공격한다. 상대 팔을 막고 제압할 때, 막은 손으로 상대 제압당한 손을 내 마음대로 위치를 정해 내가 공격할 공간을 만들어야 한다.

① 상대가 공격해 올 때 우수가 들어오면, 내 우수로 상대 팔 바깥으로부터 점點하면서 상대 몸을 당기며 의지해서 들어가는 경우가 있고, 또 하나는 상대를 의지하지 않고 손등을 뒤집어 눌러 막으면서(상대 팔을 잡지 않고 미끄러지듯이) 들어가는 경우가 있다. 두 가지 모두 내 손이 움직이기 시작할 때 발이 들어가야 한다.

② 상대 우수가 올 때 내 양손으로 상대 팔을 나拏한 후 우수로 칠 때 상대 우수의 팔꿈치 부위를 내 좌수로 당기듯 제압하면서 공격한다.

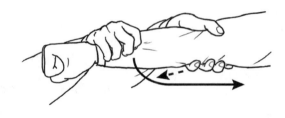

(②의 예)

⑩ 방어의 시점時點

상대의 공격은 공격해 오는 팔이 완전히 펴지기 전에 장掌으로 권면拳面을 밀어 막는다. 공격하는 팔의 팔꿈치가 120도 정도 뻗어지면 힘이 생기므로, 이 경우에는 좌, 우, 혹은 옆으로, 또는 눌러서 아니면 당기면서 막는다.

나를 기준으로 오른쪽 바깥으로 막을 때는 소지小指로 젖히고, 왼쪽 안으로 막을 때는 엄지와 검지로 젖히고, 또는 좌, 우 모두 젖히면서 위에서 아래로 눌러 막을 수 있다. 살짝 젖히는 움직임이 들어가야 누를 수 있다.

주먹을 찌르는 힘이 끊어지지 않고 수련되어 힘이 양성되면, 상대가 좌, 우로 젖히려고 해도 젖힐 수 없다. 다른 방식으로 수련된 주먹은 팔의 힘이 끊어지는 수련을 하므로 좌, 우로 모두 젖혀져 방어할 수 있다.

⑪ 초절梢節의 약점을 이용한 방어

① 상대 우권右拳이 공격해 오면, 내 좌수로 상대 우수 바깥에서 위로 이동하여 손바닥으로 손목을 감싸 아래로 누르듯 막으면서 내 우수의 장근掌根으로 상대 주먹을 쳐서 막고 그 손을 다시 튕겨 올려 상대 몸통을 공격한다.

② 팔꿈치를 막는 법으로는, 바깥으로 약간 아래로 누르는 힘으로 막는다. 팔꿈치를 초절로 생각해야 한다. 주의할 점은 상대 공격을 누르거나, 바깥으로 밀거나 모두 몸이 움직여 힘을 조절해야 한다.

① ②

③ 주먹은 손목을 꺾어 구부러지게 하면 약해지고, 장掌은 손가락을 꺾으면 약해진다. 상대 주먹이 오는 것을 좌수로 잡고(손목), 우수로 상대 권면拳面을 장掌으로 잡아 꺾는다. 신법으로 상대 손목을 구부려 좌우로 비틀어 버리면 된다. 장은 손가락을 꺾는다. 또는 충천포(좌충권挫衝拳)로 상대 팔목 안쪽(인대 부위)을 올려친다. 좌충권은 수경豎勁(세로의 힘)이 있으므로 좌충권을 방어할 때 옆으로(橫勁) 막으면 된다. 혹은 위에서 아래로 눌러 막아도 된다.

관절을 꺾어 들어오면, 상대 꺾는 방향으로 움직여야 방어할 수 있다.

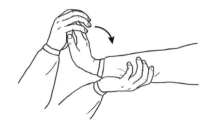
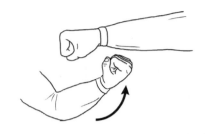

12 발차기 방어

① 상대 발차기는 근절根絶(골반과 대퇴)을 보고 먼저 알고, 중절中節(무릎)을 보고 방향을 감지한다.

② 상대가 발을 차고 들어올 때 물러서면 당한다. 상대가 연속으로 차고 들어오므로 이럴 때 상대에게 붙으면 상대가 무력해진다. 들어가면서 손이나 발로 공격, 제압해야 한다. 내가 들어가면 거리가 축소되므로 상대는 발차기 거리가 안 나온다. 그리고 한쪽 발로 서 있으므로 몸이 움직이지 못한다.

③ 높이 들어오는 발은 들어가 붙어야 한다. 피하면 연속공격에 당한다. 낮게 들어오는 발은 보법步法으로 피하며 들어간다. 이때 상대 발이 부딪혀도 공격 끝 부위가 맞는 것이 아니므로 무시하고 들어간다.

④ 발차기는 동작의 유동성이 없고 허공에 고정되는 형태이므로 손을 위로 막아 올리면 상대는 넘어진다. 상대가 차 들어오면 상대 발 공격을 같이 차거나, 상대 발 공격을 무시하고 피하면서 수법手法으로 공격한다.

⑤ 차기 위해 발을 들면 상대에게 선공先攻을 뺏긴 것이다. 왜냐하면, 한쪽 발이 들린 상태에서는 상체를 움직일 수 없으므로 그때 상대가 들어온다.

⑥ 상대가 발차기를 낮게 들어올 때, 내가 받으면 내가 당한다. 상체가 숙어지므로 상대에게 노출되기 때문이다.

⑦ 상대 발은 본래 받지 않으며 내가 적중될 부위로 들어올 때만 받는다. 나머지 상대 발차기는 받지 않는다.

⑧ 상대 발 공격은 측신側身으로 서면 다 지나간다. 상대 발 공격은 종아리 측면을 찍어버린다. 또는 허벅다리 바깥 급소를 친다. 신법으로 돌면서 바깥에서 친다. 또는 상대가 우각右脚을 차 오면 나는 상대의 왼편으로 돌면서 한

손은 상대 낭심을 치고 다른 손은 상체를 공격한다.

⑨ 상대가 돌려차기로 들어오면 들어가며 대퇴를 장掌으로 친다. 몸을 좌로 돌리며 그냥 미는 것이 아니고, 신법으로 돌며 치면 상대가 날아간다. 또는 상대 발차기에 내 몸이 들어가며 낭심을 친다.

⑩ 상대가 발을 차올 때 측면으로 측장側掌으로 들어가 상대 발목 밑으로 아킬레스건 잡아 다리를 못 쓰게 한다. 상대의 발은 관절, 급소를 찍는다. 고수와 하수의 차이다.

⑧-1

⑧-2

⑨

⑬ 중궁中宮을 방어하는 예

신법身法으로 나의 중궁中宮을 막는 법이다. 상대가 두 번 연속으로 들어올 때 바깥으로 못 막으면 안으로 막아야 한다. 예를 들어 상대 좌수 공격에 나의 우수로 안에서 바깥으로 막고, 다시 상대가 우수로 찔러오면 나의 좌수로 막되 몸을 오른쪽으로 돌리며 막는다. 그리고 좌로 돌며 우수로 친다.

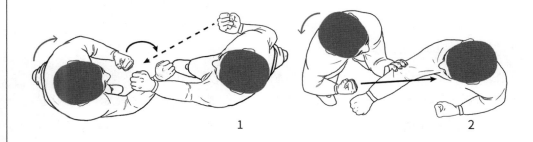

1   2

⑭ 방어 손의 방향

상대가 위쪽으로 공격해 온다고 반드시 위로 들어서 막는 것이 옳은 것은 아니다. 예를 들어, 내 손은 아래에 있지만, 상대 공격이 위로 오면 신법으로 양손을 들어 올려 상대 공격수攻擊手를 감는다. 이어서 아래로 채서 내리고 뒷손은 얼굴을 공격한다. 상황에 따라 내 손이 어디에 있든 상대의 상하좌우 공격을 자유롭게 방어할 수 있어야 한다.

5. 공격攻擊

상대에게 들어갈 때 그냥 직선으로 들어가는 법 없다. 그러다 당한다. 보기에는 직선으로 들어가는 것 같아도 허리 틀고, 상대 반격 시에 제압해서 들어가는데, 몸이 다 계산해서 들어간다. 상대가 막으면 걷고 누르고 해야 하므로 발에 힘이 있어야 가능하다. 따라서 먼저 발 수련을 해야 한다.

① 초식招式의 완성

① 한 번 들어가면 한 초식招式에 3번 공격은 반드시 해야 한다. 예를 들어 을이 우권右拳으로 공격해 오면, 갑은 을의 우권을 좌로 옆으로 돌며 나아가며 우수로 나拿한 다음(이때 막는 손을 상대 진공 방향으로 매끄럽게 인引하면서 붙인다), 우수를 바로 뒤집어 권추圈추로 친다(상대 좌측 목 부위를 장掌으로 친다). 이때 을이 좌수로 세워 막으면 갑은 우수로 걸어 아래로 내리며(을의 장掌을 갑이 손가락으로 잡는다), 갑은 좌수로 횡벽橫劈을 친다. 다시 을의 우수가 갑의 횡벽을 막으면 갑은 횡벽을 그 자리에서 변화해 아래로 미끄러지며 을의 좌수를 잡은 팔뚝을 하벽下劈으로 내려친다.

1

2

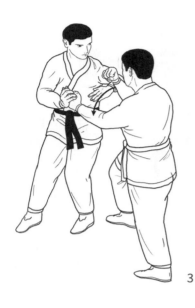

3　　　　　　　　　　　　　　　　4

　② 을이 우권右拳으로 공격해 오면, 갑은 을의 우권을 우허보로 변하며 측신으로 좌수로 나拿한 다음, 우각이 나아가며 우수로 권추圈추를 친다.

　이때 을이 좌수로 세워 막으면 갑은 을의 좌수를 우수로 걸어 아래로 내리며, 좌각左脚이 나가며 좌수로 권추를 친다. 다시 을의 우수가 갑의 좌권추를 막으면 우각右脚이 앞으로 나가며 측신으로 변해 우횡벽을 친다.

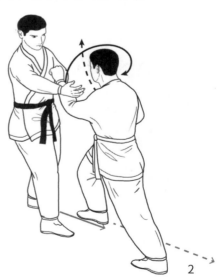

1　　　　　　　　　　　　　　　　2

3

4

② 와도 가고 안 와도 간다

을이 우권右拳으로 들어오면, 갑은 양손을 십자十字로 들어 막되, 우수가 위로 좌수가 아래로 가게 막고, 동시에 몸은 좌로 돌면서 들어가 좌수로 을의 우수를 잡아당기며 우수 철형으로 친다. 을은 오고 있고 갑은 치는 식이다. 을의 우수를 잡지 않더라도 을은 오고 갑은 치는 식으로 막고 쳐야 한다.

1

2

③ 발 공격

발 공격은 찰 때 발을 보면서 차는 것이 아니다. 상대를 보고 찬다. 정면을 보면서 다 볼 줄 알아야 한다. 발차기는 반드시 상대가 모르게 한다. 손부터 먼저 들어가서 상대가 받으면 찬다. 상대가 제대로 뒷발 중심 잡고 발차기를 차오면, 발이 아니라 상대 몸을 받아야 한다. 걷어내야 한다.

① 발 공격은 앞에 나와 있는 발로 해야 한다. 뒷발은 늦기 때문이다. 권법에서 뒷발로 차는 것은 수련이다. 뒷발이든 앞발이든 상대를 공격할 때는 상대 양발 모두를 노려야 한다. 즉, 앞에 있던 상대 발이 피하면 그 뒤에 있는 발을 차야 한다.

② 상대 우수가 들어오면 내 우각右脚을 반보半步 뒤로 빼면서 상대 손을 받는다. 이어서 탄력을 받아 우각을 들면서 우수는 얼굴, 좌수는 제압한 상대 우수 안쪽으로(상대 뻗어있는 팔 아래로 외측으로 밀면서) 들어가며 철형공격을 한다. 우각은 앞차기를 함께 찬다. 동시에 세 곳을 공격한다.

1

2

③ 갑이 양손을 좌수, 우수 순서로 들어가며 상대 팔을 제압한 뒤 좌수로 찌르고 좌각左脚으로 찬다. 걸어 들어가는 발이므로 자연스럽게 찰 수 있다.

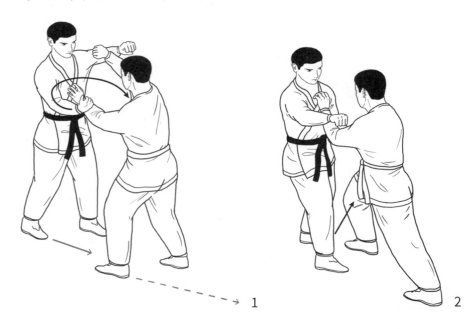

1

2

3

④ 들어가면서 상대의 앞에 나온 발을 눌러 공격할 때는 발바닥 중앙의 오목한 부위로 무릎이나 발등을 눌러 공격한다.

④ 點點하여 공격

① 상대 팔에 點點하여 운용하는 예는, 을의 왼손 공격을 갑이 우수로 안에서 바깥으로 전사로 막은 다음 구수로 잡는다(상대 손목에 붙어 미끄러뜨리는 것이다). 이어서 갑이 좌수로 공격하면 을은 우수를 들어 막는다. 그러면 갑은 을에게 點點한 우수와 좌수를 미끄러뜨리며 몸을 오른쪽으로 돌려 을의 좌수 아래에서 붕권으로 친다. 상대 팔에 붙어 미끄러뜨리며 움직인다.

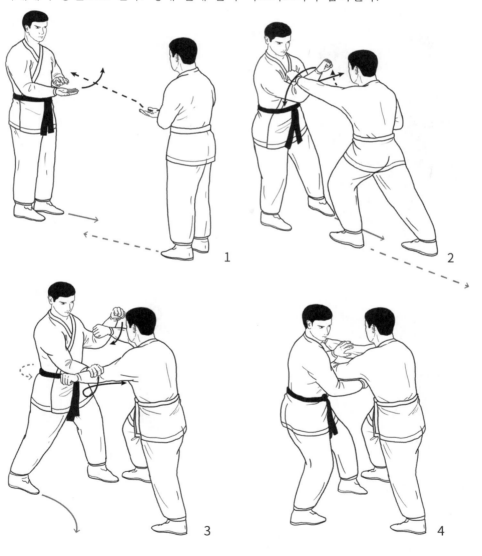

② ㉑ 을의 우수 공격에 갑은 양손으로 받는다. 좌수 손등이 위로 가게 잡아 돌리며 을의 팔을 꺾는다. 동시에 을이 모르게 연결해서 갑은 좌수를 미끄러뜨려 상대 팔꿈치 아래를 받쳐 들어(탁탑) 우각右脚이 들어가며 우수로 공격한다. ㉔ 또는 을의 손을 아래로 정면으로 당겨 채고 바로 우수로 상대 팔을 타고 올라가듯이 올려 목을 찌른다. 을은 갑이 채採하니까 약간 물러나려 하지만 조금밖에 못 물러나는 대신, 갑은 을의 힘을 빌려 쑥 들어가며 찌른다. 공격이 빨라진다.

1

2

(㉑의 예)

1

2

(㉔의 예)

③ 그물에 걸린 것

을의 우수가 오면 갑은 우수로 서로 부딪히듯 점點한다. 이어서 갑은 좌수로 을의 우수 아래로 들어가 을의 오른쪽 팔을 바깥으로 벌리고, 동시에 갑의 우수는 나오려는 을의 좌수를 바깥으로 벌린다. 이 경우 반드시 을의 팔꿈치부터 그 위쪽 상완上腕을 갑의 전완前腕이 가서 닿게 하여 을이 변화하지 못하게 해야 한다. 이 상태에서 갑은 좌, 우 권추를 다 칠 수 있다. 이것이 그물에 걸린 것이다.

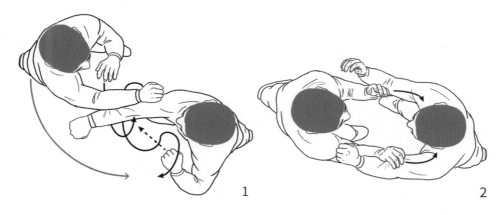

1

2

④ 타고 들어가기

상대 우수 공격을 내 우수 반배장反背掌으로 상대 팔의 바깥에서 안으로 막고, 계속해서 상대 팔꿈치 아래로 타고 들어가 장掌으로 친다. 이때 몸이 나가면서 팔꿈치 아래로 감아 들어가야 상대가 변하지 못한다(중절이 차단되므로). 배장背掌은 손등이 아니고 손가락 등으로 감아 들어간다. 손가락 힘을 길러야 한다. 두 번 동작이 안 되게 연결한다. 빠를 때는 허공에서 운용해서 타고 들어간다.

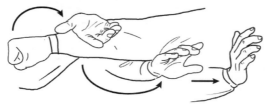

⑤ 탁탑托塔

좌수 손바닥과 네 손가락이 상대 진공 방향과 일치되게 탁탑托塔하고, 우수는 손등으로 탁탑한다. 왼손이 상대 팔꿈치에 닿는 순간 우수의 탁탑한 손은 이미 공격한다.

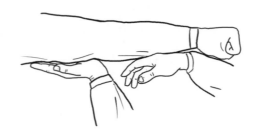

⑤ 얼굴 공격

상대 얼굴은 상황에 따라 좌우를 선택적으로 장掌으로 공격할 수 있다.

① 을의 우수 공격을 갑은 양손으로 막고 우수로 미끄러져 나가 을의 좌측 뺨이나 목을 친다. 이때 을의 좌수가 갑의 우수를 막으면 갑은 우수를 아래로 눌러 감아 다시 그 부위를 친다. ② 이때 을이 갑의 우수를 막는 힘이 변화하면(바깥으로 젖혀 막으면) 갑은 우수 손등을 돌려 왼쪽 뺨을 공격할 수도 있다. 이때 갑의 우수를 을의 좌수 아래로 안으로 돌려세워 힘은 바깥으로 민다. 이 경우는 다시 갑의 우수로 을의 왼편 얼굴을 칠 수 있다. 갑은 좌수를 동시에 먼저 공격하면서 우수를 변화시켜도 된다.

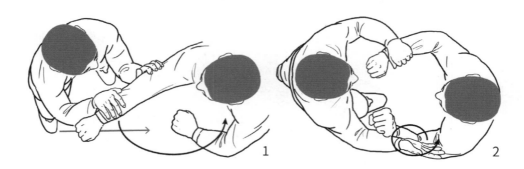

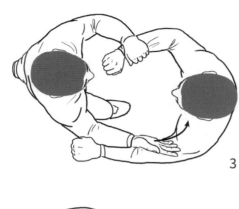

3   (①의 예)

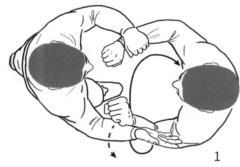

1

(②의 예)

2

◎ 상대 공격 때 주먹으로는 얼굴을 치지 않는다. 어리석은 공격이다. 〈포가권拋架拳〉 첫 초식에서 우수로 막고 좌권左拳으로 얼굴을 치는 것은 상대 손을 위로 올려 막게 유도하는 것이다. 실전에서는 상대 가슴 부위를 권拳의 기본 공격 부위로 한다.

⑥ 상대를 속이기

① 상대가 우수로 공격해 오면 나는 양손으로 막는다. 이때 좌수로 상대를 나拿한 상태에서 내 우수가 상대 팔목 아래(손목)로 돌며 들어가 그 손으로 다시 공격한다.

② 걸어 들어가며 양손을 교대로 내려쳐 상대 머리를 공격할 때 우각우수

右脚右手로 나가면서 내려치면 상대가 올려 막는다. 이때 좌수는 좌측 어깨를 앞으로 나오게 하지 않으면서 좌수를 내려치면 상대가 알지 못한다. 어깨가 안 나가고 몸이 나가면서 치기 때문이다. 상대와의 공격 거리를 미리 만드는 것으로, 상대를 속이는 수법이다(왼 어깨는 가만히 있고 왼팔로만 치면서 몸이 앞으로 나가 왼편 어깨가 나가지 않은 거리를 보상해 준다). 이때 다시 우수를 아래로 내려 치골이나 낭심을 장掌으로 공격한다. 상대 아랫배에 꽂아 넣는다. 이때 반드시 손으로만 치지 말고 몸을 살짝 낮추면서 몸(체중)으로 내려찍는다. 옆에서 봐도 몸으로 누르는지 모르게 살짝 움직인다.

(②의 예)

③ 을의 우수를 갑이 우수로 막으며 좌수로 을의 오른쪽 얼굴을 칠 때, 상대 시야에서 안 보이게 을의 오른쪽 바깥 아래서부터 타고 들어가 상대가 예측 못 하게 해서 얼굴을 친다.

1　　　　　　　　　　　　2

④ 갑의 우수가 들어갈 때 을의 우수가 올라와 막으면, 갑의 왼손은 을의 우수 아래로 몰래 들어가 을의 좌수를 찾아 잡고, 갑은 을의 좌수를 왼쪽으로 당기며 우수로 권추를 친다. 을의 우수가 변하지 않게 운용해야 한다.

1　　　　　　　　　　　　2

⑤ 틈을 파고드는 것

상대 우수 공격을 내 우수(손등)로 오른쪽으로 막아 누르면서 좌수 천장穿掌으로 상대 얼굴로 찔러 들어가면 상대는 좌수가 올라와 막는다. 그때 좌우수左右手 사이 틈이 생긴다. 그곳으로 우수를 뒤집어 권拳으로 공격한다.

또는 상대 좌수 공격을 내가 왼편으로 몸을 돌며 우각右脚은 약간 상대 쪽으로 들어가, 우수로 막는 것과 동시에 좌수는 상대 얼굴을 공격하면 상대 우수가 올라와 막는다. 이때 나는 상대 왼편 측면에 붙게 되므로 내 우수는 상대를 칠 공간이 거의 없다. 그런 경우 팔을 약간 구부려 상대의 위아래 손 사이로 틈을 파고들어 찌른다.

7 중궁中宮으로 들어가 공격하는 경우

① 을이 우수로 찔러오면 갑은 을의 중궁으로 들어가며 우수로 안에서 바깥으로 막는다. 이어서 우수를 을의 팔 아래로 겨드랑이를 횡으로 치고, 좌수는 권심拳心을 바깥으로 틀어 지른다. 같이 치는 것처럼 보여도 우수 횡권이 먼저다. 몸은 오른편으로 돌아가면서 우궁보右弓步가 된다.

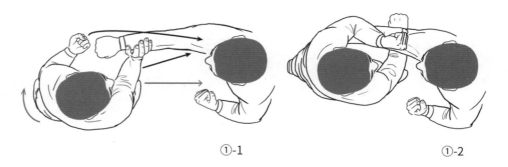

①-1   ①-2

② 을이 우수로 공격해 오면 갑은 우궁보로 거의 상대와 붙듯이 조금만 들어가며(신법이 중요, 내 우족을 상대와 너무 멀리 둬서는 안 된다), 을의 우수를 좌수로 왼쪽으로 걷어내고(멈추지 말고) 좌수를 뒤집어 장掌으로 을의 목을 가격한다. 이때 반드시 갑의 우수는 을의 좌수를 막으면서 들어가야 한다. 혹은 좌수로 막고 우수 먼저 공격 다음에 좌수로 공격해도 된다.

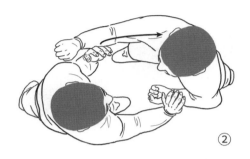

②

　③ 을이 우수로 공격해 오면 갑은 좌수로 을의 우수를 오른편으로 밀어 눌러 막는 것이 주主가 된다(상대 손이 내 몸에 거의 왔을 때). 우수는 칠성수로 을의 중절에 갖다 대고 바로 배장背掌으로 뒤집어서 을의 목을 찌른다. 또는 을의 좌수가 다시 찌르면 갑은 우수로 을의 좌권左拳을 왼편으로 덮어 막는다. 상대의 중앙을 정면으로 들어간다. 중궁을 밟는 것은 주로 하수下手를 상대할 때다.

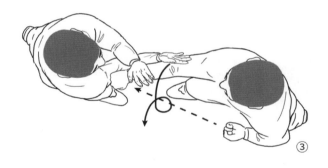

③

　④ 신법 없이 바로 중궁으로 들어가 공격하는 경우는,

　㉮ 상대 주먹을 신법으로 막지 않고, 바로 누르고 들어가 그 주먹으로 찌른다.

　㉯ 상대 우수를 살짝 왼편으로 몸을 틀며 상대 우수에 좌수를 갖다 대면서 피하고, 계속 들어가 우수로 친다. 신법 없이 정면으로 들어간다.

　㉰ 상대 발차기의 허벅다리를 우수로 눌러버리고 들어가며 우수로 친다. 또는 살짝 발 신법으로 피하며 우수로 찌른다.

⑤ 을의 좌권이 오면, 갑은 우수로 올려 막는 동시에 좌수로 찌른다. 을의 좌수가 갑의 우수를 눌러 오면, 갑은 위로 올려 막은 우수를 아래로 내리꽂듯이 찌른다. 이때 을의 좌수 팔뚝의 안쪽을 비비면서 찌른다. 그래야 상대 힘을 빌리고 상대 좌수의 숨이 죽는다.

⑥ 을의 우수가 오면 갑은, 우수는 장으로 주먹을 받고 좌수는 칠성수로 상대 팔 아래로 들어가 왼편으로 걷어내고 계속해서 좌수로 친다. 오른편으로 도는 신법으로 상대 중궁을 밟는다.

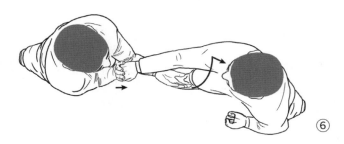

⑦ 을이 우수로 공격하면 갑은 우수로 을의 손목을 안에서 바깥으로 막고, 다시 그 손으로 상대 팔꿈치 부위를 장掌이나 장외연掌外沿으로 친다. 그리고 미끄러져 들어가 을의 겨드랑이 쪽을 구수로 친다. 이때 을의 좌수가 나오려 하면 갑은 구수를 상대 몸에 거의 붙인 상태에서 뒤집어 장掌으로 을의 좌측 가슴을 친다(을의 좌수는 반드시 좌측 가슴이 움직여 나오므로). 또는 을의 우수를 갑의 우수로 바깥으로 젖히고 바로 목을 친다. 을의 왼손은 오른손을 회수해야 나오므로 그 전에 친다. 또는 갑의 우수로 을의 오른손을 눌러 바깥으로 아래로 막고 그대로 오른손 외연으로 미끄러져 들어가며 을의 팔꿈치를 가격하고 계속 을의 팔을 따라 미끄러져 올라가며 철형으로 상대 목을 친다.

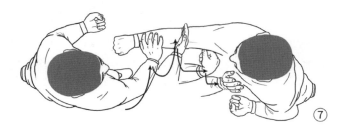

그림 ⑦에서 갑의 우수가 을의 우수를 막은 다음 을의 좌수가 나오면 갑은 우수로써 다시 을의 좌수를 오른쪽 바깥으로 벌리고, 동시에 갑의 좌수는 을의 우수를 바깥으로 벌리며 들어가 좌, 우수로 친다. 이때 갑의 우수가 을의 좌수를 제압하러 갈 때 몸은 계속 전진해야 한다.

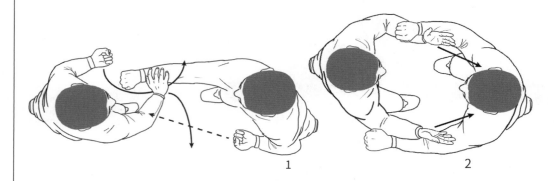

1   2

상대의 공격이 올 때, 그것을 방어하며 찔러 들어가면 상대는 반대 손이 방어하기 위해 나오게 된다. 이때 상대 양팔이 다 들려서 나와 있는 것이 되므로 자유롭게 상대 중궁을 좌우수左右手를 이용해 공격할 수 있다. 단 경勁으로써 운용해 상대 팔이 떨어지지 않게 움직여야 한다.

⑧ 을의 우수가 오면 갑은 우장右掌으로 을의 팔뚝을 탁탑으로 막듯이 치고(상대 팔을 밀어내는 것이 아니고 허공에 고정되게 하기 위한 것이다), 이어서 우수를 돌려 을의 팔 아래에서 위로 배장背掌으로 올라와, 을의 팔을 오른편 바깥으로 젖히면서 들어가 갑의 우수로 을의 얼굴을 장掌으로 친다. 이때 갑은 을의 우수에 닿지 않게 신법을 움직여 상대 왼편 중궁 쪽으로 몸을 이동한다.

⑧

　⑨ 중궁을 유도하는 경우로는, 갑이 우수로 슬쩍 을의 왼편 얼굴 쪽으로 치려고 가면 을의 좌수가 갑의 손을 바깥으로 걷어내려 온다. 그러면 갑은 몸을 좌로 살짝 돌리며 상대가 바깥으로 걷으려는 힘을 안으로 눌러 들어가며 팔꿈치를 상대 중궁으로 넣어 철형을 친다(借勁). 그러면 을은 갑의 우수를 다시 걷어내기 위해 자신의 몸을 좌로 돌리며 좌수를 바깥으로 민다. 그러면 을은 중궁이 드러나고 갑은 자연히 몸이 오른편으로 돌게 된다. 그 신법으로 좌권 左拳으로 상대 복부에 결정타를 친다.

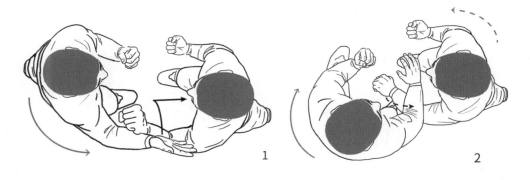

1　　　　　　　　　　　　　2

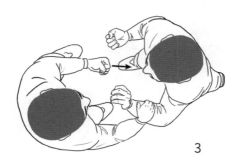

3

⑩ 공방에서 상대 중궁을 놓치지 않는 것은, 만약 상대가 나의 왼편 옆으로 빠지면서 오른손으로 훅(hook)을 칠 수도 있다. 이때는 나도 왼편으로 돌며 상대 움직임을 따라가면, 상대방 중궁을 놓치지 않으면서 좌수를 들어 상대 우수를 쉽게 막을 수 있다.

8 측면으로 들어가는 경우

① 을이 좌수로 질러오면 갑은 우각우수右脚右手로 바깥에서 안으로 막고 좌수로는 권추를 치는데, 권면拳面으로 을의 명치를 친다. 우궁보가 된다.

1   2

② 공격은 항상 상대 정면을 피하면서 들어가 친다. 상대 공격이 오든 아니든 신법으로 상대 비어있는 측면으로 들어가면서 상대 숙처 쪽 가슴 부위를 친다.

③ 을의 좌수가 찔러오면 갑은 오른편으로 돌며, 을의 좌수를 좌수로 걸어 아래로 누르면서 우수로는 을의 좌수를 타 넘어 들어가 친다. 상대 측면으로 붙는 방법들이다.

④ 갑이 양손으로 을의 우수를 나拿하면서 동시에 왼손으로 을의 팔꿈치를 잡고 들어가며 장掌으로 몸통을 친다. 또는 입권立拳으로 상대 팔 아래 늑골을 친다. 동선 전체에서 부분마다 힘과 속도가 달라진다.

1   2

⑤ 상대 우수 공격을 칠성수로 오른편 바깥으로 밀어 막고 바로 그 손을 뒤집어 들어가며(이때 내 몸은 오른쪽으로 약간 돌리며 상대 우수 바깥으로 붙어 측면으로 이동한다), 손등으로 상대 상완上腕 아랫부위를 올려치고 그 손으로 다시 겨드랑이를 장掌으로 공격한다.

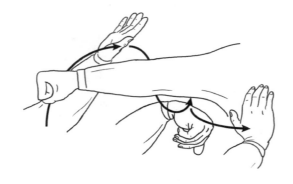

⑥ 상대 우수 공격을 나의 우수로 안에서 바깥으로 화化하고 내 우족右足이 걸어 들어가면서 우수로 상대 허리를 친다. 중궁으로 들어가는 경우다. 또는 상대 좌수 공격을 같은 방법으로 안쪽으로 화化하고 상대 등을 친다. 측면으로 들어가는 경우다. 두 가지 모두 검법劍法의 요격腰擊을 좌우로 칠 때와 같다.

⑨ 공방에서의 신법身法

① 신법身法의 두 가지 운용의 예는, 첫째, 을이 우수로 공격해 오면, 갑은 좌수로 을이 팔꿈치 부위를 위로 오른쪽으로 약간 들 듯이 막고(몸을 우로 돌렸다가 좌로 돌리면서) 좌궁보 우수로 공격한다. 둘째, 계속 몸을 오른편으로 틀 때 을의 팔꿈치를 잡은 손을 그대로, 몸을 오른편으로 틀며 좌수로 친다.

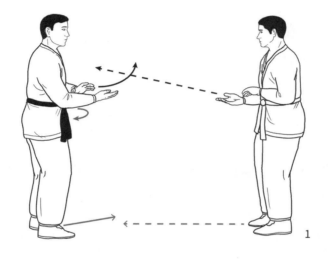

1

2　　　　　　　　　　　　3

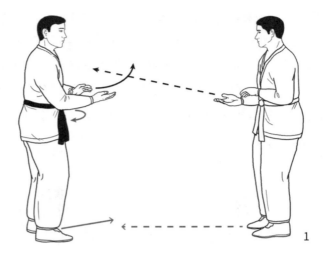

② 을의 좌수가 들어올 때 갑은 왼쪽으로 몸을 회전하면서 우수 반배장反背掌으로 바깥으로 걷어낸다. 계속해서 몸은 왼편으로 회전하면서 우수 장연掌沿으로 상대 목 부위를 친다. 몸이 좌로 계속 돌면서 팔꿈치(中節)가 전진한다. 몸이 좌로 돌면서 막고 치는 동작이 연결된다. 몸을 오른편으로 회전하면서 막고, 다시 왼편으로 돌면서 치면 두 번 동작이 되어 늦다.

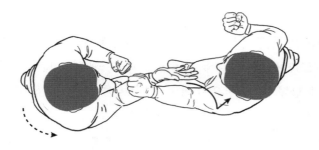

③ 을의 우수 공격에 갑이 우수로 받으면서 좌수로 반주盤肘 공격을 할 때 을의 좌수가 다시 올라오면 갑은 우각右脚을 둥글게 상대를 감싸듯이 돌며 멀리 상대 좌측까지 옮기며 다시 우반주右盤肘로 을의 좌수를 친다. 보법이 크게 돌면 몸이 같이 크게 움직일 수 있다.

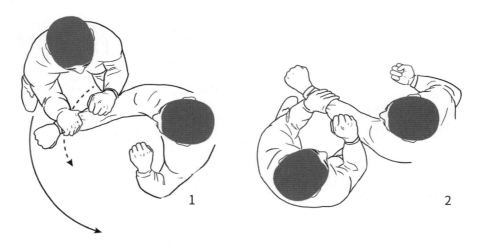

④ 걸어가면서 양손을 뻗어 위, 아래로 움직여 상대 손을 걸고 공격하는 경우에, 손만 나가는 것이 아니라 가슴이 같이 나간다. 신법이 움직이므로 손, 발이 가벼워지는 것이다. 상대의 어느 한 손이라도 걸리면 공격한다. 예를 들어, 을의 좌수가 갑의 우수에 걸리면 동시에 갑의 좌수가 상대를 치고, 을의 좌수를 걸었던 우수로 다시 친다. 우수로 칠 때 측신側身으로 만들면서 칠 수도 있다. 이럴 때 발이 삼절三節에 맞게 따라잡아야 한다. 손이 움직이면 발이 가볍게 변해야 한다. 무거우면 안 된다. 땅을 쥐는 발은 굳건히 하고…….

⑤ 을이 우수로 갑의 오른쪽 어깨를 잡으려 할 때 어깨를 살짝 움직이면 잡히지 않는다. 이어서 갑은 좌수로 을의 상완上腕 뿌리 부분을 잡고 우수로 상대 팔 아래로 가슴 부위를 장근掌根으로 친다. 양손을 모두 쓰면 자유롭게 무적이 되어야 한다. 한 손만으로 하는 기예보다 안전하고 완전하다.

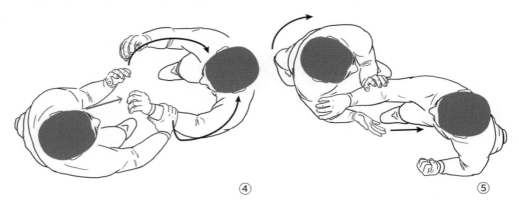

④ ⑤

⑥ 을의 우수가 오면 갑은 신법으로 돌면서 우수로 을의 왼쪽 목을 친다 (ㄱ). 또는 상대의 왼쪽 상완(根絶)을 친다(ㄴ). 또는 일좌一坐로 돌면서 앉아 들어가며(자세 낮추면서) 복부를 중사평中四平으로 치고(ㄷ), 좌수, 우수 연결하여 계속 공격한다. 모두 신법으로 하는 것이다.

⑦ 신법을 운용하면 상대 손을 나拿하지 않아도 된다. 을이 우수가 오는 것을 갑은 바깥으로 신법으로 돌면서 측신側身으로 변하며 벽劈으로 을의 상완을 내려친다. 우수로 상대 손을 경계하지만 점點하지 않는다.

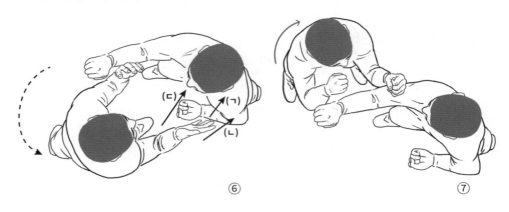

⑥ ⑦

⑧ 을의 우수가 약간 낮게 들어오면, 갑은 좌수로는 상대 손목, 우수는 상대 팔꿈치 바로 위를 덮어 축蓄으로 누른다. 또는 우수로 상대 팔꿈치 바로 윗부분을(上腕) 아래서 위로 받쳐 든다. 손목은 좌측 바깥으로 팔꿈치는 우측 위로 당겨 부러뜨린다. 이때 을의 좌수가 들어오지 못하게 부러뜨릴 듯이 제압해야 한다. 신법으로 상대 몸이 나의 정면으로 못 향하게 팔을 당긴다. 이때 갑은 그대로 우수를 뻗어 공격해도 된다. 동시에 갑의 좌수는 을의 손목을 잡아 자기 쪽으로 당긴다. 모든 것을 팔로만 해서는 안 된다. 반드시 신법으로 수법을 운용해야 한다. 신법에서 허리를 돌리는 것은 위로 솟구치며 도는 것, 아래로 누르면서 도는 것이 포함되어 수련되어야 한다.

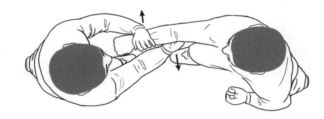

⑨ 을의 우수가 들어오면 갑은 좌수를 상대 주먹이 내게 거의 닿을 무렵 살짝 바깥으로 신법과 함께 젖히며 내 우수로 찌른다. 완전히 상대 공격을 바깥으로 밀어내는 것과는 다르다. 상대가 쳐도 충격이 없도록 하는 것이고, 대신 나는 시간을 버는 것이다. 상대 우수가 들어오면 좌수로 살짝만 위로 들어 올려도 내게 적중되지 않는다.

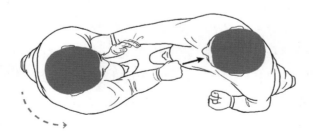

이 경우 을이 공격에 성공하려면, 먼저 상대 얼굴 쪽으로 들어가다가 상대가 막으러 오면 바로 상대 올라오는 손 아래로 손을 내려서 상대의 방어하는 손 아래로 들어가 친다. 모두 몸으로 움직여야 한다. 손만 변화해선 안 된다.

⑩ 신법身法과 수법手法의 조화

실전에서 내가 상대 공격을 막으면 상대가 계속 2차, 3차 공격의 우선권을 가지므로, 상대 공격을 직접 막지 않고 신법身法을 운용하여 해결하면서 공격을 해야 한다. 수비를 먼저 한 다음 공격하기는 어렵다. 이미 상대의 다음 공격이 먼저 들어오기 때문이다.

상대 주먹이 내 몸에 닿아도 뒤로 물러서지 말고, 신법으로 몸을 좌, 우로 돌려 충격을 감소시켜야 한다. 일부러 상대 주먹이 내 몸 가까이 들어올 때까지 기다리는 수도 있다. 그러면 상대와의 타격 거리가 짧아지는 이점利點이 있기 때문이다. 예를 들어 상대가 주먹을 찌를 때 막지 말고 맞아주면서, 허리를 돌려 비스듬하게 가슴의 충격을 완화하면서 상대 가슴을 친다. 공격은 상대가 했는데 상대가 당한다. 상대 공격의 힘을 약화하든지, 또는 내가 변함으로써 상대 진공 방향을 변하게 하든지 하면서 내가 들어갈 수 있다.

① 상대가 횡벽橫劈으로 들어오면 강強하게 들어오는 것이다. 이때 정면으로 상대 횡벽을 막을 때 '붕掤'의 힘을 사용하면 상대 힘이 빠진다. 장掌으로 받으면서 위로 살짝 들어 올린다. 철형공격의 방어도 같은 원리로 살짝 밀어 올려 막는다.

② 힘을 쓸 필요 없는 경우는 거의 손만 갖다 대고 신법身法으로만 막는다. 몸을 돌려막는 것이지만 손을 대는 이유는 신법이 실패할 수 있기 때문이다.

③ 을이 우수로 공격해 오면, 갑은 우수로 감아서 누른 다음 계속 상대 팔 안쪽으로 감아서 나의 왼쪽으로 밀어내듯이 하고(몸은 우회좌각전진右回左脚前進, 발도 움직인다.) 다시 을의 좌수가 공격하면 갑은 우수로 계속 을의 공격을 손등 쪽으로 젖혀 누르듯 하면서(몸은 좌회우각전진左回右脚前進, 손은 너무 과하게 젖히지 말고 갑이 갈 길을 여는 정도로만 젖힌다), 상대 왼쪽 목 부위를 우수로 공격한다.

①

②

③-1

③-2

④ 을의 우수 공격을 갑이 우수로 받아서 뒤로 살짝 당긴다. 을의 우수를 팔꿈치가 구부러지게 갑은 우수로 우측으로 팔을 가져오면서 돌린 다음, 을의 팔꿈치가 구부러진 상태로 앞으로 민다. 이때 허리 신법이 중요하다. 좌로 돌다가 몸을 굴려서 우로 돈다. 반드시 을이 오는 것을 갑 쪽으로 살짝 당긴 다음(수용한 다음) 나가야 한다.

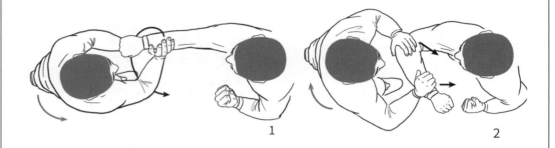

⑤ 갑이 우권추右圈捶로 공격하는데 을이 좌수를 들어 막으면, 갑은 우수를 을의 좌수 아래로 스치듯 빠져서 왼편으로 몸을 틀며, 을의 오른쪽 목을 우벽右劈으로 친다. 또는 을의 좌수 아래로 들어가 장掌으로 가슴을 친다. 이 경우 계속 왼편으로 돈다. 신법으로 움직여야 한다.

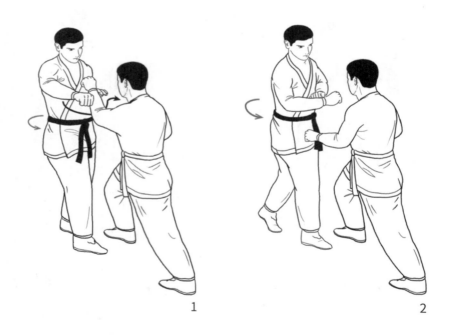

11 체보掣步

① 을의 우수 공격을 갑은 우각右脚을 앞으로 나가며 안에서 바깥으로 측신側身으로 막고(기마보의 힘, 발이 공중에서 막아 나아간다), 계속해서 부퇴의 힘으로 공격한다. 체보掣步가 없으면 빠를 수 없다. 그리고 힘도 쓸 수 없다.

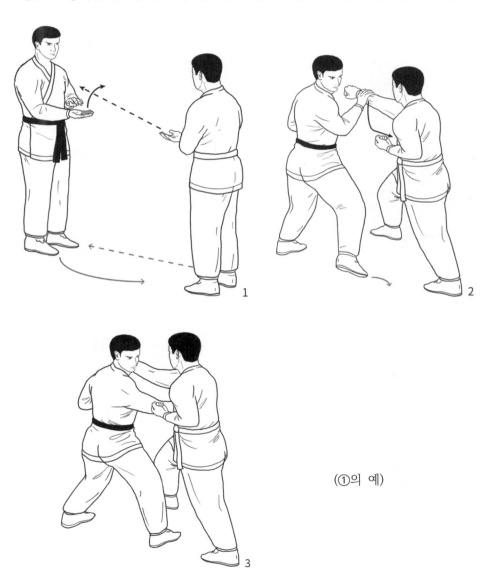

(①의 예)

실전에서는 기마보로 수비할 때 주로 반半 기마보의 형태로 움직이면서 나간다. 다른 보형 역시 환경에 따라 약간 변할 수 있다.

② 상대의 우수 공격에 대해 내가 상대의 왼쪽 면으로 들어갈 때 바로 우수로 치든지, 아니면 좌우수左右手를 동시에 움직여 좌수는 상대 우수를 막고 우수는 상대를 공격한다. 체보掣步로 움직인다.

③ 상대 우수를 내가 우수로 받고 나의 좌각左脚이 체보掣步로 들어가면서 우수는 그 위치에서 상대 눈을 속이듯 치고, 좌수는 손등(背掌), 또는 붕권崩拳으로 상대 아랫배를 실제로 공격한다. 또는 상대 우수를 바로 나의 우수로 받으면서(체보掣步) 들어가 상대 아랫배를 오른쪽 장掌을 뒤집어 칠 때(장근掌根이 위로, 손가락이 아래로 향하게) 몸 전체로(체중으로)가서 친다.

(③의 예)

6. 수법手法의 운용

① 양손(兩手)의 운용

① 을이 우수로 찔러오면 갑은 을의 우수를 양손을 이용해 막으면서 계속 우수 반배장反背掌으로 나아가 을의 목을 친다(장외연掌外沿). 이때 몸을 좌로 회전하면서 앞으로 나가면서 몸으로 친다. 을이 좌수를 들어 막으면 갑은 우수로 을의 수비 손을 왼편으로 아래로 오른편으로 걸어 젖히면서 동시에 좌수로 상대 목을 잡는다. 우수는 계속 공격한다. 양손이 쉬지 않아야 한다. (공격 동선의 비교)에서 ㈏는, 이때 상대가 막을 수 있으므로 갑의 우수가 찬격세鑽擊勢처럼 목을 씻듯이 미끄러져 들어가 ㉮처럼 공격할 수 있다.

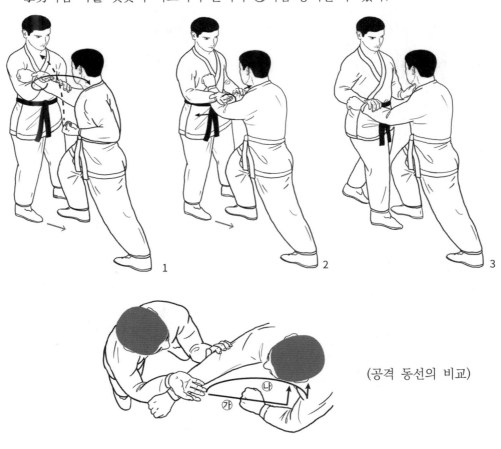

1   2   3

(공격 동선의 비교)

② 갑이 우권추右圈捶를 바깥에서 약간 안으로 치듯이 들어가면 을은 좌수로 갑의 손을 막는다. 연이어 갑이 좌수로 휘둘러 치듯이 들어가면 을은 다시 우수를 들어 막는다. 계속해서 갑이 우수를 돌려 상대 좌수를 살짝 누르며 그 힘을 받아 배장背掌 외연外沿으로 권추의 힘으로 상대 왼쪽 목을 친다. 권추의 힘이므로 실제 권추로 쳐도 된다. 이때 갑은, 몸 좌측은 오므리고 오른쪽은 늘려 몸 태극太極으로 신법身法을 운용하면서 친다. 을이 갑의 우수를 자신의 좌수로 갑의 손 아래쪽에서 올라오면서 막으면, 갑은 우수로 을의 좌수를 누르며 몸을 왼편으로 돌려 측신側身을 만들며 우수로 철형공격을 한다.

1

2

3

4

③ 을이 우충권右衝拳으로 들어오면, 갑은 좌각左脚이 걸어 들어가며 양손으로 좌수는 팔꿈치, 우수로는 손목을 방어한다. 이어서 을이 좌충권左衝拳으로 다시 공격해 오면, 갑은 발 앞꿈치를 움켜잡으며 좌수로 을의 우수 팔꿈치를 오른편으로 밀며 들어가 우권右拳(환혼혈)과 좌권左拳(기문혈)으로 연이어 공격한다. 이어서 을이 갑의 좌수 공격을 타고 들어오며 우반주右盤肘로 공격해 오면, 갑은 우수로 을의 손목을 좌로 옆으로 뒤로 밀며 계속해서 우수 횡권橫拳으로 우각右脚이 걸어 들어가며 공격한다.

② 수법手法의 변화

① 갑이 찔러 들어가는데 을이 올려 막으면 상대 손 아래로 변화하여 들어가며 찌른다. 이때 상대가 막는 손이 거의 완성되었을 때 변화해야 상대 막는 손이 다르게 변화할 수 없게 된다.

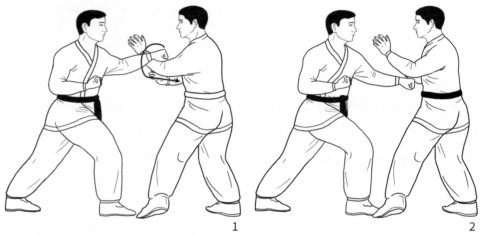

1   2

② 좌로 막고 또 우로 막고 하는 것은 보통 때 수련이고, 실전에서는 바로 상대 주먹을 아래로 눌러 낙공落空 시키면서 반대 손은 공격해 들어간다. 예를 들어, 을의 우수를 갑이 좌수로 누르면서 우수는 장으로 공격해 들어간다. 우각右脚이 같이 들어가며 낭심을 찬다. 살수殺手다.

1   2

③ 을이 갑의 우수 공격을 보통 바깥에서 안으로 아래로 막아오면(누르는 힘), 갑은 우수를 변화하여 아래로 바깥으로 위로 돌려서 나가서 상대 얼굴을 치거나(上), 또는 아래서 바깥으로 막아오면(붕掤의 힘) 갑은 우수를 바깥으로 아래로 돌려서 상대 겨드랑이를 친다(下). 혹은 상대가 올려 막으면 그대로 당겨 눌렀다가 계속 들어가 친다. 이때 우족右足이 앞에 있으므로 우족이 다시 약간 들어가고 뒷발 좌족左足이 약간 따라 들어가며 친다. 또는 수竪의 힘으로 가는데 상대가 횡橫의 힘으로 막으니까 수의 힘으로 누르고 계속 들어간다. 상대를 치듯이 누르면 순간 못 움직이는데, 이른바 '숨통을 막는다'라고 표현한다.

④ 공격의 변화를 할 수 있어야 한다. 갑이 을의 우수를 제어하며 우권右拳으로 공격할 때 을이 좌수를 들어 막으면,

㉮ 갑은 을의 좌수를 걸어서 당기고 계속 들어간다. 갑은 을의 좌수를 걸어서 당기며 그대로 몸 안의 힘을 적용하면서 그냥 살짝 누르듯이 하여 계속 나간다(곁에서 보면 그냥 주먹이 나가는 것 같다).

㉯ 또는, 갑은 을의 들어 막는 좌수 손목 위에서 갑의 손을 비벼 돌려세워(장심이 안으로 가도록) 계속 들어간다.

㉰ ㉮에서 을의 좌수가 저항하면 을의 좌수 팔의 바깥에서 안쪽으로 아래로 내 손목을 돌려서 변화하여 을의 좌수를 바깥으로 벌리고 장심掌心을 을의 왼쪽 얼굴로 향해 가서 친다. 다시 을이 좌수를 안으로 밀며 막아오면 갑은 우수를 을의 좌수 안쪽에서 아래로 바깥으로 돌려 을의 얼굴(왼쪽)을 치든지, 겨드랑이 아래 허리를 친다.

㉮-1   ㉮-2

⑤ 갑이 을의 우수 공격을 양수로 감아 막고 왼손으로 을의 우수를 아래로 누르며 들어가 우수로는 장근掌根을 위로해서 을의 아래를 친다. 이때 을의 좌수가 갑의 우수를 막으면 갑은 우수를 감아 들어 올려 바로 장掌으로 변해 상대 왼쪽 얼굴을 친다. 이때 ㉮ 부분에서 뒤로 젖혀오면 안 된다(늦어진다). 계속 앞으로 나가며 움직여야 한다. 이렇게 운용하는 힘이 양성되어야 한다.

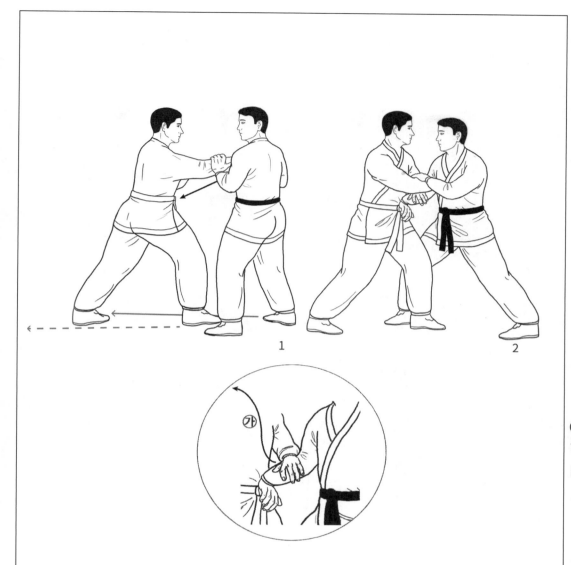

1

2

　⑥ 상대가 막으면 상대 손에 부딪히지 않고 다음 동작으로 변화하면서 계속 공격한다. 그러면 끊기지 않는다. 갑이 우수로 아래로 찌르는데 을이 막으면, 상대 손이 부딪히려 할 때 뽑아서 붕권崩拳으로 얼굴을 친다. 이때 다시 을의 손이 붕권을 막으러 올라오면 닿기 전에 다시 우수를 아래로, 바깥으로 다시 안으로, 손등을 뒤집어 뺨을 친다. 이때 신법으로 운용하고, 보법이 계속 움직여 들어간다. 다시 을이 막으면 내 좌수, 좌측으로 동시에 치고, 차고 다시 우수 들어가고 연결해 계속 공격한다. 중요한 것은 상대가 막으려고 하면 부딪히기 전에 바로 변하는 것이다.

⑦ 주먹이 가는데 위에서 상대가 눌러 막으면, 손을 펴 손바닥이 위로 가게 젖힌다. 그러면 상대 막은 손이 무력해진다. 가던 손을 다시 반대로 감아 장掌으로 공격한다. 또는 내가 우수로 철형으로 들어가면 상대 우수가 나와 막는다. 내 우수로 상대 우수를 나拿하고 좌수로 다시 철형으로 공격하면 상대 좌수가 나와 막는다. 다시 우수를 상대 좌우수를 피해 빈 곳으로 철형으로 친다. 철형의 각도는 꼭 수평이 아니다. '단권 4로'처럼 치고 들어가 우수, 좌수로 치고 다시 우수로 철형을 칠 때 측면에서 비스듬히 목을 내려쳐도 된다.

③ 한 손으로 공방하는 법

한 손으로 상대 좌, 우수를 차례대로 막고 젖히고 할 때 반드시 가슴과 손 (梢節)을 합하여 움직이고, 팔꿈치를 중심으로 초절이 움직여야 한다.

① 을의 우수가 들어오면 갑은 우수로써 상대 손을 감아서 막는다. 막은 다음 끊지 말고 팔뚝을 세워서 기다린다(팔이 상대와 떨어지지 않게 신법으로 상대 힘을 조절하면서). 다시 을의 좌수가 찔러오면 을의 우수에 붙여 놓은 갑의 우수를 을의 좌수 위에서 아래로 눌러 막은 다음 그대로 우수로 공격한다.

② ①의 예에서, 상대 우수를 내 우수로 바깥에서 약간 안으로 눌러 막고, 그다음 상대 좌수가 다시 오면 원래 막은 우수의 아래로 내리는 힘 그대로 두 번째 주먹을 계속 눌러 막고, 그다음 좌수로 처음 들어온 손을 잡으며 우수로 공격할 수 있다.

③ 상대가 좌수로 들어오면 나는 우수로 상대 공격을 왼편으로 젖혀 누르며 몸이 들어간다(중절이 초절을 따라간다). 우권右拳으로 목을 직타直打한다. 그리고 오른 주먹을 뒤집어 배장背掌으로 머리를 친다. 또는 상대 좌수를 나의 양손으로 손목과 팔꿈치를 나拿하며 발로 차기도 하고, 회심퇴로 가슴, 옆구리를 차서 던져버리기도 한다. 상대가 우수로 들어오면 나는 왼손을 귀 옆으로 들어 막으며 몸이 들어가 우장右掌으로 턱을 친다. 장근掌根으로 위쪽으로 살짝 올리듯 친다. 돌려서 치면 치명상을 주기 때문이다.

상대가 위협을 주려고 우권右拳을 얼굴에 들이밀면 몸을 살짝 젖히며 상대 팔을 우수로 타고 들어가 뺨을 친다. 실제로는 들어가며 장근掌根으로 치면 머리가 돌아간다. 치명상을 주므로 뺨을 치는 것이다.

7. 힘(勁)의 운용

① 상대 힘에 의지

① 을의 우수가 위로 오는 경우, 갑은 좌수로 위로 올려 막고 동시에 나가면서 우수로 공격하고, 을이 좌수로 막으러 오면 갑은 위로 막은 좌수로 을의 우수가 누르는 힘을 의지하여 몸을 오른쪽으로 틀며 찌른다(借勁). 측신側身으로 치듯이 하지만 측신은 아니다. 계속해서 우수가 들어간다.

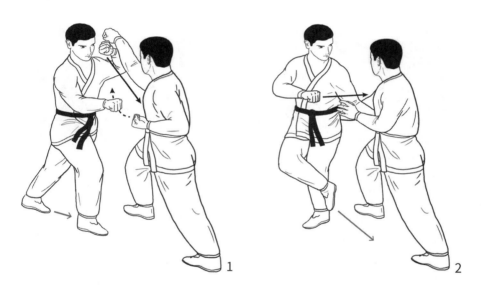

② 상대 우권右拳을 좌장左掌으로 받고 그 반탄력을 내 몸으로 옮겨 우수로 공격한다. 상대 몸에 접촉되지 않아도 신법으로 몸을 돌리는 것 자체가 상대 힘을 빌리는 것이 되어 더 강한 공격이 나갈 수 있다. 가만히 있는 상대를 치는 것은 힘이 없다.

③ 갑이 우수를 지르면 을의 좌수가 올라오면서 막는다. 갑은 좌수로 을이 들어 올리는 손을 더 들어 올리면서(살짝 오르는 힘을 이용하여), 공격하던 우수를 아래로 내려 다시 찌른다.〈포가권抛架拳〉마지막 부분에 찌른 손을 들어 올리며 다시 찌르는 것과 유사하지만 반대 손으로 들어 올리는 점이 다르다. 이때 좌우 손이 서로 반동을 이용하면 안 된다. 각자 목적하는 바를 수행해야 한다. 그래야 상대가 모르게 빠르게 쓸 수 있다.

1   2

경勁의 힘을 이용하는 경우, 갑이 우권右拳을 지르는데 을이 만약 좌수로 갑의 주먹을 바깥에서 횡橫으로 막으면 갑은 들어가던 주먹 힘으로 즉시 상대의 횡력橫力이 오는 반대 방향으로 횡으로 밀어 벌리고 계속 들어간다. 살짝 밀어내도 상대의 횡력이 소실된다. 횡橫 속에 수竪가 있고 수 속에 횡이 있는 힘을 이용한다.

상대의 무릎을 밟고 들어가(밟으면 상대 무릎이 펴지고 몸이 숙어진다), 목에 좌우수左右手를 연타로 들어간다. 이런 것이 상대 힘을 의지해서 들어가는 것이다.

② 상대 힘이 발發하지 않게

① 상대가 우권右拳을 질러오면 상대 팔꿈치가 아직 구부러져 있을 때 나는 좌장左掌으로 상대 권면拳面을 밀어서 막고(상대 힘이 발發하기 전이므로), 우수로 얼굴을 치고 다시 좌수로 공격한다.

② 상대 좌권左拳을 우수로 막으면서 동시에 좌수로 상대 얼굴을 덮는다. 상대는 눈이 가려지기 때문에 내 우수가 마음대로 공격할 수 있다.

③ 을의 우수 공격을 갑이 양손으로 왼쪽에서 오른편으로 감아서 방어하고 이어서 왼손은 상대 팔꿈치를 누르고 오른손으로는 공격하는데, 우장右掌으로 상대 좌수(숙처에 있는 손)의 상완上腕을 친다. 뿌리를 제압해 을의 손이 못 나오게 하는 것이다. 계속해서 좌수로 을의 오른쪽 얼굴을 치고 다시 우수로 왼쪽 얼굴을 친다. 신법을 사용하면서 을의 왼쪽 팔을 치는 것과 같은 시각에 갑의 좌수로는 을의 오른쪽을 쳐야 한다. 빨라야 한다. 을의 숙처에 있는 손은 팔뚝 또는 상완 두 곳 중 어떤 곳이든 공격할 수 있다. 이때 갑의 우수가 을의 왼손을 친 다음 계속해서 가슴까지 칠 수도 있다.

③-1 　　　　　　　　　　　　③-2

④ 을의 우수 공격을 갑이 우수로 감아 막는데, 을의 우권右拳이 갑 쪽으로 밀면서 버티면 갑은 막았던 손을 을의 팔에 붙인 상태로 자신 쪽으로 미끄러뜨려 을의 권면拳面을 장掌으로 친다.

　⑤ 을의 우수 공격을 갑이 우수 탁탑托塔으로 호구虎口로 올려 막는데, 을의 팔꿈치 부위를 탁탑으로 올리고, 약간 위쪽으로 오른쪽으로 빗나가게 하면서 갑의 얼굴 오른편으로 을의 공격을 흘려보낼 수 있다. 이어서 을의 오른팔 아래로 갑의 우수가 미끄러져 들어가면서 겨드랑이와 팔 부위를 장掌으로 친다. 또는 한 손으로 을의 상완上腕 뿌리는 손가락으로 쥐고 장근掌根으로는 가슴을 친다. 탁탑으로 막을 수도 있고, 전사로 바깥쪽에서 막고 상대 팔 아래쪽으로 전사해 들어가 칠 수도 있다.

⑥ 을이 우수가 찔러오면 갑은 좌수로 왼편에서 위로 오른편으로 아래로 왼편으로 을의 팔을 감아 눌러 바깥으로 막으면서 우수로는 을의 좌수를 정면으로 밀어 미리 제압하면서(오든 말든), 이어서 갑은 제압한 을의 좌수 위에서 미끄러지며 우수로 상대 몸통을 공격한다.

1   2

⑦ 을의 우수가 오면 갑은 좌수로 막는 동시에 우수로는 상대 좌수가 못 나오게 밀어 눌러서 봉쇄한다(좌우가 동시에 들어가야 한다). 이어서 갑은 좌수로 공격한 다음 우수로 누르고 있던 을의 좌수를 바깥으로 젖히고 다시 우수로 공격한다. 이때 발은 신법에 따라 무조건 앞으로 들어가야 한다. 한번 움직일 때마다 꼭 발이 움직여야 한다.

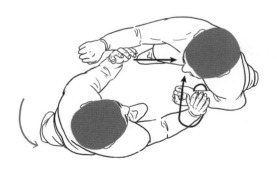

⑧ 갑이 우수를 지르면 을이 좌수를 들어 막는다. 이때 을의 좌수가 걸리면 갑은 우수를 걸어서 당기며 좌수로는 을의 왼팔 상완을 안에서 바깥으로 쥔다.

이어서 을의 우수가 치려고 나오면(만약 상대가 움직이지 않으면 갑도 그냥 기다린다), 갑의 우수가 먼저 가서 을의 왼쪽 얼굴을 친다. 이때 좌수는 을의 상완 급소를 계속 쥐고 있다. 상대 바깥에서 팔을 잡을 때도 상완(팔꿈치 바로 위)을 잡아야 한다.

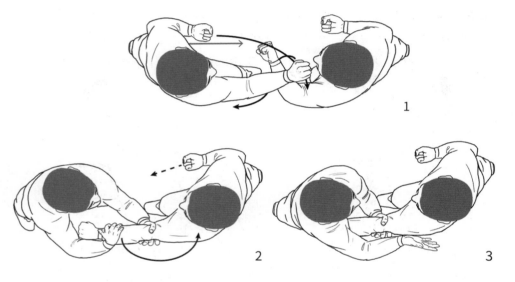

1

2

3

⑨ 꺾어서 제압하는 경우는, 상대 공격을 호구虎口로 아래서 위로 손목 부위를 잡아 올린다. 이어서 손목에서 순식간에 타고 올라가 주먹을 잡는다. 계속해서 구수의 손목 힘으로 아래로 손목을 꺾으면 상대가 뒤로 밀린다. 이때 나의 엄지를 돌려 상대방 엄지를 누른다. 꺾여져 쥔 상대 엄지를 더 꺾어지게 누른다. 이것이 엄지의 약점이다. 또는 엄지와 엄지 뿌리 모두를 잡아 뒤로 젖히듯 꺾는다. 상대와의 공방에서 상대 손이 닿으면 무조건 잡아야 한다. 실력 차이에 따라 서로를 잡게 된다. 안 잡혀야 한다. 잡으면 꺾는다. 팔꿈치, 손목을 동시에 잡아 꺾는다.

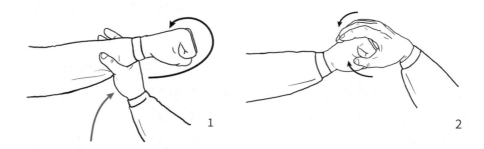

③ 상대 수비 손을 되채기

'되채기'란 상대가 내 공격을 막으면 오히려 내가 상대를 막고 친다는 뜻이다. 문중의 특징적인 기예다. 즉 비급秘笈이다. 예를 들어,

① 갑이 우수로 위를 향하여 공격할 때, 을이 갑의 손을 들어 올리려 오른손이 나오면 갑은 왼손으로 을의 우수 아래로 들어가 을의 막아오는 손을 오히려 위로 들어서 보내면서 원래 공격하던 오른손은 계속 공격한다.

또는 갑이 아래로 공격하는데 을이 눌러 막으려 하면, 오히려 갑은 반대 손으로 을의 막으러 오는 손을 눌러버리고 그 위로 계속 공격한다.

② 을의 우수 공격을 갑이 왼편으로 돌며 왼손으로 을의 우수를 방어하며 갑이 우수를 찔러 들어가면 을이 좌수를 들어 막는다. 을의 좌수를 갑이 우수로 걸고 당겨, 다시 우수로 치고 들어간다. 만약 을이 다시 올려 막으면 갑은 그 힘의 방향으로 위에서 바깥 아래로 안쪽으로 호권虎拳으로 몸통을 친다. 을의 들어 올리는 좌수 아래로 들어간다. 후려치는 것이다. 호권은 주로 급소 이외의 부위를 친다. 즉 심장은 장掌으로 치고 그 외 가슴 부위는 호권으로 친다. 예를 들면, 걸어가면서 상대 낭심을 호권으로 후려친다.

내 공격에 상대가 채러 오면 오히려 내가 먼저 되채고 나서 공격한다. 이렇게 하면 상대가 나를 막으러 오는 모든 방어가 되채게 되어 상대는 나를 막을 수 없다.

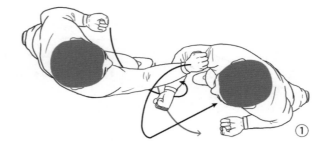

①

②

8. 태극太極의 이해

　태극太極의 이치는 〈준비 운동〉에서 허리 돌리는 동작 안에 있다.

　태극은 횡橫으로 수竪로, 그리고 순順으로 역逆으로 움직인다. 횡과 수, 순과 역이 뒤섞인 가운데 태극이 있다. 무예의 모든 수법手法은 태극 안에 있다. 태극은 펼쳐나가기도, 수렴하여 들어오기도 하며 끊어지지 않아야 한다. 앞에 상대가 없으면 무극無極이요, 상대가 있으면 태극이 시작된다. 나와 상대의 움직임은 태극으로 갈라져 나간다. 이치를 깨달아야 한다.

1 태극太極의 운용

　① 을의 우수를 갑이 우수로 젖혀 막고, 이어서 을의 좌수가 오면 갑은 다시 우수로 을의 좌수를 바깥에서 안으로 젖혀 막는다. 또는 우수로 상대 좌수 안쪽에서 바깥으로 젖히며 들어가 친다.

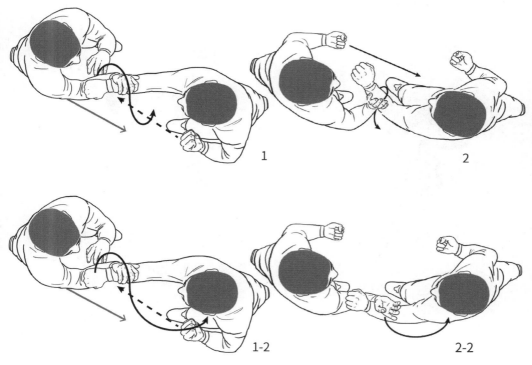

1

2

1-2

2-2

② 을의 우수를 갑이 우각우수右脚右手로 감아 오른편으로 젖히고, 갑의 좌각左脚이 걸어 들어가며 좌수로 을의 우수를 좌측 바깥으로 걷어내며 갑의 우수로 뺨을 친다.

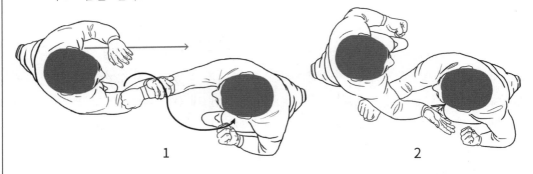

1   2

③ 을의 우수를 갑이 양손을 사용해 막고 다시 을의 좌수가 나오면 갑은 좌각左脚이 한발 걸어 들어가면서 좌수로 아래서 위로 왼쪽으로 감아 을의 좌수를 막으면서 우수 중사평中四平을 찌른다. 직선으로 권拳을 찌르며 운용하는 것도 태극이다. 직선은 원의 부분이다.

1   2

상대의 양손을 내 우수 하나로 떨어지지 않고 점點, 화化의 경勁을 이용해 붙으며 따라잡아야 한다. 이때 상대가 손을 바꾸러 반대 손이 움직여 오면, 내 우수가 상대 우수에 붙어있다가 상대 좌수가 올라오면 즉시 내 우수를 상대 좌수에 붙여 왼쪽으로 밀어붙인다. 손을 바꾸는 신법을 운용할 때 발도 신법에 따라 전진하면서 한 걸음씩 움직여야 한다. 즉 손이 한번 변하면 발도 한번 변한다.

④ 상대 우수 공격이 오면 나는 좌수로 상대 우수를 안으로 쳐낸다. 이때 나의 우수는 장掌으로 오른쪽으로 돌리며 태극으로 감으며 상대 권면拳面에 부딪힌다. 동시에 좌수는 상대 팔꿈치에 바깥에서 안으로 걷어낸다. 우장右掌은 부딪히자마자 떼야 한다(숨을 죽인다).

⑤ 상대 손목을 구수로 잡는 것도 상대 손목 위에서 태극으로 감싼다. 정면에서 보면 손목을 돌리며 내 손목이 상대 권면을 감싸듯이 돌린다.

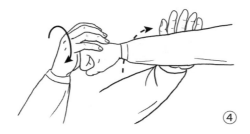 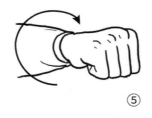

④   ⑤

⑥ 상대 우수가 오면 먼저 내 우수로 상대 손목을 바깥으로 부드럽게 쳐내고 좌수로 바깥에서 안으로 부드럽게 쳐낸다. 상대 팔을 굽이치게 만들어 힘을 잃게 한다. 구수, 장 수련이 되지 않으면 태극을 운용할 수 없다.

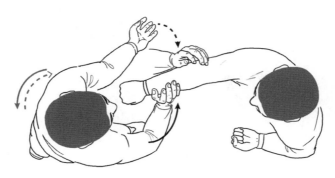

⑦ 을이 우수로 공격해 오면 갑은 측면으로 나가며 허리를 오른편으로 돌리며 을의 우수를 나拿하는데 우수로는 막아서 걸어 내리고 좌수는 탁탑으로 올려 꺾는다(위로 부러트린다). 이어서 내 좌수로 상대 뻗은 팔 아래로 치고 들어간다. 상대 팔 아래로 칠 때도 허리의 회전 방향을 반대로 바꾸지 말고 그 돌려가는 힘으로 그대로 뻗어 친다.

⑧ 을의 우수가 오면 갑은 우수로 감아서 막고(허리는 오른편으로 돌린다), 다시 을이 좌수로 공격해 오면 갑은 그 위치에서 그대로 우수를 약간 들어서 막고 을의 양팔 사이 공간으로 우수를 밀어 넣어 공격한다.

1   2

⑨ 을의 우수가 오면 갑은 좌, 우수로 을의 우수를 점點하여 감아 돌리고, 계속 바깥 → 위 → 안 → 아래로 감는다. 상대 팔 아래까지 나사가 돌며 움직이듯 감는다. 연이어 몸을 좌로 돌리며 들어가 벽으로 친다.

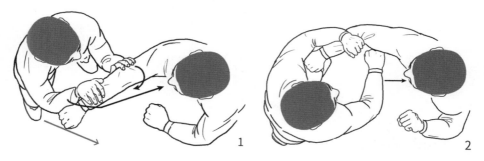

⑩ 상대 우수를 바깥에서 양손으로 감아 막고 좌수는 계속 상대 팔꿈치 부위에 대고 신법으로 돌려 우수는 장과 손가락(동시에 사용하면 파괴력이 더 커진다)으로 복부를 친다. 왼손을 완전히 아래로 바깥으로 감아 상대가 날 못 치도록 신법으로 운용한다.

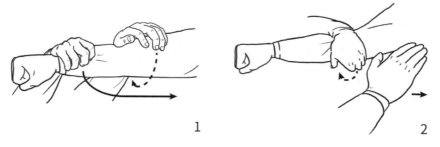

태극으로 움직이는 것은 고수가 되어야 배워서 받아들일 수 있다. 장권 32세를 태극으로 움직이는 것이다. 수법의 예를 들면 상대 우수가 오면 나의 왼손은 상대 손목 바깥에서 위로 안으로 아래로 구수로 계속 감고(나 쪽으로 약간 당기면서 감는다. 상대는 자신의 팔이 휘감겨 드는 느낌이 든다), 우수는 상대 팔꿈치 아래에 장掌을 위로해서 잡는다. 이때 상대 팔꿈치에 내 우수를 대면 (그림)처럼 화살표 방향으로 꺾을 수 있다. 이것은 상대와 대적 시 일반적으로 손을 움직이는 방법과 같지만 극유極柔로써 운용하는 것이다.

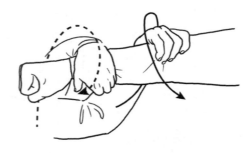

② 궁궁을을弓弓乙乙(전사纏絲)

　모든 것은 전사纏絲로 움직여야 한다. 모든 수법手法은 전사로 나가고 전사로 들어와야 한다. 주먹도 끝에 가서 완전히 손등이 위로 되게 전사가 되어야 하고, 장掌도 마지막에 엄지 쪽 외연外沿까지 돌아가야 한다. 전사는 꼭 필요한 만큼만 움직인다. 수법에서 상완上腕은 그대로 움직이고 팔꿈치부터 그 아래로 전사가 되어야 한다. 다리도 전사로 움직인다. 보법步法, 발차기 등 모두 다 해당한다. 손, 발, 몸 등 모든 동작은 시작하여 멈출 때까지 전사로 움직여야 한다. 전사는 계속 수련하면 능숙해진다.

　① 상대 권拳이 질러오면 상대 팔 아래에서 위로 바깥으로 전사로 돌리며 막는다. 상대가 계속 밀어오면 상대 팔을 인引하듯이 당기며 전사로 회수한다. 약간 느슨해지면 다시 전사로 밀고 나가 친다. 반드시 나의 숙처에서 전사가 나가고 숙처로 회수하며 전사해야 한다.

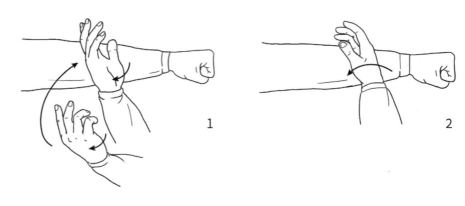

1

2

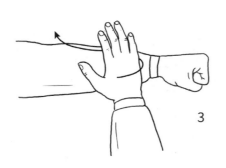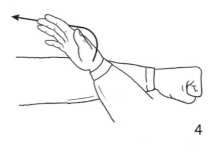

3

4

② 공격의 시간을 아끼려면, 상대가 오는 방향으로 전사하여 낙공시키고 계속해서 역방향으로 다시 전사로 들어가며 바로 권으로 변해 공격한다.

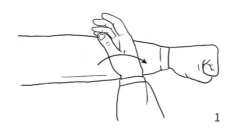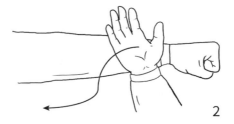

1

2

3

③ 상대 공격을 내 우수의 외연外沿(또는 소지小指)으로 막으며 상대 공격을 전사로 인리한다(끌어들인다). 손등으로 맞이하여 당기듯 역전사逆纏絲로 움직인다. 상대가 팔을 회수하면 순전사順纏絲로 돌리며 공격해 들어간다.

첫 번째 역전사逆纏絲는 상대 힘을 죽이고, 다시 그 힘을 받아 순전사順纏絲로 친다. 한 손만으로 운용하더라도, 상대방의 다른 손, 발 모두를 경계하면서 들어가야 한다.

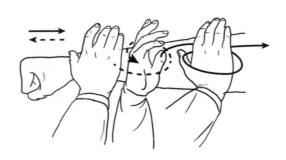

④ 상대 권拳이 오면 엄지로 상대 팔목을 엄지 바깥으로 걸어 젖혀 누른다 (背掌). 그다음 나머지 손가락의 도움으로 누른다. 이어서 상대 손목에 붙인 상태에서 손바닥을 상대가 보이는 쪽으로 돌린다(이미 공격했다는 뜻이다). 실전에서는 멈추지 않고 막는 순간 다시 돌리며 들어가 친다.

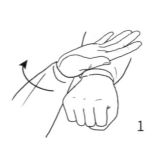

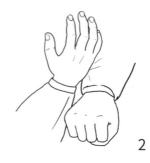

1   2

⑤ 상대 우수가 힘 있게 들어오면 우각右脚이 나가며 몸은 좌로 돌리며 우수로 상대 팔을 전사로 좌로 막는다. 계속 전사로 돌리면서 막으면 손등이 뒤집어 가서 닿게 된다(역전사逆纏絲). 그대로 〈외용세外勇勢〉 2세처럼 내연內沿에 힘을 주고 상대 목을 친다. 검劍을 쓰는 것과 같다. 상대의 들어오는 손이 강하므로 손등으로 힘 있게 비끼면서 막는다. 손목이 끝까지 꼬이는 힘으로 막는다.

⑥ 빗기면서 전사로 할 수도 있다. 전사는 상대 힘 방향을 느끼면서 그때그때 변하면서 해야 한다.

9. 응용

① 상황을 유도

① 을의 우수를 갑이 우수로 바깥에서 막고 갑의 좌수가 들어갈 때 을이 자기를 기준으로 왼편으로 움직이려 하면 갑은 오른편으로 움직인다. 이어서 을이 다시 오른편으로 움직이려 하므로, 갑이 먼저 을의 우수를 잡으면서 을이 움직이려 하는 방향으로 우수로 공격을 한다. 먼저 가려고 하는 곳으로 찌른다. 중요한 것은 모든 공격이 내 양다리 사이에서 이루어지고 내 무릎의 외곽으로 공격해서는 안 된다.

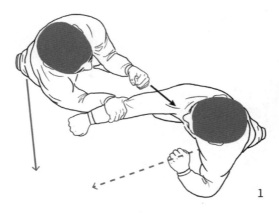
1

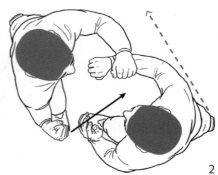
2

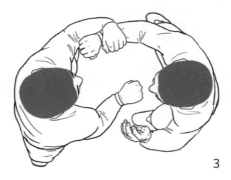
3

② 상대 우수 주먹에 내 좌수로 눌러 막고 우수로 찔러 들어가면(실제 공격 손이 아니다), 상대 좌수가 내 우수를 올려 막는다. 그러면 빈 곳으로 내 좌수를 아래로 내리꽂는다(실제 공격). 갑은 다시 우수로 상대를 막은 손을 돌려 바깥으로 걷어내고 우수로 내리꽂는다. 또는 좌우 손이 선후가 바뀌어 우수가 뒤, 좌수가 앞으로 가는 식으로 움직여도 된다. 이 경우에는 두 손이 동시에 상대 주먹을 바깥에서 걷어낸다.

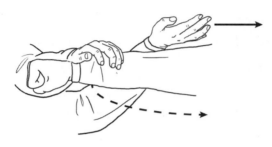

③ 을의 좌수에 갑은 우수로 왼쪽으로 아래로 눌러 막는다. 갑이 기다리고 있으면 을은 A(후면)를 장악당했기 때문에 ㉮ 쪽으로 돌아 나온다. 그때 내 좌수로 공격하면 상대가 내가 치기 쉽게 와주는 꼴이 된다. 또는 상대가 등을 제압당하기 싫어 ㉯ 쪽으로 돌면 상대는 내 코앞에 오게 되어 더 쉽게 내 좌수로 공격할 수 있다.

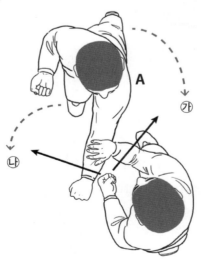

④ 내가 먼저 양손을 위로 들어 올리면 상대는 아래서 내 손목을 잡는다. 즉시 내가 아래로 구수로 잡으며 나 쪽으로 당긴다. 상대는 버티면서 끌려오고 나는 그 힘을 빌려서 나가면서 양손으로 친다. 한 손일 때도 원리가 같다. 만약 상대가 내 팔을 잡아 아래로 당기면 나는 팔에 힘을 빼버린다. 상대 힘을 아래로 낙공시킨다.

⑤ 실전에서 상대를 끌어내는 방법으로 두 손으로 상대 팔을 휘감아 '가!' 하면서 들어가 공격한다. 또는 우수를 뻗어 '가!'라고 소리치고 상대가 물러나지 않고 팔을 올리면 상대 팔을 양손으로 나拿해서 들어가 좌수로 목덜미와 후두부를 80%의 힘으로, 아랫배는 우수로 20% 힘으로 동시에 친다.

⑥ 을의 우수가 들어오면 양손으로 끌어서 감아 막고 갑은 우벽으로 내려친다. 을의 좌수가 막으니까 이때 갑의 좌측은 을과 가까워져 있다. 갑은 좌수로 찌른다.

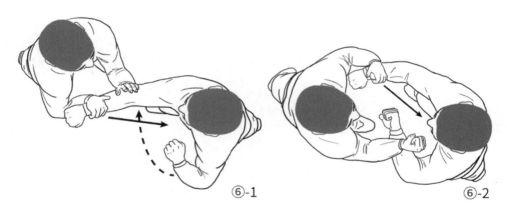

⑥-1   ⑥-2

⑦ 상대와 대적 때 자기 특기를 쓰기 위해 상황을 만들어야 한다. 예를 들어, 상대를 끌어내기 위해 우수를 치고 들어가면 상대 우수가 맞으러 나온다. 이때 내 우수로 상대 우수를 밀어야(오른쪽으로 아래로), 상대는 제압당하기 싫어서 왼손이 올라온다. 그래야 상대 왼손을 제압할 수 있게 된다.

② 시간의 단축

① 을의 우수를 갑이 우수로 막으면서 동시에 을의 팔 아래로 내 좌수 배장背掌으로 친다. 이때 좌각左脚이 같이 나가야 한다. 갑은 계속해서 우수로 몸을 왼편으로 돌리며 상대를 친다. 첫 번째 공격하고 막았던 우수를 뒤로 뺏다가 치면 늦다. 막았던 위치에서 바로 앞으로 나가야 한다.

② 을이 우수로 공격해 오면 갑은 좌수로 막고 오른편으로 비스듬하게 돌며 우수로 공격한다. ㉮ 을이 갑의 우수를 막으면 갑은 을이 막은 손을 걸어서 당겨오며 그대로 좌수로 공격한다. 이때 갑의 좌수는 막은 손을 뒤로 뺏다가 다시 찌르면 늦어서 안 된다. 바로 앞으로 나간다. ㉯ 연이어 갑은 우수로 공격한다. 두 번 공격은 주로 심장과 명치를 목표로 한다.

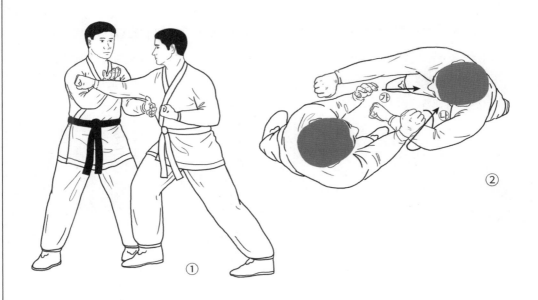

③ 을의 우수 공격을 갑은 좌수로 눌러 막는 동시에 우수는 벽劈으로 머리를 내려친다. 두 손으로 상대 우수를 방어한 후에 다시 우수를 들어 치는 것보다 빠른 것이다.

③

④ ㉮ 상대 좌수를 나의 우수 반배장으로 안에서 위로 바깥으로 걷어내고 보통은 손을 뒤집어 손등이 위로 오게 해서(이 순간 시간이 걸린다) 횡벽으로 상대 팔 아래로 공격한다. ㉯ 반배장한 손을 그대로 아래로 내려 호구 부위로 횡으로 상대를 공격한다. 이 경우 더 빠른 공격이 이루어진다.

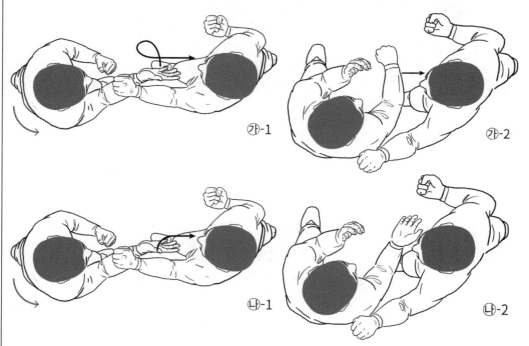

㉮-1   ㉮-2

㉯-1   ㉯-2

③ 다수多數를 대적할 때

① 2인人이 공격해 오는 경우 대개 나의 전면에서 좌우로 흩어져 들어온다. 동시 공격 같아도 시간상으로는 약간의 차이가 있게 들어온다.

㉮ 먼저 A가 우수로 공격해 오면, 갑은 우수로 구수鉤手에서 배장背掌으로 펼쳐가며 A의 공격을 화化한 다음 그대로 장掌으로 공격한다. 좌공坐功의 횡벽橫劈 수련에서 숙련된 움직임으로 벌리며 막고, 모으며 공격한다.

㉯ 연이어 B가 공격하려 하므로 좌각左脚을 B 쪽으로 나가며 좌수는 바르게 직선으로 장掌을 친다. ㉮의 장掌 공격과 ㉯의 장掌 공격이 동시에 이루어지지만 ㉮의 공격이 약간 빠르다.

A에 대한 공격을 위해 좌각을 어떤 방향으로든 움직여야 한다. A를 치기 위해 나가야 하기 때문이다. 따라서 좌각이 몸을 따라 나가므로, B 방향으로 나가면서 B를 동시에 공격할 수 있게 된다.

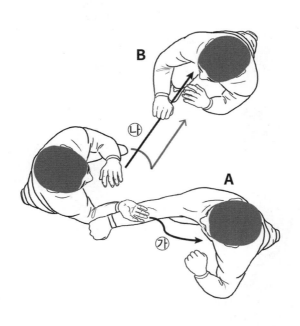

② ㉮ 갑이 우수를 A로 뻗어 A가 우수를 내밀면 양수로 잡고, ㉯ 갑은 좌각左脚이 앞으로 나가며 좌수는 A의 팔꿈치, 우수는 팔뚝을 잡아서 아래로 비스듬히 당기며 우수로 낭심을 치고, ㉰ 즉시 B 쪽으로 몸을 돌려 B가 우수를 찔러오면 갑은 좌궁보左弓步로 나가며 좌수로 B의 우수를 막으며 우수로 B의 중궁을 친다.

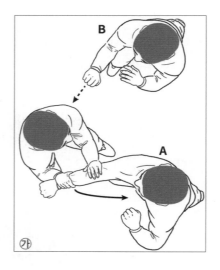

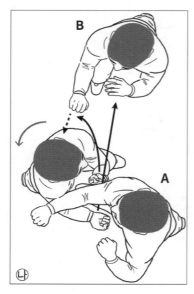
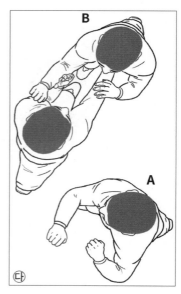

③ ㉮ 먼저 B가 우수로 공격하면 갑은 양손으로 받고, ㉯ 이어서 B의 좌수가 나오면 갑은 B의 우수, 좌수를 순서대로 꼬아서 힘으로 B의 몸에 붙여 놓고(몸에 밀듯이 붙여야 시간을 번다), ㉰ 몸을 A로 돌려 뛰듯이 우각右脚이 나아가 약간 측신으로 들어가며(멀리 뛰어들어가며 이때 좌족을 들지 말 것) 우수로 A의 명치 아래를 뚫듯이 푹 찌르고, ㉱ 다시 몸을 B 쪽으로 돌려, 좌각左脚이 나가 딛고 우각을 들며 좌수로는 B의 손을 제압하고 우수로는 우독립보를 취하며 권추로 친다(장掌으로 친다). 또는 B를 제압하고 A가 약간 가까이 있는 경우 우각으로 옆차기를 찰 수도 있다.

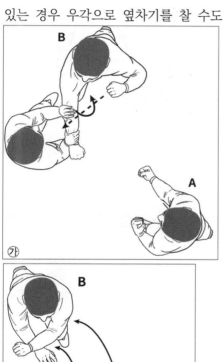

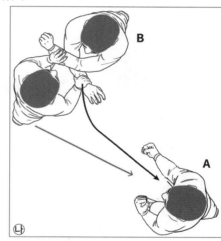

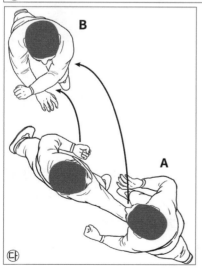

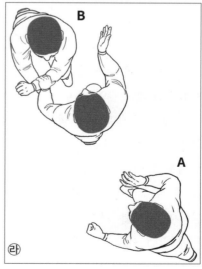

④ 갑은 두 사람 사이를 헤치듯이 걸어나가며 오른쪽의 A는 얼굴을 치듯하다 A의 팔이 올라오면 갑은 위로 치던 팔을 뒤로 회수하지 않고 아래로 내려 배를 찌르고(이때 갑이 측신으로 서서 들어가야 A가 갑을 칠 곳이 없어진다), 이어서 갑은 왼쪽의 B를 돌아보며 '단권 4로'처럼 공격하든지 아니면 ③의 ㉮처럼 공격하되 B의 왼쪽 어깨, 등을 쳐서 밀치고 걸어간다.

또는 먼저 B로 돌아보며 '단권 4로'처럼 들어가 좌수는 B의 손을 제압하며 우수로 B의 목을 치면서 목을 잡고 왼손을 아래로 내려 상대 명치 아래를 장근掌根으로 치고, 뒤로 돌아 A를 우수로 막고 좌독립보로 좌장左掌을 권추처럼 친다.

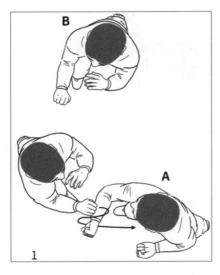
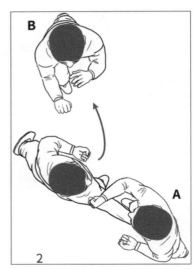

⑤ 다수와의 공방은 세 사람이 둘러싸면 최대 수이다. 따라서 세 사람을 대적한다면 한순간에 처리해야 한다. 발로만 공격해도 마찬가지다. 한 사람을 치고 움직이면 다른 사람은 동시에 나를 치러 들어오지 못한다. 한 사람과의 공방이 끝나면 바로 들어온다.

예를 들어, 세 사람이 둘러싸고 있는데, 상대가 오른쪽에서 오면 나는 오히려 왼쪽 상대를 치러가는데 오른쪽은 몸도 돌리지 않고 오른손과 가슴으로만 움직여 상대를 구수로 잡아채면서 장掌으로 치고 다음에 왼편 상대를 친다. 뒤에 있던 사람이 공격하니까 돌아보며 발 공격으로 처리한다.

第六章

兵仗 技藝

【서序】

　　몸과 병장기兵仗器는 함께 살아있어야 한다. 즉 병기兵器가 몸의 일부처럼 움직여야 한다. 곤봉棍棒이나 칼 등, 병기는 잘못된 동작이라도 상관 말고 무조건 연습한다. 그렇게 수련이 많이 되어야 고칠 수 있고, 고치면 바르게 된다. 처음부터 규격에 맞춰 정확하게 수련하면 굳어버려 안 된다.

　　첫째, 몸의 신법이 병장기를 끌고 가야 한다. 병장기가 몸을 앞서가는 것은 몸이 병장기를 이끄는 것이 안 되므로 조심해야 한다. 다시 말하면 병장기가 몸을 따라가야 한다. 장병기長兵器는 몸이 병기를 이끄는 것을 본인이 느낄 수 있지만, 검이나 단병기短兵器는 본인이 못 느낀다. 그리고 병장기는 손에 들었지만, 병기는 마음에 두지 말라. 없는 것처럼 해라. 그렇게 되려면 신법身法이 되어야 한다. 병기는 무엇이든 한 가지를 열심히 해서 숙련시켜야 한다.

　　둘째, 병장기兵仗器를 운용할 때는 발이 먼저 나가야 한다. 그렇게 해야 몸이 병기兵器에 끌려가지 않는다. 예외가 있지만, 채찍을 휘감아가듯 병장기는 몸이 돌아가는 것에 의해 이끌려야 한다. 검·도·봉·창 모두 같다. 권법 역시 같은 원리로 돌아가야 한다. 몸이 돌아가면서 손이 끌려가고 그로 인해 병장기가 돌아간다. 그래야 운율이 살아난다. 힘으로 병장기를 운용하려 해선 안 된다. 힘으로 하면 몸이 앞으로 숙어진다. 병기에 끌려가게 된다.

　　권법 수련처럼 봉이나 칼도 길게 늘여야 힘이 생긴다. 병장기 끝에 힘이 들어가는 것은 발에 힘이 생겨야 한다. 권법은 보형에 기준을 두지 않고 수법과 신법에 기준을 둔다. 기예技藝가 주主가 되기 때문이다. 그래서 수련할 때 보형 보다 약간 줄여서 보폭을 잡는다. 병기도 권법과 마찬가지다.

　　◎ 장병기長兵器를 음양수陰陽手로 잡으면 긴 것을 운용한다는 것이다. 즉 창법槍法의 파법把法이다. 짧은 봉은 두 손을 모두 음수陰手나 양수陽手로 잡는 것이 기본 파법이다. 봉·창 등, 장병기長兵器를 운용할 때는 대문大門은

앞을 향해 들고, 소문小門은 허리에 손이 와야 한다.

장병기는 먼저 긴 것으로 연습하고 짧은 것을 숙련시켜야 한다. 병기가 짧아질수록 활발하게 쓸 수 있다. 옛 무인武人들은 지팡이 끝에 준鐏을 달고 다녔다. 창槍도 짧게 만들어 쓰고, 월도月刀도 짧게 만들어 사용했다. 군사용이 아닌 개인적인 용도로 운용하기 위해서다. 월도는 고리 장식을 해서 접었다 폈다 했다. 세우면 지팡이처럼 짧지만 두 손으로 다 운용한다. 길이가 짧으면 칼날도 역시 손바닥 크기로 작아진다. 날에 가죽을 씌워서 차고 다녔다. 월도 크기를 작게 만들어 휘두르면 쌍수도雙手刀 형식이 된다. 쌍수도와 월도가 다른 이유는 날과 자루 길이가 서로 반대로 되어있기 때문이다. 월도가 긴 것은 마상馬上에서 쓴다. 《무예도보통지》의 병기 길이는 군사용이다. 도량형이 틀린다.

◎ 병기로 찌르는 것(刺法)은 병기에 따라 3가지로 구분한다.
① 검과 도: 자刺
② 창 : 찰扎
③ 봉, 몽둥이: 착戳

◎ 일반적으로 각 문파에서는 병기兵器의 숫자로 기예技藝의 숫자를 정한다. 무당에는 16계械가 있다. 소림에는 20계가 있다. 기예의 가짓수를 의미하는 《무예도보통지》의 〈십팔기十八技〉와는 다른 의미다.

【곤봉棍棒】

　　곤봉棍棒은 전全 무예武藝를 다루는 기본 병기兵器이다. 병장기兵仗器 중 봉棒이 근본이다. 반드시 익혀야 한다. 권법·곤봉·칼 등, 〈십팔기十八技〉를 했다면, 무예를 했다면 기본적으로 해야 한다. 또 고수가 되려고 한다면 반드시 해야 한다. 곤봉棍棒은 다른 병기의 기초로서 의미가 더 크다. 예를 들면, 칼의 기초로 곤봉을 수련해야 한다. 봉棒에는 검법劍法, 창법槍法, 당파鐺鈀 등의 기법이 모두 포함되어 있으므로 기초로 하는 것이다. 봉棒을 하지 않고 처음부터 다른 병장기를 한다 하면 반쪽만 하는 것이다.

　　우리가 수련하는 곤봉棍棒은 무예武藝 문자로 짠 것이다. 중복 동작이 없고 모든 곤봉세棍棒勢가 다 들어가 있다. 따라서 곤봉棍棒 1, 2, 3로路를 책 안에 넣어놓았기 때문에 《조선창봉교정朝鮮槍棒敎程》이라고 이름 붙였다. 장봉투로長棒套路에 봉棒이 할 수 있는 모든 기법을 넣어 투로로 짠 것이다. 동양東洋의 어떤 무예도 그렇게 완전하게 되어있지 않다.

　　중봉中棒은 항마곤降魔棍을 수록한 것이다. 신법身法이 묘妙하다.

　　봉棒은 칼의 〈육로도법六路刀法〉처럼 기본 틀을 짜지 않았다. 배우는 사람들이 지겨워하여서 하지 않기 때문이다. 그래서 '봉棒 1로路'에 기본이 조금 들어있다. 봉 1로는 초식招式이 아니고 수련의 틀(機)로 만들었다. 따라서 봉 1로도 칼처럼 한 가지씩 또박또박 수련해야 한다.

　　'봉棒 2로路'부터는 초식으로 연습하라. 중간의 무화舞花와 내려치는 것(논벽곤掄劈棍)은 초식이 아니다. 봉棒은 모두 상대와 대련이 되도록 만들었다. 초식으로 끊어서 두 사람이 대련연습을 해야 한다(신법의 배합이 필요하다).

　　곤봉棍棒은 권법拳法처럼 자유자재로 움직일 수 있는 병기兵器다. 양손을 다 움직이므로 권법처럼 몸이 풀린다. 곤봉은 막 휘두르는 것이 중요하다. 숙련된 뒤에 조금만 고치면 바르게 된다.

〈곤봉棍棒을 규격에 맞게 오래 휘둘러 수련해서 손에 아주 익어야 한다.〉
이것이 곤봉棍棒의 기본 수련이다.

〈곤봉棍棒의 기본은 앞뒤, 좌우로 탄력 있게 늘어나는 데 있다.〉
신축성이 있어야 하고, 장병기長兵器는 다 그렇게 운용되어야 한다.

〈곤봉棍棒은 공격하는 쪽 손이 앞으로 나온다.〉
공격이나 방어나 상중하좌우上中下左右, 어느 방향도 앞으로 나가는 봉棒의
손(手)이 내가 의도한 위치로 가게 움직이면 된다. 즉, 봉棒은 내 손의 연장이
기 때문이다. 대적할 때 봉棒이 아니라 상대의 뿌리를 봐야 한다. 또한, 봉棒
은 몸 중앙(子午線)에 위치하지 않는다. 좌, 또는 우측에서 허리에 붙어 움직
인다.

〈몸이 봉棒을 이끌고 가야 한다. 발이 봉棒을 끌고 가야 한다.〉
봉棒이 몸을 감싸고, 봉棒은 몸에서 떨어지면 안 된다. 몸에 붙어 다녀야
한다. 찌를 때 발과 병장기가 같이 맞아떨어져야 한다. 반면에 단병기短兵器
인 검劍과 도刀는 손이 칼을 이끈다. 그전에 몸이 손을 이끌어야 한다.

〈봉棒은 양손이 같이 움직인다. 봉棒은 손안에서 놀아야 한다.〉
손 감각을 익히기 위해서, 짧은 봉棒으로 좌우 횡橫으로 엄지로 바깥으로
튕겨 치고, 구수鉤手로 안쪽으로 반대 손바닥에 회수하여 잡고 하는 법을 익
숙하게 되도록 연습한다(구수와 장 단련법). 여러 가지 연습 방법이 있다. 그래
야 봉棒을 잡는 감각이 산다.

힘을 빼고 숙련시켜야 한다. 수련법은 몸은 느리게 움직이면서 봉은 빠르게
운용한다. 몸으로 돌리므로 봉을 약간 느리게 돌린다는 것은 몸이 아주 느리
게 움직이는 것이다. 천천히 무게 있게 연습하라. 그렇게 숙련되어 몸을 빨리
돌리면 봉이 얼마나 빠르겠느냐! 숙련된 곤봉棍棒은 앞으로 나가면서 늘어나

면서……, 이런 것이 원原 곤봉棍棒이다. 음양수陰陽手는 병장기 잡는 법을 말하는 것이다. 음수陰手는 뒷손으로 찌르고 조정하는 역할을 하고, 내려칠 때는 앞의 손으로 양수陽手로써 친다. 양수지만 본래 비스듬히 치니까 봉棒이 손 바깥으로 빠져나가지 않는다. 곤봉棍棒에서 일자一刺(戳棍)가 가장 막기 어렵다. 따라서 상대 봉棒이 찔러오면 봉으로만 막지 말고 몸 전체를 운용하여 막아야 한다(身法). 병기兵器는 등을 구부리지 말고 움직여야 한다. 특히 찌르는 동작에서 병기에 몸이 끌려간다.

◉ 곤봉棍棒의 원세명原勢名에 대한 이해

대당세大當勢는 장병기長兵器일 때 휘둘러 내려치는 것을 말한다. 치는 것, 막는 것 모두 대당세다.

대당세大當勢(上), 대조세大弔勢(中), 대전세大剪勢(下)은 병기의 위치를 말한다. 대조大弔는 상대와 접했을 때 활줄과 화살을 의미한다. 대전大剪은 아래로 접했을 때 가위 모양을 만든다.

대당大當·대조大弔·대전大剪 등은 무술용어이다. 무학용어武學用語는 원래의 글자 의미와는 상관이 없다. '장봉長棒 1로路'의 봉棒 위치에는 뜻이 다 들어가 있다. 맥脈을 노리는 자리다. 인체의 급소急所를 노린다.

적수세滴水勢는 방어 동작이다. 〈적수세滴水勢+지남침세指南針勢〉는 거의 창법槍法의 〈난란欄+나나拿〉와 같기도 하지만 〈난란欄+나나拿〉가 더 광범위한 뜻을 가지고 있다. 적수滴水는 방어, 지남침指南針은 공격하려고 하는 자세로 높이를 정하는 동작을 뜻한다. 지남침세指南針勢는 방향을 정하는 것이다.

편신중란세偏身中攔勢에서 중란中攔은 방어 동작이다.

선인봉반세仙人捧盤勢는 원명原名이다. 원명으로 된 세勢인 경우 글자 하나 하나에 뜻이 다 있다. 인人의 의미는, 봉棒이 서로 부딪혔을 때 사람인(人)자가 나온다. 반盤은 받쳐 든다. 움직이며 막고 공격해 들어간다. 봉棒을 비스듬하게 막으면 상대 봉棒이 내 손을 미끄러져 치게 되므로, 수평으로 올리되 약간 기울여 내 손을 방어한다. 상대가 접接한 봉棒을 떼는 순간 제미살세齊眉

殺勢로 들어가든지 반대쪽 끝으로 휘둘러 공격할 수 있다. 제미살세齊眉殺勢
는 얼굴을 찌르는 것이다.

도두세倒頭勢는 봉棒 머리가 내려간다. 봉을 세워 밑으로 막는 것이다. 대
전세大剪勢와 같은 모양이지만 의미가 다르다. 도두세倒頭를 대전세大剪勢라고
하지 않는 이유는 세勢의 맥락에 따라 의미가 달라지기 때문이다. 조직해 놓
은 세勢, 글을 쓰는 세勢가 다르다. 문장을 쓰는 데서 달라진다. 글과 문장이
란 말은 동작으로 표현되는 세勢를 비유하는 개념이다.

하천세下穿勢는 비비면서 아래로 치는 것, 방어 세勢다. 하접세下接勢는 휘
둘러 아래로 치는 것이다. 대전세大剪勢는 위에서 아래로 내려치는 것이다.

● 곤봉棍棒의 규격規格

원原 곤봉의 길이는 서 있을 때 귀 높이, 또는 눈높이가 된다. 그러면 무화
舞花도 돌릴 수 있다. 머리 위까지 올라가는 곤봉은 무화를 돌릴 수 없다. 운
용은 할 수 있되 무화를 사용하지 못한다. 실내에서 수련하는 경우는 보통 어
깨나 목 높이 정도의 길이를 사용한다. 중봉中棒은 어깨까지가 길이가 되고,
지팡이는 젖꼭지 높이가 된다. 중봉이든 장봉長棒이든, 수련할 때는 긴 것으
로 연습하든 짧은 것으로 하든 똑같다. 중봉으로 장봉, 장봉으로 중봉을 연습
할 수 있다. 그러나 숙련시키기 위해서는 정正 길이로 수련하는 것이 좋다.

봉棒은 대나무 가는 것으로 수련하면 손 감각을 못 익힌다. 찌르는 수련은
될 수 있지만. 그러나 칼은 봉棒과 달리 대나무로 수련해도 된다.

(실내에서 할 수 있는
봉의 최단最短 길이)

● 곤봉棍棒의 파법把法

① 뒷손으로만 감고 찔러야 한다. 앞 손은 방향을 제시하고 봉을 지지한다.

② 봉의 운용은 손가락으로 봉을 돌린다. 그러나 봉은 항상 손바닥 안에 있어야 한다. 손가락으로만 잡는 것 아니다. 주로 손가락 뿌리 부위에 붙여서 운용한다. 그러면서 장심掌心에 닿지 않게 한다.

③ 봉을 운용할 때 힘주어 쥐면 안 된다. 주먹을 칠 때도 결정될 때만 힘주는 것과 같다. 칼이나 봉도 손안에서 놀아야 한다.

④ 봉을 쥘 때 반드시 봉 끝을 잡아야 한다. 봉은 손가락으로 돌리더라도 봉은 장掌 안에 들어가 있어야 한다. 아무리 세게 잡아도 장심掌心은 비워야 한다. 파법把法의 변화에서 무명지(새끼손가락)의 역할이 중요하다.

⑤ 파법把法은 변한다. 첫째, 봉 끝단을 넘어서 손을 걸치듯 잡으면 안 된다. 즉 끝단을 넘어 손이 봉 바깥으로 나가면 안 된다. 둘째, 봉을 찌를 때는 봉 끝단이 장심掌心에 오게 엄지와 검지로 봉을 잡고 구수鉤手의 힘으로 감아 돌려 장심으로 밀어 찌른다. 셋째, 봉을 내려치다가 변하여 찌를 때는, 손을 봉에 붙인 상태에서 파법把法을 변화시킨다. 손목이 부드러워야 한다.

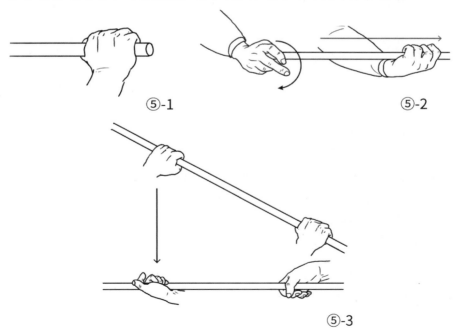

⑤-1

⑤-2

⑤-3

◉ 곤봉棍棒의 전사纏絲

예를 들어 상대의 대당大當 공격을 막을 때 그냥 부딪치면 안 된다. 전사纏絲로 막아야 힘을 만든다. 막은 다음 반대로 돌리며 상대 봉 아래로 봉을 붙인 상태로 미끄러진다. 이어서 봉을 비비면서. 찌를 때 다시 전사로 찌른다.

1

2

3

(봉의 전사)

◉ 곤봉棍棒의 난나찰攔拿扎

봉을 창을 들듯이 해서 상대가 내 왼쪽 몸통을 치고 오면 난나찰攔拿扎처럼 위로 오른쪽 옆으로 아래로 감아서 상대 봉을 누르고 그 자리서 바로 찌른다. 찌를 틈만 보이는 곳까지 감다가 미끄러지듯이 찌른다. 그 위치가 딱 찌를 수 있는 자리다. 방어와 공격이 분리되지 않고 한 동작으로 연결되어야 한다. 봉은 상대가 누르면 누르는 힘에 의지하여 내 봉을 감아 돌려서 상대 봉 위로 봉을 올린다.

◉ 곤봉棍棒의 방어防禦

상대가 상, 중, 하로 들어오면 제미살세齊眉殺勢로 막고 상대 손목, 팔을 친다. 또는 몸을 찌른다. 제미살세는 위로 오는 공격만 대응하는 것이 아니다. 중단이나 하단으로 오는 공격도 변하면서 방어한다. 봉의 수비는 막 부딪히면 안 되고 전사纏絲로 막아야 한다. 〈장봉1로〉 '6. 평가압곤平架壓棍'에서 아래로 눌러 막을 때 상체를 숙이면 안 된다. 상대 봉이 머리로 들어온다. 상체를 숙이지 않아도 상대가 아래로 낭심을 치고 들어오는 것은 방어하는 봉의 각도 때문에 자연히 맞지 않고 미끄러진다. 더 아래 다리 쪽으로 오는 공격은 봉을 좌, 우, 아래로 세워서 돌려막아야 한다.

곤봉을 돌릴 때나 내려치는 것은 막아 젖히면서 돌고, 막아 젖히면서 내려치는 것이다.

◉ 곤봉棍棒 수련의 주안점

봉棒은 계속 휘둘러 손에 익숙해져야 한다.
① 봉에 힘이 실릴 때까지 수련해야 한다.
② 봉으로 칠 때 봉을 늘이지 않고 친다. 그래야 전사纏絲로 돌릴 수 있다.

③ 봉은 두 손을 함께 움직여 봉 길이를 조절해야 한다. 한 손은 움직이는데 다른 손은 가만히 두면 안 된다.

④ 봉을 찌를 때 길게 찌르면 안 된다. 힘이 없다. 길게 오는 봉은 손으로도 눌러 막을 수 있다. 총검술 할 때처럼 짧게 찌른다.

⑤ 봉은 팔꿈치를 적당하게 구부려 움직여야 한다. 봉이 안 늘어나도 된다. 예를 들어 대당大當으로 공격할 때 치기 위해 뒷손을 앞으로 휘두르는데, 이때 뒤에 있는 손을 너무 길게 뒤로 뻗으면 안 된다. 팔에 여유가 있게 봉을 잡아야 한다. 초보 때는 팔을 늘여서 연습하지만, 숙련되면 짧게 움직인다.

⑥ 봉은 끝단을 잡지 않아야 한다. 대당大當을 칠 때도 뒷손은 끝을 잡지 않는다. 끝단에 여유가 있게 잡는다. 봉도 수법처럼 길게도 쓰고 짧게도 쓴다. 여유가 있게 잡아야 봉을 찔러야 할 때, 좌수를 순간적으로 뒤로 움직여 뒤 끝단을 잡고 찌른다. 몸과 봉은 움직이지 않아 상대가 눈치채지 못한다.

⑦ 봉을 세워 막을 때 위, 아랫단이 살아있어야 한다. 막은 다음 위, 아랫단으로 쳐야 하므로. 한쪽을 짧게 잡으면 안 된다.

⑧ 봉은 어깨를 올리거나 움직이면 안 된다. 상완과 가슴으로만 운용한다.

【참고】

장봉長棒 투로套路의 도해圖解는《조선창봉교정朝鮮槍棒教程》의 〈장봉長棒〉편을 참조하기 바란다. 본문 중 (그림)이라고 표현한 것은 모두《조선창봉교정朝鮮槍棒教程》의 〈장봉長棒〉편의 그림 순서를 말한다.

【장봉투로長棒套路】

장봉 1로	장봉 2로	장봉 3로
1. 右劈把	18. 轉身撩棍劈把	37. 轉身掄劈棍
2. 左劈棍	19. 下掃橫擊棍	38. 踢腿撩棍
3. 下橫擊把	20. 劈把	39. 轉身刺棍
4. 橫擊棍	21. 撩棍劈把	40. 騰空轉身平掄棍
5. 刺棍	22. 舞花轉身撩劈棍	41. 平架彈腿
6. 平架壓棍	23. 轉身點棍	42. 掃棍劈把
7. 左右撥格	24. 抱棍	43. 下掛橫擊把
8. 轉身推棍	25. 撩棍蓋把	44. 轉身橫擊棍
9. 轉身撥把	26. 轉身雲撥棍	45. 挑把絞戳根
10. 騎馬托棍	27. 轉身雲撥棍	46. 掃棍劈把
11. 雲撥棍	28. 轉身舞花點棍	47. 側踹腿
12. 轉身撥把	29. 挑把轉身刺棍	48. 飜身點棍
13. 轉身撥棍	30. 掃把蓋棍撩把	49. 飜身刺棍
14. 舞花	31. 舞花轉身推棍	50. 舞花轉身掃把
15. 掛劈把	32. 轉身劈棍	51. 舞花
16. 絞把戳根	33. 刺棍	52. 舞花
17. 舞花刺棍	34. 橫擊桃棍	53. 單手舞花背棍
	35. 壓棍	54. 旋風脚
	36. 轉身撩棍劈把	55. 舞花轉身撩棍
		56. 下掛轉身掄劈棍
		57. 轉身掄劈棍
		58. 飜身點棍
		59. 刺棍
		60. 提撩花
		61. 轉身掛棍
		62. 收式

【張棒 一二三路 各論】

1. 우벽파右劈把　2. 좌벽곤左劈棍

대당세大當勢다. 봉棒을 위에서 내려칠 때는 신체 구조상 약간 비스듬해질 수밖에 없다. 봉棒 끝은 가슴 높이에서 멈춘다.

① 대당세大當勢로 상대를 공격하면 상대가 들어오며 막는다. 이때 대당세로 공격한 위치에서 상대 봉棒에 점點하여 미끄러져 아래로 내려가 상대 허리 부위를 다시 친다. 또는 상대가 대당세를 막으면 상대 봉棒과 점點한 후 신법으로 약간 오른쪽으로 이동하여 그대로 봉棒 끝으로 찌른다. 측신側身으로 돌아 들어간다.

② 또는 내가 대당세 치려고 하는데 상대가 막으러 올라오면 신법으로 살짝 측신으로 몸을 움직이며 다시 목을 치거나, 올라오는 상대 봉 아래로 봉을 돌려 낮추어 찌른다. 아래로 상대 봉을 부딪치지 않으면서 오른쪽 바깥으로 아래로 돌려 잡고 찌른다.

1　　　2

(①의 예)

(②의 예)

　　곤봉棍棒 역시 검법劍法처럼 수법手法으로 다 풀 수 있어야 한다. 예를 들어, 상대 우봉대당세右棒大當勢를 내 우봉右棒으로 막으며 우봉으로 계속 찌르는 것은 수법에서, 상대 우수右手가 오는 것을 신법身法으로 좌左로 돌면서 내 우수로 상대 팔을 쳐내면서 바로 우수로 철형을 치는 것과 같다.

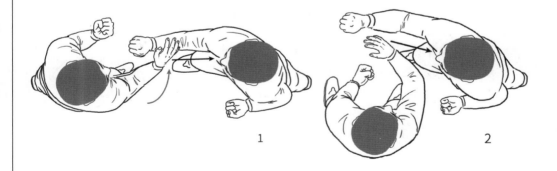

(대당세의 수법)

실전實戰에서 대당세를 좌우로 2번 치는 공격은 번개처럼 연결해서 들어가야 한다. 우대당右大當을 치는데 상대가 막으러 오니까, 끊지 말고 좌대당左大當으로 바로 연결해서 공격한다. 상대가 막으러 오면 좌대당으로 변하고, 막으러 오지 않으면 우대당을 끝까지 적중시킨다.

대당세는 봉의 자체 무게로 떨어지는 길을 따라 늘어나면서 치는 이치다. 몸으로 그 길을 벗어나지 않게 만들어 간다. 팔로 돌려치는 것이 아니다.

우대당右大當을 칠 때 상대가 위로 막으면, 바로 봉을 오른쪽 아래로 왼쪽으로 상대 다리를 휘둘러 치며 찌른다. 또는 대당大當을 치고 뽑으면서 찌르는 경우 오른쪽으로 돌면서 상단으로 치고, 이어서 하단으로 내려친 뒤 뽑아서 찌른다.

우대당右大當을 두 번치고 들어갈 때, 한번 치고 두 번째는 몸을 오른편으로 이동하면서 친다. 상대 공격을 방어하면서 치는 것이다. 또는 상대 봉이 튕겨 나가 상대 허점이 드러나면 제자리서 두 번째 봉을 바로 쳐도 된다. 또는 우대당을 한 번 쳤을 때 상대 봉이 눌러지면 그 사이로 찔러도 된다.

◉ 대당세大當勢를 원활하게 운용하기 위한 연습으로, 우궁보右弓步에서 그 자세 그대로 우대당, 좌대당 다시 우대당을 친다. 아주 빠르게 되도록 연습한다. 권법의 초식 연결과 같다.

3. 하횡격파下橫擊把
왼손으로 좌벽곤左劈棍을 내려치고 오른손으로 오른쪽에서 왼쪽 발끝으로 휘둘러 막을 때 봉棒 끝은 땅에서 10cm 정도로 떨어져야 한다. 발목 높이다.

4. 횡격곤橫擊棍
왼쪽 허리에서 수평으로 횡橫으로 오른쪽으로 칠 때는 상대의 봉을 잡은 뒷손의 팔목 높이를 친다.

5. 자곤刺棍

봉棒으로 찌를 때는 왼손은 그대로 두고 오른손만 뒤로 빼서 찌르는데, 감으면서 뒤로 빼고, 반대로 감으면서 찌른다.

6. 평가압곤平架壓棍

위로 막으며 궁보로 뒤로 물러날 때 물러나서 막으면 안 된다. 삼절三節에 맞게 같이 움직여야 한다. 물러나며 막는 이유는 후퇴가 아니다. 상대 봉棒 끝이 약한 부위이기 때문이다. 약한 곳을 막아야 상대가 흐트러지고 내가 공격할 수 있다.

① '장봉 1로'에서 양손으로 위로 들어 막고, 이어서 아래로 눌러 막는 것은 모두 틀(규격)이다. 수련을 위한 것이며 실전에서는 봉棒의 중앙이 아니고 한쪽 끝으로, 측신側身으로 상대 봉棒을 막는다. 중앙으로 막으면 상대 봉棒이 내 봉棒을 쓸어 손을 공격하기 때문이다.

위로 막을 때는 선인봉반세仙人捧盤勢, 제미살세齊眉殺勢처럼 들어 상대 봉이 접근하지 못하게 하고 찌른다. 아래로 막는 것도 중평세中平勢 위치에서 측신側身으로 막고 찌르는 것이다.

② 예를 들어 상대가 내 왼편으로 대당세大當勢로 들어오면, 나는 상대 봉棒을 제미살세齊眉殺勢처럼 들어 막되 뒷손은 아래로 위치하게 한다. 이어서 바로 찌르며 계속해서 상대 오른쪽 머리를 오른쪽으로 친다. 그리고 좌각左脚이 나가며 상대 아래를 치고, 다시 우각右脚이 나가며 상대 머리를 공격한다. 1초식이다.

7. **좌우발격左右撥格**

　　독립보獨立步로 일어서며 좌, 우로 세워 막을 때는 튕겨내듯이 막는다. 봉棒을 전방으로 너무 비스듬히(45도) 막으면 상대 봉棒이 미끄러져 들어와 자신의 捧봉 잡은 손을 공격할 수 있으므로 약간 세워야 한다.

8. **전신추곤轉身推棍**　9. **전신발파轉身撥把**

　　옆으로 막고 횡으로 치는 것이다. 세워 막고 철형을 치듯이 들어간다.

9. 전신발파轉身撥把　10. 기마탁곤騎馬托棍　11. 운발곤雲撥棍

수련은 180도 신법으로 연결하지만, 실전에서는 짧게 움직인다.

12. 전신발파轉身撥把　13. 전신발곤轉身撥棍

뒤로 치고 전신轉身하여 독립보로 횡격을 칠 때 가볍게 연결되어야 한다. 뒤로 칠 때 봉을 몸에 지고 돌린다. 좌각左脚 뒤꿈치를 들면서 친다. 위로 올려치는 신법이다. 뒤꿈치가 들리며 따라가야 한다. 발끝에 힘을 주어 발가락으로 받친다.

1

2　　3

실전에서는 다시 좌측으로 횡으로 칠 때 원 길(原路)하고 다르게 운용한다. 좌우수左右手를 순간적으로 바꾸면서(換執) 우각右脚이 나가면서 찌른다. 환집 換執은 본래 빠르게 해야 한다.

'13.전신발곤轉身撥棍'에서 무화舞花로 연결할 때, 독립보로 일어서며 어깨 높이로 봉捧을 뒤로 돌려치고, 앞으로 우궁보로 나가며 봉捧을 어깨 밑으로 돌려 위에서 아래로 내려칠 때 봉捧을 거의 수직으로 세워 돌려 나간다.

15. 괘벽파掛劈把

상대가 오른쪽 아래로 들어오면 내 우족右足을 들고 봉捧은 아래로 걷으며 계속해서 위로 들어 친다. 위로 들어올려야 칠 곳이 드러난다. 이때 상대 봉捧에 닿은 상태로 의지하며(상대 힘을 빌림) 나아가 친다.

17. 무화자곤舞花刺棍

우궁보右弓步 일자一刺하고 우각右脚이 뒤로 물러나면서 봉으로 우각을 따라 아래로 쓸어서 뒤로 돌려 부퇴보로 다시 좌궁보로 일자一刺할 때 봉을 위에서 아래로 대당세처럼 치면서 환집換執하여 뒤로 당겨 잡는다.

18. 전신료곤벽파轉身撩棍劈把　19. 하소횡격곤下掃橫擊棍

처음에 내가 우궁보로 대당을 치면 상대가 막고 내 우퇴右腿를 아래로 치러오니까 나는 좌허보左虛步로 나가면서 아래로 막고, 다시 상대가 내 좌퇴左腿를 치러오니까 나는 좌각左脚을 독립으로 들어(살짝 들면 그다음 신법이 빨라진다) 좌로 아래로 막는다. 이어서 좌각을 뒤로 놓으면 안 되고 약간 앞으로 나가며 좌대당左當勢을 친다. 부딪혀 막은 다음 상대 봉과 부딪히는 점에서 상대 봉을 따라 뒤로 미끄러져 상대 봉을 벗어난 후 좌대당을 친다.

21. 요곤벽파撩棍劈把

우허보右虛步로 나가면서 봉을 올려치고(상대는 횡橫으로 막는다), 우궁보로 내려친 다음 다시 좌궁보로 걸어나가며 봉을 좌측 겨드랑이에 끼면서 치는 것은 상대가 막은 봉을 눌러 떨어뜨리게 하면서 공격하는 것이다. 요곤撩棍은 본래 수평 약간 아래까지 비스듬히 올리지만, 수련은 수평까지 올린다.

22. 무화전신료벽파舞花轉身撩劈棍

무화舞花한 다음 감아서 부퇴仆腿로 내려칠 때, 보통 머리 위에서 속도가 느려진다. 그러면 안 된다. 전체 움직임을 느리게 해도 속도가 일정하게 빠르게 내려쳐야 한다. 끊어지면 안 된다.

(그림35)에서 봉이 바로 설 때부터 왼손을 바꿔 잡고, 몸이 봉을 끌어가야 한다. (그림36)에서 왼손만 움직이며 몸으로 봉을 끌고, (그림37)에서는 독립으로 우족右足을 들어 올리며 봉은 완전히 몸 측면으로 나란히 붙어 돌아가야 한다. 벌어지면 안 된다. (그림38)에서 머리 왼편에서 아래로 내려친다.

24. 포곤抱棍

봉을 내려치고 독립보로 들어서 잡을 때 몸을 뒤로 젖히듯 움직이면 안 된다. 몸은 꼿꼿이 있으면서 봉만 끌어와 잡아야 한다. 아주 부드럽게 바르게 서야 한다. 봉을 너무 세우면 다음 동작이 늦어지고 너무 내려오면 다음 동작이 나가면서 올려치는 움직임이 안 나온다. 올려친 다음 다시 감아서 나가면서 휘둘러 치는 것은 끊지 말고 부드럽게 한 동작으로 한다.

24. 포곤抱棍　25. 료곤개파撩棍蓋把　26. 전신운발곤轉身雲撥棍

'26.전신운발곤轉身雲撥棍'의 (그림43)은 약간 허보虛步로 만들어 돌아나가는 데, 이렇게 하는 것은 초보 때 신법身法이 잘되지 않을 때 하는 것이고, 즉 44번을 하기 위해 몸을 약간 물러야 하므로 허보를 잠깐 만드는 것이다. 원식原式은 42번 후에 43번은 좌궁보에서 그대로 내려치고 44번으로 돌아나가야 한다. 즉, 42번과 43번의 공격은 연결되고 44번도 계속 연결해야 한다.

44번에서 돌면서 봉을 휘둘러 칠 때, 숙련되면 한 손은 봉에서 떼었다 다시 잡는다. 변화할 때, 즉 원래의 목적이 달라졌을 때 그 노선을 바꾸거나, 또는 공격방법을 바꾸기 위해 봉을 놓았다가 다시 잡는다. 손이 내 몸 가까이 붙어서 돌아갈 때 해야 한다.

〈몸을 돌며 휘두르는 곤봉 동작은 모두 상대 몸과 봉을 피하듯 감아 돌며 상대에게 붙거나(신법), 공격하기 위해 몸과 봉을 돌리는 것이다〉.

'26.전신운발곤轉身雲撥棍'은 봉을 머리 위로 돌리는 방법과 몸 측면으로 감아서 나가는 두 가지 방법으로 연습할 수 있다.

28. 전신무화점곤轉身舞花點棍

'27.전신운발곤轉身雲撥棍' 후 좌각이 앞으로 나가며 뒤로 돌아 감아서 점곤點棍할 때 삼절三節에 맞게 움직여야 한다. 〈봉棒의 삼절은 발끝과 봉 끝이 합합해야 맞게 된다〉. (그림48)의 우각右脚이 뒤로 한발 물러나며 좌허보左虛步를 만들어 갈 때 봉을 오른쪽 아래로 돌리는 것은 상대 봉이 아래로 오는 것을 걷는 동작이다. 즉, 무화舞花가 아니다. 이때 몸의 오른편에 봉을 붙여 휘두른다.

〈점곤點棍이 정확하게 되게 어떤 점點을 정해 놓고, 그곳에 가서 정확하게 부딪히는 수련을 해야 한다〉. 삼절이 맞게 발끝과 봉 끝이 움직이는 것에 주의해야 한다. 점곤點棍은 상대 찔러오는 봉을 찍어 누른다. 움직이는 봉의 좁은 면을 누를 정도로 정확해야 한다.

29. 도파전신자곤挑把轉身刺棍

뛰어나가며 아래서 위로 올려칠 때, 걸어서 나가더라도 봉棒의 움직임이 뛰어나갈 때의 맛이 나와야 한다. 그리고 봉이 죽 늘어나면서 올려쳐야 한다. 올려친 봉을 전신轉身하면서 내리지 말고, 적수세滴水勢처럼 기울어진 상태로 돌아 찌른다. 방어가 아니고 올려치고 계속 돌아서 찌르는 것이다.

32. 전신벽곤轉身劈棍

(그림58)에서 59번으로의 움직임은 원래 뛰어들어가는 자리다. 59번에서 머리 위에서 잡은 손 위치를 변하지 말고 그대로 내려친다. 발이 뒤로 빠지므로 내려칠 때 봉을 당겨오면서 내려쳐야 한다.

34. 횡격도곤橫擊桃棍 35. 압곤壓棍

실전에서는 횡으로 치고 짧게 감아 쳐올린다. 연결한다. 압곤壓棍은 뛰어나가야 한다. 뒷발 착지와 봉의 타격이 같이 떨어져야 한다.

(그림61)에서 신축성 있게 봉을 당겨와서, 다시 봉을 늘이면서 62번, 횡격橫擊을 친다. 허리와 어깨를 돌려 봉을 끌어와서 친다. 63번, 도곤桃棍은 크게 돌리는데, 아래에서 훑으면서 밀어쳐 올린다. 64번, 압곤壓棍은 오른손을 왼손으로 모아오면서 멀리 뛰어들어간다. 좌수로 위에서 내리누른다.

38. 척퇴료곤踢腿撩棍

원래 발로 봉을 차올리는 것이다. 오른쪽 어깨가 나가야 한다. 즉 상체가 지면紙面에서 보면 거의 정면으로 온다. 신법身法이 자연스럽게 돌아가기 위해서다.

39. 전신자곤轉身刺棍   40. 등공전신평론곤騰空轉身平掄棍

① 입보立步로 찌르고 봉棒을 빼서 돌릴 때, 초학자는 봉을 뒤로 빼는 것과 돌리는 것을 구분해서 수련한다. 숙련되면 봉을 돌리기 위한 중간 동작이 되도록 운용한다. (그림73)에서 봉을 적수세滴水勢처럼 더 아래로 내려서 그 위치에서 왼손을 놓고 휘둘러 나간다. 실전에서는 찌르고 바로 신법身法으로 내 몸을 오른쪽으로 상대 측면으로 돌아나가며 봉도 휘둘러 친다. 또는 봉을 허리에 양손으로 끼고 우각右脚이 나가며 봉을 270°로 크게 휘두른다.

② 또 다른 예로는, 봉을 입보立步로 찌르고 살짝 좌각左脚이 나가며 봉을 약간 빼자마자 바로 아래로 찔러버린다. 몸이 뒤로 왔다 가는 것이 아니고 좌각이 살짝 나가는 동안 봉은 벌써 당겼다 찔러야 한다.

모든 무예 동작에서 입보立步는 앞, 뒤, 좌, 우로 움직이기 위한 예비 동작이다. 따라서 봉을 약간 빼며 좌각左脚이 나가는 것은 앞으로 전진前進한다는 의미가 아니다. 어느 방향이든 나갈 수 있는 중간 동작일 뿐이다.

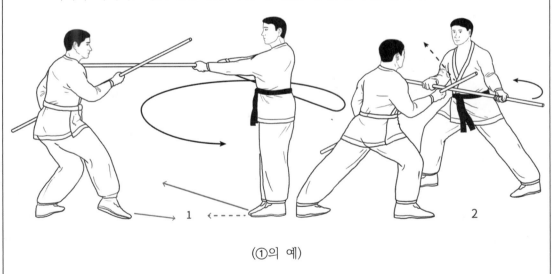

1   2

(①의 예)

45. 도파교착근挑把絞戳根

창법槍法이다. 독립으로 서는 이유가 높이 치기 위해서다. 요보拗步로 상대 봉을 걷고 나가며 감아 찌를 때 앞의 손을 감으면 안 된다. 뒷손만 돌리고 앞의 손은 방향만 제시한다. 보법步法과 봉의 관계가 분명히 드러나게 절도 있게 움직인다.

47. 측단퇴側踹腿 48. 번신점곤飜身點棍

위쪽으로 봉을 치니까 상대가 막으러 온다. 비어있는 부분을 차는 것이다. 봉과 발차기를 순차적으로 하더라도 같이 들어간다는 의도로 해야 한다.

점곤點棍을 할 때 봉이 머리 위에 있고, 머리는 옆으로 누워야 한다.

50. 무화전신소파舞花轉身掃把

방향을 바꾸기 위한 무화舞花다. (그림94)에 이어서 좌각左脚이 앞으로 나가 좌허보左虛步를 만들며, 왼편에서 앞을 향해 아래로 쓸어서 친 다음 이어서 96번으로 연결할 수도 있다.

56. 하괘전신논벽곤下掛轉身掄劈棍 57. 전신논벽곤轉身掄劈棍

(그림109~111)의 '56.하괘전신논벽곤下掛轉身掄劈棍'에서 내려치고, '57. 전신논벽곤轉身掄劈棍'을 하기 위해 몸을 좌로 뒤로 돌리며 봉을 가져올 때, 봉을 잡은 양손 폭을 늘이면서(봉을 뽑으면서) 가져온다. 내려칠 때는 늘여서 치니까 양손 폭이 좁다. 다시 뒤로 돌아 내 좌측으로 상대 공격을 젖히러 가고 있으므로, 젖힐 때 다시 늘이기 위해 봉을 뽑아서 양손 폭을 넓게 만들며 오는 것이다. 이것을 '봉을 굴린다'라고 표현한다. 굴려서 걷은 다음 다시 내려치는데, 이때 내 좌수를 내려치기 쉽게 봉을 잡은 손을 펴서 '난란·나나· 찰扎' 때의 손 운용처럼 상황에 맞게 앞의 손을 변화하여 내려쳐야 한다. 앞의 손을 그냥 변화 없이 계속 움직이면 안 된다. 실전에서는 걷자마자 크게 돌리지 말고 바로 내려쳐야 한다.

봉은 앞의 손도 각 세勢의 변화마다 모두 맞게 변화하면서 운용해야 한다.

예를 들어, 봉으로 위로 한번 찌르고 다시 연이어 아래로 찌를 때에도 앞의
손이 그대로 쥐고 있으면 안 된다. 손을 변화해서 즉, 아래로 다시 찌르는 손
으로 만들어 찌른다.

1   2

(음양수의 변화)

◉ 곤봉棍棒의 실전에서 주의해야 할 점

① 봉棒을 길게 뽑아 치는 것은 수련이다. 실전에서는 몸이 가서 봉棒을 치
거나 찌르게 된다. 환경에 맞춰 봉棒을 뽑아 치는 것이다. 모든 공격에서 뽑
아 치는 것이 아니다. 즉 봉棒의 운용은 수법手法과 같다. 둔부가 좌우로 돌
아가고 꿀렁거리면 끊어지는 것이다. 봉棒으로 치는 것이 아니고 몸이 움직여
쳐야 한다. 마지막 찌르는 것도 몸이 나가야 한다.

② 봉棒은 양손 사이의 간격이 넓어지면 안 된다. 운용할 때 팔을 끝까지
뻗어 뽑아서 봉棒 길이를 조정하지 말라. 두 손을 동시에 움직여 양손의 간격
을 유지하면서 봉棒 길이를 조절해야 한다. 숙련되어야 그렇게 된다.

③ 봉棒을 칠 때, 치는 쪽 손이 아니고 허리로 가는 손으로 당겨 그 힘으
로 친다. 당길 때 손목을 전사로 돌리며 당긴다. 봉棒으로 막을 때, 모두 전

사전絲로 막는다. 이는 봉 수련이 많이 된 다음에 해야 한다. 예를 들어 대당세大當勢에서 전사로 살짝 감는다. 그러면 상대 봉棒이 눌려서 힘을 잃는다.

④ 시선은 절대 아래로 보면 안 된다. 봉이 내려간다고 아래로 머리를 숙이면 안 된다. 시선은 항상 중사평中四平 위치, 상대 명치 부위에 두고 위, 아래, 좌, 우를 간파하면서 대적해야 한다.

⑤ 봉棒을 찌를 때, 뒷손이 배꼽 이상 앞으로 지나가지 말라. 더 찔러 들어가면 봉棒 끝에 힘이 없다. 봉을 뒤로 뺏다가 다시 찌를 때 뒷손 팔꿈치를 다 폈다가 찌르면 안 된다. 늦게 되고 끊어진다. 뺏다 찌르는 것이 하나로 연결되어야 한다. 뒤로 빼는 것은 찌르기 위해서도 하지만, 상대가 들어오면 막아야 할 때도 있기 때문이다. 봉을 뒤로 뺏다가 상대가 들어오면 바로 막는다. 팔꿈치가 다 펴져 있으면 봉을 움직이지 못한다. 봉棒의 환집換執은 가슴 앞에서 바꾼다.

다른 예로, 당파鎲鈀에서처럼 전진하면서 아래로 찔러 들어갈 때(滴水勢), 이때 앞에 나가 있는 지지하는 손은 고정한다. 나가면서 앞의 팔을 뒤로 당겼다 나가지 않고 그 자리서 몸과 함께 나가도록 앞의 손은 고정한다. 즉 뒤 팔만 움직여 뺏다 찌른다.

⑥ 봉棒의 운용

㉮ 봉棒을 감아서 찌르는 것(칼의 도자挑刺처럼)은, 돌리는 원권圓圈의 어느 위치에서든 찌를 수 있다는 뜻이다. 감다가 찌를 위치가 나오면 찌른다.

㉯ 상대가 찔러오면 내 몸은 오른편으로 나가며 봉의 예봉銳鋒을 비켜 가게 하면서 내 오른손을 봉에서 떼어 철형으로 상대 목을 친다. 또는 봉(右手)으로 바깥에서 아래로 상대 다리를 친다. 철형으로 공격할 때 상대가 내 왼편으로 피하면 다시 내 우수로 봉을 잡아 봉으로 찌르든지 치든지 한다. 또는 상대가 나의 오른편으로 피하면 나는 360° 좌로 돌아 봉으로 내려친다. 봉을 든 손으로는 번신翻身을 할 수 없으므로 돌아서 대적하는 것이다. 이때 상대에게 등을 보이게 되지만 내 좌수左手가 봉을 쥐고 같이 휘두르며 돌아가기 때문에 상대 공격에 대비가 되어 상대가 공격을 못 한다.

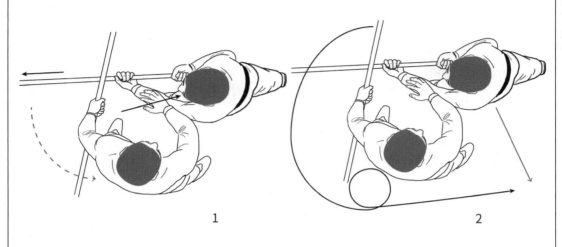

1

2

3

(㉯의 예)

◉ 무화舞花

무화舞花는 몸풀기 동작의 허리 돌리기(纏腰)처럼 변화가 숨어있다. 아래로
봉을 움직이는 시점부터 몸을 좌우로 돌려야 된다. 돌릴 때 아래는 막고 위는
친다. 또는 위로 막고 아래를 친다. 상대 봉 공격을 몸 앞에 나온 봉의 끝부
분으로 막으면서, 뒤에 있는 봉이 무화로 회전해 가며 상대를 저절로 치게 된
다. 예를 들어 갑이 좌각左脚 우대당右大當으로 상대를 치면 을이 갑의 대당
을 막고 갑의 좌각을 아래로 치러오면 갑은 무화로 봉을 몸 왼쪽 면에서 돌
려 아래는 막고 위는 치는 동작이 나온다.

1 2

무화舞花는 봉棒에만 있는 것이 아니다. 권법拳法의 오화전신세五花纏身勢, 요단편세拗單鞭勢, 쌍검雙劍의 오화전신세五花纏身勢, 검법劍法의 은망세銀蟒勢 등은 모두 무화를 달리 이름 붙인 것이다. 무화가 없으면 무예가 아니다.

봉의 무화는 동작 부분마다 많은 기예技藝가 숨겨져 있다. 봉의 무화는 신법身法으로 운용한다. 〈봉 끝은 의식 말고 나와 상대의 양손의 움직임을 감지하여 운용한다〉.

① 일반적으로 내가 공격할 때 상대가 봉으로 막으러 나오면 벌써 하수下手다. 상대가 막으러 오는 봉을 건드리지 않고 변화해서 친다. 즉 상대가 공격해 오면 피하면서 친다. 예를 들어 을이 우대당右大當으로 오면 갑은 그것을 우봉右棒으로 막으면서 우봉 끝으로 찌른다. 아니면 갑은 오른쪽으로 몸을 돌려 피하면서 상대 쪽으로 들어가며 을의 빈 곳을 우봉右棒으로 바깥에서 안으로 횡격橫擊을 친다.

② 무화를 사용하여 공방하는 경우는, 만약 을이 좌각左脚이 나오며 좌봉左棒으로 갑의 우퇴右腿를 공격해 오면, 갑은 좌각이 나가며 우봉右棒으로 을의 봉을 막으며 동시에 좌봉으로 대당세로 친다. 무화의 시작 동작이다. 이어서 무화로 움직여 나가는 동작(겨드랑이에 끼는 동작)은, 갑의 오른쪽 몸통 아래

로 오는 을의 공격을 좌봉으로 아래로 걷고, 우봉으로 머리를 친다. 뒤이어
좌봉으로 다시 아래에서 위로 올려친다. 봉은 양 끝을 다 이용해야 한다. 이
것이 장병기의 특징이다.

1   2

3

(②의 예)

③ 봉을 우측 겨드랑이에 끼면서 위에서 아래로 돌리면서 내려칠 때, 상대가 봉을 들어 막으면 사선으로 미끄러뜨리며 상대 우수를 쓸어버리며 친다.

(그림)에서 갑이 내려친 다음 좌측으로 몸을 돌려 봉을 돌리기 때문에 자연히 을의 오른손 쪽으로 미끄러지게 되면서 치는 것이다. 신법身法을 사용하여 반대쪽 손도 쓸어칠 수 있다.

(③의 예)

● 곤봉棍棒의 응용

봉의 움직임은 본래 (공격攻擊 · 각도角度 · 방향方向 · 수手 · 보步)의 순서로 동작을 표현한다. 앞에 나오는 손이 공격이나 방어 손이 되는데 예를 들어,

① 우봉右棒으로 찌르는데(직자直刺) 똑바로 찌르면 정우봉正右棒이다. 상대가 막으러 오면 몸을 오른쪽으로 돌리며 상대 아래를 좌봉左棒으로 비스듬히 내려친다(橫斜下左棒) 다시 몸을 좌로 돌리며 우봉右棒으로 상대 허리를 향해 마지막 결정타를 친다(橫中右棒). 보步는 융통성 있게 몸을 싣고 가면서 몸신법身法이 끊어지지 않고 연결되어야 한다.

② 갑이 음양수陰陽手로 잡았을 때 대당세大當勢〔❶ 橫(공격)斜(각도)上(방향)右棒右脚(수, 보)〈횡으로 치는데 비스듬히 위로 우측으로 우봉은 파단, 오른발이 앞에 있다.〉〕로 치는데 을이 막으러 오면, 갑은 몸을 오른편으로 돌리며

나아가 위로 쳐올린다. 〔❷ 垂(수직방향)斜(각도)下上(수직인데 아래서 위로)左棒
左脚(보)〕 을이 눌러 막으면 몸을 좌로 돌리며 올려친 그 부위(위치)로 번신하
는 것처럼 몸을 돌려 반대 위치에서 아래로 낭심을 찌른다. 〔❸ 刺斜下右棒右
脚〕 다시 을이 갑의 봉을 누르면 갑은 봉의 앞손(右手)은 그 위치에 있으면서
뒷손으로 봉을 빼 다시 을이 누르는 봉 위로 올려 얼굴을 찌른다. 〔❹ 刺平上
右棒右脚〕

③ ②번 세勢에서 좌우수左右手가 모두 음수陰手(손등이 위로)로 잡고 대당
세를 칠 때 상대가 막으러 오면 우수만으로 중심이 되어 좌수는 봉을 놓아버
리고 반 바퀴 봉을 돌려 좌수위치까지 오면 다시 잡는다. 그러면 음양수가 된
다. 이어서 찌른다.

1   2

④ 상대 봉이 내 좌측으로 오면 내 왼손으로 상대 봉을 나拿하고 내 우측
겨드랑이에 낀 봉으로 동시에 상대 좌측을 친다. 중봉中棒인 경우 오른손으로
잡고 친다.

1   2

⑤ 약간씩(미세하게) 발이 나가면서 상대 왼쪽 머리 쪽을 우대당으로 두 번 친다. 보통은 첫 번째 봉을 상대가 막더라도 그다음에 또 칠 줄은 모르므로 두 번째는 맞는다. 그리고 봉을 아래로 내려 찌른다.

⑥ 보통 아래로 오는 봉을 아래로 걷고 나면 막은 끝단을 뒤로 앞으로 돌려 위에서 내려치는데, 실전에서는 아래로 뒤로 걷고 바로 아래로 친다. 그리고 반대 손으로 내려친다. 봉도 모두 신법으로 쳐야 한다.

◎ 중봉中棒

중봉中棒의 길이는 바로 세웠을 때, 젖꼭지 이하 길이로 가벼워야 한다. 너무 굵어도 안 된다. 실전에서는 (그림: 중봉의 파법)처럼 잡아야 운용하기 쉽다. 중봉은 쌍수도를 잡듯이 하여 칼을 쓰듯이 운용한다.

중봉中棒은 지팡이처럼 사용하므로 운용을 활발하게 할 수 있다. 예를 들어 상대가 아래로 쳐오면, 오른발을 들며 우수만으로 오른편으로 감아 젖히고 그대로 돌려 내려친다. 또는 좌족左足을 왼쪽으로 앞으로 약간 옮기며 오른쪽으로 상대 공격을 젖히고, 감아 돌려 좌측으로 비스듬히 상대 가슴을 친다. 횡橫이면서 약간 사선으로 공격한다. 중봉을 양손으로 운용하면 봉이 짧으므로 상하 연속 공격이 빨라진다. 상대와 근접전을 펼 수 있다. 위로 들어 막고 좌우 봉의 끝단을 손처럼 좌우로 칠 수 있다. 또는 뒤로 돌아보며 두 손으로 봉棒을 잡아 찌른다. 항상 보步가 분명하게 움직여야 한다. 혹은 뒤의 상대를 봉棒을 들어 올려 어깨너머로 친다. 상대가 내 움직임을 보고 알아차릴 수 있으므로 봉棒을 몸에 붙여 상대가 모르게 들어 올려 어깨 뒤로 찔러도 된다.

　봉을 어깨 위로 걸칠 때는 어깨에 닿지 않게 해야 한다.

(중봉의 파법)

(중봉의 운용)

◉ 棍　棒

【창槍】

　창법槍法은 봉·창·칼의 기법을 다 쓸 수 있다. 창은 곤봉에 난란攔·나拿만 가미하면 창槍이 된다. 봉법棒法의 절반은 창법이다. 〈장봉長棒 1, 2, 3로路〉에 창법이 많이 들어가 있다. 모든 장병기는 24식式을 벗어나지 못한다.

　창槍은 24세勢를 벗어나지 않는다. 《무예도보통지武藝圖譜通志》 창법에는 모순이 많다. 당대 창에 대한 무학武學 지식이 없이 《기효신서紀效新書》 그림과 순서를 그대로 옮겨 놓았기 때문이다. 당파鏜鈀와 기창旗槍은 그런대로 되어있다. 고사평高四平은 본래 찔러야 한다. 감는 것으로 끝나서는 안 된다. 적수滴水·지남침指南針 다음에는 본래 찌른다. 고사평高四平과 중사평中四平 창槍은 상대가 막으면 약간만 빼서 다시 찌를 수 있다.

　창槍이 난란攔·나拿·찰扎이라고 하는 것은 무예武藝의 본질이 방어와 공격이기 때문이다. 장병기는 단병기와 달라서 짧게 방어할 수 없으므로 방어로써 난창攔槍·나창拿槍을 위주로 한다. 상대 병기를 감는 것이 아니라 막는 것이다. 즉, 누르고 젖히고 하는 것이다. 권법도 방어는 둥글게 한다.

　상上, 중中, 하평세下平勢는 창의 높이를 기준으로 한 것이다. 즉 창의 세勢를 말한 것이다. 보법步法으로도 높낮이가 정해질 수 있지만, 보步를 기준으로 한 것이 아니다. 병기도 팔의 연장이므로 전사纏絲를 한다.

　우리 창槍은 찌르는 것뿐 아니라 칼날이 있으므로 젖힌 다음 상대 손목을 베어 들어간다. 즉 기초 창법에서 몇 가지를 더하여 발전적으로 운용할 수 있게 되어있다.

● 난란·나나·찰찰

〈창창은 고사평高四平·중사평中四·저사평底四과 난란·나나·찰찰이 근본이다〉.

〈사평四平의 뜻은, 두 눈이 평평(頂平)·두 어깨가 평평(肩平)·두 손이 평평(槍平: 수법)·두 발이 평평(脚平)한 것이다〉.

난란은 높은 것을, 나나는 낮은 것을, 그리고 찰찰은 찌르는 것이다.

창창에서 저평低平, 중평中平, 고사평세高四平勢(지남침세指南針勢)는 창창의 높낮이로도 결정되고, 보步의 높낮이로도 결정된다. 예를 들면 같은 중사평세라도 일어선 자세는 지남침이고 자세를 낮추면 저평세다. '철우경지세鐵牛耕地勢'는 저평세다.

고高(지남침세指南針勢), 중中(사이빈복세四夷賓服勢), 저사평低四平(십면매복세十面埋伏勢)인데 그 중 으뜸이 중사평中四平이다. 장창長槍의 중평일자中平一刺가 중사평中四平이다. 중사평中四平은 창창의 제일 근본이다. 중사평中四平은 높이를 높게도, 낮게도 자유롭게 할 수 있기 때문에 으뜸이다. 창의 고사평은 가슴 높이, 중사평은 배 높이를 찌른다.

난란·나나·찰찰의 의미는, 곧 창창이 한순간도 멈추면 안 된다는 뜻이다. 창두槍頭 아래에 빨간 술을 다는 것은 움직임을 수련하는 것이다. 난란·나나·찰찰은 어디로 찌를지 모른다. 상대를 혼란스럽게 어른다. 뒷손은 작게 움직이는데 창은 크게 움직여진다.

난란은 적수세滴水勢, 나나는 지남침세指南針勢다. 적수, 지남침은 보법에 관계없이 창 모양으로 결정된다. 창을 뽑아 돌려서 지남침세를 할 때, 즉 창을 뽑을 때 적수滴水가 되고, 돌릴 때 지남침指南針이 되어 두 가지 세勢가 동시에 포함된 것이다.

난란·나나·찰찰에서 난란·나나만 수련해도 된다. 찰찰은 언제든지 찌를 수 있기 때문에 꼭 찰찰까지 할 필요는 없다. 찰찰에서 찌르는 뒷손이 받치는 앞의 손 팔꿈치보다 더 들어가게 찔러서는 안 된다. 뒷손이 배꼽 오른쪽 위치에 온다.

장창長槍은 난란攔·나나拿·찰찰扎을 할 수 없다. 먼 거리의 적을 공격하는 것이 므로 되지 않는 것이다. 긴 창을 들고 난란攔·나나拿·찰찰扎을 하면 무식한 것이 다. 난란攔·나나拿·찰찰扎은 상대 병기가 나를 공격할 수 있는 거리에서 성립되는 것이므로 단창短槍을 운용할 때 하는 것이다.

난란攔·나나拿는 상대 병기를 쳐서 막는 것이 아니다. 눌러 막는 것이다. 그래 서 난란攔·나나拿를 수련하는 것이다. 난창攔槍·나창拿槍도 근본은 자기보호이 다. 상대가 자기를 공격하지 못하게 하는 것이다. 감아 돌리면서 찔러 들어간 다. 방어는 상대와 상관없이 나를 보호하고 찌르는 것이다. 난란攔·나나拿는 상 하좌우上下左右 방어이기 때문에 그것을 한 동작으로 연결하다 보니까 둥글게 돌아가는 것이다. 둥글게 막는 법이 아니다. 실전에서는 상하좌우 어느 한 방 향으로만 막는다. 직선이 아닌 원형으로 막지만, 딱딱 끊어친다. 사실은 한 동작씩 떨어져 분리된 것이다. 난란攔·나나拿는 몸 안쪽으로 한번, 바깥쪽으로 한 번 막는 것이다. 또는 한 방향으로만 난란攔·나나拿를 다 운용하기도 한다.

찰창扎槍은 앞의 손은 뻗어서 찌르고 뒤의 손은 따라서 찌른다. 즉 왼손은 앞으로 쭉 뻗고 오른손은 따라가며 같이 찌른다. 왼손은 양수陽手로 밀고 오 른손은 전사纏絲로 다 찌르고 나면 장심掌心이 위로 가도록 돌려 찌른다. 덜 돌아가 장심이 허리를 보도록 돌려 찔러도 된다.

◎ 연습 때는 난란攔·나나拿·찰찰扎로 하든, 나나拿·난란攔·찰찰扎로 하든 상관없 다. 나나拿·난란攔·찰찰扎로 하면 편하다.

난란攔　　　나나拿　　　찰찰扎　　　나나拿　　　난란攔　　　찰찰扎

(난란攔·나나拿·찰찰扎의 두 가지 동선)

① 선 자세(궁보를 높게 선 자세)로 난창·나창, 또는 나창·난창, 순서로 연습한다. 나창·난창 수련에서 나창 때는 창의 끝이 적수세 때처럼 내려온다.

② 복호세伏虎勢로 선 자세로 나창·난창을 한다. 복호세는 기마식, 또는 기마식에서 앞발 뒤꿈치만 드는 것이다. 뒷발에 체중을 많이 둔다. 난창에서 창끝이 중사평이 되어야 한다(허리 높이). 반마보半馬步는 정마보正馬步가 아니라 한쪽은 눌렀는데 한쪽은 힘이 덜 들어간 자세다. 틀어 바꾸는 것, 살짝 균형을 바꾸는 것이 아니다. 반마보가 이루어지려면 약간 선 자세가 된다.

③ 복호세로 나창·난창·찰창 연습을 한다. 이때 난창을 하면서 찌르기 위해 창을 뒤로 회수한다.

④ 걸어가면서(선 자세) 나창·난창·찰창, 또는 걸어가면서 복호세로 변화하여 나창·난창·찰창을 한다.

⑤ 걸어가면서 나창·난창을 한다.

⑥ 걸어가면서 복호세로 변하면서 나창·난창을 한다.

⑦ 찰창을 한 다음 회수할 때 난창을 하면서 회수한다. 그러면 다음 동작에 걸어가면서 나창·난창을 할 수 있다. 뒤로 회전할 때 무화舞花를 배합하여 연습한다.

◎ 복호세伏虎勢는 뒤가 높고 창끝이 낮다. 따라서 난란攔으로 한다. 복호세는 찌르면 가슴높이가 된다. '퇴산색해세堆山塞海勢'는 창槍을 왼손으로 잡고 높이 제쳐 막는 것이다. 이때 찌르는 것은 기병騎兵(말 탄 사람)을 찌르는 것이다. '기룡세騎龍勢'는 모든 병기兵器에서 요보拗步로 상대 병기와 겨루는 것이 포함되어 있다.

◎ 난란攔·나나拿·찰찰扎을 수법手法에 대응하여 이해해야 한다. 난란攔은 구수鉤手로서 상대방 공격의 초절梢節(손목)을 막는다. 잡는 것이 아니다. 나나拿는 금나擒拿로서 상대방 공격의 근절根節(뿌리)을 잡는다. 즉 어깨나 팔꿈치를 위에서 아래로 눌러 잡는 것, 혹은 아래서 위로 올려잡는 것 등으로 응용할 수 있다. 찰찰扎은 공격으로서, 상대방 중궁을 제압한 후 눌러 들어가면서 난란攔(구수)

을 구사한 손으로 공격해 들어간다. 금나에서 상대방의 초절(손목)을 잡으면 자신이 당한다.

◎ 상대 槍이 한번 방어가 되면 연달아 치고 들어가야 한다. 상대 槍을 젖히면 과도하게 더 돌리지 말고 바로 그 자리서 찔러야 한다. 그래서 돌려서 막는 것이 아니다. 상대 창을 돌려 누르면 상대 창의 힘이 빠진다. 그때 계속 찔러 들어가야 한다. 방어와 찌르는 것이 槍의 제일이다. 槍이니까 몸 가까이에 양손을 붙이듯 움직여 막는다. 즉 병기가 길어서 두 손을 몸에서 멀리 뻗쳐 막을 수 없다. 그러므로 槍이 몸에서 뜨면 안 된다. 운용할 때 槍 자루를 허리에 붙여서 운용할 때도 있다.

◎ 槍을 쥔 앞의 손은 고리처럼 만든다. 앞 손의 운용법은 첫째, 쥐지 말 것, 둘째, 손목을 돌리지 말 것, 셋째, 창을 받쳐만 준다. 뒷손은 창의 끝단을 잡아야 한다.

◉ 미인인침세美人認針勢는 내려치거나 찍거나 찌른다. 또는 좌측 하단을 막는다. 槍을 좌우로 몸을 감싸며 돌리면 '롱창弄槍'이라 하고 말 위에서 달려가며 운용하는 것이다. 반면에 棒을 좌우로 돌리면 무화舞花가 된다.
도기룡세는 방향을 정하며 겨누는 자세다. 감아서 겨누며 찌른다.

◉ 당파鑲鈀는 창법槍法이다. 제일 쉽다. 그래서 과거 포졸들 병기다.
당파鑲鈀는 무게 중심이 맞아야 한다. 병기가 몸과 조화를 이루어야 하고 몸이 병기를 이겨내야 한다. 당파에서 진보세進步勢 같은 경우, 몸이 뒤로 기울어지면 안 된다. 계속 걸어가면서 난란·나나拿를 할 때도 상체는 뒤로 가고 발은 나아가는 식이 되면 안 된다. 자연스럽게 또박또박 수련한 후에 빠르게 두 동작이 연결되어야 한다. 숙련된 후에는 '초서草書로 움직인다'. 권법도 나중에 초서草書로 수련한다. 한 주먹에 세 걸음 이상 걸어 들어간다.

◉ 槍

【조선검법朝鮮劍法】

【참고】

이 장章에서는 《무예도보통지武藝圖譜通志》에 〈예도銳刀〉로 기록되어 있는, 우리나라 검법劍法의 원형原型인 〈조선검법朝鮮劍法 24세勢〉와 〈본국검本國劍〉에 대한 무학武學적 논리를 설명한다.

해범海帆 선생은 《본국검本國劍》에서 다음과 같이 말한다.

『본서의 제목을 《본국검本國劍》이라고 한 것은, 《무예도보통지武藝圖譜通志》 본국검편에 실린 검법劍法만을 지칭하는 것이 아니라 우리나라, 즉 〈본국本國〉의 검법劍法이라는 뜻으로 《무예도보통지武藝圖譜通志》에 실린 모든 전통검법傳統劍法을 포괄하는 넓은 의미를 지니고 있다.』

또한, 〈예도銳刀〉를 달리 이름한 것에 대해서도 다음과 같이 설명한다.

『조선은 우리 민족이 이 땅 위에 세운 최초의 국가이면서 《무예도보통지》를 발간한 근세국가의 국호이기도 하다. 조선검법朝鮮劍法에서 조선朝鮮은 단지 근세 조선이라는 의미만을 가지는 것이 아니라, 고조선古朝鮮에서부터 이어 내려오는 역사적인 전통을 함축하는 의미를 가진다. 조선검법24세는 우리의 역사와 함께 이 땅 위에서 숨쉬어 온 우리의 검법劍法으로, 동양 삼국의 검법사劍法史에 지대한 영향을 끼친 대표적인 검법이라고 할 수 있다. 이제 여기에서 〈조선검법24세〉라 새로이 이름하고 해제하는 것은 우리 검법劍法의 근根과 원源을 밝히고, 우리 무예문화와 전통무예에 대한 올바른 이해를 위해서이다.』

고금을 막론하고 동양권의 어떤 무예서도 기록으로만 남아있는 고대 검법인, 〈조선검법朝鮮劍法 24세勢〉에 내재된 무학이론武學理論을 논論한 책은 없다.

한국무예韓國武藝의 큰 맥脈 안에서 구전심수되어 온 우리 검법劍法의 우수성은 결과적으로 해범海帆 선생의 《본국검本國劍》에 이어 《해범 김광석 선생 어록》에서 완전하게 그 모습을 드러내고 있다.

【칼의 기본수련】

검劍 수련의 시작은 먼저 나뭇가지를 끊어서 격자격세擊刺格洗 구분 없이 마구 내려치고 찌르는 것 위주로 한다. 체력운동과 함께 먼저 체득해야 하는 것이 되고 그다음에 격자격세를 수련한다. 원래 옛날부터 '도끼질 3년'이란 말은 숙련되어 정확해져야 나무가 쪼개지기 때문이다. 체력과 정확성을 터득하게 하려고 시켰다. 타이어 후려치기, 산에서 나무나 바위 후려치기, 수풀 쓸어 베기 이런 수련을 안 하고 처음부터 칼 수련을 하면 검법劍法이 늦어진다. 검법劍法도 권법拳法과 같다. 기초가 된 다음 해야 한다.

수련은 생대나무(生竹)로 하는데 가늘면서 오래 묵은 것이 좋다. 단년생은 좀 약하다. 금방 마르기 때문에 보관은 안 된다. 딱딱해진다. 마디는 낫으로 쳐 평평하게 만들어 수련한다. 생대나무는 회초리용 대나무로, 회초리가 공기의 저항 없이 가장 정확한 위치로 가서 칠 수 있다. 정확해야 바람을 가른다. 칼에 힘이 전달된다. 수련하면서 가는 것에서부터 점점 굵은 나무로 옮아간다. 회초리 같은 것으로 연습해야만 대나무 끝까지 힘의 감각(勁)을 느낄 수 있고 칼 무게를 전혀 못 느끼고 신법身法으로만 수련이 된다. 그다음에 차츰 무게가 나가는 것으로 해야 신법이 그대로 유지되면서 칼 무게에 몸이 틀어지지 않게 된다. 쥐는 법, 튕기는 법이 터득된다.

첫째, 회초리로 연습해야 무엇을 들지 않고 몸으로 하는 것을 익히게 된다. 즉 병장기에 끌려가지 않는다. 무거운 병장기는 그것에 의지해서는 안 된다. 둘째, 회초리 끝까지 연기법練氣法이 수련된다. 셋째, 나뭇잎 같은 것을 정확히 칠 수 있다. 그렇게 되어야 날카로운 병장기를 실수 없이 정확히 운용할 수 있다.

요결要訣은 "막 휘둘러라." 그다음에 조금씩 무겁고 더 단단한 것으로 한다. 옛날에 무기가 없을 때는 말채찍으로도 다 싸울 수 있었다. 병장기는 많이 움직인 후, 즉 몸이 돌아간 다음 정확성을 기해야 한다.

【조선검법朝鮮劍法의 개념과 이해】

칼의 문자는 〈격자격세擊刺格洗 16세勢〉를 뜻한다. 가장 중요하고 이것이 안 되면 아무리 수련해도 소용없다. 격자격세擊刺格洗, 즉 칼의 길(劍線)이 완전히 된 다음 다른 것을 연습해야 한다.

조선검법朝鮮劍法 24세勢에서 격자격세 16가지는 칼을 움직이는 가장 기본 틀(機)이므로 동작마다 완전히 이해하고 알아야 한다. 24세는 모두 그 안에 72세가 있다. 그중에 가장 중요한 역할을 하는 것이 앞부분의 24세다.

24세에서 중간세中間勢는 마지막 세를 하기 위한 세다. 24세 검법은 앞의 세와 중간세가 두 번 반복되는 것이 없다. 마지막 세는 반복되는 것이 있다. 그 이유는 중간세와 연결하여 초식招式을 만들기 위해서다. 권법拳法도 초식이 숙련되면 변화하여 사용할 수 있다. 그러나 원길(原勢)을 모르면 소용없다. 중간세는 절대적으로 중요하다. 중간세와 마지막 결정세決定勢는 연결되어야 한다. 끊어지면 절대 안 된다.

24세 안에 격자격세擊刺格洗 16세勢 다음으로 그것에 없는 중요한 10가지 세가 더 들어있다. 이 10가지 세는 16세 가운데에서 변화하여 생겼지만, 16세의 모체母體는 아니어도 첫머리에 넣어도 될 만큼 중요한 세다. 즉 격자격세가 아니다.

변화세變化勢 10가지는 점검세點劍勢·요략세撩掠歲·전기세展旗勢·간수세看守勢·전시세展翅勢·찬격세鑽擊勢·계격세揭擊勢·흔격세掀擊勢·렴시세斂翅勢·횡충세橫衝勢다. 예를 들어, 점검세點劍勢는 기본 16세에 들어갈 필요가 없지만 24세에는 들어간다. 따라서 16세와 함께 기본 틀(機)이 된다.

우리나라 검劍, 〈십팔기十八技〉 검劍의 가장 주主가 〈이십사세二十四勢 조선검법朝鮮劍法〉이다. 세계에서 24세를 능가하는 것도 없고 동양권에서는 24세를 최고로 친다. 24세는 칼이 움직이고 갈 수 있는 모든 길이 들어있다.

예를 들어 중국의 태극검太極劍은 13세勢로 구성되어 있다. 원래 8세勢로 되어있었는데, 후대에 증보하여 13세勢가 되었다. 일본의 칼, 즉 왜검倭劍은 8세勢로만 되어왔다.

우리나라는 산악지형의 특징 때문에 전투에서 매복埋伏을 주로 하여 궁시弓矢와 함께 단병기短兵器인 검劍이 발달해 온 것이다. 이는 중국이 넓은 땅으로 인해 평원에서 전투를 주로 했으므로 창槍이 발달한 것과 같은 이치다.

무예武藝의 최고 정점에 검劍이 있다. 우리 문중을 제외한 동양권에서는 24세를 전승, 수련하는 문파가 없다. 모원의茅元儀가 편찬한 《무비지武備志》에는 〈조선세법朝鮮勢法〉으로 소개하면서 『옛날의 검劍은 전투에서 사용할 수 있었다. 이 때문에 당나라 태종太宗에게는 검사劍士가 1천명이나 있었다. 이제 그 법法은 전하지 않고 단간잔편斷簡殘篇 중에 결가訣歌가 있으나 그 설명이 상세하지 못하다. 근래 호사자好事者가 있어서 조선朝鮮에서 구했는데 그 세법勢法이 구비되어 있었다.』라고 했다. 즉 고대古代 검법으로 정정해 기록만 해 둔 것이다. 24세 검법은 동양 검의 주主가 된다. 어떤 무예武藝도 이것에 영향받지 않은 것이 없다. 24세를 벗어나는 칼 동작은 찾을 수 없다.

칼은 우선 격자격세擊刺格洗의 의미가 어떻게 흘러가는가를 알아야 한다.

【참고】 무예武藝에서 말하는 문자文字란 한글의 자모子母처럼 기예技藝를 구성하고 응용하기 위한 필수 불가결한 기본 요소를 의미한다. 권법의 원길은 현각권縣脚拳 32세勢를 의미한다. 그것은 권법의 자모子母, 즉 문자다.

무예에서 초식招式, 식式, 세勢는 같은 의미로 쓰인다. 24세 검법劍法은 48세로 되어있지만, 전체는 72세로 구성되어 있다.

검법劍法은 검劍의 기초를 말하는 것이고, 검술劍術은 숙련된 검을 말한다.

【격자격세擊刺格洗】

1. 격법擊法

칼의 격법擊法은 벽劈과 자刺가 합쳐진 것이다. 팔을 밀면서 쳐야 한다.

격법擊法은 앞으로 미는 것을 기준으로 둔다. 칼을 자기 몸쪽으로 당겨오지 않는다. 격법은 무조건 칼이 살아야 한다. 내리는 데에다 기준을 두면 밀어치지 못한다. 왜냐하면, 나아가면서 치는 것이 격擊이므로 자연히 그렇게 되어야 한다. 내려치는 것(劈)과 찌르는 것(刺)이 합한 것이다. 표두격豹頭擊은 팔꿈치를 굽혔다 펴는 것은 찌르는 힘, 팔꿈치를 머리 위에서 아래로 내리는 것은 내려치는 힘이다. 멀리 치기 위해 팔을 길게 밀어치면 안 된다. 너무 길면 힘이 없다. 칼은 어깨를 늘여 치지 않는다. 손목(梢節)이 움직이는 것이 칼을 이끈다. 따라서 손목이 멈추면 칼도 멈춰야 한다. 그렇게 했을 때 힘이 생긴다. 표두격豹頭擊이나 그 외 격법擊法은 수법手法에서 하벽下劈을 치는 느낌과 모양으로 쳐야 한다. 칼 든 손은 벽劈을 칠 때와 같다.

칼끝(劍尖)이 자루(劍柄)보다 낮아선 안 된다. 수평水平까지는 되지만, 수평 이상이 되어야 한다. 즉 칼끝이 살아야 한다. 도刀는 대개 수평으로 하지 않는다. 검병劍柄이 약간 휘어져 있어서 수평으로 하면 손목의 힘이 칼끝까지 전달되지 않기 때문이다. 검劍은 검병劍柄의 구조상 수평으로 쳐도 된다.

예외적으로 칼끝이 손잡이보다 낮아지는 경우가 있다. 격擊할 부위가 내게로 흘러들어오는 경우, 예를 들어 오른발이 걸어 들어가며 내 우측의 상대 대퇴를 공격하는 경우에 칼끝을 45도로 낮게 하여 격擊한다. 내가 들어가지만, 상대가 흘러들어오는 것과 같기 때문이다. 그러나 나의 좌각左脚이 걸어 들어가면 확실하게 일좌一坐로 자세를 낮춰 칼끝을 살려 상대 대퇴를 격擊한다. 이치를 알아야 한다.

(격법擊法의 예)

◎ 격법擊法 가운데서 과좌격跨左擊과 과우격跨右擊은 다리에 기준을 둔다. 즉 다리 구분을 해야 한다. 그 외 다른 것은 칼에 기준을 둔 것이고 다리의 좌우左右 구분을 하지 않는다.

무학 용어에서 상대를 부딪쳐 치는 것은 모두 격擊이다. 예를 들어 작의세綽衣勢에서 횡격橫擊은 횡橫으로 밀어서 앞으로 베는 것이다. 부딪쳐 치는 것이므로 칼을 당겨오지 않는다.

◎ (ㄱ) 우익세右翼勢, (ㄴ) 좌익세左翼勢의 검선劒線

좌·우익세左右翼勢는 골반 바로 위까지만 베어 내린다. 칼끝이 더 내려가면 날개(翼)를 치는 것이 아니다. 우익右翼은 상대편의 오른쪽 어깨부터 치므로 우익이다. 상대를 기준으로 나뉜다. 칼끝이 손목보다 높아야 한다.

(좌, 우익세 검선)

2. 자법刺法

자법刺法은 팔을 펴서 끝까지 찌른다. 그러나 팔꿈치를 다 펴서 찌르면 안 된다. 탄복자担腹刺는 죽 밀어서 낮게 찌른다. 탄복자는 절대적으로 칼을 틀면서 몸으로 찔러야 한다. 탄복자는 허리의 손을 치켜든다. 그래야 아랫배를 찌를 수 있다.

좌협자左挾刺 · 우협자右挾刺는 찌르는 손이 가슴 높이보다 높아지면 칼끝(劍尖)이 가슴높이가 안 된다. 즉 칼끝이 살지 못한다. 손목을 쳐지게 해서 찌르지 않아야 한다. 그러면 팔은 올라가고 칼은 내려가 버린다. 좌협자左挾刺는 충자衝刺다. 그대로 찌른다.

우협자右挾刺는 어깨 위가 아니라 겨드랑이 높이로 들어 찔러야 한다. 우협자는 교자絞刺로 꼬아 찌른다. 먼저 우협右挾한 다음 나가면서 꼬아나간다. 협挾은 옆에 끼는 것이므로 허리(腰) 위치보다 높은 위치다. 그래서 그 위치에서 찌르므로 가슴높이를 찌르는 것이다. 좌 · 우협자는 주로 가슴 부위를 찌르는 것이다. 《무예도보통지武藝圖譜通志》 그림에도 칼끝이 위로 향해 있다.

역린자逆鱗刺는 손목은 가슴 높이 칼끝은 목 높이로 찌르는 것으로, 칼을 허리로 들어 올린 다음 찌르지 말고 칼을 허리 아래로 내려서 든 위치에서 나가면서 바로 찌른다. 손만 허리에서 뻗으면 칼끝이 자연히 목으로 간다. 일부러 칼을 올려 찌르지 말 것. 높은 쪽을 찌르는 것은 절대적으로 칼끝이 살아야 한다. 허리에서 목 높이로 거슬러 올라가니까 역린逆鱗이라고 한다.

쌍명자雙明刺는 칼을 들어서 찌르는 것(눈높이), 높이 찌르는 것, 그리고 두 번 찌르는 것을 의미한다. 표두豹頭 · 압정壓頂을 한 다음에 찌른다. 칼끝이 약간 살아야 한다. 감으면서 벌써 앞으로 나가는 동작이다. 감은 다음 칼을 몸으로 가져오면 안 된다. 보통 일보一步(두 걸음) 걸어 들어가면서 찌른다. 신속함이다. 쌍명자는 아래에서 위로 들어야 하므로 감으면서 올린다. 검劍은 이동할 때 무의미하게 이동하지 않는다. 즉 들고 가지 않는다. 감으면서 올리면 위로 올리는 동작과 자연스럽게 합하기 때문이다.

3. 격법格法

방어하면서 살상殺傷할 때, 이때는 팔을 크게 휘두르는 것이 아니라 폭을 짧게 하여 급촉하게 살殺한다. 격格은 병기를 막는 것만을 의미하지 않는다. 상대를 차단해서 베는 것을 포함한다.

거정격擧鼎格은 가탁법架托法이다. 거정격은 상대의 날개(腕)를 베어 올리는 데 주로 사용한다. 탁托으로 올릴 때는 칼끝이 약간 앞으로 나간다. 거정擧鼎은 몸 가까이에서 들어 올린다. 거정은 아래에서 위로 베어 올린다. 칼끝이 자루보다 낮아야 한다. 가架는 병장기를 들어 올리는 것을 말한다. 즉 막는 것이다. 탁托은 베면서 올리는 것이다. 거정격擧鼎格은 가架·탁托을 함께 내포해야 한다. 즉 가架의 형태로 탁托의 개념을 쓴다. 베면서 올려야 한다. 운영은 탁托으로 한다. 높이는 가架의 높이다.

어거격御車格은 자신의 앞을 막는 것을 모두 말한다. 어거御車는 '밀어부쳐라'는 의미를 지닌다. 어거御車 즉, 임금의 수레는 멈추지 않기 때문이다. 어거격御車格의 핵심적인 특징은 짧고 급촉한 힘으로 운용한다는 것이다. 어거격御車格은 좌(위) 우(아래), 혹은 거꾸로 우(위) 좌(아래)로도 연습한다. 어거는 크게 휘두르지 않아야 한다. 짧게 친다. 폐법閉法은 '좌우 문을 닫는다'라고 하고 분법分法은 '좌우 문을 연다'라고 한다. 입립立과 횡횡橫을 말한다.

선풍격旋風格은 곤滾이다. 맷돌처럼 몸(身)이 돌아가는 것을 의미한다. 180도 몸이 돌아가며 칼을 거꾸로 들어 막아야 한다. 선풍격은 몸 앞에서 칼이 먼저 90도(左側面까지) 돌아가고 계속해서 칼끝을 머리 위로 들어 올리면서 돌아나간다. 세워서 돌려막는 것까지는 병풍세屏風勢다. 그 뒤에 몸이 돌면서 칼을 베어 내리는 것이 선풍세旋風勢로써 연결하기 위한 동작이다.

㉮ 원칙은 몸은 가만히 있는 상태에서 칼만 병풍으로 감는 것이 선풍격이다. ㉯ 칼이 돌아도 선풍이고, 몸이 도는 것도 선풍으로 본다. ㉰ 24세勢에서는 은망세 안에 선풍격이 표현되어 있다.

◎ 어거세御車勢·병풍세屛風勢는 중절中節이 중요하다. 병풍세屛風勢는 몸 바로 앞에서 좌측 어깨까지 칼을 땅과 수직이 되게 거꾸로 세워 돌리는 것이다. 선풍旋風은 병기兵器와 상관없이 몸을 회전하는 것을 의미한다. 따라서 선풍세旋風勢 안에 병풍세가 포함되어 있다. 칼을 잡은 손이 좌측 어깨보다 위로 가면 안 된다. 즉 높이 올리면 안 된다. 왜냐하면, 상대 찌르는 칼을 병풍屛風으로 막는 경우는 상대 칼이 가슴 이상으로 찌르는 경우가 아니기 때문이다. 즉, 가슴, 명치明治 이하로 찌르는 칼을 막는 것이므로 막는 칼을 높이면 안 된다. 가슴 이상 오는 칼은 어거격御車格으로 막는다. 따라서 내 좌측 어깨 아래로 막는 손이 오도록 낮게 돌려 머리 뒤로 감을 때에 손을 위로 들어 휘감는다.

(병풍세)

◎ 칼은 부딪치는 일이 없다. 하지만 좌우로 급격히 찔러오거나 쳐올 때는 부딪친다. 내려쳐 오는 것은 거정으로 막지 않는다. 바로 베어 올려 살한다.

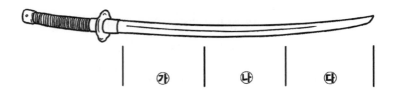

(칼의 부위별 운용)

㉮ 부위가 주된 방어 부분으로 부딪쳐 막는 부위다. ㉰ 부위는 공격하는 부위다. 칼은 앞의 1/3만 사용한다. 칼끝이 중요하다. ㉯, ㉰ 부위는 막는다 해도 힘이 없어 상대 공격이 빗겨 들어오면 당하게 된다. 부딪쳐 방어하더라도 상대의 칼날을 신법으로 비켜서 방어한다. 정면으로 맞부딪치면 안 된다.

4. 세법洗法

세법洗法은 팔을 당긴다. 세법은 반드시 검의 전단前段(1/3부분)으로만 벤다. 호혈세虎穴勢에서 팔을 너무 좌우로 크게 가져가면 안 된다. 칼만 크게 움직인다. 운용의 묘妙다. 호혈세 높이는 허리 아래(손을 자연스럽게 내렸을 때 위치)가 아니고, 상대가 대적하려고 허리로 손을 올리는 위치의 호구虎口다. 따라서 허리 높이(水平)로 벤다. 호혈세는 좌우방신左右防身, 즉 나 자신을 좌우로 방어하는 세勢다. 수두세獸頭勢 안에 포함될 수도 있다. 또는 〈예도총도銳刀總圖〉의 '백사롱풍세白蛇弄風勢'다.

봉두세鳳頭洗의 원칙은 우각右脚이 앞에 있으면 우상右上에서 좌하左下로 세洗하고, 좌각左脚이 앞에 있으면 좌상左上에서 우하右下로 세洗한다. 격법擊法과 자법刺法, 격법格法은 좌우각 구분이 없이 사용한다.

등교세騰蛟勢는 요검撩劒, 즉 아래에서 위로 올려치는 것이다. 낭심囊心에서 배꼽(臍)까지 베어 올리는 것이다. 세洗이므로 당겨와야 한다. 밀어 올리지 않는다. 팔을 가장 멀리 밀었을 때가 공격이 끝난 시점이 된다. 칼을 그냥 올리는 것이 아니다. 헛동작이 없어야 한다. 등교로 올리고 베어 내린다. 몸 앞에서 손목만 등교세로 움직이는 것은 도刀에서만 한다. 검劍에서는 하지 않는다. 도에서 하는 것은 막는 동작으로 응용한 것이다.

전시세展翅勢는 등교의 변화다. 그 대신 밀어 베어 올린다. 즉 상료上撩는 당기지 않고 밀어서 벨 수도 있다. 전시는 날개(翼)니까 움츠리지 않기 때문이다. 요검撩劒으로 변한다. 등교騰蛟는 원칙적으로 배꼽(臍)까지만 베어 올리는 것이다. 료검이나 전시세 두 가지는 등교의 변화다. 요검撩劒도 세법洗法이지만 밀어 올리는 것이다.

◎ 격법擊法은 칼이 몸에서 멀리 크게 나간다. 세법洗法은 칼이 몸으로 붙어온다.

◎ 격자격세擊刺格洗, 사법四法은 여러 운용세가 있지만 정확하게 16세勢로 격자격세를 정한 것이다. 운용 때는 사법四法의 변화를 본인 외에는 모른다. 예를 들어 격적擊賊한 후 칼을 당겨와 내략內掠으로 올릴 때, 보는 사람은 세洗로 보이나 연결수이므로 격擊한 후에 칼을 당겨오는 것이다.

【수법手法·배수법配手法·파법把法】

1. 수법手法

《본국검本國劍》에 〈수법手法〉의 요결要訣이 나온다. 『옛글에 '용검用劍의 요결은 모든 변화를 살펴보고(안명眼明: 상대와 나의 움직임을 보는 것), 상대가 조금이라도 움직이면 내가 먼저 움직이고(수쾌手快), 움직이면 변하고(신영身靈: 공방의 제반 동작에서 영기靈氣를 띠고 있어야 한다), 변하면 연이어 닿아야 한다(보활步活: 보가 목적한 바의 방향으로 움직임). 그 속에는 숨은 뜻이 있다. 험난한 중에도 흔들림이 없어야 하며(담력膽力: 마음이 들뜨면 역량을 발휘하지 못한다), 검劍은 손에서 벗어나면 안 되고(신속迅速: 숙련되지 않은 검劍은 손과 검劍이 달리 움직이므로 빠름이 없다), 손은 검劍에 집착해서는 안 된다(침착沈着: 내외합일內外合一이 아닌 침체沈滯됨을 말한다)라고 하였다.'

검을 연습하는 사람은, 손이 숙련되고 마음은 고요해야 한다(수숙심정手熟心靜). 손이 숙련되면 마음이 손을 잊을 수 있고, 손이 검을 잊을 수 있어서 신神이 원만하여 정체되지 않는다, 마음이 고요하면 여유 있게 대처하므로(침착沈着: 내외합일內外合一) 변화가 무궁해지는 것이다. 검을 익힘에는 마음과 동작, 내외內外 양자를 결합시켜야 비로소 경력이 강건하고 동작에 의미(신운神韻)가 있게 된다. 동작에 의미가 없다면 움직임은 곧 생기를 잃어버리는 것이다.』

전체적인 관점에서 볼 때 내외內外는, 내內는 고요함을 의미하고, 외外는 움직이는 손에 집착함이 없이 동작하는 것을 말한다.

〈손은 검劍을 잊고 마음은 손을 잊어야 산만해지지 않는다.〉

손이 검을 잊는다는 말은, 칼이 움직이는데 손이 따라가면 안 된다. 즉 칼을 의식하지 않고 손만 움직이는 것이다. 자연히 검은 손을 따르는 것이다.

마음은 손(手)을 잊어야 한다는 말은, 손에는 손(手)의 신神이 있다. 숙련의 결과 손의 의식(감각) 자체가 스스로 느끼고 움직이는 것이다.

산만해지지 않는다는 뜻은 내외內外가 결합하여 움직일 때, 마음은 이미 다른 생각으로 향해 간다는 뜻이다.

2. 배수법配手法

배수配手는 몸의 중심을 잡아주는 것과 함께 힘의 균형을 만든다. 배수하는 손도 힘을 안 주면 안 된다. 양손의 힘이 균형이 안 맞으면 칼 든 쪽으로 중심이 쏠린다. 칼이 배수를 끌고 가는 경우 또는 배수가 칼을 끌고 가는 경우, 모두 두 손이 함께 움직이는 것이다. 먼저 시작하고 나중 시작하는 것이 아니다.

합격合擊은 손잡이를 두 손으로 잡는 경우인데 표두격豹頭擊 뿐 아니라 좌익격左翼擊, 우익격右翼擊 요격腰擊 등도 두 손으로 할 수 있다. 단지 상황에 따라 운용할 수 있다. 우리나라 칼이 가볍고 짧은 환도還刀인 이유는 신법身法으로써 칼을 운용하기 때문이다. 따라서 그 운용에서 필요한 때만 합격을 하고, 〈쌍수도雙手刀〉나 일본도처럼 칼이 길거나 무거운 경우 합격 위주로 운용해야 한다. 마치 쌍수검법이 따로 있는 것처럼 생각하는 것은 잘못된 생각이다. 합격으로만 검劍을 운용하면 신법身法을 쓸 수 없다.

3. 파법把法

2지指와 5지指로 칼을 쥐고 있으면서(손잡이에 댄 상태로) 엄지와 4지指로 칼을 쥐고 5지指를 잡으며 내려치고 칼을 올릴 때는 2지指로 올린다. 오른쪽으로 벨 때는 2, 3지指를 잡으면서 벤다. 수평으로 눕혀서 횡횡橫橫으로 좌로 벨 때는 엄지가 힘의 중심이 되고 소지小指 쪽으로 쥐고 벤다(끈다). 우右로 벨 때는 엄지와 검지 쪽이 힘의 중심이 되고 중지가 돕는다. 칼끝을 위로 올려 벨 때 파법把法은 소지小指 쪽으로 끌어온다. 칼은 손바닥(掌心)에 붙게 잡아서는 절대 안 된다. 그러면 부드럽게 변하지 못한다. 힘도 못 쓴다. 칼의 운용에 절대적인 것이다. 다른 병기兵器도 마찬가진데, 뒤에 그 이유가 느껴진다.

만파滿把는 손가락 모두를 꽉 쥐는 것이다. 내려칠 때나 찌를 때 등, 마지막 부분에서 세勢가 결정될 때 보통 만파로 잡는다. 표두격豹頭擊은 마지막에 소지小指를 잡으며 만파로 한다.

배수법配手法과 함께 파법把法은 칼의 기본 요소로서 칼을 빠르게, 힘 있게 그리고 영활하게 운용하도록 해준다.

◎ 파법은 자주 연습하면 저절로 나온다. 《본국검》의 〈파법〉 내용은 그것의 결과를 설명한 것일 뿐이다. 칼은 구수鉤手의 힘으로 손잡이를 운용한다. 따라서 장심掌心이 떠야 한다. 예를 들어 점검세點劍勢는 구수로써 한다.

◎ 수법手法에서는 상대 손목을 1, 4지指로 잡고 상대가 변하면 움직이는 방향에 따라 5지指를 쥐면서 꺾든지, 또는 2, 3지指를 쥐고 반대로 꺾는 경우가 나온다.

【24세 보법步法】

　　《무예도보통지武藝圖譜通志》〈범례凡例〉에서 도보圖譜를 그리는 것에 거리의 척도인 『균보법均步法으로 하였다』는 것은, 세勢를 운용함에 있어 보步의 움직임을 그대로 그림으로 표현하였다는 의미이다. 즉 기예技藝를 운용할 때의 발의 모양과 보폭은 균보均步로써 자연스럽게 걸어가면서 표현한다는 의미다. 즉 균보均步는 무예 동작에 있어서 보편적인 보법步法을 의미한다.

　　병장기兵仗器는 반드시 보법步法과 보조에 맞춰 움직여야 휘두르는 폭이 크고 빠르다. 몸이 병장기를 끌어야 선과 폭이 커진다. 권법拳法도 중절中節(몸)이 먼저 움직여야 유연하고 리듬이 나온다. 보법은 신법身法으로 인해 만들어진다. 특히 압보鴨步 · 투보套步 · 창보搶步 · 입보立步 · 편섬보偏閃步 등은 모두 신법에 따른 보법의 변화이다.

　　24세에서 진보進步 앞에 나오는 중간세中間勢는 다음의 살수殺手를 위한 예비동작으로서, 힘을 만드는 세勢이지 살수殺手가 아니다.

　　진보進步나 퇴보退步를 할 때 독립보獨立步처럼 발을 들었다 놓으면 두 박자가 된다. 평보平步로 움직여야 한다. 들었다 놓으면서 전진 후퇴하는 자리가 따로 있다.

　　투보套步는 칼은 다른 곳을 겨누면서 빠르게 걸어가는 것이다.

　　창보搶步는 왜검에서 많이 나온다.

　　체보掣步는 '발을 끈다'는 뜻이다. 그러나 발을 들어서 끄는 것이다. 의미를 더 들어가면, 몸이 병기를 끌고 간다는 뜻을 포함한다. 체보掣步는 상대를 베거나, 막거나, 치거나 하면서 걸을 때의 보법步法이다. 권법拳法에서도 체보는 멈추지 않는다. 걸어나가면서 상대 주먹을 받고 친다. 칼에서의 체보는 한걸음에 두 번 공격을 의미한다. 1초식을 한걸음에 공격하는 것이다. 체보掣步를 운용하는 이유는 빠름, 즉 신속함과 다음 세勢의 힘을 얻기 위해서이다.

【검劍과 도刀의 차이점】

〈이십사세二十四勢 조선검법朝鮮劍法〉은 검세劍勢다. 고대의 칼은 검법劍法이다. 따라서 후대에 나온 도刀로써 24세를 운용할 때에는 검劍과 도刀의 차이를 알고 운용해야 한다. 도刀는 꼭 몸에 붙이진 않지만 칼등(刀脊)이 있으므로 몸에 붙여 움직일 수 있다. 등(背) 뒤에 붙어있다가 몸으로 메어치듯이 앞으로 격擊할 수 있다. 도刀 역시 칼끝 부위는 본래 양날로 되어있다. 검劍도 등 뒤로 돌아갈 수 있지만, 등과 거리를 많이 띄어야 한다. 좌우방신左右防身 때도 검劍은 몸 측면까지가 한계다. 더 등 쪽으로 오면 안 된다. 도刀의 경우는 오른쪽으로 베어 등 뒤로 감아 돌리지만, 검劍은 이 위치에서 등 뒤로 감지 않고 다시 돌려 왼쪽으로 움직인다(과뇌裏腦).

도법刀法은 격법擊法과 자법刺法이 근본이다. 자법刺法은 배를 찌르는 것이 근본이고 수련이 어렵다. 도는 칼등(刀脊)의 힘으로 운용하고, 검은 중간 부분(劍脊)의 힘으로 운용한다.

1

2

(도의 과뇌裏腦)

(검의 과뇌裏腦)

◎ 검劍이 도刀와 다른 특징적인 예

　　팔八자로 벤다. 좌左로 횡橫으로 베어가다가 양날 검이므로 그대로 오른쪽으로 벤다. 이때 몸 전체를 오른쪽으로 기울인다(身法). 도와 달리 검은 실전에서 아주 짧게 사용하며 반배검反背劍으로 뒤집고, 상대 병기兵器를 감아 들어가는 등 검선劍線의 정밀함을 요구하므로 그 변화를 도刀는 따라가지 못하는 바가 있다. 그래서 검이 병장기 중 가장 어렵다고 하는 것이다.

【조선검법 24세勢의 전개展開】

《무예도보통지武藝圖譜通志》 안의 세명勢名은 원명原名만 있는 것이 아니다. 즉 응용된 세명도 있다. 24세勢에서 격자격세擊刺格洗 명명名은 모두 원명原名이다. 예를 들어 세법洗法의 등교세騰蛟洗는 원명이다. 《무예도보통지》에 등문騰蚊으로 되어있는 것은 등교騰蛟의 오기誤記다. 이것을 24세는 장교분수長蛟分水, 본국검에서는 장교분수長蛟噴水로 표기했다. 이것은 동작의 차이로 나눈 세명이다. 예로써 표두격豹頭擊·진전살적進前殺賊·전일격前一擊 등은 다 같은 격법擊法인데 세勢에 따라서 틀린다. 즉 조직해 놓은 세, 글을 쓰는 세 등 맥락에 따라서 표현이 달라진다. 원세原勢로 투로套路를 만드는 것을 글을 쓴다고 한다. 원세를 글자의 자모子母에 비유해 일컫는다.

세명勢名은 모두 비유적인 말이다. 격格은 방어동작인데 모양이란 의미도 있다. 《무예도보통지》에 수록된 격擊·자刺·살殺은 같은 의미다. 살殺은 주로 베는 것을 의미한다. 그러나 모두가 가서 부딪히는 것을 의미하는 것이다. 따라서 진전살적세進前殺賊勢나 진전격적세進前擊賊勢는 같은 의미다. 세勢는 흐름에 따라 같은 동작도 다른 세勢로 불린다. 24세 문장 제일 앞에 나오는 세는 정세定勢, 즉 법법法이다. 중간세는 운용세運用勢, 기세氣勢(움직임, 동작)로서 마지막에 나오는 동작으로 가는 중간 동작을 말한다. 따라서 두 개의 동작은 연결수連結手이다(동작의 연결을 말하는 것은 아니다. 처음세와 중간세는 연결해서 행하지만 끊어져도 된다).

24세에는 마지막 세를 제외하면 48식式의 세가 있다. 중간의 24세는 운용세이므로 앞의 정세定勢만으로 24세라 칭했다. 24세는 각각이 3가지 동작으로 구성된 하나의 초식招式이다. 24세의 세명勢名은 원명原名으로 봐야 한다. 앞의 세, 중간의 세는 모두 원명으로 보아야 한다. 마지막에 나오는 세는 따라붙는 세로 보아야 한다. 24세勢가 원명인 이유는, 칼로 표현할 수 있는 모든 기예技藝가 24가지 이상 나오지 않기 때문이다. 24는 검법劍法 기예의 최대 수數이자 한계이다. 원명原名으로 본다는 것은 없어서는 안 되는 세이기 때문이다. 다시 말하면 원 세명原勢名은 반드시 존재해야 하고 더 나눌 수 없는 근본의 고유한 세勢를 뜻한다.

세勢는 모양과 기세氣勢로 설명되어 있다. 세명勢名은 언어학적으로 연구해서 알 수 있는 것이 아니다. 원原 세명은 본래 무예를 기록으로 남길 때, 무예이론의 한 부분으로서, 무학武學을 모르면 이해할 수 없는 은유적 문자文字로 정해 놓은 것이다. 다시 말하면 시간을 뛰어넘어 언제든 발아發芽할 수 있는 무예의 씨앗으로 전해져 온 것이다. 냉병기冷兵器 시대 일종의 비급祕笈이라고 할 수 있지만, 글자 하나도 허투로 기록해 놓은 것이 없다. 예를 들면, 과좌跨左 · 과우跨右는 몸의 모양으로 설명하는 것이다. 또 과우跨右 · 작의세綽衣勢에서, 작의세는 중간세로서 작의綽衣의 기세로 횡격橫擊을 하라는 의미다. 이치를 깨달아 숨은 뜻을 알아야 한다.

24세勢에서 첫 세勢는 모두 격세擊勢다. 격세는 격법擊法 뿐 아니라 칼의 모든 공격과 방어를 지칭하는 말이다. 둘째 세勢는 중간에 위치하는 세(運用勢)로서 중간세中間勢와 첫 세勢와의 관계는 연결수連結手로도, 혹은 별개로도 생각해야 한다.

· 첫세에 따라서 중간세가 이루어진다.
· 중간세에 따라서 마지막세가 이루어진다.
· 중간세와 마지막세는 절대 떨어지면 안 된다.
· 중간세가 없이는 못 움직인다. 격자격세만 남고 신법身法이 없어진다.
· 중간세가 없으면 검劍을 운용하지 못한다. 검법劍法이 살아나지 못한다.
· 중간세는 거의 체보掣步가 차지하여 초식招式의 묘妙를 극대화하고 있다.
· 중간세는 반복된 것이 없다. 선인先人들이 기가 막히게 창안했다.
· 중간세를 살리기 위해 24세勢를 만들어 놓은 것이다.
· 중간세는 첫 세만큼 중요하다.
· 중간세는 절대적으로 중요하다.

24세는 중간세中間勢를 어떻게 쓴다는 것을 교과서적으로 가르쳐 놓은 것이다. 그렇지 않다면 현재 격자격세擊刺格洗만 남아 있을 것이다. 그래서 무학武學이 어렵다. 물리物理가 터져야 알 수 있다. 24식式에서 중간세는 마지막 결정 동작이 가는 방법, 즉 길과 모양(路線과 身法)을 말한다. 운용세이면서 기세氣勢를 품고 있다. 거정세擧鼎勢를 예로 들면 딱 한 번 거정세가 나오고 다음은 중간세인 평대세平擡勢, 마지막세인 군란세裙襴勢가 나오는데, 이는 거정세를 운용하는 신법身法을 설명한 것이다.

중간세는 24세에서 중복이 없으며 중간 연결세로서, 칼을 운용할 때 칼의 연결에 반드시 필요하다. 뒤의 세는 중복이 있다. 뒤의 세는 중간세의 성격에 따라 연결되어 이루어지는 것이기 때문이다. 예시例示로 마지막 세를 붙여놓은 것이다. 따라서 뒤의 세는 반드시 그렇게 쓰라는 것이 아니다. 변화의 예를 보여준 것이다. 앞의 골격(격자격세 16세와 변화세 10세)이 24세에 있어서 앞에도 있고 뒤의 세에도 있는 까닭이다. 그러나 중간세는 마지막 세의 의미까지 내포하고 있다. 즉 마지막 격세擊勢까지 포함되어 있는 세명勢名이다.

예로 요격세腰擊勢는 참사세斬蛇勢를 하다 보니 이어서 가장 좋은 변화가 앞으로 찌르는 것인데, 찌르다 보니 역린逆鱗이 된다. 왜냐하면, 칼끝이 내려오니까 중궁中宮을 보호하기 위해 올라가면서 역린이 자연히 찔러지는 것이다. 좌익세左翼勢는 직부송서세直符送書勢에서 베어 끌어오는 동작에서 제일 좋은 변화가 역린하는 것이므로 역린이 된다. 또 어거御車를 한다면, 먼저 발초심사撥艸尋蛇를 하면 상대가 위쪽으로 공격해 들어오므로 자연히 어거를 하게 된다는 뜻이다. 점검點劍은 정면으로도 하고 위로도 하고 팔을 뒤집어 꼬아서도(反背劍) 하지만, 정면으로 하더라도 몸을 측신側身으로 돌려서 하므로 편섬점검偏閃點劍이 되어 신법身法을 말한 것이다.

◎ 세勢는 한 동작의 중간 동작, 또는 마지막 동작에 결정된다. 세勢는 한 동작만을 의미할 때도 있다. 같은 동작이 다른 세勢로 표기됨은 그 해석이 다르기 때문이다.

칼을 배우는 데 있어 처음 명심해야 할 말은….

◎ 격자격세擊刺格洗는 칼의 기본동작이다. 격擊은 다섯 가지 방향이고 자刺도 다섯 가지 방향이다. 격格은 밀어 자르고 세洗는 당겨 벤다. 이것이 기본 큰 틀이고 그로부터 무한한 변화와 움직임이 나온다. 동서양의 역사를 통해서 가장 잘 되어있는 검의 골격이 〈조선검법24세〉다. 그 골격에 의해서 첫 번째 세는 끊어도 된다. 뒤엣것은 연결해야 한다.

◎ 칼을 빨리 움직이면, 보는 사람은 빠르게 보이나 대적하는 상대에게는 느리게 느껴진다. 칼을 몸과 함께 움직이면, 보는 사람은 느리게 보이지만 대적하는 상대에게는 빠르게 느껴진다. 따라서 몸은 움직이지 않고 칼을 빨리 움직이면 안 된다. 칼을 의식하지 않고 몸을 움직이는 것이 검 운용의 요결要訣이다. 칼의 안법眼法은 칼이 나가는 선을 미리 앞서서 본다.

병장기兵仗器는 무엇이든 몸으로 운용해야 한다. 문제는 병기가 주가 되어 몸이 딸려 가면 절대 안 된다. 소위 몸이 손, 발을 이기지 못하게 된다. 예를 들어 칼에 의식을 두고 손이 따라가면 숙련이 안 된다. 칼을 의식 않고 손에 의식을 두고 가야 한다. 순서를 다 익힌 다음에는 몸이 움직이는 것으로 운용해야 한다(身法). 손으로 위치를 잡고, 몸이 움직이는 데로 권법拳法이 따라가고…. 삼절론三節論에서 손과 병장기를 합쳐 초절梢節이다. 그러므로 손에만 의식을 두고 수련해야 하고 병장기는 손을 따라가야 한다. 즉 칼은 손의 연장이다. 손이 움직이는 데 칼이 따라간다. 검법劍法이 어려운 이유는 한 손에 물체를 들고 삼절을 맞춰야 하기 때문이다. 장병기는 두 손으로 움직이므로 좀 낫다. 병기兵器를 잊어야 한다는 말의 의미에 오해가 없어야 한다. 병기를 다룰 때는, 검劍은 검劍의 끝, 봉棒은 봉棒의 끝, 창槍은 창槍의 끝을 의식해야 한다. 권법에서 권拳에 신의神意가 모이듯이 첨尖의 동선과 위치를 항상 의식해야 한다.

◎ 칼에다 힘을 주지 말라는 의미는, 바로 신법身法에 의해 몸이 돌아가면서 그것에 의해서 자연히 칼에 힘이 들어가게 해야 한다는 뜻이다. 찌를 때에도 신법과 손이 함께 나가니까 찔러지는 것이다. 그러므로 힘 있게 하려고 하지 말고 균형에 맞춰 자연스럽게 휘둘러야 한다.

◎ 칼은 멀리서 뻗어 치는 것이 아니고 신법으로 들어가서 가깝게 붙어서 친다. 검劍을 운용할 때 검의 동작이 보법步法의 움직임보다 더 커야 한다. 보법이 크면 신법이 옹색해져 오히려 검의 운용 폭이 축소된다. 또한, 다리는 항상 상대 병기兵器의 공격 대상이므로 크게 움직여서는 안 된다. 이를 숙련시켜 자기 것으로 만들어야 한다. 생각이 아닌 몸이 저절로 순조롭게 되도록 돌아가야 한다. 요要는 숙련시켜야 한다….

◎ 검법을 연습할 때 천천히 하더라도 속도감을 줘서 해야 한다. 즉 내려치는 것이나 찌를 때, 확실히 내려치고 늘여서 찔러야 한다.

◎ 실전에서 칼끝(1/3)에다 힘을 모아서 칼을 맨손처럼 자유롭게 운용해야 한다. 칼끝 부분을 손가락 움직이듯이 해야 한다. 그럴 때 끝까지 힘이 들어가야 한다. 숙련되어 가면서 고치면 다 된다.
본래 병장기는 병기의 모든 부위를 사용할 수 있어야 한다. 상황에 따라 몸과 병기를 함께 활용해 최대한 사용해야 한다. 예를 들어 상대와 칼이 부딪쳤을 때 손이나 발로 가격하거나 칼자루로 찍거나 등, 모든 수단을 동원해서 대적해야 한다.

◎ 《본국검》에서 말했듯이 내외합일內外合一이 되어야 한다. 즉 모든 무예기법武藝技法은 의기경형합일意氣勁形合一이 되도록 동공을 이루는 것이 중요하다. 신형합일神形合一, 식형합일息形合一, 경형합일勁形合一의 의미를 되새겨 물아합일物我合一의 경지로 나아가야 한다. 나와 검劍이 하나가 되고, 나와 우주宇宙가 하나가 된다.

● 朝鮮　劍法

【朝鮮劍法二十四勢　解題】

【참고】
　조선검법朝鮮劍法 24세勢의 도해圖解는 《본국검本國劍》의 〈朝鮮劍法 24勢〉편을
참조하기 바란다.

【朝鮮劍法 二十四勢】(銳刀)

	勢名 처음세	擊刺格洗	중간세	步法	마지막세
1	舉鼎勢	舉鼎格	平擡勢	退步	裙襴
2	點劍勢	點劍刺	撥草尋蛇勢	掣步	御車格
3	左翼勢	左翼擊	直符送書勢	掣步	逆鱗刺
4	豹頭勢	豹頭擊	泰山壓頂勢	掣步	挑刺(雙明刺)
5	担腹勢	担腹刺	蒼龍出水勢	進步	腰擊
6	跨右勢	跨右擊	綽衣勢	進步	橫擊
7	撩掠勢	撩掠格	長蛟分水勢	掣步	鑽擊
8	御車勢	御車格	衝鋒勢	退步	鳳頭洗
9	展旗勢	展旗擊	托塔勢	掣步	點劍
10	看守勢	看守擊	虎蹲勢	進步	腰擊
11	銀蟒勢	銀蟒格	掠殺　　旋風勢(屏風勢)		掠殺
12	鑽擊勢	鑽擊 ＊鴨步	白猿出洞勢(虎穴勢)	掣步	腰擊
13	腰擊勢	腰擊	斬蛇勢	進步	逆鱗
14	展翅勢	展翅擊	偏閃勢	掣步	舉鼎格
15	右翼勢	右翼擊	雁字勢	掣步	腰擊
16	揭擊勢	揭擊 ＊套步	虎坐勢	退步	衝洗
17	左夾勢	左夾刺	獸頭勢	進步	腰擊
18	跨左勢	跨左擊	提水勢	進步	雙剪(騰蛟勢)
19	掀擊勢	掀擊 ＊搶步	朝天勢	退步	担腹刺
20	逆鱗勢	逆鱗刺	探海勢	掣步	左翼擊
21	斂翅勢	斂翅擊	拔蛇勢	進步	腰擊
22	右夾勢	右夾刺	奔衝勢	立步	舉鼎格
23	鳳頭勢	鳳頭洗	白蛇弄風勢(虎穴勢)	掣步	揭擊
24	橫衝勢	橫衝擊	隨勢	掣步	撩掠

＊ 擊刺格洗 16勢 (眼法 擊法 刺法 格法 洗法)

　1. 擊法: 豹頭擊 左翼擊 右翼擊 跨左擊 跨右擊

　2. 刺法: 担腹刺 左夾刺 右夾刺 逆鱗刺 雙明刺

　3. 格法: 舉鼎格 御車格 旋風格

　4. 洗法: 鳳頭洗 虎穴勢 騰蛟洗

＊ 變化勢 10勢 (격자격세 外의 原勢)

　1. 點劍勢 2. 撩掠勢 3. 展旗勢 4. 看守勢 5. 鑽擊勢

　6. 展翅勢 7. 揭擊勢 8. 掀擊勢 9. 斂翅勢 10. 橫衝勢

＊ 步法: 1. 進步 2. 退步 3. 掣步 4. 鴨步 5. 套步 6. 搶步 7. 立步　＊偏閃步

1. 거정세擧鼎勢

擧鼎勢者即擧鼎格①**也法能鼎格上殺**②**左脚右手平擡**③**勢**
向前摯擊中殺退步裙襴④**看法**

거정세擧鼎勢는 거정격擧鼎格을 분명히 끊고, 평대平擡를 크게 휘둘러 당겨 치고(摯擊) 군란裙襴은 밀어친다. 평대는 체보摯步하는 발과 삼절三節이 맞아야 한다. 거정격은 칼끝(劍峰)이 너무 앞을 향하면 안 된다. 평대에서 퇴보退步는 발을 들지 않고 뒤로 옮겨 딛는다. 평보平步로 움직인다. 거정세는 솥을 들어 올리는 세勢로, 솥은 들어 올릴 때 몸이 뒤로 가지 않는다. 그래서 앞으로 나가면서 그 기세氣勢를 살린다. 힘 있게, 앞으로 나가듯이 한다. 거정ㆍ평대ㆍ군란은 모두 골반을 같이 회전하면서 몸을 받친다.

① 거정격擧鼎格을 한 세勢로 끊어야 한다. 거정격은 칼끝이 상체와 평행이 되도록 들어 올리지만, 칼끝이 약간 앞으로 나아가 비스듬하게 올려도 된다. 칼이 초절梢節이므로 몸이 먼저 움직이지 말고 칼이 먼저 나가야 한다. 거정격은 대적對賊 시時에 좌각편섬右脚偏閃으로 피하며 반대방향으로도 한다.(칼끝이 몸 오른쪽으로 향하게) 이때도 칼끝은 손잡이보다 약간 낮게 올라간다. 격법格法 중 위로 오는 공격은 거의 거정격으로 받는다. 《무예도보통지武藝圖譜通志》의 거정세 그림은 거정세가 끝나는 모양이다. 따라서 칼이 아래에서 거정의 끝나는 모양으로 올라와야 한다. 거정은 상대를 막는(格) 목적만이 아니고, 바로 나가며 상대를 위로 베어 들어가도 된다. 솥을 들어 올리는 모양이 나와야 한다.

② 상살上殺은 기세氣勢를 의미한다. 아래서부터 솥을 드는 기세로 칼이 올라가야 한다. 즉 다 올라가서 살殺하는 것이 아니고, 아래서부터 살殺의 목적으로 계속 올리는 것이다. 중간에서 살殺이 될 수도, 위에서 살殺이 될 수도

있다는 뜻이다. 솥을 들려면 아래서부터 힘을 써서 들어야 한다. 따라서 위를 살 하는 것이 아니고, 위쪽 방향으로 살殺한다는 것이다(방법론이다). 아래쪽 위치에서 상대 팔을 위쪽 방향으로 살殺해도 거정격이다.

【참고】
상살上殺은 칼날이 위로 향해 움직이며 살殺하는 것이다. 위쪽을 공격하는 의미로도 본다. 예를 들면 표두격豹頭擊도 상살上殺이다. 칼끝이 가슴에 도달하므로 머리를 치는 동작이다.
중살中殺은 칼날이 가운데로(또는 평평하게) 움직이며 살殺하는 것이다.
하살下殺은 칼날이 아래로 향해 움직이며 살殺하는 것이다.
양검陽劍은 위로 살殺하는 것이다. 음검陰劍은 아래로 살殺하는 것이다.

③ 평대平擡의 대擡는 누樓다. 누각樓閣을 평평平平하게 만든다. 그리고 평대의 대擡는 어깨 위의 목을 의미한다. 목을 치는 것이다. 원래 제자리에서 치는 것이나 보步를 움직이면서 친다(身法). 평대는 체격摯擊이다. 빠르게 당기듯이 끌어오듯이 친다. 그래서 발까지 뒤로 물러나야 끌어당기는 것이 확실하게 된다. 평대는 수련할 때는 가슴높이로 친다. 어깨가 올라가지 않고 안정되게 온다.

④ 군란裙襴은 넓게 감싸듯이 운용한다. 군裙과 란襴은 치마와 저고리가 연한 옷(One-piece dress)이고 군란은 치마의 가(端)를 말한다. 횡격橫擊으로 보면 된다. 대신 넓게 친다. 세법洗法이면서 격법擊法이다. 군란은 상대가 내 우측으로 피하더라도 몸을 오른편으로 계속 돌려 상대를 따라가며 벨 수 있다. 퇴보군란세는 방어 동작이다.

● 실전實戰에서는 좌각左脚이 나감과 동시에 거정·평대를 하고, 좌각이 물러나며 퇴보군란을 한다. 번개처럼 빨라야 한다.

◉ 24세에서 거정세가 세 번 나온다. 모두 기세氣勢는 같고 신법은 다르다 (步法). 따라서 같은 거정세가 아니다. 신법이 달라지면 쓰임이 달라진다.

◉ 세勢의 힘이 완성된 다음에 변화를 추구해야 한다. 예를 들면, 거정세의 변화에서 상대가 내려쳐 올 때 거정세의 기세氣勢로 들어 올리며 틈을 보아 바로 찌를 수 있는 경우에, 그러면 상대는 내려치다가 바로 변화해서 같이 찌르는 세勢로 변화한다. 즉 서로 칼이 부딪치지 않는다.

◉ 기세氣勢는 세勢가 가지는 역할을 의미한다. 칼은 기세가 나와야 한다. 일정한 속도로 천천히 기세를 살리면서 수련한다.

2. 점검세點劍勢

點劍勢者卽點劍刺⑴也法能偏閃奏進搶殺⑵右脚右手撥草尋蛇勢⑶向前擊步御車格⑷看法

⑴ 점검세點劍勢는 훑어 찍는다. 찌르는 것이 아니고 찍는 것이다. 점검은 칼끝(劍尖)이 땅에서 몇 cm 차이로 떨어져 친다. 훑어 찍는 것이기 때문에 손목이 굽는다. 그리고 그 맛을 살려야 한다. 그러므로 베어 치는 격법擊法이 아니다. 점검은 찍는 것이므로 검劍이 공기를 가르는 소리가 나서는 안 된다. 안으로 긁어 찍는 것이다. 다음 동작의 발초심사撥草尋蛇가 앞쪽으로 칼이 나가야 하므로 우각右脚 앞부분에 비스듬히 점검한다. 도刀인 경우는 머리 중심 위에서 내려친다. 검劍인 경우 머리 앞부분을 통과해 내려친다.

좌각左脚이 앞으로 전진前進하고 우각右脚을 측면으로 두고 점검해도 된다. 점검을 독립보獨立步로 칠 때는 몸을 움츠리며(縮) 친다. 원보原譜에서처럼 편섬偏閃으로 궁보弓步로 칠 때는 상체가 죽 뻗어야 한다. 칼을 멀리 보내려 하지 말고 상체가 뻗어 나가야 한다. 뒤에서 보면 어깨가 넓게 펴져야 한다. 그래서 배수配手를 하는 것이다. 칼 길은 완전 측면이 아니고(그렇게 하면 허리에 무리가 온다.) 약간 앞쪽으로 가져간다. 나가는 오른발과 칼이 나가서 멈추는 것이 삼절三節이 맞아야 한다. 수련 시에는 칼을 크게 휘둘러 점검한다. 휘두르지 않고 손목만 꺾는 것은 점검의 의미를 모르는 것이다. 점검은 훑어 찍는 것, 그래서 아래로 내려간다. 손목단련이 아니다. 실전實戰이다.

⑵ 편섬偏閃은 측면으로 빠르게 움직인다는 의미다. 섬閃은 상대가 감각으로 알아차릴 수도 없이 번쩍 빠른 것을 말한다. 빠른 것은 신법身法에 의한 것이지 급하게 움직여서 되는 것이 아니다. 편섬주진偏閃奏進은 기세다. 옆으로 빠르게 나아가는 것이다. 주奏는 주走다. 창搶은 칼이 가서 찍어 가져오는 의미이다. 창살搶殺은 훑어 찍는 것이다(방법론이다).

③ 발초심사撥草尋蛇는 말抹과 소掃 중에서 소에 해당한다. 두 가지는 쓸어서 베는 것이지만 구분해야 한다. 소掃는 아주 낮은 것(발초심사)이고, 말抹은 중단도 아니고 완전히 크게 쓸어야 한다. 발초심사는 어거격御車格을 行하는 운용세, 즉 중간세다. 발초심사는 45도 각도로 자기 앞을 쓸어서 벤다. 점검 후 발초심사는 몸을 움츠려(縮) 행한다. 이때 다리는 구부리지 말고(움츠리지 말고) 상체만 움츠린다. 점검세는 한일자(一)를 붓으로 쓰는 것과 같다. 따라서 점點 찍은 후 끊지 말고 살짝 들어 발초심사로 연결한다. 점검點劍은 상대 병기를 비벼서 막는 경우도 있다.

④ 발초심사撥草尋蛇에서 어거격으로 나아갈 때 체보掣步로 걷는다. 팔을 어깨와 수평, 칼끝은 낮게 친다. 아래에서 위로 밀어친다. 어거는 옆으로 밀어치는 것이 아니고 아래에서 위로 올려친다. 칼을 막지 않고 상대 손목을 치기 때문이다. 발초심사는 체보로 움직이며 중간세로서 마지막 세를 하기 위한 동작이므로 끊어지면 안 된다. 칼을 너무 아래로 내려 발 앞으로 오면 안 된다. 상대 허벅지, 무릎 높이다. 체보掣步에서 체掣는 팔을 당겨 세洗한다는 의미를 포함한다(掣擊).

◉ 점검세點劍勢는 위에서 아래로 점검하므로 독립보獨立步로 행할 수도 있다. 이때 독립보로 발을 드는 탄력에 의해서 칼이 나간다. 따라서 뒷발을 드는 것이 칼의 움직임보다 조금 앞선다. 그래야 활발하다.

3. 좌익세左翼勢

左翼勢者即左翼擊①也法能上挑下壓直殺虎口②右脚右手直符送書勢③向前掣步逆鱗刺④看法

① 좌익격左翼擊에서 칼을 너무 사선斜線으로 기울이면 안 된다. 표두격豹頭擊 기준으로 약간 왼쪽으로 예각으로 내린다. 그래야 격擊이 된다.

② 호구虎口는 엄지와 검지 사이를 말하며 상대 손의 호구 위치까지 내려 친다는 의미다. 좌익격左翼擊에서 호구는 칼을 든 상대의 손목을 의미, 즉 허리 높이를 뜻한다.

③ 직부송서直符送書는 좌측으로 칼이 가니까 상대는 내 오른쪽으로 피하므로 직부송서로 밀고 들어가면서 벤다. 평행(直)으로 밀어준다. 몸이 나가며 밀어서 베는 것이다. 벤 다음 바로 역린逆鱗을 하거나 칼을 당겨와서 역린해도 된다. 직부송서로 밀면서 감아 돌려 손과 칼끝을 아래로 내려야 한다(역린하기 위한 동작이다). 역린자逆鱗刺는 목을 찌르므로 칼을 거꾸로 뒤집어 찌르거나 바로 찌르거나 모두 역린자다.
직부송서는 앞으로 나가면서 베어나가는 것이다. 세로는 원圓 가로는 횡橫으로 밀어주면서 항상 움직이고 고정되지 않는다.

④ 역린자는 팔을 먼저 올리면서 찔러선 안 된다. 그러면 칼끝이 살지 않기 때문이다.

【참고】 '칼끝이 산다'는 것은 칼끝이 손잡이보다 위로 향한다는 뜻이다.

◉ 좌익세로 상대를 공격한 다음 그 칼을 찌를 때는 꼬아서 찌른다(⌒). 꼬으면 칼의 하인下刃이 위로 향하고, 구수鉤手의 힘으로 꼬아 찌르는 것이다. 단검短劍으로 공격할 때도 좌익격으로 인해 좌左로 나간 힘을 다시 중앙으로 모이도록 쪼여주는 것이 된다.

◉ 역린逆鱗은 도刀의 관점에서 보면 날이 위로 향한 모양을 의미하고, 상대의 관점에서 보면 칼날 끝을 아래쪽에서 위로 거슬러 찔러 올리는 것을 의미하며, 자신의 관점에서 보면 앞에서 뒤로 전신轉身하는 것을 의미한다.

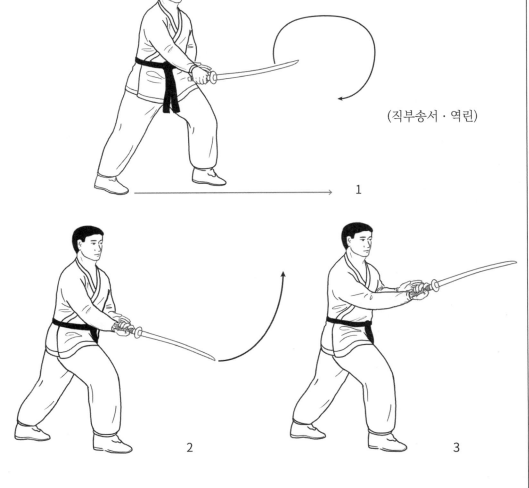

(직부송서 · 역린)

1

2

3

4. 표두세豹頭勢

豹頭勢者卽豹頭擊⑴也法能霹擊上殺左脚左手⑵泰山壓頂勢⑶向前鏵步挑刺⑷看法

⑴ 표두격豹頭擊은 머리만 베어 치는 것이다. 너무 아래로 내려치지 않는다. 검劍인 경우 표두격은 반드시 머리 위 중심선을 따라서 치지는 않는다. 오른쪽 어깨 위에서도 내려친다.

⑵ 좌각좌수左脚左手는 더 길게 찌를 때, 왼손을 오른손 앞으로 잡고 찌른다. 좌각일 때 좌수가 앞에 있으면 더 길게 찌를 수 있다.

⑶ 태산압정泰山壓頂은 정수리, 이마, 즉 상대 정수리를 누르듯이 감아 들어간다. 태산이 머리를 누르는 것과 같이 제압한다는 뜻이다. 태산압정에서는 압정壓頂이 원래 의미를 가지고 있다. 즉, 정수리를 누른다는 뜻으로 윗부분을 제압한다는 뜻이다. 다시 말하면 감을 때 상대의 머리(眼·氣·精神) 부위를 제압하는 것이다. 태산은 머리가 가장 큰 것(重要)이므로 태산이라 한다. 상대의 기氣로 말하면 정신精神을 뜻하므로 태산이다. 태산 압정은 칼을 감아서 막는 동작이기도 하다.

⑷ 도자挑刺는 칼을 들어서 찌르는 것, 걸어나가면서 칼을 몸으로 가져오지 않아야 한다. 위로 감아 돌려 찌른다. 그래야 압정壓頂이 된다. 감을 때 전진하는 맛이 나와야 한다. 태산압정에서 감을 때 앞으로 나가면서 돌려 찌른다. 즉 쌍명자雙明刺다. 표두격豹頭擊 도자挑刺에서는 칼을 감은 다음 아래로 내렸다가 찌르지 말고 바로 든 상태로 찌른다. 표두豹頭를 치면 그 점에서 바로 돌리며 찌른다. 크게 태산압정 하는 것은 수련이고 실전은 짧게 쓴다. 칼끝이

표두豹頭(가슴)까지 온 다음 돌리며 바로 찌른다. 도자挑刺는 표두를 치니까 상대가 뒤로 물러난다. 이때 칼을 들어서 찌르는 데 감으면서 위로 든다. 칼을 감는 것은 어느 곳을 찌를지 상대가 모르게 하는 것이다. 즉 감아 돌리며 360도 아무 곳이나 나가면서 찌를 수 있다는 의미이다. 호혈세虎穴勢와 같다.

칼은 감을 때 약간 칼을 떨어뜨린 다음 감는다. 그리고 몸 바깥으로 칼이 나가서는 안 된다.

5. 탄복세 担腹勢

担腹勢者卽担腹刺⑴也法能衝刺中殺⑵進如崩山右脚右手蒼龍出水勢⑶向前進步⑷腰擊⑸看法

⑴ 탄복자担腹刺은 몸으로 밀어친다. 중절中節(腰)이 밀어서 칼이 들어간다. 중절이 움직이므로 몸을 받치기 위해 발이 따라 들어간다. 자법刺法은 팔로만 찔러선 들어가지 않는다. 탄복자는 좌협左挾에 낄 때 칼끝이 손잡이보다 약간 낮게 잡아야 한다. 그래야 배를 찌를 수 있다. 탄担은 헤쳐 찌름, 복부를 비벼 찌르는 것이다.

⑵ 충자衝刺는 맹렬하게 찌르는 것이고 중살中殺은 중궁中宮을 찌르는 것, 중초中焦를 찌르는 것이다.

⑶ 창룡출수蒼龍出水는 물속에서 뱀이 나올 때 물살이 친다. 위로 튀어나오는 기세氣勢다. 창룡출수는 요격腰擊을 하기 위한 세이므로 파도가 치듯 왼쪽으로 돌리면 안 된다. 즉 출렁거리면 안 된다. 왼쪽으로 빗겨 허리를 친다.

⑷ 진보進步는 운용세가 아니다는 뜻이다. 창룡출수의 세勢로 앞으로 나아가 요격腰擊한다는 말이다. 즉 체보掣步가 아니다. 창룡출수는 가볍게(弱) 하고 요격은 강강强하게 친다. 요격 때 우각右脚이 먼저 앞으로 나가면 안 된다. 칼과 함께 우각이 나간다. 그렇지 않으면 상대 공격에 당한다. 이때도 중절中節(腰)이 움직이므로 발이 따라 나가는 것이다.

⑸ 요격腰擊은 우각 나가며 허리를 좌로 90도 돌려서, 우로 180도 정도의 폭으로 돌려 크게 밀어친다. 요격에서 칼이 약간 왼쪽으로 굽어도 된다. 즉 나의 정면과 90도가 안 되게 요격해도 된다. 밀어치는 격법擊法이기 때문이다.

6. 과우세跨右勢

**跨右勢者即跨右擊⑴也法能撩剪⑵下殺左脚右手綽衣勢⑶
向前進步橫擊看法**

횡격橫擊을 칠 때 몸이 먼저 돌아야 한다. 발이 먼저 가면 안 된다. 발은
나중이다. 과우격跨右擊은 오른발을 힘을 주어 잡는다(뒷발이기 때문이다). 좌
반이 아니라 궁보가 틀어진 것이다. 중절(腰)로 칼을 끌어간다. 작의세綽衣勢
도 중절(腰)이 먼저 가고 근절(步)이 따라온다. 발은 받쳐주는 역할만 한다.

⑴ 과우격跨右擊은 왼발이 오른발 뒤로 가도 과우격이다. 과우격은 반배검
反背劍으로 운용해도 된다. 배검背劍인 경우 마지막 세의 응용 범위가 넓어진
다. 좌익격左翼擊 혹은 요략撩掠 등으로도 운용할 수 있다. 과우격은 칼끝이
수평보다 약간 위에 위치하도록 친다. 즉 칼 선을 둥글게 뒤로 치는 의미를
가지고 있다. 우각右脚이 물러나면서 격법擊法이 이루어지기 때문이다.

⑵ 요撩는 요략撩掠의 요와 같다. 위로 올린다. 왼쪽 허리에서 오른쪽 머리
위로 칼을 올려서 내려치므로 료전撩剪이다. 전剪은 가위 모양으로 베므로 전
剪이다. 즉 양각兩脚은 손잡이고 칼은 가위 날이다. 료전은 갈겨 치는 것이다.

⑶ 작의세綽衣勢의 작의는, 곧 풍성한 옷을 의미한다. 따라서 폭을 크게 휘
두르면서 횡격을 치는 것이다. 과우격跨右擊한 위치에서부터 팔을 뻗어 나가
며 친다. 이때 왼손은 칼 손잡이에 붙여서는 안 되고 손목에 붙이거나 칼자루
를 오른손과 함께 합격合擊으로 잡는다. 같은 원권(橫圓)에서 역逆으로 가져오
는 배수법은 없다. 칼의 노선(劍線)을 방해하기 때문이다. 여기서 마지막 횡격
橫擊은 세勢로 보지 않는다. 작의세를 하되 이런 방식(횡격橫擊)으로 한다는
의미다. 즉 작의세를 하는데 횡橫으로 하는 것이다.

7. 요략세 撩掠勢

撩掠勢者卽撩掠格[1]也法能遮駕[2]下殺蔽左護右[3]左脚左
手長蛟分水勢[4]向前摯步鑽擊[5]看法

[1] 요략撩掠은 내리훑는 것, 상上 하下 모두 다 훑을 수 있다. 요략은 검劍
투로套路에서는 장교분수세長蛟分手勢로 뒤(左)로 행하며 나간다. 즉 몸을 많
이 움직여 나가는 효과를 가져오게 한다. 요략은 위로 칼을 뻗어 베고(봉두세
鳳頭勢처럼 충세衝勢가 포함되어 있다) 아래를 략掠한다. 요략 때는 들어 올리
고 나서 칼끝을 너무 땅으로 낮추지 말고 수평보다 약간 낮게 가져온다. 그래
야 오른쪽을 호위하는 것이 된다.

[2] 차가遮駕는 막고 받아, 즉 충세(撩)로 막고 략掠으로 받는다.

[3] 폐좌蔽左는 사궁보斜弓步로 내려 막을 때 왼쪽이 뒤로 가므로 왼쪽을
가린다고 한다. 호우護右는 칼이 몸 오른쪽에 있으므로 오른쪽을 호위한다고
한다.

[4] 장교분수長蛟分水는 제 자리에서 하면 료撩가 된다. 한발 걸어나가므로
장長을 쓴다. 또는 한발 물러나도 마찬가지다. 장교분수세는 반드시 발이 걸
어 들어간다. 〈본국검本國劍〉 검보劍譜에서는 분分을 분噴자로 썼다. 뜻은 같
이 쓴다. 장교분수세는 전진前進을 크게 하면서 나간다. 장교분수長蛟分水의
교蛟는 위(上)로 움직인다. 창룡출수蒼龍出水의 용龍은 앞(前)으로 움직인다.
이치를 알아야 한다.

[5] 찬격鑽擊은 비비어 친다. 요략세를 하되 한 걸음(一足)으로 장교분수하
면 찬격을 바로 치고 두 걸음(一步)으로 장교분수하면 칼을 감아 돌려(雲劍)

찬격한다. 즉 칼 길이 신법身法에 따라 달라진다. 장교분수 다음에 체보掣步
로 찬격한다.

◉ 24세 중 훑어 살살殺하는 것은 점검세點劍勢의 창살搶殺과 요략세撩掠勢
의 략掠이다. 찬격세鑽擊勢의 창살搶殺은 훑어오는 것이 아니다.

◉ 료료撩는 아래에서 위로 베는 것, 손목 아래에서 칼이 손보다 뒤에 끌려
올라와야 한다. 손목 이상으로 올라가면 안 된다. 예외적으로 후료後撩는 전
시세展翅勢로 표현된다. 칼이 손목 이상 올라간다. 검 투로에서는 보통 우궁
보右弓步에서 오른쪽 몸 뒤로 올려 벤다. 좌반坐盤으로 돌아가고 몸을 옆으로
벌려 날개를 펴므로 전시세다.

◉ 요략세撩掠勢는 뒤로 물러나며(左斜弓步) 칼을 밑으로 끈다(복호세伏虎勢
가 아니다). 이어서 앞으로 한걸음 걸어 나가(左弓步) 도刀의 경우 머리 뒤로
돌려(전두纏頭) 찬격鑽擊(鑽刺)으로 찌른다. 원래는 검세劍勢이므로 머리 앞에
서 돌려 찔러야 한다(雲劍).

1　　　2

(후료後撩)

8. 어거세御車勢

**御車勢者卽御車格[1]也法能駕御[2]中殺削殺雙手左脚右手
衝鋒勢[3]向前退步鳳頭洗看法**

[1] 어거격御車格는 밀어 들어간다. 상대 칼을 막는 것이 아니라, 칼로써 상대 팔을 상대하는 것이므로 들어가면서 어거御車한다. 칼끼리 부딪히지 않는 것이 본래의 운용법이지만 만약 칼을 막는다면 밀어 막지 않는다. 전사纏絲로 막아야 한다. 위로 어거할 때는 손이 칼보다 낮게, 아래로 갈 때는 손이 칼보다 높게 위치한다. 어거는 칼을 밀어친다. 밀어 올리는 의미가 있지만 팔을 올리면서 밀어치지 않아야 한다. 즉 팔보다 손목의 움직임이 커야 한다.

[2] 가어駕御는 메워 어거하여, 가駕는 수레에 타고 말을 부림, 사람을 어거한다는 의미, 사람을 마음대로 부린다는 뜻이다.

[3] 충봉세衝鋒勢는 칼끝을 머리 위로 올리는 세다. 위로 씻어 찌르며 올린다(洗刺). 또는 검劒 끝(劒鋒)의 위쪽, 도刀에서는 도첨刀尖의 도척刀脊(칼등) 부위를 충봉衝鋒이라고도 한다. 어거세를 한 후 좌각左脚을 뒤로 움직이며 동시에 충봉세를 한다. 좌각이 뒤로 떨어짐과 동시에 봉두세鳳頭洗를 한다. 어거 다음 충봉세는 걷어 올리는 형태로 물러나며 봉두세로 친다. 물러나므로 몸이 약간 왼쪽으로 돌아가듯 친다.

◉ 충봉衝鋒은 내략內掠처럼 올려서 휘검揮劒으로 해도 된다. 봉두세鳳頭洗는 뒤로 돌면서 내략으로 충세衝勢로써 올린 후 봉두鳳頭해도 된다.

9. 전기세展旗勢

展旗勢者卽展旗擊①**也法能剪磨**②**上殺左脚左手托塔勢**③
向前撑步點劒看法

① 전기격展旗擊의 격격擊擊은 자르는 것. 전기세는 공격세攻擊勢이다. 전기세는 얼굴 높이(頸)를 치는 것이다. 칼끝으로 깍듯이 갈긴다. 즉, 부채가 펴지는 모양으로 움직인다. 어거격御車格과 다른 점은, 어거격은 밀어치는 방어세防禦勢이다. 칼을 오른쪽으로 깎아 살살殺해도 전기세이다. 검봉劒鋒 부분으로 좌우로 깎아 살살殺한다. 수련할 때 오른쪽은 먼저 칼 등(도刀는 칼끝의 등 부분에 원래 날이 있다) 쪽으로 살살殺하고 왼쪽은 칼날 쪽으로 살살殺해도 된다. 따라서 제수세提水勢처럼 검병劒柄을 올려 들어 칼을 세운 다음 왼쪽만 살살殺해서는 안 된다. 왼쪽만 살살殺할 때에도 칼등을 오른쪽으로 당긴 후 왼쪽으로 전기세를 한다.

② 전마剪磨는 갈겨 마하여, 갈겨야 하므로 칼날이 왼쪽으로 향해야 한다.

③ 탁탑세托塔勢는 들어 올리는 것, 받쳐 드는 것이다. 전기격에서 탁탑托塔하기 위해 칼이 몸 뒤로 오면 안 되고, 몸 앞으로 바로 위로 베어 올려야 한다. 탁탑은 그어 올리는 칼 길(線)이 나와야 한다. 탁탑은 등교세騰蛟洗와 같으나 똑바로(水平) 올라간다. 뒤로 당겨오지 않는다. 앞으로 그어 올린다. 즉 세자洗刺다. 점검은 땅으로 찍고 좌수는 펴서 왼쪽으로 배수配手한다.

◉ 가架는 올려 막는 것, 탁托은 올리면서 베는 것, 구분해야 한다. 올려 미는 것이다. 가架는 무예武藝에서 중요한 것이다.

10. 간수세看守勢

看守勢者卽看守擊[1]也法能看守諸器攻刺守定諸器難進相機隨勢滾殺[2]左脚右手虎蹲勢[3]向前進步腰擊[4]看法

[1] 간수격看守擊은 보고 지키어 치는 것, 즉 대적세다. 간수세는 상대가 찔러오는 것을 비벼 막거나 내려쳐 막는다. 이어서 바로 요격腰擊한다. 간수격은 상대 공격을 쳐 내리면서 막는 것이므로 칼끝이 손잡이보다 높지 않아야 한다. 칼끝이 수평이나 그보다 약간 낮게 위치한다. 간수격은 오른쪽 머리 위로 칼을 휘둘러서(과뇌過腦와 유사한데, 상대 공격이 위로 올 수도 있기 때문이다) 오른발 무릎 바깥에 칼이 오도록 한다. 또는 좌궁보에서 왼쪽 어깨로 걸어 올린 후 오른쪽으로 내려쳐도 된다.

[2] 상기수세곤살相機隨勢滾殺은 기회를 봐서 앞으로 나아가 살살殺한다. 수세隨勢는 쫓아간다는 뜻이다. 곤살滾殺은 앞으로 나아가 살살殺하는 것이다.

[3] 호준세虎蹲勢는 앉는다는 뜻, 베고 치는 동작 없이 걸어나가므로 나가는 움직임만 나타낸 세명勢名이다.

[4] 호준세에서 몸이 나가면서 칼이 등 뒤로 가면 안 된다. 그 자리서 끊지 말고 돌려 나가며 요격腰擊한다. 크게 돌리면 안 된다. 손목을 살짝 굴려서(⌒) 들어간다. 상대 병기兵器를 아래로 눌러 막았으므로 낮게 들어가서(一坐) 요격腰擊을 친다.

◉ 실전에서 간수세는 흘러가는 세勢다. 예를 들어, 독립보 점검點劍을 하고 뒤로 돌아보며 허보로 앉으며 간수看守하거나, 상대 공격을 위로 들어 올려 막으면서 손목을 오른쪽으로 감아 들어가며 요격腰擊한다.

朝鮮劍法 二十四勢

七二六

11. 은망세銀蟒勢

**銀蟒勢①者卽銀蟒格也法能四顧周身又能掠殺四面向前
則左手左脚向後則右手右脚動則左右旋風擊②電殺看法**

① 은망세銀蟒勢는 은빛 구렁이가 돌아가듯 사방을 베어 치는 것이다. 은망세는 선풍격旋風擊이지만 략법掠法이다. 략살掠殺은 베어 치는 것(擊洗)을 말한다. 은망세는 략掠이다. 략은 쓸어가며 베는 것이다. 칼끝을 몸 아래로 낮추어 몸을 감싸며 쓸어나간다. 은망세는 략으로 360도를 베는 것이다. 략이므로 칼을 베듯이 끌어와야 한다. 은망세는 씻어서(洗) 거둬 올려 략掠한다.

'법능사고주신法能四顧周身', 즉 은망세는 눈이 먼저 돌아나간다. 눈은 상대를 본다. 뒤로 돌 때 칼을 어깨 위로 들어서 아래로 낮게 베어나간다. 즉 칼끝이 낮게 되어있어야 한다. 칼을 어깨 옆으로 벌려서, 어깨 바깥으로 많이 떨어져서 내려치지 말고(그러면 격擊이 된다) 봉두세鳳頭勢처럼 베어야 한다(掠法이다). 은망세는 눈이 먼저 돌아보고 이어서 몸이 칼을 끌고 온다. 뒤로 돌며 뒤를 보는 때까지 계속 략掠하는 것이다. 은망은 빨리 운용하면 칼 빛(劍光)에 사람이 가두어진다. 빨리 행할 때는 칼이 먼저 베어나가도 된다.

은망세는 칼과 몸이 따로 놀아야 한다. 삼절법三節法에 의해 시작과 끝은 같아야 한다. 즉 전체적인 보步만 맞으면 된다.

② 24세 가운데 은망세 안에 선풍격旋風擊이 한 번 포함되어 있다. 선풍旋風은 칼을 세워서 돌리는 것을 말한다. 은망세는 〈략살掠殺·선풍旋風·략살掠殺〉의 순서다. 사방四方을 략掠한다. 한 번에 끊어지지 않고 360도 돈다. 단 선풍旋風할 때 몸을 감는 동작을 분명하게 하면서 돈다. 선풍은 병기兵器가 아닌 몸이 도는 것이다. 따라서 칼이 몸을 감싸는 것을 유지해야 한다. 사방으로 은망銀蟒으로 돌면서 중간에 다른 세勢로도 즉시 변할 수 있어야 한다. 회전하는 가운데 변화한다.

● 은망세銀蟒勢의 칼의 동선은 칼을 너무 머리 위(한뼘 높이)로 들지 말고 손잡이가 목을 감듯이 낮게 잡아 움직여야 한다. 계속 등에 칼을 지고 돌다가 내려 벨 때 오른쪽 어깨 위에서 내려 벤다. 《무예도보통지》 그림을 참고하면, 칼 쪽을 보는 방향으로 얼굴이 향해 있다. 그러므로 등에서 너무 빨리 칼을 떼서 베면 안 된다. 내려치기 직전까지 등에 지고 와서 벤다. 다시 말하면 칼이 어깨 바깥으로 벗어나서 베어오면 안 된다. '업어치기'와 같은 모양으로 어깨 바로 위로 칼이 넘어와야 한다. 이때 몸으로 칼을 돌려야 한다.

검劍인 경우 칼 든 오른손 손목에 왼손을 대어 칼끝까지 받치는 힘이 들어가야 한다(配手). 도刀는 손을 손목에 대지 않고 해도 된다. 검劍은 병풍세屏風勢로 돌 때 몸이 같이 돌고 마지막 내려칠 때 머리 뒤로 짧게 감아 도刀처럼 내려친다. 이때만 도刀의 경우처럼 머리 뒤로 휘감는데, 등 뒤에 지고 오지 않는다. 실전實戰에서는 내 앞에서 병풍세屏風勢로 내 전면前面을 좌左로 감싸고 바로 휘감아 내려친다. 몸도 칼과 같이 돈다. (原譜의 은망세)

◉ 선풍격旋風擊에서 좌로 돌 때 배수를 잘해야 한다. 머리 위에서 내려칠 때 왼손으로 우측 가슴 앞에서 좌측 가슴 앞으로 인도를 해야 한다. 오른편으로 돌 때도 머리 위에서 내려치기 전에 왼손이 살짝 떨어져 벌어져야 한다.

◉ 전두纏頭: 도刀를 거꾸로 세워 오른쪽에서 왼쪽으로 머리를 감아 도는 것. 검劍은 몸이 함께 돌아나가므로 등 뒤에까지 검을 감지 않는다. 신법으로 왼쪽으로 돌면서 몸 앞에서 감아나간다.

◉ 과뇌裹腦: 도刀를 왼쪽에서 오른쪽으로 휘감아 등 뒤로 감아 오는 것. 검劍인 경우 몸이 함께 돌아나가므로 등 뒤로 오른쪽 머리의 1/3 정도만 감아 몸이 오른쪽 뒤로 돌아나간다.

◉ 칼이 몸을 감싸며 돌아나가는 것에는 세 가지 방법이 있다.
① 전두纏頭로 돌아 앞으로 돌아나가고 과뇌裹腦로 감아서 뒤로 돌아나가며 베는 것.
② 사선斜線으로 45도 아래로 앞으로 돌아나가며 베는 것, 사선으로 뒤로 45도 아래로 뒤로 돌아나가며 베는 것(하세下洗).
③ 수평水平으로 앞으로 돌아나가며 베는 것, 뒤로 수평으로 뒤로 돌아나가며 베는 것.

【비교】 맹호은림猛虎隱林은 투로套路에서 상세上洗로 돌아나가지만, 실전에서 몸을 감싸며 돌아나가지 않는다. 제자리에서 돌려친다.

12. 찬격세鑽擊勢

鑽擊勢者卽鑽擊[1]也法能鑽格搶殺鵝形鴨步[2]奔衝左脚左手白猿出洞勢[3]向前挈步腰擊看法

[1] 찬격세鑽擊勢는 왼발은 압보鴨步로 우각右脚이 나가면서 칼을 오른 어깨에 바로 당겨 올려친다. 찬격鑽擊은 비벼서 미는 것이다. 머리 꼭대기(頂)를 비벼 치는 것이다. 이마, 어깨 등을 찬찬鑽하는 것이다. 찬격은 밀어 찌르는 것, 찬격은 비벼서 찌른다. 자법刺法에 들어간다. 찬격은 비벼 밀어 찌르는 것이므로 칼끝이 거의 수평이 된다. 찬격 후 백원출동白猿出洞에서 좌독립左獨立을 한 다음 멈추지 말고 요격腰擊한다.

찬격세는 좌, 우 다 운용할 수 있는데 앞에 나가는 발 쪽으로 하는 이유는 길게 치기 위해서이다. 칼이 왼쪽에 있을 때는 머리 위를 감아온다(前頭法). 좌각左脚이 움직일 때 칼이 같이 움직여야 한다.

[2] 찬격鑽格은 오리걸음(鴨步)으로 나가므로 왼발을 팔자八字로 약간 나가면서 오른발 궁보弓步로 찬격한다. 압보鴨步는 취보醉步와 비슷하다. 취보는 무학武學에서 신법에 들어간다. 압보는 보법으로도 보지만 신법에다 기준을 둔다. 찬격세를 시작할 때 압보란 말은 없지만 '아형압보鵝形鴨步'에서 시작할 때도 압보로 하라는 의미가 내포되어 있다. 찬격세를 시작할 때 압보는 아형鵝形으로써 신법이다. 즉 전후나 좌우로 빠져가다가 찬격한다. 찬격鑽格에서 창살搶殺이 뒤에 연결해 나오므로 격格에는 살殺의 의미가 있다.

[3] 백원출동白猿出洞·백사롱풍白蛇弄風은 같은 의미이다. 맥락에 따라 다르게 표현한다. 즉 호혈세虎穴勢다. 백원출동(中間勢)은 원숭이가 동굴을 나올 때 좌우를 살피면서 나오는 것이다. 백사롱풍(虎穴勢)은 세법洗法이므로 칼끝으로 벤다.

찬격세에서 백원출동세는 자기 앞을 호혈세로 해야 한다. 즉 칼이 몸 바깥쪽으로 너무 벗어나면 가운데(中宮)가 빈다. 특히 오른쪽으로 호혈세할 때 허리를 과하게 벗어나지 않아야 한다.

● 《권법요결拳法要訣》의 〈오행五行〉부분에 찬격鑽擊에 대한 내용이 있다. 찬격으로써 공격한다. 쑤시는 것이 찬鑽이다. 수법手法의 찬타鑽打는 찔러 쳐야 한다. 절기絶技다. 말로 배울 수 없다. 튕기는 것이 있으므로 찬타하는 것이다. 몸으로 해야 한다. 절기기 때문에 몸으로 깨달아야 한다.

찬타는 후수後手다. 즉 막고 공격한다는 의미다. 권拳의 찬鑽에서 예를 들어, 상대가 내 공격을 받는다. 그러면 내가 상대 수비를 누르고 바로 찌르는 것도 찬격이다. 비빈다고 무조건 찬격이 아니다. 찌르든, 내려치든, 베든 모두 격격擊擊이라 한다. 권의 찬격은 비비며 뚫고 들어간다. 상대 손이 내 손을 막기도 전에 들어간다.

칼의 찬격鑽擊은 비벼서 찔러라. 이것이 찬鑽의 공식公式이다. 상대 쪽으로, 상대 병기 밖으로 비벼 치는 것이다. 칼의 찬에서 칼 방향이 위쪽뿐 아니라 아래로도 찬격을 할 수 있다. 칼의 찬격은 비비며 친다. 손을 미는 것이 아니고 칼 든 손을 내리면서 칼끝을 비벼 찔러 들어간다.

찬격鑽擊은 실제 당하는 사람은 예측을 못 하는 사이에 목표지점에 닿기 때문에 빠른 것이다. 내가 내려치려 할 때 상대 칼이 막으러 들어오면, 막기 전에 내 칼이 도달하게 한다. 찬격을 하는 의미다.

● 점검세點劍勢와 찬격세鑽擊勢의 비교

칼을 어깨 수평 위로 밀어치면 찬격세鑽擊勢가 되고 수평 아래로 찍어 치면 점검세點劍勢가 된다. 자연히 그렇게 공격할 수밖에 없다. 점검을 상대 가슴에 할 수 있다. 상대 칼을 칼날을 세워 어거御車로 막고 약간 수평 아래로 찍어 들어가 가슴에 점검한다. 부딪히지 않는다. 상대가 변화하기 직전 상대 칼을 지나간다.

13. 요격세腰擊勢

腰擊勢者即腰擊⃞也法能橫衝中殺身步手劒疾若迅雷此
一擊者劒中之首擊也右脚右手斬蛇勢向前進步逆鱗⃞看
法

⃞ 검劒은 요격腰擊이 으뜸이다. 이유는 방어하기가 가장 어렵고, 공격하기는 가장 쉽기 때문이다. 우각右脚이 나가면서 칼을 왼쪽 허리로 가져올 때, 베면서 오지 말고 요격하기 위해 왼쪽으로 가져오는데 의미를 둔다. 요격은 손목에 왼손을 붙여 순령順領을 하든지, 두 손으로 칼을 잡아야 한다(合擊). 〈신보수검身步手劒〉은 삼절법三節法이다. 신법身法이 검劒을 이끄는 도리道理를 말한다. 삼절三節이 맞지 않으면 빠를 수가 없다.

⃞ 참사斬蛇는 자신의 앞을 아래로 벤다(정면까지만). 칼이 왼 허리까지 당겨진 후 역린逆鱗한다. 참사세·역린은 참斬하고 역린한다는 뜻이다. 끊었다 나가면 안 된다. 참사 역린에서 참사는 칼 각도가 아래로 당겨 베어야 한다. 그래야 역린으로 연결된다. 베는 맛이 나와야 한다. 참사세를 의식적으로 비스듬히 베어와서는 안 된다. 허리로 당겨오면 자연스럽게 비스듬히 된다.

◉ 횡격橫擊과 요격腰擊의 비교

① 횡격橫擊은 밀어친다. 대개 가슴높이로 공격하며 몸 바깥까지 칼이 나간다. 공격하면서 몸을 측신側身에서 정면正面으로 돌린다는 의미다. 안으로 당겨치거나 밖으로 밀어친다. 즉 횡으로 칼이 지나가듯 치는 것이다. 예외로 횡충세橫衝勢는 요격腰擊이지만 허리가 돌지 않고 옆으로 밀어치는 것이다.

② 요격腰擊은 횡橫으로 치되 허리를 공격하는 것이다. 몸 바깥으로 칼이 나가지 않는다. 가장 중요한 공격세다. 그러므로 24세에서 가장 많이 나온다.

14. 전시세展翅勢

展翅勢者卽展翅擊①也法能絞格②上殺撩掠下殺③右脚右手偏閃勢向前摰步擧鼎格④看法

① 전시격展翅擊는 칼을 올려 베고 내려 베는 것 두 동작이 전시다. 날개는 펼치면 거두어들여야 한다. 따라서 전시격은 베어 올리는 것과 내려치는 것이 하나다. 전시격의 의미가 올려치고 내려치는 것이다. 따라서 연결해야 한다. 전시격는 앞으로 밀어 올린다. 당겨오면 안 된다. 밀어 올린 다음 내려친다. 전시세는 좌, 우로 칼끝으로 얼굴, 목, 가슴을 베는 것이다.

전시세 때 올려치는 것과 내려치는 것(鳳頭洗)은 한 동작이므로 칼을 올린 후 너무 뒤로 보내면 안 된다. 머리 위로 칼이 올라가면 끊어지는 것이다. 한 동작이 아니고 끊어져서 다른 동작이 된다. 칼을 올릴 때는 겨드랑이(翼)를 올린다. 팔로만 하지 말아야 한다. 봉두鳳頭만 세게 치면 안 된다. 올리는 칼과 같은 속도, 같은 용맹이 되어야 한다. 베어 올린 후 좌각을 왼쪽으로 약간 옮기면서 좌로 감아 베어 내린다. 두 번째 걸어나가는 걸음은 짧게 나간다. 길게 나가면 칼이 늦어진다.

② 전시세할 때 칼을 왼 허리로 가져와서 칼을 꼬지 말고 전시한다. 교격絞格은 칼을 꼬는 것이 아니고 전시세를 할 수 있도록 손목을 돌리는 것이다.

③ 상살요략하살上殺撩掠下殺에서 전시세는 올라가는 것과 내려가는 것 모두가 략撩이다. 따라서 칼끝이 상대 몸을 벗어나 바깥까지 올라가지 않는다. 상대 몸 안에 칼이 있어야 한다. 칼끝이 배꼽 정도 올라오면 휘검揮劒하여 다시 아래로 략掠한다.

④ 거정격擧鼎格은 하살下殺할 때 이미 체보摰步로 발을 측면으로 들어서

간다. 편섬偏閃은 한쪽으로 비켜 치는 것이다. 편섬은 신법身法이다. 옆으로 피하는 것이다. 무예武藝에서 귀한 것이다. 전시·편섬·거정에서 편섬은 중간세, 즉 기세氣勢다. 거정을 하는데 편섬의 기세로 하라. 즉 그것에 적당한 신법으로 거정을 한다는 뜻이다.

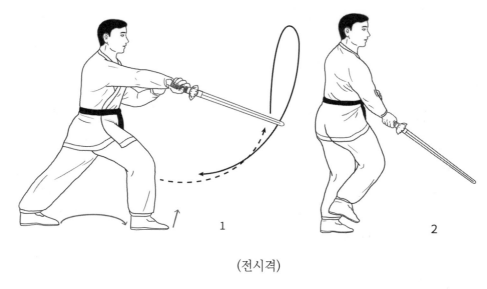

(전시격)

● 편섬세偏閃勢(閃勢)와 기룡세騎龍勢의 비교

편섬세偏閃勢는 상대 공격에 붙어 구르면서 상대 공격을 측면으로 피하며 흘러가게 할 때의 신법을 말한다. 기룡세騎龍勢는 상대 공격을 측면으로 피하며 걷어내되 상대와의 거리가 여유가 있을 때를 말한다. 즉 섬세閃勢는 살짝 옆으로 피하며 상대 공격을 붙어서 막는 것이고, 기룡騎龍은 상대와의 거리가 비교적 떨어져 옆으로, 뒤로 상대 공격을 흘려보내는 것이다. 기룡세는 반드시 공격이 이어져야 한다.

● 전시세展翅勢는 칼이 올라갈 때 칼을 올리지 말고, 팔을 올려서 략掠한다. 첫째, 칼날이 가는 방향으로 몸이 바르게 서야 한다. 둘째, 칼끝이 상대 가슴에 적중하면 더 올리지 말고(그러면 늦어진다) 그 자리서 휘검揮劍하여 내리며 략掠해야 한다. 이때 팔을 크게 휘두르면 안 된다. 그러면 칼과 팔이 따

로 움직이게 되기 때문에 끊어진다. 즉, 칼은 위로 계속 올라가는데 팔은 또 아래로 내리게 되므로 몸과 칼이 같이 움직이지 않는다. 셋째, 숙련되면 올려 친 다음 칼 손잡이를 놓았다가 허공에서 다시 잡으며 내려치기도 한다. 손을 풀었다 다시 쥐면서 내기內氣를 끌어모으는 것이다.

◉ 전시세展翅勢의 실전

위로 략掠하는데 상대가 눌러 막으면 그 위치에서 바로 감아서 아래로 짧게 략한다. 또는 좌측으로 몸을 움직여 상대의 낭심, 무릎을 횡으로 략한다. 이때 비어있는 상체를 상대가 다시 공격하면 편섬세로 거정한다.

15. 우익세右翼勢

右翼勢者卽右翼擊⒈也法能剪殺兩翼左脚右手雁字勢⒉向
前摯步腰擊⒊看法

⒈ 우익세右翼勢는 상대를 연속으로 세 번 베는 것이다. 그러므로 안자鴈字할 때도 앞을 계속 봐야 한다. 안자세 때는 반드시 눈(眼法)은 앞으로 허리(身法)는 옆으로 돌아가야 한다. 우익격右翼擊을 치면 상대는 나의 좌측으로 피한다. 칼 든 상대와 반대로 피하려고 하는 것이 사람의 심리心理다. 그런 이유로 안자鴈字·요격腰擊이 성립되는 것이다. 만약 반대로 상대가 칼 가는 쪽으로 피한다면 우익격 후 그 위치에서 바로 찌른다. 손목을 꼬지 말고 그대로 찌른다(衝刺).

⒉ 안자세雁字勢는 기러기 떼가 옆으로 날아가는 것처럼 보이는데 실제로는 앞으로 가는 것을 상징한 것이다(厂). 요보拗步로 걸어가는 것, 요보로 걸어가며 칼을 쓸어 베는 것, 즉 보법步法을 의미하는 세勢다. 또한, 안자세는 허리(中節)의 신법身法이다. 안자세는 요보로 걸어간다. 궁보弓步에서 좌반보坐盤步로 옮기는 것이 아니다. 안자鴈字는 정면(前)을 벤다. 허리를 좌로 돌리는 것은 요격腰擊을 위해 돌리는 것이다. 안자세는 꼬아서 걸어 들어가고 좌반보처럼 보이지만 앉아서는 안 된다. 이것은 체보掣步이면서 허리를 쓰는 신법이기 때문이다.

⒊ 체보요격掣步腰擊에는 진보進步의 의미가 없다. 따라서 제자리에서 그대로 요격腰擊하는 것이 원보原譜다. 안자鴈字·요격腰擊은 정면의 적을 허리 힘으로 90도 돌리면서 벤다. 즉 병기를 몸으로 이끄는 것이다.
　안자세雁字勢에서 요보로 걸어가며 베고 바로 허리를 돌리며 요격 치는 것이 원보原譜가 의미하는 바나, 요격은 치고 들어가는 의미가 있으므로 진보進

步로 걸어 들어가며 요격하는 것으로 운용해도 된다. 원보대로 운용하지 않는 것은 그 신법身法이 어렵기 때문이기도 하다.

　안자는 왼발, 오른발 순으로 걸어가면서 안자雁字ㆍ요격腰擊으로 칠 수도 있고 제자리서 왼발로 땅을 굴러(진각震脚) 안자雁字하고 오른발 나가며 요격腰擊을 행해도 된다.

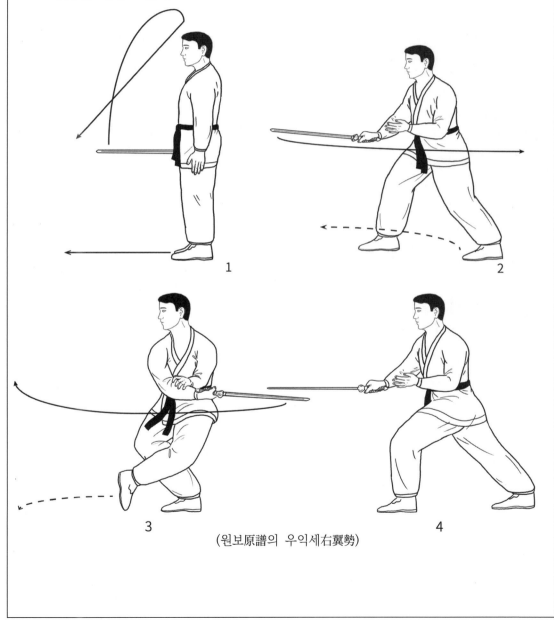

(원보原譜의 우익세右翼勢)

16. 게격세揭擊勢

**揭擊勢者卽揭擊[1]也法能剪格上殺步步套進[2]左脚左手虎
坐勢向前退步衝洗[3]看法**

[1] 게격세揭擊勢는 어깨에 짊어질 듯이 해서 치는데, 상살上殺이다. 즉 상
대의 목을 친다. 게격세는 왼 어깨에 짊어지고 치는 것, 오른 어깨에 짊어지
고 치는 것 두 가지로 운용된다. 게격揭擊은 둘러메어 친다. 게격揭擊은 칼끝
으로 치는 것이다.

[2] 보보투진步步套進은 투보套步로 나아가는 것이다. 투보는 앞발이 앞으로
나아가고 다시 뒷발이 연속(步步)으로 뒤따르는 것이다. 뒷발에 힘이 있지만,
뒷발로 밀어서 나가는 걸음이 아니다.

[3] 퇴보충세退步衝洗는, 원보原譜에서는 퇴보退步해야 하지만, 바로 기마보
騎馬步에서 허보虛步로 변하며 베어도 된다. 이때도 충세衝洗는 퇴보이므로
뒷발을 약간 물러나면서 허보로 만드는 것이 옳다. 호좌세虎坐勢·충세衝洗는
씻어 올리면서 찌른다. 즉 세법洗法이면서 자법刺法인 것이다. 따라서 칼을
당겨오지 않는다.

17. 좌협세左夾勢

左夾勢者卽左夾刺⒧也法能衝刺中殺右脚右手獸頭勢⒨向前進步腰擊看法

⒧ 좌협左夾에 칼을 낄 때 칼끝이 손잡이보다 약간 높아야 한다.

⒨ 수두세獸頭勢는 요격을 치기 위해 왼쪽 허리로 칼을 가져오는 것이다. 좌협자左夾刺는 가슴 높이(中宮)로 찌르므로 요격腰擊을 위해서는 칼이 허리로 내려오며 가져와야 한다. 허리(腰)는 수두獸頭의 자리다. 그에 비해 탄복세担腹勢는 칼끝이 약간 낮아지게 들고 배를 찌르므로 허리로 가져오기 위해서는 칼을 들어서 와야 한다. 따라서 창룡출수세蒼龍出水勢로써 들어서 내려오면서 앞으로 나아가는 요격의 기세氣勢를 만든다.

◉ 수두세獸頭勢는 짐승 머리를 살殺한다는 것이다. 따라서 허리 높이에서 좌우로 베거나 찌르거나 배꼽 높이로 공격한다는 것을 뜻한다. 즉 높이를 기준으로 해서 허리와 배 높이를 의미하는 세명이다. 좌협세左夾勢에서 수두세는 칼을 허리로 가져오기 위한 것이다.

◉ 수두세獸頭勢가 백사롱풍세白蛇弄風勢(虎穴勢)와 다른 점은 수두세는 정면으로 나가며 좌우를 감아 찌르고 백사롱풍세는 좌우방신左右防身을 하되, 뱀이 머리를 세워 감겨 움직이듯이 칼을 세워 막으며 좌우방신하고, 곧 뒤로 돌아나가 찌른다. 즉 전신轉身의 의미를 포함한다. 또는 발만 약간 옮겨도 돌아나가는 의미가 주어진다. 【《본국검本國劍》의 〈예도해제〉편을 참고】

18. 과좌세跨左勢

跨左勢者即跨左擊[1]也法能掃掠下殺右脚右手提水勢[2]向前進步雙剪[3]看法

[1] 과좌격跨左擊은 오른발이 왼발 뒤로 가도 과좌격이다. 소략掃掠은 발초심사撥草尋蛇처럼 내 앞을 쓸어가면서 치는 것이다. 즉 중궁中宮을 방어하면서 치는 것이다. 칼 길(劒線)이 가면서 략掠으로써 살살殺하는 것이 된다.

[2] 제수세提水勢의 수水는 수手다. 따라서 손을 든다는 뜻이다. 물은 쏟지 않도록 바르게 들어올려야 한다. 즉 칼끝이 손보다 아래로 오도록 칼을 거꾸로 드는 동작이다. 앞으로 밀어 막는다. 쌍전雙剪을 하기 위한 준비세다. 중간세中間勢지만 운용세運用勢가 아니다.

[3] 쌍전雙剪은 마지막 세勢이면서 운용세運用勢이다. 등교세騰蛟洗를 두 번 하기 위한 신법身法이다. 즉 쌍전을 요검撩劍으로 행한다는 뜻이다. 요검撩劍은 올려치는 것이다.

◉ 과좌격跨左擊은 왼발에 중심(체중, 힘)을 두고 뒤로 내려치는 격법이고 과우격跨右擊은 오른발에 중심을 두고 뒤로 내려치는 격법擊法이다. 반면에 과좌격보다 더 뒤로 돌아 내려치는 것은 돈 방향이 앞이 되므로 표두격豹頭擊이 된다. 과우격과 과좌격은 머리 위에서 칼을 내려친다.

19. 흔격세掀擊勢

掀擊勢者即掀擊①也法能掀挑上殺搶步②鑽殺左脚右手 朝天勢③向前退步担腹刺看法

① 흔격세掀擊勢는 상대방 턱을 쳐올리는 것이다. 흔격세는 기마騎馬로 당겨서 아래서 위로 올려치는 것, 기마로 당길 때 칼을 가슴 앞이나 어깨높이로 당겨온다. 더 들면 안 된다. 칼은 위로 받아서(掀挑上殺) 아래로 둥글게 위로 쳐올린다(鑽殺). 아래에서 위로 찬격鑽擊하는 것이다.

② 흔격세의 보법은 창보搶步다. 창보는 뒷발이 밀어주면서 앞발이 나가는 것이다. 창보는 앞발이 나가서 뒷발을 당기는 식이 되면 안 된다. 뒷발로 밀어 몸이 나가고 앞발은 약간 가고 뒷발이 끌려가는 걸음, 즉 끄는 걸음이다. 몸이 함께 끌려가는 식이 되어야 한다.

◉ 투보套步는 뛰어들어가는 것, 창보搶步는 끌며 들어가는 것으로 두 가지 보법步法은 왜검倭劍의 특징적 동작이다.

③ 조천세朝天勢는 세우는 모양, 서는 모양을 뜻한다. 중간세中間勢이다. 칼이 다른 곳으로 가지 말고 자기를 방어하면서 가져오라는 뜻이다. 즉 자오선子午線을 지키는 것이다. 흔격掀擊은 검단劍端을 높여서 끝나므로 궁보弓步로 몸을 바로 하게 되면 자연히 조천세가 된다. 조천은 일반적으로 자신의 몸 가운데로 가져오지만(中宮), 여기서는 조천세를 왼 옆구리에 끼면서 가져와야 한다. 탄복자担腹刺로 연결하기 위해서다.

20. 역린세逆鱗勢

**逆鱗勢者卽逆鱗刺也法能直刺喉頸右脚右手探海勢向前
摯步左翼擊看法**

역린세逆鱗勢에서 탐해세探海勢를 할 때, 칼을 허리 부위에서 시작해 위로 돌려 좌익격左翼擊한다. 칼을 등 뒤에까지 보내지 않아야 한다. 역린逆鱗 다음 칼이 허리 아래로 베어 내려가며 보步가 나아가는데, 즉 시야에서 칼이 아래로 사라지므로 탐해探海고, 걸어 들어가므로 체보摯步다. 탐해세에서 독립보獨立步로 칼을 내릴 때 칼끝을 살려야 한다.

21. 렴시세斂翅勢

斂翅勢者卽斂翅擊也法能佯北誘賺左右手脚拔蛇勢倒退進步腰擊看法

　렴시세斂翅勢에서 발사세拔蛇勢는 '양배유렴佯北誘賺', 즉 뒤로 피하며 물러
나는 동작이다. 칼은 의미 없이 그냥 들고 가지 않는다. 충세衝勢로 들어 올
리며 물러난다. 뱀 꼬리를 구멍에서 잡아 뽑을 때 좌우로 흔들며 당긴다. 그
러므로 쓸면서(소소掃: 발초심사撥草尋蛇) 당겨온다. 도퇴倒退는 부보仆步로써
물러간다. 발사세(中間勢)와 요격腰擊은 연결한다. 즉 오른쪽으로 발초심사撥
草尋蛇할 때는 부보仆步로, 왼쪽으로 발초심사할 때는 벌써 궁보弓步로 변화
시켜 요격을 치기 위해 앞으로 나아가는 태세가 되어야 한다. 렴시세는 상대
를 따라가면서도 한다. 칼이 숙련되고 그 이치를 알아야 한다.

22. 우협세右夾勢

**右夾勢者卽右夾刺也法能絞刺中殺左脚右手奔衝勢向前
立步擧鼎格看法**

　　교자絞刺는 꼬아서 찌르는 것이다. 겨드랑이 아래서 꼬아 찌른다. 검劍 투
로에서는 보통 상대 공격을 꼬아 전사纏絲로 빗기면서 막고 그대로 찌른다.

　　분충세奔衝勢는 분주하게 나아가는 것이다. 분충은 급히 찌르는 표현 때 많
이 사용하는 세명勢名이다. 거정擧鼎이 뒤에 있으므로 이때 분충세는 상대에
게 들어가 붙으면서 거정격擧鼎格하는 것이다. 따라서 입보立步가 된다.

　　우협자右夾刺 후 칼을 떨어뜨려서 걸어나가면 안 된다.

23. 봉두세鳳頭勢

鳳頭勢者即鳳頭洗⑴也法能洗刺剪殺⑵右脚右手白蛇弄風
勢向前摰步揭擊看法

⑴ 봉두세鳳頭洗는 새(鳥)의 머리를 쓰다듬는다는 의미다. 또한, 새는 걸어
갈 때 머리가 앞뒤로 움직인다. 그러므로 손이 앞으로 갔다가 뒤로 당겨온다.
봉두세는 충세衝勢를 포함하고 있다. 충세는 쳐올리는 것, 앞으로 일어나는
동작이다(起勢). 칼을 앞으로 위로 올릴 때 표두격豹頭擊처럼 머리 위로 바로
올려서(正面) 내릴 때 약간 비스듬히 친다. 똑바로 올려야 세자洗刺가 된다.
따라서 오른쪽 어깨 위로 올리면 안 된다. 내려칠 때도 표두격처럼 앞으로 밀
면서 바로 내려치며 약간 사선斜線으로 당겨온다. 앞에 나간 자신의 다리를
베지 않기 위해서다. 봉두세는 좌각左脚이 나가면 오른쪽으로 내려치고, 우각
右脚이 나가면 왼쪽으로 내려친다.

⑵ 〈계격세揭擊勢〉의 '호좌충세虎坐衝洗'와 〈봉두세鳳頭洗〉의 '세자전살洗刺
剪殺'은 같은 말이다. 이치를 알아야 한다. 세자전살은 위로 씻으며 찌르고(衝
勢), 가위처럼 아래로 친다.

◉ 대표적으로 봉두세鳳頭洗와 요략세撩掠勢, 그리고 렴시세斂翅勢는 위로
쳐올리는 충세衝勢를 포함하고 있다. 봉두세와 략세掠勢(은망세, 요략세)는 충
세가 있으므로 칼을 세워서 올린 다음 움직여야 한다. 즉 손(劍柄)을 먼저 올
려 휘둘러 내려선 안 된다.

24. 횡충세橫衝勢

橫衝勢者即橫衝擊⓵也法能疾奔頖閃滾殺進退⓶兩手兩脚隨勢衝進摯步撩掠⓷看法

⓵ 횡충세橫衝勢에서 좌우로 칼을 들어 당겨오는 것은 거정격擧鼎格의 변형이다. '상번곤살頖閃滾殺', 즉 상대가 간파할 수 없게 머리를 향해 칼이 올라가므로, 태산을 번득이고 나아가 횡횡橫橫으로 치는 것이다. 따라서 측신側身으로 요격腰擊이 된다. 창보搶步로써 뒷발로 밀면서 우각이 들어가고, 좌각은 약간 따라가면서 요격하는데 칼과 발이 일치해야 한다. 곤살滾殺은 앞으로 나아가 굴려서 살殺하는 것이다. 세찬 물이 굽이쳐 흐르는 것과 같은 것이다.

⓶ 진퇴進退는 신법身法이다. 우각右脚은 물러나지만 가슴(梢節)은 나아간다. 이어서 좌각左脚이 물러나므로 나아갔다 물러나는 것이 된다.

⓷ '수세충진체보요략隨勢衝進摯步撩掠'에서 수세隨勢는 쫓아간다는 뜻으로 칼끝으로 베어 올리며(衝) 쫓는다. 즉 충세衝勢를 체보摯步로써 나아가며 요략撩掠한다. 따라서 걸어 들어가면서 요략할 때, 칼을 들어 올려서 멈춰있으면 안 된다. 좌각左脚은 조금만 걸어 들어가서 부보仆步로 앉으며 략掠한다.

◉ 증보세增補勢

증보한 이유는 이미 〈예도총보銳刀總譜〉에서 4가지 세勢가 속보俗譜로서 전해지고 있었으므로 따로 증보한 것이다. 〈예도총보銳刀總譜〉에 24식式의 첫 세勢가 거의 다 들어있다. 증보한 4세는 무예적 가치가 없다. 단지 칼을 몸의 일부처럼 운용하는 기술의 숙련을 위해 증보한 것이다. 고대검법古代劍法에서는 24세勢가 전부이다. 증보세 중 '금강보운세金剛步雲勢'는 도가道家의 검세劍勢다.

【24세 수련법】

24세는 기예법技藝法이다. 여기서 단련을 말하면 안 된다. 원식原式을 한 세勢씩 연습할 때는 첫 세勢를 끊고, 중간세와 마지막세는 연결한다. 앞의 세는 떨어져도 뒤의 두 세勢만 연결되어 맞으면 된다. 보법은 틀려서는 안 되는 보법만 정확히 하고 나머지는 상관없다. 흐름에 따라 움직이면 된다. 단 칼이 움직이면 반드시 보步가 움직여야 한다. 24세勢는 중간세, 마지막세까지 말로 읊조리면서 연습해야 그 세勢를 제대로 몸이 기억해 조건반사적으로 표현할 수 있다. '거정세擧鼎勢'를 연습한다면 "거정, 평대, 군란" 식으로 세명勢名을 짧게 말로 하면서 동작을 한다. 이유가 있다. 그렇게 수련해야 실전에서 보步의 움직임과 관계없이 칼이 의도한 대로 정확하게 갈 수 있기 때문이다.

첫째, 손발이 같이 나가는 것을 익혀야 한다. 즉 칼 선(劍線)을 배운 다음, 발(足)과 칼이 같이 떨어지는 것을 익힌다. 그리고 세勢의 모양과 돌아가는 것을 알아야 한다.

둘째, 신법身法을 숙련시킨다. 허리, 팔다리, 보법步法, 안법眼法 등이다.

셋째, 칼끝까지 힘이 들어가도록 하는 방법을 알아야 하고 칼을 잊어버리고 돌아갈 수 있도록 익혀야 한다. 몸으로 칼을 이끄는 것이 숙련되어야 칼을 잊어버린다.

칼의 수련은 먼저 기본 격자격세擊刺格洗를 하나씩 따로 계속 수련해서 익혀야 한다(제자리에서, 또는 걸어가면서). 또박또박 수련한다. 〈16세勢가 능통하지 않으면 아무것도 안 된다〉. 그런 다음 24勢를 바르게 해야 한다. 계속 연습해 칼이 손안에서 마음대로 놀아야 한다. 24세 연습은 평소에 투로套路를 익혀서 하더라도 며칠에 한 번은 한 세勢씩 따로 연습해야 한다. 24세는 오른손에 칼을 쥐고 좌우가 다 숙련되도록 수련해야 한다. '거정세擧鼎勢'를 예로 들면, 거정·평대·군란은 반대로도 하고 바르게도 한다.

　　검劍을 쥐고 수련할 때는 검을 잊어버리고 손을 움직이는 것만 신경 써야 한다. 검지劍指(손가락)만으로도 연습한다. 그래야 몸이 병기兵器를 이끌게 된다. 세勢 하나하나가 어디로 가고, 어디를 치고 하는 것을 완전히 알고 숙련되어야 장소에 구애받지 않고 몸이 돌아갈 수 있다. 모든 것이 그렇다. 장봉長棒도 숙련되면 제자리에서 돌아간다. 권법拳法 또한 마찬가지다. 그렇게 도道가 터야 비로소 적敵과 대적할 수 있다.

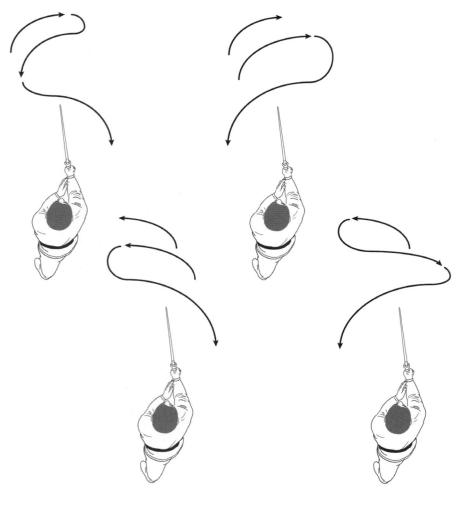

(거정세擧鼎勢의 변화)

◉ 24세 검법의 연결 투로套路

검劍의 투로套路를 행할 때는, 자刺만 멈추고 나머지 세勢는 모두 연결해 수련해야 한다. 서예書藝의 초서草書와 같다.

예비세: 병보竝步로 바르게 선 다음 검劍을 왼손으로 세워 쥐고 검척劍脊을 좌측 팔 외연外沿에 나란히 붙인 다음 눈은 정면을 바라본다.

1. 거정세: 좌각이 앞으로 나가며 거정격을 하고 물러나며 평대, 군란을 한다.

2. 점검세: 군란에서 우각을 오른쪽으로 들었다 놓으면서(45도 또는 90도) 점검한다. 발초심사는 바로 정면까지만 와도 되고 폭을 크게 하여 왼편으로 더 쓸어 베어도 된다. 어거격과 우각의 방향은 같아야 한다.

3. 좌익세: 어거격에서 뒤로 돌면서, 혹은 뒷발(좌각左脚)을 들어 방향을 잡고 놓으면서 좌익하고, 직부송서는 정면이나 오른쪽으로 하되 역린과 방향을 같게 한다.

4. 표두세: 우독립보로 들어 쳐도 되고 역린에서 뒤로 돌며 좌각우수로 표두해도 된다. 태산압정은 몸 오른편으로 전신轉身하며 해도 된다. 도자 후에 몸을 오른편으로 돌려 우각, 좌각이 걸어가며 탄복자로 찌른다.

5. 탄복세: 그대로 왼 허리로 칼을 가져오고 좌각 나가며 탄복자를 한다. 오른편으로 요격을 해도 된다.

6. 과우세: 과우격 다음 몸을 좌로 270도 돌리면서 작의세를 하면 신법이 크고 화려하게 보인다.

7. 요략세: 장교분수에서 왼발 오른발 순으로 나가며 찬격을 해도 된다.

8. 어거세: 좌각 들어 앞으로 나가며 어거해도 되고(우각우수로 찬격했을 때) 우각을 뒤로 돌아놓고 어거해도 된다(좌각우수로 찬격했을 때).

9. 전기세: 우각을 들었다 놓으면서 해도 되고, 좌각 우각 나가면서 전기격 해도 된다.

10. 간수세: 뒤로 돌며 우각우수로 간수격을 한다.

11. 은망세: 앞으로 돌아나가는 것 한 번만 한다(우각우수로 끝난다).

12. 찬격세: 왼발 오리걸음, 오른발 오른쪽으로 놓으면서 칼은 바로 오른 어깨로 가져와 찬격을 한다.

13. 요격세: 뒤쪽으로 돌며 좌각을 들었다가 놓으며 요격한다.

14. 전시세: 우각을 뒤로 또는 90도 오른쪽으로 빠지면서 전시한다.

15. 우익세: 검을 왼 허리로 당겼다가 우각 들었다가 놓으면서 우익격한다.

16. 게격세: 투보로 들어가며 게격한다.

17. 좌협세: 충세에서(좌허보左虛步) 좌각을 약간 왼쪽으로 궁보를 만들면서 좌협자한다.

18. 과좌세: 그대로 왼쪽 뒤로 격한다. 제수세를 한 다음 지그재그로 쌍전 을 운용할 수도 있다.

19. 흔격세; 창보로 들어간다.

20. 역린세: 탄복자에서 칼을 당겨 보를 두 걸음 걸어나가며 역린한다. 또는, 오른편으로 뒤로 전신하며 좌각이 앞으로 한 걸음 나가 역린해도 된다.

21. 렴시세: 좌익격에서 바로 충세로 칼을 들었다가 우각이 물러나며 렴시격한다. 이때 발사세는 부퇴보로 우측으로 하지 않고 좌각 나가며 오른쪽에서 왼쪽으로 요격해도 되고 원식으로 해도 된다.

22. 우협세: 우각 나가면서 한다. 분충, 거정과 연결해서 봉두세를 한다. 특히 거정·봉두의 연결은 아주 빠르게 운용한다.

23. 봉두세: 입보 거정격에서 뒤로 우각 빠지면서 뒤로 돌아 칼을 내략처럼 스쳐 올려 충봉한 다음 봉두세한다. 혹은 앞으로 걸어나가며 우각 충봉세를 해도 된다.

24. 횡충세: 횡충은 뒤로 물러나는 것이 원칙이다. 요략할 때는 측면으로 발을 걸어도 된다. 혹은 정면으로 틀어 걸어 들어가 부보를 해도 된다.

수세收勢: 부보에서 앞으로 일어서며 검을 수평으로 앞으로 세워 들며 좌수는 장掌으로 앞으로 뻗어 마친다.

【칼의 실전實戰】

칼의 공방攻防에서는 칼이 내 몸, 또는 상대 몸을 벗어나게 운용해서는 안 된다. 만약 24세勢로써 상대를 대적한다면, 24세 모양 그대로 실전實戰에서도 그 틀을 유지해야 한다. 칼이 원 길을 벗어나면 안 된다. 즉 공격 후에 칼의 위치가 24세 모양을 벗어나지 않아야 한다. 칼이 내 몸을 벗어나면 상대가 그 틈을 공격한다. 단 반드시 몸으로 운용해서 칼이 내 중궁中宮을 떠나지 않게 해야 한다. 칼만 가져와 중궁을 보호하면 안 된다.

칼은 모든 동선動線이 공격선이다. 수비와 공격이 분리되어 있지 않다. 권법拳法과 차이점이다. 따라서 기회가 왔을 때 한번 공격하면 한 세勢가 완전히 이루어진다. 상대가 변하더라도 함께 변하며 한 세勢를 끝까지 완성해야 한다.

1. 칼의 공방攻防에서 주의점

◎ 칼로 대적 시, 칼을 머리 위로 들어 올려 대적하는 것은 위험하다. 아래가 다 비었기 때문이다. 상대에게 바로 당한다. 칼은 항상 내 중궁中宮을 지키며(표두격 자세) 대적한다. 항상 칼을 몸 앞에 두고 팔꿈치는 마지막 공격을 하기 전까지 절대 펴서는 안 된다(둔해진다). 운검雲劍 시 머리 뒤로 감지 않아야 한다.

【참고】 운검雲劍: 칼을 내 머리와 몸 앞에서 휘감아 머리 뒤로 돌려서 내려치는 것과 같은 효과를 내는 칼 길을 말한다.

◎ 검은 좌左, 우익세右翼勢나 은망세銀蟒勢 등에서 내려칠 때 손목을 낮게 치면 자신을 베기 쉽다. 표두격豹頭擊으로 내려칠 때도 검劍이 머리 뒤에까지 넘어가면 안 된다. 팔꿈치를 너무 구부리지 않아야 검劍과 자기 몸과의 거리가 일정하게 유지되고, 검선劍線이 크게 되므로 자기를 치지 않는다.

◎ 칼로 상대를 대적할 때는 칼끝만 댄다. 칼은 칼끝을 운용하는 것이다. 크게 휘두르지 않는다. 검은 1/3 끝만 사용하고 상대 팔의 방어도 칼 중단까지 안 내려온다. 칼은 깊이 베지 않고 막膜을 끊는 공격을 해야 한다.

◎ 칼은 상대가 공격하는 칼을 직접 막으면 안 된다. 상대 공격을 피하면서 공격해야 한다. 어쩔 수 없이 상대 칼과 맞부딪히는 때 외에는 절대 칼이 서로 접촉하면 안 된다. 칼을 맞대고 대적하는 자세가 서로에게 가장 위험한 경우이다. 칼로 서로 맞대어서 버틸 때 상대 칼에서 내 칼을 떼면 당한다. 상대가 밀던 힘으로 계속 들어올 수 있으므로 방어가 안 된다. 이때는 몸이 물러나면서 칼을 떼야 한다.

수법手法을 말한다면, 상대 공격을 내가 받으면 그 막은 손을 상대가 물러나기 전까지는 회수해선 안 된다. 회수하면 상대가 공격한 그 손으로 다시 공격해 들어온다. 회수하지 않고 있으면 상대가 다시 들어오지 못한다.

부득이하게 칼을 막아야 하는 경우가 있다. 예를 들어 실전에서 어거격御車格으로 상대 칼을 막는다면 돌려서 막는다. 즉 직선으로 가서 부딪히지 않고 전사纏絲로 돌리며 막는다. 그래야 칼이 부러지지 않고 날도 상하지 않는다. 훑어서 막는 것이다. 이때는 칼의 아래쪽 1/3 부위로 막는다.

◎ 칼은 강하게 움직이다 중도에서 갑자기 멈추고 다른 방향으로 변할 수 있도록 힘을 길러야 한다. 걸어가면서, 즉 신법身法이 움직일 때 검劍이 한순간이라도 멈춰 있어서는 안 된다. 검劍은 헛동작이 하나도 없다. 움직일 때마다 다 의미가 있다.

◎ 칼의 수련은 큰 동작으로 하지만 사용 시에는 짧게 쓴다.

◎ 검劍의 수련은 완벽하게 해야 한다. 완전한 숙련과 오랜 세월이 요구된다.

2. 칼의 공방攻防의 실제

칼은 공격과 수비가 분리되어 있지 않다. 칼로 거정세擧鼎勢, 점검세點劍勢 등을 할 때 수비 공격이 따로 없다. 상대가 수비하고 막아도 세勢의 흐름을 멈추지 않고 계속 공격한다. 수비(格)도 모두 상대를 벨 수 있다.

◉ 거정세擧鼎勢

예를 들어, 상대가 나의 거정세 흐름을 아무리 막아도 그때마다 상대 손목을 거정세 안의 흐름 속에서 벗어나지 못하게 하면서 치든지, 아니면 상대의 수비하는 병기兵器를 첩경捷徑으로 비켜 가면서 계속 거정세를 완성한다. 수법手法에 있어서 거정세도 마찬가지다. 검세劍勢를 수법으로 쓰지 못하면 칼을 운용할 수 없다.

거정세의 수법 1

① 상대의 우수가 들어오면, 나는 왼편에서 오른쪽으로 몸을 돌리며(側身) 우수 거정으로 들어 올려 막고(편섬거정偏閃擧鼎), 편섬偏閃의 기세氣勢로 상대 주먹을 거정擧鼎으로 막는다.

② 좌수로 상대 우수를 누르며 우에서 좌로 우장右掌으로 목을 치고(平撞),

③ 상대 좌수가 막으면 막은 상대 좌수 바깥에서 내 우수를 아래로 안으로 돌려 바깥으로 걷고 다시 우수로 친다(裙襴).

1

2

3

4

(거정세의 수법1)

거정세의 수법 2

① 상대 좌수 공격을 좌수로 막고 우수로 권추를 친다. 상대가 낮춰서 피하면 우수로 바로 횡벽을 친다.

② ①처럼 횡벽을 치면 권추로 오던 힘의 역逆으로 쳐야 하므로 공격이 늦어진다. 따라서 좌수로 횡벽을 치면 더 빠르고 상대가 예측 못 한다. 이때 계속 몸이 나가야 한다. 권추는 몸을 축縮하면서 치고 벽은 발發하면서 친다. 칼의 세勢를 수법으로 운용할 때, 거정세는 오른손으로만 거정 평대 군란, 또는 오른손 거정 평대, 왼손은 군란 등으로 변화하여 응용할 수 있다.

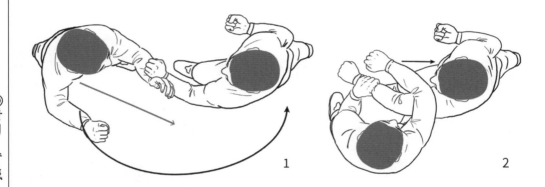

1

2

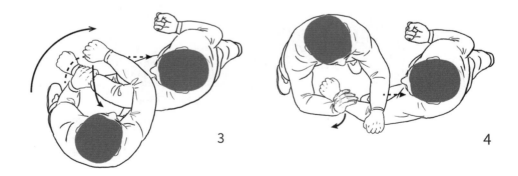

3

4

(거정세의 수법2)

◉ 점검세點劍勢

　점검點劍은 정면으로 수평으로 점검하기도 한다. 점검은 찔러서 흩어지게 한다. 상대 칼이 아래로 찔러오는 것을 점검點劍으로 상대 칼을 찍어 막고(칼 측면을 비비듯이 막는 것이 된다) 바로 상대 무릎을 발초심사撥草尋蛇 하고 어 거를 할 수도 있다.

1　　　　　　　　　　　　　2

3　　　　　　　　　　　　　4

(점검세의 응용)

● 점검세點劍勢는, 수법手法에서는 훑어서 막는 방법이다. 상대 우수가 들어오면 나의 우수로 상대 주먹을 점點하고 화化와 인引으로 당긴 후 우수와 좌수로 공격하는 것이다. 이때 신법으로 몸을 움직인다.

수법手法에 있어서 〈점點·화化·인引〉의 일련의 동작은 칼의 점검세點劍勢와 합합하는 바가 된다.

① 수법手法에서 점검點劍으로 상대 공격을 막을 때, 상대 진공 방향과 직각이 되게 횡橫으로 막지 않고 훑어서 자기 쪽으로 당기듯 막는다.

② 가위질하듯이 막는 방법도 있는데, 점검點劍으로 막되 엄지와 나머지 손가락 사이에 상대 팔이 오게 잡으며 막는다. 또는 손바닥을 위로 보게 가위로 막아도 된다.

①

②

(점검세의 수법手法 운용)

③ ㉠ 을이 공격해 오는 손을 ㉡ 감아채서 아래로 찍듯이 내리고 ㉢ 그 주먹 그대로 찌르기, 또는 감아채서 내리는 자체가 점검點劍이다. ㉣ 갑이 감아채서 아래로 내려간 을의 손이 올라와 갑의 공격을 다시 막으면 갑은 을의 막는 손을 좌左로 밀치고(발초심사撥草尋蛇), ㉤ 을의 좌수가 재차 공격해 들어오니까 갑은 우수로 우右로 둥글게 밀어 막으며(어거御車), 좌충권左衝拳을 친다.

(③ 점검세의 수법手法 운용)

● 점검세點劍勢와 찬격세鑽擊勢의 비교

① 점검세點劍勢는 훑어 찍는다. 찌르는 것이 아니고 찍는 것이다. 소지小指로 칼을 당겨 훑어지게 한다.

② 찬격세鑽擊勢는 비벼서 찌른다. 자법刺法에 들어간다. 찬격세의 창살槍殺은 훑어 찌르는 것이다. 손목이 굽어야 훑어진다.

칼의 찬격, 권拳의 찬격이 틀리고 다르다. 모양과 방법이 다르다. 그래서 어렵다. 움직임을 알아야 한다.

㉮ 칼의 찬격세鑽擊勢는 칼끼리 서로 부딪히지 않기 때문에 상대 목과 어깨를 정면으로 치면서 비벼서 찌른다.

㉯ 수법手法에서 찬격세鑽擊勢는 상대 공격을 막으며 들어가 찌르는데, 상대 팔을 막을 때 비비면서 상대 손이 튕겨 나가게 하고, 그 힘을 빌려서(借勁) 계속 찔러 들어가는 것이다. 예로써, 상대 좌수 공격을 나의 우수로 상대 좌수 안쪽에서 전사纏絲로 비틀어 막으면서(상대 팔 바깥으로 안으로 들어간다) 그리고 비비면서 들어가 상대 좌수는 튕겨 나가게 하고 내 우수는 그대로 나아가 적중하게 한다.

(찬격세)   (찬격세의 수법 운용 1)

⑭ 찬격鑽擊의 수법手法에서 또 다른 류類는, 공방에서 상대 손과 꼬여 있을 때 상대 빈틈을 비비면서 들어가 공격하는 것이다.

예를 들면, 상대가 우수로 공격해 오면 나는 우수로 받고 좌수로 공격한다. 그러면 상대는 좌수로 받는다. 나는 상대 좌수를 나拿하고 우수로 좌수 사이를 아래에서 파고 들어가 턱을 좌충권挫衝拳으로 친다.

(찬격세의 수법 운용 2)

◉ 발초심사撥草尋蛇

　을이 갑의 좌에서 우로, 발초심사撥草尋蛇로 베어오면, 갑은 오른편에서 아래로 왼쪽으로 을의 칼을 막으러 간다. 칼이 부딪치기 전에 을이 변화하므로, 갑은 잘 살펴서 바로 위쪽으로 상대 몸, 또는 칼 쥔 손에 어거격御車格를 한다. 을도 갑이 그렇게 움직이면 발초세撥草勢로 오다가 바로 갑의 손목을 어거御車한다. 이때 을도 신법身法으로 움직이며 칼날이 위로 오게 올리는데 검劒인 경우 손목을 돌리지 않고 배검背劒으로 위로 향하게 쳐올려도 된다.

　발초심사는 체보掣步이므로 걸어가면서 해도 된다. 보통 독립보獨立步로 걸어가면서 상대 뒷발을 발초심사로 공격한다.

　발초심사로 상대를 공격할 때 상대가 막으러 오면 나는 칼을 반배검反背劒으로 거꾸로 잡으며 위로 올려 머리를 점검點劒으로 찍는다.

● 발초심사撥草尋蛇 · 어거御車의 수법의 예

① 을의 우수 공격을 갑이 우수로 바깥에서 안으로 막고(발초심사撥草尋蛇) 바로 우수로 친다(어거御車).

② 갑은 우장右掌으로 을의 주먹을 정면으로 바로 눌러 막고(점검點劍), 위로 살짝 비껴 튕기며 찌른다(어거御車). 이때 약간 오른편으로 몸을 돌리며 갑의 좌수로 을의 우수 팔꿈치를 나拿(발초撥草) 한다.

3

● 좌익격左翼擊

① ㉮ 내가 좌익으로 상대를 공격하는데, ㉯ 상대 칼이 막으러 오면 각도를 바꿔 계속 내려친다. ㉰ 표두격으로 변하여 치거나, ㉱ 살짝 둥글게 돌려 횡격으로 친다.

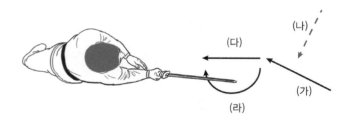

(좌익격의 변화)

② 을이 좌익격으로 오면 갑은 어거격으로 막는데 격법格法으로 막지 않고 칼을 감으면서 비껴 막는다(纏絲). 그리고 바로 반대로 칼을 돌려서 목을 내려 친다. 또는 칼을 돌리지 않고 바로 치면 칼등으로 어깨를 치기도 한다. 검劍인 경우 넓은 면(劍脊)으로 친다(위협을 줄 때). 늑골이 다치지 않게 그 아래를 칠 수도 있다.

1　　　　　　　2

◉ 직부송서直符送書

① 을이 아래를 치고 오면 갑은 몸을 왼편으로 90° 돌리며 들어가 상대 손가락을 끊으면서 계속 그 방향으로 밀어 상대 무릎 부위를 친다.

1　　　　　　　2

상대가 찔러오면 오른쪽으로 돌아가, 내 몸을 길게 늘여 상대 공격을 피하면서 등교세騰蛟洗처럼 짧게 올려쳐 팔을 벤다. 또는 상대와 대적하고 있으면 측신으로 오른쪽으로 돌며 상대 손목을 친다.

② 을이 내려쳐 오면, 갑은 칼을 세워 좌로 상대 칼을 빗겨 막고 몸은 왼편으로 90° 돌아간다. 이어서 몸을 오른편으로 90° 돌리듯이 하며 을의 목을 벤다(직부송서). 연이어 칼을 감아 찌른다. 즉 막고 베고 찌른다. 직부송서를 신법으로 운용하면 길게 늘어져 움직인다.

● 표두세豹頭勢

내가 표두豹頭로 치는데 상대가 위로 올려 막으면 바로 두 손으로 칼을 잡아(환집換執: 좌수는 칼 손잡이. 우수는 칼 등) 살짝 뒤로 칼을 뺏다가 몸이 들어가면서 찌른다. 아니면 상대 칼을 누르면서 찌르기 쉬운 위치까지 누르면서 칼을 뒤로 빼서 찌른다.

표두세의 수법手法으로 응용은, 우수로 좌익세처럼 내려치고 상대가 막으니 우수를 감아올려 상대 턱 아래를 붕권崩拳으로 친다(쌍명자).

좌익세의 수법은 내 우수로 상대 왼쪽 목, 어깨 쪽으로 하벽下劈으로 치니까 상대가 올려 막는다. 상대 막는 손을 눌러서 돌리고 찌른다(직부송서).

● 작의綽衣 · 횡격橫擊에서 공격이 끝난 후에 칼과 몸의 위치를 주의해야

한다. 칼이 내 중궁에 머물고 있어야 바로 운용할 수 있다. 상대가 피하면 바로 오른쪽으로 다시 공격할 수 있다. 즉 횡격이 상대 앞에서 칼을 멈추는 것이 아니고, 상대를 베고 지나가지만 내 몸 앞을 벗어나게 칼을 운용하는 것이 아니다. 상대가 내 빈틈을 공격할 수 있기 때문이다. 따라서 내 몸도 칼과 함께 돌아가 칼끝을 내 몸통 안에 위치하게 해야 한다.

마찬가지로 봉두세에서 베어 내릴 때 칼끝이 내 몸을 벗어나지 않게 베어 내린다. 그래야 상대가 피하든지 하면 바로 끝난 위치에서 위로 략掠을 하여 상대 팔이나 몸을 공격할 수 있다.

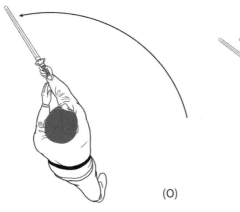

(O)

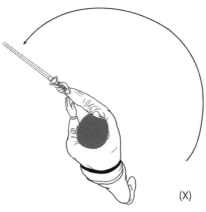

(X)

● 병풍세屛風勢

병풍屛風은 강한 동작이다. 몸이 돌면서 칼이 돌고 변화가 많기 때문이다. 병풍세만 따로 수련할 수 없으니까 선풍旋風으로 돌면서 수련하는 것이다.

① 병풍屛風의 예를 들면, 상대의 횡격橫擊을 병풍屛風으로 돌려막고 앞으로 칼을 돌려 바로 찍어 들어간다. 이때 한발 뒤로 물러나면서 쳐야 한다. 제자리에서 치면 상대가 횡橫으로 치고 오던 칼이 계속 들어와 당하기 때문이다. 감을 때 전사로 감아 손목을 꺾어 바로 내려찍는다. 즉 막은 다음 치는 것이 아니고 몸은 계속 물러나면서 연결되어 찍어서 공격하는 것이다.

② 내가 찌르는데 상대가 병풍屛風으로 막으면 몸을 움직여 상대 칼과 같이 돌면서 찌른다(身法). 그래도 계속 상대의 병풍세屛風勢에 막히면 태산압정泰山壓頂· 도자挑刺를 운용하듯이 하는데, 상대 칼에 닿은 상태로 감으면 상대가 오던 길로 밀려난다. 그때 찔러 들어간다. 수垂와 횡橫의 이치다.

③ 검劍으로 병풍세를 행하면, 검면劍面이 바깥으로 돌며 나간다. 상대 칼 막는 부위도 검면劍面으로 한다. 도刀의 경우 병풍세를 수련할 때는 칼날이 왼쪽 바깥으로 향하도록 감는다. 그러나 실전에서는 도의 몸체로 상대 칼과 부딪힌다.

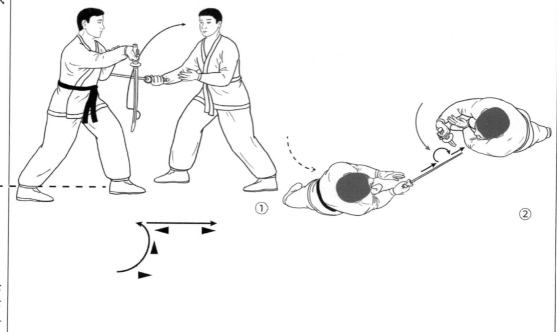

①   ②

● 실전에서는 도刀의 등으로 상대를 제압하는 경우가 많다.

상대가 찔러오면 칼등으로 아래서 위로 받쳐 들며 바깥으로 밀어낸다. 그리고 내 칼을 상대 칼 위로 왼쪽으로 위로 아래로 돌리며 눌러 움직여 칼날이 위로 온 상태로 바로 찌른다(逆鱗). 이때 머뭇거리거나 두 동작이 되면 상대가 그 위치에서 다시 찌른다.

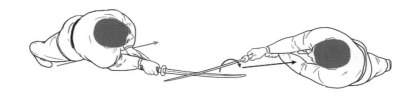

(도의 운용 1)

● 참사斬蛇 역린逆鱗의 응용

참사斬蛇·역린逆鱗은 처음의 요격腰擊과 꼭 연결된 것은 아니다. 따라서 반드시 요격을 친 다음에 하는 것이 아니다.

① 갑이 요격腰擊으로 공격하면 을은 갑의 왼쪽으로 피하며 아래쪽으로 공격한다. 이때 상대 공격을 참사세斬蛇勢로 막아 걷고 바로 역린逆鱗으로 찌른다. 상대 공격이 아래로 오니까 참사로 걷어내고 가장 좋은 공격이 역린이니까 찌르는 것이다.

1　　　　　　2

② 만약 상대가 위쪽으로 공격해 오면 내 왼쪽 바깥으로 칼 면面으로 막는데, 이때 면으로 부딪히기만 하면 칼이 부러진다. 따라서 칼 면으로 댄 다음 약간 칼날을 세워서 뒤로 미끄러지듯 막아낸다. 그리고 바로 상대 오른쪽 목이나 어깨 쪽을 친다.

③ 이런 경우 칼을 완전히 전사纏絲로 돌려 칼등으로 막고 다시 전사를 풀면서 공격하면 늦다.

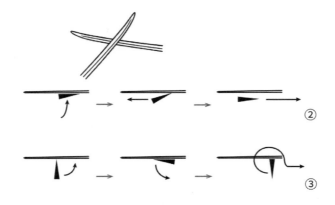

참사斬蛇로 막는 것도 어쩔 수 없을 때 하는 것이다. 즉, 내가 공격하는데 상대가 나를 피하고 아래로 역습을 할 때 한다. 그렇지 않으면 바로 공격한다. 즉 상대가 그냥 아래로 들어오면 참사로 막지 않고 바로 신법으로 움직이면서 역린逆鱗으로 찌른다. 상대가 위로 들어오는 것도 막은 다음 치지 않는다. 신법으로 돌면서 바로 친다. 칼은 마지막 공격 때가 아니면 절대 쭉 뻗지 않는다. 가다가 다시 변하고, 또 변하고 하다가 완벽한 기회가 왔을 때 쭉 뻗어 공격한다.

● **전기展旗 · 탁탑托塔 · 점검點劒**에서 점검點劒은 응용된 세다. 점검의 기본세가 아니다. 24세勢의 첫 세가 아니다. 따라서 '점검세點劒勢'의 기본 신법身法인 편섬偏閃을 하지 않아도 응용된 것이므로 바로 점검하는 것이다.

전기세展旗勢는 칼끝으로 상대 목을 친다. 탁탑托塔은 내가 상대를 올려치니까 상대가 물러선다. 계속해 따라붙으면서 점검세로 친다. 그러므로 탁탑이

기세氣勢다. 즉 점검하되 탁탑의 기세로 하란 뜻이다.

　이것을 수법手法으로 운용하면, 을이 우수로 공격해 올 때 갑은 우수로 을의 주먹을 위로 탁탑托塔으로 막고, 계속해서 들어가며 우권右拳으로 훑어 내리듯 친다. 칼의 세勢를 손으로 운용하지 못하면 칼을 못 쓴다.

　또는 상대의 권拳이 오는 것을 그 길을 따라 손바닥으로 받아들여 위로 들어 올리고(탁탑) 그 손으로 계속해서 상대 머리 등을 장掌으로 친다(점검).

(탁탑 · 점검의 수법 운용의 예)

◉ 자법刺法의 실제

① 내가 상대를 좌에서 우로 횡橫으로 베어 가는데 상대 칼이 세워서 막으러 온다면, 나는 베어가다 상대가 막으러 오므로 부딪히지 않고 칼을 회수하듯 당겼다가 다시 찌른다. 상대 칼이 막으러 왔다가 부딪히지 않았기 때문에 지나가 버린다.

② 상대의 다리를 찌를 때는 검劍 끝으로 찌르지 않는다. 칼날로 정강이 좌우를 베어간다. 옆을 찔러 베는 것이다. 이것도 자법刺法이다. 상대가 내려쳐 오면 나는 오른쪽으로 피하며 돌아 상대 목 오른쪽을 베어 찌른다.

③ 도자挑刺로 감아 위로 찔러 들어가는데 상대가 막으러 칼을 들면, 팔을 계속 나가면서 손목만 각도를 바꿔 아랫배 쪽을 찌른다. 즉 원圓으로 감아 들어가며 원 위의 어느 지점에서든 찌를 수 있다.

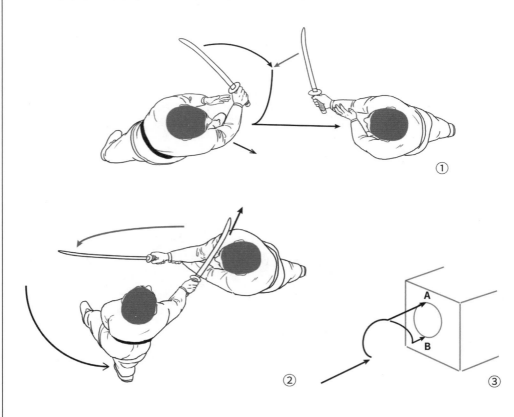

④ 상대가 우수右手로 내려치면 나는 왼쪽으로 빠지면서 들어가 좌수로 상대 팔을 안으로 밀어 막으며(고수는 칼의 측면을 막는다), 우수는 동시에 상대 복부를 찌른다. 상대는 아래쪽에서 들어오는 것을 느끼지 못한다. 상대가 들어올 때 물러나면 안 된다. 측면으로 돌며 피하든지, 공격하든지 해야 한다.

⑤ 칼은 상대 칼의 예봉銳鋒만 피하면 된다. 그 뒤의 상대 칼날은 신경 쓰지 않는다. 칼은 무게와 길이로 인해 손과 달리 빠르게 변할 수 없기 때문이다. 예봉을 피했다는 것은 이미 내 공격이 적중한 상태라는 뜻이다. 상대가 표두豹頭로 머리를 들어 치려고 하면, 내 몸은 상대 칼의 예봉을 피하고 칼은 그대로 상대를 찌른다.

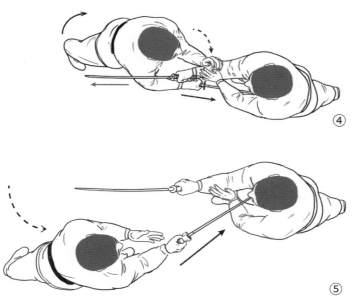

● 칼은 내 중궁中宮을 벗어나면 안 된다. 즉 칼이 내 몸 바깥으로 나가지 않아야 한다. 상대 처지에서 보면 내 몸을 다 내준 것이 된다. 예를 들어 (그림 ⑤)에서 내가 돌면 상대 중궁이 다 드러난다. 따라서 칼을 위로 올려 충봉세衝鋒勢를 할 때도 칼끝이 내 가슴 위로 올라가면 안 된다. 봉두세鳳頭勢 역시 좌우 내 몸을 칼이 벗어나게 내리면 안 된다. 또한, 칼을 든 상대를 맨손으로 대적할 시에 물러나면 안 된다. 들어가면서 막고 쳐야 한다. 칼은 절대

뒤로 피하지 않는다. 상대가 더 활발해지기 때문이다. 상대가 단검短劍으로 내려친다면, 요란주세처럼 손바닥을 위로 향해 올려 상대 팔을 잡고 다른 손으로 동시에 공격한다. 수비와 공격이 시간이 벌어지면 안 된다. 이 경우 호두가타로 올라가면서 상대 팔뚝에 점點함과 동시에 상대를 잡아야 한다. 신법을 운용하지 않으면 잡을 수 없다. 또는 상대가 찔러 들어온다면, 칼 든 반대편 쪽은 의식이 가지 않아 무방비상태가 된다. 따라서 상대의 빈 곳으로 들어가면서 막고 공격한다. 좌우로 밀어 막으며 동시에 공격하거나 막은 손으로 공격한다. 또는 상대 칼을 의식하지 않고 바로 공격해도 된다. 손으로 칼을 막는 것은 먼저 몸으로 칼을 피하는 것이 익숙해져야 가능하다. 두 사람이 주걱을 들고 서로 공격해주면서 많이 연습해야 한다.

◉ 외용外勇 7세勢

을이 일자一刺로 들어오면 갑은 좌각左脚이 앞으로 나가며 우수로 외략外掠을 하는데, 수법手法에서처럼 왼발이 나가면서 신법身法은 오른쪽으로 돌아 칼은 몸 안쪽으로 략掠하는 모양이 된다. 이어서 그 자리에서 칼끝이 위로 오게 감아서 찌른다. 이때 걸어 들어가도 되고, 간격은 을의 움직임에 맞추어 결정한다. 을이 어거御車로 막으러 오면 갑은 그 자리에서 좌로 회전하면서 좌독립보左獨立步로 일어나며 우수로 감아서 내려친다.

1

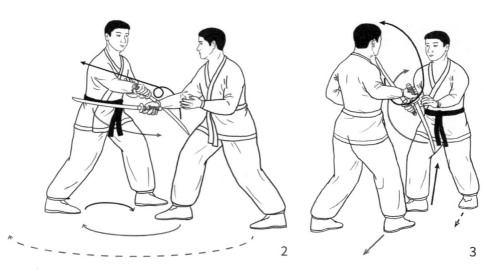

2

3

4

● 등교세騰蛟洗

① 내 칼이 우에서 좌로 옆으로 비스듬히 좌익左翼처럼 상대를 치러 가는
데 상대 칼이 막으러 오면, 내 칼은 45도로 가다가 칼끝을 수평으로 변화하
여 수비하는 상대 팔 아래로 붙여 들어가 날을 위로 돌려 팔목을 벤다. 상대
의 움직임과 맞춰서 운용한다.

② 상대 칼이 찔러오면 내 몸을 살짝 측신側身으로 좌측으로 빠지며 내 칼을 상대 칼에 붙여 들어가 손목 아래를 등교세로 올려 벤다. 또는, 다양한 각도로 응용된다.

① ②

● **환집換執**의 경우: 근접전일 때 칼을 총검술할 때처럼 환집換執해서 잡아 위에서 아래로 베어 내리고 찌른다. 이때 자연히 몸이 뒤로 빠지므로 찌를 수 있는 간격이 만들어진다.

● 〈예도총보銳刀總譜〉에는 '**백사롱풍세白蛇弄風勢**'와 '**수두세獸頭勢**'가 많다. 예를 들면, 좌각左脚이 나가서 좌횡격左橫擊(洗)을 하고, 그 자세에서 우

횡격右橫擊(洗)을 하고 들어가며 감아서 찌른다. 백사롱풍은 갑이 을의 칼이 오는 것을 왼편으로 비벼서 막고 을의 칼등을 따라 올라가 을의 목을 치면 을이 또 제수세提水勢로 막고 갑은 바로 감아 들어가며 찌른다. 두 발을 모으면서 자세를 아주 많이 낮춰 감아 찌른다. 입보立步다.

●칼의　實戰

【본국검本國劍】

初作 **持劒對賊勢** 雙手 執柄 左肩正立

右一廻 擧右足 **內掠**

仍作 **進前擊賊勢** 右手右脚 前一擊

又作 **金雞獨立勢** 左廻 擧劒擧左脚 後顧

左一廻 作**後一擊勢** 右手右脚 **一擊**

又作 **金雞獨立勢** 左廻 擧劒擧左脚 前顧

左一廻 作 **進前擊賊勢** 右手右脚 **一擊**

旋作 **左右纏** 左手左脚 **一刺**

仍作 **猛虎隱林勢** 右二廻

左廻 作 **雁字勢** 向右 左右纏 右手左脚 **一刺**

仍作 **直符送書勢** 右一廻 右手右脚 **左一刺**

左廻向前 作 **撥艸尋蛇勢** 右手右脚 **一打** 進一足 跳一步

作 **豹頭壓頂勢** 左右纏 右手右脚 **前一刺**

仍 右廻後入 作 **朝天勢** 兩手頂劒高擧 右廻 進前向後

作 **左挾獸頭勢**

仍作 **向右防賊勢** 擧左足 **外掠**

卽作 **後一擊勢** 右手右脚 **一擊** 右廻向前

作 **展旗勢** 擧右足 **內掠**

仍作 **進前殺賊勢** 右手右脚 **一打**

仍作 **金雞獨立勢** 高擧劒 擧左脚 後顧

仍入左廻 作 **左腰擊勢** 擧左脚 左劒 **洗左項**

卽右廻 作 **右腰擊勢** 擧右脚 右劒 **洗右項**

卽右廻 作 **後一刺勢** 右手左脚 **一刺**

左廻向前 作 **長蛟噴水勢** 右手右脚 **一打**

仍作 **白猿出洞勢** 擧右手右脚

作 **右鑽擊勢** 右手右脚 **右鑽刺**

右廻 作 **勇躍一刺勢** 右手右脚 **一刺**

左廻向後 作 **後一擊勢** 右手右脚 **一打**

仍作 **後一刺勢** 左右纏 右手左脚 **一刺**

仍 右廻向前 作 **向右防賊勢** 擧左足 **外掠**

卽作 **向前殺賊勢** 右手右脚 **前二打**

仍作 **兕牛相戰勢** 右手右脚 **一刺** 畢

1. 내략內掠

내략세內掠勢는 칼을 끝까지 베어 올리는 것이 아니고 배꼽까지만 베어 올린다. 내략세는 약간 오른쪽으로 기울어지게 베어 올린다. 그것이 신법身法에 따른 자연스러운 동선動線이다. 공격 시는 배꼽까지 베고 그다음은 운검雲劍으로 들어 올려 표두격(進前擊賊勢)을 친다.

칼을 위로 들어 올리며 머리 앞에서 감는 것은 운검雲劍이다. 상대 칼을 막을 때 역시 배꼽 높이까지만 걷어 올리고(이때 상대 공격이 높게 오거나 다리를 공격해 들어오면 오른발을 들어 올릴 수도 있다), 운검雲劍으로 표두격을 친다.

내략內掠에서 칼을 올릴 때 손목을 구부리지 말고, 겨드랑이를 넓히는 기분으로 올린다. 칼을 내려칠 때도 손목을 구부리지 말고 손목을 돌려서 친다. 손목을 구부리면 올라갈 때 칼이 늦어지고, 운검雲劍 시에도 칼이 머리 뒤로 넘어간다.

2. 금계독립세金雞獨立勢 · 후일격後一擊

◉ 금계독립金雞獨立

금계독립金雞獨立으로 발을 드는 것은 첫째 탄력을 얻기 위해, 둘째 멀리 공격하기 위해서다.

금계독립세金雞獨立勢의 의미는 움직이는 동작으로 본 것이다. 순간 동작, 중간 동작이다. 꼭 독립보獨立步를 만들 필요 없다. 발끝만 살짝 들어도 된다. 원세原勢로 봤을 때는 백원출동세白猿出洞勢다.

우독립右獨立에서 좌궁보左弓步로 베어 치고 오른발 나아가 우독립을 취하며 몸을 돌려 당긴다. 걸어 당기는 기세氣勢가 나와야 한다. 또는 왼발 오른발이 나가면서 우궁보로 베고 돌려 당기며 우독립을 취한다(원식原式이다).

상대 칼이 괘검掛劍으로 걸리는 순간 내 우각右脚은 앞으로 나가며, 연이어 뒷발이 탄력으로 인해 독립보가 되어야 한다. 체보掣步로 운용되어야 한다. 수법手法 운용 때도 상대 공격을 막은 다음 발이 나가면 안 된다. 체보로 항상 움직이며 들어가야 한다. 그러므로 독립보獨立步 보형步型 연습 때 탄력을 얻는 법을 터득해야 한다.

금계독립金雞獨立은 자기를 보호하는 것이다. 즉 뒤로 돌기 때문에 자신을 보호하면서 도는 것이다. 그리고 쳐야 하니까 독립獨立이 되는 것이고 손 모양이 결정되는 것이다. 다시 말하면 대적세對賊勢로 돌아보는 것이 된다.

◉ 괘검掛劍(擧劍擧左脚)

금계독립金雞獨立·후일격세後一擊勢는 끊으면 안 된다. 몸 앞에서 짧게 괘검掛劍으로 걸어야 한다. 상대가 아래로 들어오면 훑어서 자신 쪽으로 약간 오면서 괘검掛劍으로 건다. 발초심사撥草尋蛇처럼 옆으로 미는 것이 아니다. 자신 쪽으로 당기며 훑어서 상대 칼을 건다. 여기서 걸어 올라가면 금계독립이다. 이 자세에서 몸을 회전하며 내려치기도 하고 뒤집힌 칼 그대로 찌른다. 이때 좌우수를 환집換執으로 바꾸어 잡으면 좌수로 칼 손잡이, 우수로 칼등 아래를 받치고 찔러도 된다. 그러면 더 빠르다. 위로 오는 칼도 괘검掛劍의 원권圓圈에서 걸린다. 걸리면 그 위치에서 바로 찌른다.

괘검 후 뒤로 돌아보고 나가며 진전격적進前擊賊이지만 실전에서 괘검한 후 바로 상대를 찌르지 않고 내려쳐도(擊敵勢) 된다. 원보原譜는 내려치게 되어 있다.

괘검掛劍은 칼을 막는 것보다 발을 들어 피하는 것이 먼저다. 즉, 발이 먼저 움직여야 상대 공격을 피할 수 있다.

괘검 수련은 천천히 해야 한다. 상대 위주의 기법技法이기 때문이다. 그 뜻은 상대의 속도에 맞춘다는 것이다. 즉, 내가 빨리 움직이면 상대를 의식하는 것이 아니고 내가 조급하기 때문이다.

1　　　　　　　　　　2

(괘검의 예)

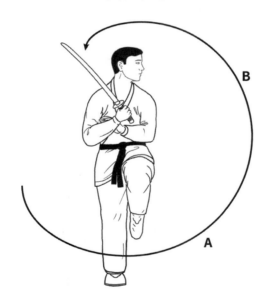

(상대 병기가 걸리는 위치)

◉ 봉봉棒과 괘검掛劍

 을의 봉봉棒이 아래로 찔러오면 갑은 좌족左足을 들면서 왼쪽으로 괘검을 해서 걷는다. ㉮ 그다음 칼을 위로 휘감아 을의 오른 어깨를 내려친다. ㉯ 또는 봉의 바로 아래를 타고 들어가 을의 무릎 위 인대를 끊는다. 이때 오른쪽으로 신법을 크게 돌려 베어버린다, 괘검으로 막을 때도 신법을 왼쪽으로 돌리며 막는다. ㉰ 을이 봉으로 찔렀을 때 갑이 괘검으로 걷고 을의 무릎을 베러 오면 을은 칼이 오는 방향으로 봉을 같이 따라붙어 오면서 을의 왼쪽 허공으로 비켜 지나가게 한다. ㉱ 또는 봉을 뒤로 살짝 뽑아 칼 등을 타 넘어 바로 앞에 대어 칼이 못 오게 한다. 고수의 기법이다. 수법手法도 같은 원리다. 병기와 항상 같은 원리다.

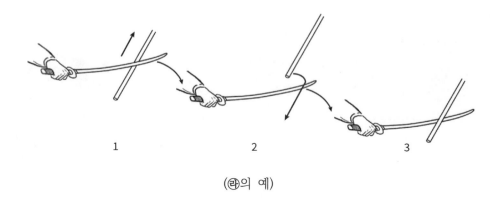

(㉱의 예)

● 봉棒과 괘검掛劍의 수법 응용

③의 ㉮번 경우 을의 우수를 갑은 우수로 아래서 바깥으로 위로 안으로 아래로 감으며 막아 내리면서 몸이 들어가면서 우수로 철형을 친다. 이 경우 휘감아 치는 칼과 같다.

③의 ㉯번 경우 봉을 막고 바로 아래로 무릎을 베는 것이므로 을의 우수를 갑이 우수로 안에서 바깥으로 막고 들어가면서 을의 오른쪽 목을 친다.

【비교】 갑이 우수로 을의 우수를 안에서 바깥으로 막을 때, 을의 우수를 밀어 을이 버티는 힘을 빌려 갑이 앞으로 나아가면서, 또 갑이 왼편으로 돌렸던 몸을 오른편으로 돌리는 탄력을 얻어 우수로는 상대 얼굴을 덮듯이 장掌으로 유인해가고(그러면 상대 좌수가 올라와 붙는다), 이때 갑의 좌수는 상대가 못 보기 때문에 마음대로 공격할 수 있다.

만약 을의 우수가 갑의 좌수를 막게 되면 양손이 서로 붙어있는 것이 된다. 이런 경우 상대의 움직임에 따라 상대의 어느 쪽 손이든 당기면서 반대편을 공격한다. 이때 상대를 방어하는 사람은 신법으로 몸을 90도 돌려(획 돈다), 상대 측면에 딱 붙는 연습을 해야 한다. 상대 공격이 오면 무조건 돌아야 한다. 맞잡은 손도 손을 떨어뜨리지 말고 붙은 상태에서, 장掌과 구수鉤手의 손목의 경勁을 이용해 상대 수법을 제압하는 쪽으로 움직여야 한다.

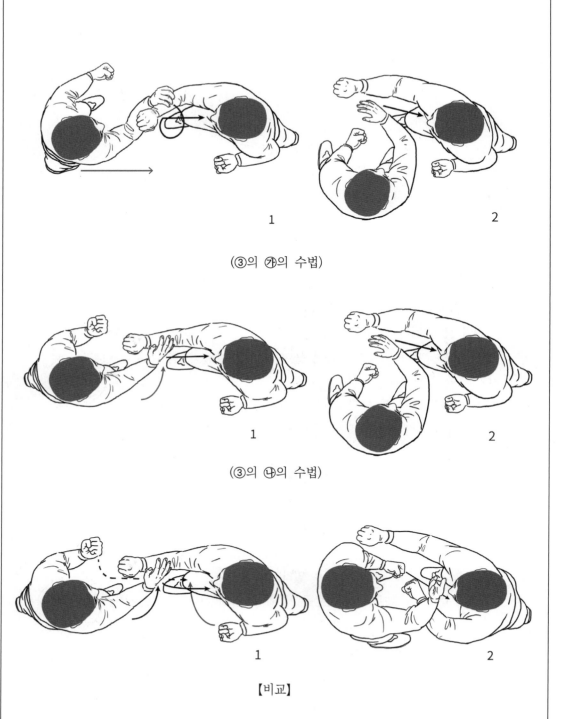

1　　　　　　　　　2

(③의 ㉮의 수법)

1　　　　　　　　　2

(③의 ㉯의 수법)

1　　　　　　　　　2

【비교】

3. 좌우방신左右防身 · 일자一刺(旋作 左右纏)

진전격적進前擊賊, 일자一刺에서 감아 찌르는 것은 좌우방신左右防身이다. 즉 호혈세虎穴勢다. 좌우방신은 '좌우를 감는다.'라고 표현한다. 진전격적에서 내려칠 때 좌로 비스듬히 내려쳐 좌방신左防身하고 우右로 감아 찌른다. '진전격적 · 좌우방신 · 일자'는 연결한다. 좌우방신은 둥글게 감는 것이 아니다. 타원이 형성되지만 감는 의미를 둬선 안 된다. 칼을 둥글게 감는 경우는 도자挑刺나 또는 위로 올려 찌를 때뿐이다.

좌로 방신할 때 격적세擊賊勢와 좌방신左防身을 합쳐 약간 좌익격左翼擊처럼 치고 우右로 방신하면서 다시 중앙으로 칼을 모아 찌른다.

우방신右防身 원圓의 폭은 상대 몸통 크기 정도로 감아서 돌려서 찌른다. 상대를 혼란스럽게 한다. 우방신은 좌방신 후 오른쪽으로 감으려고 약간 올 때 벌써 이루어진다.

격적擊賊 · 좌방신左防身때 발(右足)과 같이 삼절이 딱 맞게 나가야 한다. 그리고 좌족左足이 앞으로 나가며 우방신右防身 · 일자一刺가 딱 맞아야 한다.

본국검에서 좌우를 감는 것은 앞의 세勢(중간세가 많으므로)에 따라 다르게 운용된다. 좌우를 감는 것은 자기를 보호하는 것이다. 상대가 나를 공격할 빈틈을 안 주는 것이다. 어떤 무예든 자기를 보호하면서 상대를 공격해야 한다.

4. 맹호은림세猛虎隱林勢

맹호은림세猛虎隱林勢는 가슴 높이에서 칼을 감아나가고, 칼을 머리 위로 감을 때 칼끝이 세워져야 한다. 칼을 머리 위에서 돌린다. 그래서 몸이 칼 아래 숨는 모양이 된다(猛虎隱林). 우산을 펼친 것과 같다. 반면에 칼을 등 뒤로 돌려 감아서 치는 것은 휘감아 치는 것이지 은림隱林이 아니다.

《본국검本國劍》의 〈맹호은림세猛虎隱林勢〉 해제解題는 발을 2족足 뒤로 물러나며 한 번 하고, 또 1족足을 물러나면서 한 번 하도록 했다. 신법身法이 멈추지 않게 하기 위해서다. 두 번째 은림隱林을 할 때 발은 제자리 있으면서 몸만 돌려 뒤로 내려친다. 은림세隱林勢는 찌르고 뒤로 돌 때 칼이 비스듬히 위로 올라가야 한다(上洗). 칼이 상세上洗로 올라간다고 눈까지 따라가면 안 된다. 눈은 평직하게 봐야 한다.

《무예도보통지武藝圖譜通志》에서는, 실제로는 1족足 뒤로 가면서 한 번 하고 또 연결해서 1족足 뒤로 가면서 한 번 친다. 이 경우 수련 때 잘 안 되고 끊어진다. 신법身法으로 도는 것이 은림세隱林勢의 특징이 아니고, 수련을 위해 신법으로 돌아야 머리 위에서 칼 방향을 위해 돌릴 수 있으므로 돌아가는 신법으로 구성한 것이다. 실전에서는 상대 앞에서 바로 머리 위에서 칼을 돌려 내려친다. 신법을 쓰지 않는다. 앞으로 한 번, 뒤로 한 번 칠 수도 있다.

맹호은림세猛虎隱林勢는 군중 속에 들어가 있다는 뜻이다. 즉 상대에게 둘러싸여 있다. 감아 찌른 다음 뒤로 돌며 맹호은림세를 한다. 오른쪽으로 돌며 베어나간다. 이때 손을 약간 들어 칼끝이 아래로 기울어지게 사선으로 그어 올리듯이 돈다(上洗). 따라서 상대가 내 우측으로 피하더라도 계속 우右로 베어나가니까 당하게 된다. 만약 나의 좌측으로 상대가 피한다면 바로 칼을 운검雲劍으로 감아(왼쪽으로 감아올릴 때 상대 몸이나 손목 등을 베면서 올린다), 표두豹頭로 친다. 따라서 상대가 어떻게 피하든 따라가면서 공격한다.

상대가 피하는 방향은 주로 왼쪽이다. 나의 정면으로 피한다. 상대가 보통 왼쪽으로 피하니까 머리 위에서 돌려 우익격右翼擊처럼 친다. 상대가 오른쪽으로 피해도 짧게 머리 위에서 감아 우익右翼처럼 친다.

머리 위에서 운검雲劍할 때 도刀인 경우는 칼날이 등 뒤로 가도 되지만, 검劍인 경우 칼끝이 높아야 한다. 몸이 돌 때 발이 정확히 따라 돌며 움직여야 한다.

1

2

3

(맹호은림세)

◉ 맹호은림세猛虎隱林勢와 은망세銀蟒勢의 비교

맹호은림猛虎隱林의 요결要訣은 몸이 돌면서 손이 머리 위에서 끊어지면 안된다. 몸으로 칼을 운용해야 이루어진다. 은망세銀蟒勢는 맹호은림과 유사하나 칼을 '몸 앞과 옆'을 베면서 돈다. 처음 우족右足 나가면서 벌써 몸을 좌로 90° 돌리며 반 정도 칼이 략掠해서 와야 한다. 그리고 《무예도보통지武藝圖譜通志》 그림처럼 칼을 등에 지고, 뒤를 보는 모양이 나오게 움직여야 몸이 돌 때 끊어지지 않고 삼절三節이 맞게 된다. 즉, 보통은 몸이 먼저 돌고, 손은 멈춰있어 뒤 따라 오는 것이 되기 때문에 삼절이 맞지 않게 된다.
맹호은림세는 돌아나가는 것, 숲속에 숨어있다는 의미이므로 칼이 숲이 되고, 몸이 칼 아래에 있어야 한다. 즉 돌아나가며 칼을 머리 위에서 돌려(도刀의 특징으로는 목 뒤로 감아) 내려 벤다.

5. 안자세雁字勢 · 직부송서세直符送書勢

안자세雁字勢는 발을 앞으로 교차시켜(拗步) 나가면서 베는 것이다. 발을 교차시켜 옆으로 걸어가며 베는 것이다. 안자세는 계란모양(타원형)으로 감는다(向右 左右纏). 좌로 횡橫으로 베고 우로 감으며 쓸어 벤다. 이어 찌른다.

직부송서세直符送書勢는 칼이 먼저 가고 몸이 따라가며 칼을 쉬지 않고 바로 찌른다. 뒤로 베는 의미를 갖는다. 직부송서는 옆으로 베어 치는 것이다. 칼을 감는 것이 아니다. 즉 상대의 정면을 공격하는 것이 아니다. 내 측면(오른편)에서 들어오는 상대를 옆으로 베어나가다가 상대 칼이 막으러 오므로 그 자리서 부딪히지 않고 멈추어 찌르는 것이다. 역린자는 물러서서 역린자를 하거나 앞으로 나가며 역린자를 하거나 발을 바꾸어서(換步) 역린자를 취한다.

◉ 발초심사세撥艸尋蛇勢 · 표두압정세豹頭壓頂勢(용약일자)는 연결해야 하고 배로 칼을 당기지 말고 발초심사撥艸尋蛇한 위치에서 바로 나가면서 찔러야 한다. 발초심사撥艸尋蛇는 중간세이므로 끊으면 안 된다.

6. 조천세朝天勢 · 수두세獸頭勢

조천세朝天勢와 좌협左挾에 끼는 것은 연결한다. 수두세獸頭勢는 허리띠 높이, 허리를 베거나 찌르는 것이다. 탄복자担腹刺(아랫배)보다 칼끝이 약간 높다. 〈좌협(가슴높이)+ 수두(허리 높이에서 찌르는 것, 베는 것)〉의 구성이다.

후료後撩(後入) · 조천朝天 · 좌협左挾 · 수두獸頭는 모두 몸으로 칼을 이끌어 간다. 후료後撩를 하니까 칼이 자연히 세워진다. 조천朝天에서 멈추면 안 된다. 중간과정에 생기는 세勢이므로 연결되어 흘러야 한다. 조천朝天은 중간세다. 오른발 뒤로 물러나면서 칼은 계속 전방을 방어하고 몸(허리)은 이미 반정도 오른쪽으로 돌아간다. 이때 몸이 칼을 이끈다. 자기 몸의 반쯤 돌 때까지 칼이 상대를 견지하고 있어야 한다. 조천朝天 · 좌협左挾 · 수두獸頭는 허리가 먼저 돌아간다. 후료後撩 후에 허리가 멈추지 않고 돌아가야 한다. 좌반세처럼 돌려서 찌르기 직전까지 계속 칼이 허리 쪽으로 끌려와야 한다. 허리에 칼이 붙었다 찌른다. 그러나 멈춰서는 안 된다.

◉ 우요격右腰擊 친 다음 잠시 멈추지 말고, 후일자後一刺의 왼쪽 허리에 칼을 가져오는 것과 연결한다.

◉ 장교분수長蛟噴水 · 일타一打에서, 일타一打 다음에 백원출동白猿出洞하라는 것은 설명이 잘못된 것이다. 우각우타右脚右打하는 것부터 백원출동세다. 《무예도보통지》에 설명이 잘못된 곳이 여러 군데 있다.

7. 우찬격세右鑽擊勢·용약일자세勇躍一刺勢

　　백원출동·찬격鑽擊에서, 좌각우수左脚右手로 왼쪽으로 횡격橫擊하면서 독립보로 서고, 칼은 머리 뒤로 휘둘러 감아 좌궁보左弓步로 우찬격세右鑽擊勢를 한다.

　　우찬격세右鑽擊勢·용약일자세勇躍一刺勢는 돌며 찌르는 것이다. 좌반坐盤으로 앉으며 칼을 당겨 머리 뒤로 어깨와 나란히 가져온다. 발이 중간에 멈추어 서는 안 된다. 원식原式은 좌반으로 앉지만 서서 돌아도 된다.

　　① 왼발을 앞을 향해 좌측으로 일족一足 가져오고 오른편으로 좌반으로 틀어서 칼을 왼편 어깨 뒤로 당겨오고 오른발을 180도 돌려 앞을 향해 한발 나가며 연이어 왼발이 나가면서 오른발을 왼발 옆에 모아 서며 일자를 한다.

　　② 제자리에서 오른편으로 좌반으로 틀어서 칼을 왼편 어깨 뒤로 당겨오고 오른발이 270도 우측으로 돌며 앞을 향해 일족一足 나가며 연이어 왼발이 나가면서 오른발을 왼발 옆에 모아 서면서 용약일자를 한다.

　　③ 제자리에서 오른편으로 좌반으로 틀어서 칼을 왼편 어깨 뒤로 당겨오고 왼발이 270도 우측으로 돌며 앞을 향해 일족一足 나가며 연이어 오른발을 왼발 옆에 모아 서면서 용약일자를 한다.

　　④ 번신翻身(右廻)없이 앞으로 나갈 때는 좌측 허리로 칼을 가져오고 왼발이 나가며 연이어 오른발을 왼발 옆에 모아 서면서 용약일자를 한다.

　◉ 마지막 **향전살적세向前殺賊勢** 때 좌각左脚에 한번 내려치고 우각右脚에 한번 내려친다.

　◉ **시우상전세兕牛相戰勢**에서 소(牛)는 싸울 때 머리를 들지 않는다.

◎ 휘검揮劍과 운검雲劍

휘검揮劍은 칼을 돌리는 것이다. 요검撩劍도 휘검이다. 휘검의 예는,

① 입원立圓으로 몸의 측면을 크게 감싸며 좌, 또는 우로 돌리는 것,

② 횡원橫圓으로 몸을 크게 감싸며 좌, 또는 우로 돌리는 것,

③ 머리 위로 칼을 수평 또는 칼끝을 아래로 향하게 세워 돌리는 것이다.

반면에 선풍격旋風擊은 감아 돌며 보호하는 것이다. 선풍격의 예를 들면 머리를 보호하며 칼을 감는다.

운검雲劍은 구름처럼 가슴높이 정도로 칼을 감는 것이다. 신법身法이 이끌어 줘야 한다.

(운검의 동선)

◎ 〈본국검本國劍〉과 〈예도총보銳刀總譜〉는 24세 검법에 있는 세勢를 가져와 투로로 구성한 것이다. 〈본국검〉의 연기年紀로 봤을 때, 24세 검법이 고대의 검법임을 미루어 짐작할 수 있다.

◎ 《무예도보통지》의 〈쌍검雙劍〉은 두 자루의 칼로 할 수 있는 기본 틀(機)을 수록해 놓은 것이다. 조선 후기의 풍속화가인 신윤복申潤福의 그림 중에 '쌍검대무雙劍對舞'는 검무劍舞를 표현한 것으로, 왼쪽 사람은 쌍검 투로의 향좌방적세向左放賊勢의 마지막 동작을, 오른쪽 사람은 향좌방적세向左放賊勢의 중간동작, 또는 진전살적세進前殺賊勢의 중간 동작을 그린 것이다. 검무劍舞는 무예武藝를 남에게 보여줄 때, 칼의 원식原式을 숨기고 변화하여 보여주는 것을 말하며 본래 춤은 아니다.

◉本國劍

【맺는 말】

어느 날 선생님께서 이렇게 말씀하셨다.

……한국韓國의 도가道家는 하나의 흐름으로 내려왔다. 이름이 없다. 도가道家는 맥이 끊어졌다가 생기고, 생겼다가 끊긴다. 도맥道脈이란 것은 없다…….

……도가道家에서 무예수양武藝修養은 무예를 하면서 수양을 한다는 것이다. 즉 인격수양人格修養의 뜻이다. 무예수양의 최종 목적은 자기완성(깨달음)에 있다…….

……도가道家는 종교와는 관계가 없다. 도가道家에서는 유儒가 기본으로 되어있다. '사람됨'을 배우고 지켜나가는 것을 '유儒를 지킨다'라고 했다. 즉 탐하는 마음은 본래 없다. 또 예禮와 덕德은 그대로 되어있다. 이것이 기본이며, 이것을 의식하지 않아도 된 것이 유儒다. 그것이 안 되니까 도덕, 종교가 나왔다…….

……선仙이라고 하는 것은 욕심을 버리고, 경색景色을 버리고, 자기를 버리는 것이다. 사람이 욕망에 젖어 살면, 그 시간은 죽은 시간이다. 자기의 삶이 아니다. 그러므로 분수대로 살아야 한다고 하는 것이다. 경색은 오감五感이 좋아하는 것이다. 또한, '나'가 있으므로 남을 누른다. 욕심과 경색과 자기를 버림으로써 고요하고 편안한 가운데, 우주宇宙가 나와 같다는 것을 깨닫는다. 모든 것이 하나가 된다. 그것이 불佛이다…….

……우주宇宙, 자연自然은 깨끗한 물과 같은데, 인간은 탁하다. 자연은 물인

데, 탁한 인간은 기름에 비유한다. 내가 가진 것이 물이 되어야 한다. 물은 하나다. 원근遠近이 없다. 내가 우주로 들어간다. 그것을 불가佛家에서는 선禪이라 한다. 본래의 모습으로 돌아가는 것이다……

……내 안의 본성本性은 무한히 맑고 깨끗한 것이다. 사람은 신神의 영역을 침해할 수 없다. 성불成佛의 영역은 창조의 영역이다. 그래서 불생불멸不生不滅의 능력을 얻는다 했다. 창조가 아니면 불생불멸의 능력을 얻을 수 없다. 불성佛性을 찾아서 그 본성이 공부를 해야 한다. 아상我相이 공부를 하는 것이 아니다……

……모든 이는 불성佛性이 다 있다. 그러므로 자기를 찾아가는 길은 특별한 사람만 가는 길이 아니다. 성불成佛은 다 버리고 하는 것이 아니다. 다 가지고 성불하는 것이다. 불법佛法(깨달은 사람)은 우주 종교로서 우주 안에서 자유다. 따라서 종교의 자유가 있다. 그 외는 모두 천지天地의 법法에 매여있다. 성불 후에는 천지의 법에 끌려가지 않고 우주의 자유인自由人이 된다……

……오늘날은 화火의 세계다. 불은 위로 올라가서 내려가지 않는다. 자기밖에 모르고 지기 싫어하고 칭찬하면 좋아하고, 저 사람이 잘못해도 충고하면 싫어한다. 화火의 기운이 극極에 와있다. 곧 다음 시대는 수운水運이 온다. 수水의 시대는 맑아져서 거짓이 없다. 사람이 맑아지기 때문에 거짓을 못 한다. 진실밖에 없다. 대신 수水의 시대는 공부가 안된다. 고苦가 없기 때문이다. 또한, 기운氣運이 밝아진 것이지 자신이 밝아진 것이 아니다. 그러나 혼란한 세상과는 반대로 지금이 가장 공부가 빠른 시기다. 그것은 화火의 특성 때문이다……

……인간은 소우주小宇宙이기 때문에 무한히 발전해서 무한히 나온다. 대자대비大慈大悲란 자연自然 그대로 두는 것이 대자대비다. 무심無心을 뜻한다. 우주宇宙와 자비慈悲와 무無는 같은 말이다. 선악善惡이 없는 것, 텅 빈 것이

다. 그러므로 안으로도 밖으로도 자신을 드러내지 않는 것이 세상을 돕는 것이다. 살아가는 데 장애障礙 없기를 바라지 말라. 그것이 자기의 그림자다. 평생 따라다닌다. 그러므로 자기를 버리는 것이 가장 편하게 사는 것이다……

……옛 어른들이 말하길, "몸을 학대하지 말라. 몸이 없으면 아무것도 할 수 없다." 했다. 몸을 혹사하는 것은 신앙, 믿음이다. 자기 집(몸)을 지켜야 수양을 할 수 있다. 진리를 깨달아 가는 길에서는 절대 몸을 혹사하지 않는다……

……선악善惡의 길은 백지장 하나 차이다. 즉 마음의 선택이다. 꼭 잘못된 길을 안 가더라도 올바르게 조금만 원칙대로 하면 갈 수 있는데, 한 치밖에 되지 않는 마음으로 우주를 얻을 수도 있고 버릴 수도 있다. 가장 간단하고 쉬운데 사람들은 어렵게 간다……

……욕심과 모든 것은 버리기 쉽다. 가장 어려운 것은 경색景色과 아상我相이다. 경색이란 과거의 모든 습관이 떠올라서 나의 정신통일, 즉 무상無相을 방해하는 것을 말한다. 상相은, 내가 안다는 것을 배제해야 한다. 올바르게 알면 말할 것이 없다. 그러므로 호흡(靜功)은 나를 고요히 하는 방편이다. 호흡이 아니면 고요해지지 않는다. 또한, 호흡은 몸을 건강하게 가려는 방편이다. 호흡은 정중동靜中動이다. 호흡을 하면 한 만큼 보상이 있다. 하루 한 시진時辰은 해야 한다. 뒤에 호흡 길이 열리면 끝도 없이 앉는다. 긴 시간을 낼 수 없으면 매일 10분씩이라도 해라. 피곤하면 10회 호흡이라도 해라. 아니면 무예 수련이 끝나면 바로 쉬지 말고 조금이라도 해라. 쉬고 나면 하기 싫어진다. 하루도 끊어지지 않는 것이 중요하다. 그 안에 답이 있다……

……호흡은 단지 복식호흡과 자연호흡뿐이다. 복식호흡이란 의식으로 호흡을 조절하는 것을 말한다. 자연호흡은 본능적인 호흡이다. 복식호흡은 복강 안에 오장육부五臟六腑가 있으므로 한다……

……마음을 편안하게 가져야 한다. 자기가 행해 나가는 편안한 무엇인가 있어야 한다. 그러므로 심법心法을 전한다. 호흡을 이러이러하게 하라고 전한다. 호흡은 다 하는 것이지만 어떤 방법으로 하는가가 중요하다…….

……과거에 대한 집착을 놓아버리면 편안해지고 고뇌가 없어진다. 사람은 모든 전생前生을 스스로 떠올리고 있다. 욕심, 나쁜 마음 가져봐야 자신만 괴롭다. 생생이 허무한 것인데, 과거의 바다에 낚시를 드리우고 시간을 다 보낼 수 있는가! 괴로운 것, 즐거운 것, 다 잊어버리면 지금이 나의 생생이다. 그러한 것들을 이겨나가는 사람이 되어야 한다. 모든 것은 자신이 개척해 나가는 것이지 어떤 것이 대신해 주지 않는다. 지금 얼마나 좋은 세상에 살고 있는지 모른다. 왜냐? 나쁜 짓을 아무리 많이 해도 하늘이 아무 소리 안 한다. 또 좋은 일을 아무리 많이 해도 하늘이 아무 소리 안 한다. 하늘은 간섭하지 않는다. 어떤 간섭도 받지 않고 자신을 개척해 나갈 수 있으므로, 이 우주에서 가장 좋은 세상에 살고 있는 것이다. 이 무한한 자유 세계에서는 어떤 의문도 필요 없다. 다 잊어버리고 내 공부하면서 살아갈 뿐이다…….

……수행은 편안한 마음일 때 가장 잘 되고 있는 것이다. 그래서 항상 편안해야 한다. 미련하지 않아야 한다. 지혜가 있어야 한다는 말이다. 분수를 안다는 말이다. 욕심을 부리지 않게 된다…….

……발심發心이 서면 뜻이 바르게 서야 한다. 다른 지식은 필요 없다. 발심發心은 마음이 하고 입지立志에서 행동이 나온다. 자기가 아는 만큼만 알기에 (더 알기를 원해서) 선생을 찾는다. 그러나 사람을 추종하지는 말라. 단지 이 길에서 도반道伴이 함께 하는 사람은 복福이 있다…….

……지금이 나의 시간이다. 지금 이후 미래의 시간은 나의 시간이 아니다. 자연自然의 시간이다. 공부를 내일로 미뤄서는 안 된다. 내일이 내 시간이 될지, 안될지 누가 알겠는가…….

24시간 항상 마음을 바꿔라.
평정심을 잃지 말고,
자기를 이겨나가며,
고독한 승리를 해야 한다!

****

선생님은 당신의 스승님에 대한 말씀은 잘 하지 않으셨다. 가끔씩 여쭤보면 그것은 예禮가 아니라는 말씀뿐이셨다. 단지 소싯적에 스승을 만나 수양의 예도藝道로서 무예를 배웠다고만 말씀하셨다. 과거 신동아新東亞에서 기고를 해달라는 부탁을 받고 쓴 글에서 당신의 스승에 대한 말씀을 약간 언급했을 뿐이다. 그리고 당시에 몰랐던 《무예도보통지武藝圖譜通志》의 무예를 접한 것도 스승의 가르침을 통해서였다는 것을 밝히고 있다. 아래에 그 글을 옮겨와 싣는다. 더하여 1987년 12월 22, 23일 양일간 바탕골 예술관藝術館 소극장小劇場에서 열린 해범海帆 김광석金光錫 한국무예발표회韓國武藝發表會에서 심우성沈雨晟(문화재전문위원, 한국민속극연구소장) 선생에 의해 소개된 〈해범海帆 무예武藝의 계보〉에 대한 글을 함께 싣는다.

武術과 武藝

金光錫 (韓國武藝院長)　新東亞 1988년 2월호

어렸을 때, 스승으로부터 사람 됨됨이를 배우다 보니 앉고, 서고, 걷는 몸가짐으로부터 숨 쉽의 오묘한 경지와 무술까지를 곁들여 입문하게 되었다. 어떤 이는 나를 대하여 무술인 또는 무예가라 하지만 참으로 부끄러운 일이다.

본디 무예를 닦기 위하여 시작된 일이 아니라 수양을 위한 길이었는데, 몸과 마음을 닦는 일은 뒷전으로 가고 무술만이 속 빈 간판 마냥 내세우게 되는 것이 아닌가 하여 더욱 스승님들 영전에 얼굴을 들 수가 없다. 스승님들이 살아계셨더라면 호통을 치지 않았을까 두렵다. 항간에서 우리의 전통 무술을 「術」이라 하지 않고 「藝」를 붙여 무예라 하는 데에는 그럴만한 까닭이 있다고 본다. 같은 동양권이면서도 중국이나 일본의 무술이 공격 위주라면 우리의 것은 철저한 방어에 그 뜻이 있다. 빈틈없는 자기방어를 통한 완벽한 승리를 꾀하고 있는 것이다. 아마도 이것은 한민족의 남다른 심성에서 우러나오는 마음씨이리라는 생각이 든다. 엄격히 말해서 동양 3국의 무술 가운데 藝를 붙여 무예라 할 수 있음은 우리의 것에 국한되는 것이 아닌가 한다. 숱한 외국의 침략을 극복하면서 스스로를 지켜 올 수 있었던 것은 이러한 「藝道」의 경지와 통하는 무예를 실천한 데서 가능하였으리라는 생각이 든다. 돌이켜 보건대, 1500년대 말로부터 1700년대에 이르기까지 한반도 3천리는 왜구에 의하여 쑥대밭이 되었다 해도 과언이 아니다. 이러한 때에 당대의 어진 임금 正祖는 1790년에 신하들에게 명하여 한 권의 무예총서를 세상에 내놓았는데 바로 「武藝圖譜通志」이다. 李德懋 朴齊家 白東脩 등에게 당시의 모든 병장술을 살펴 집대성하도록 한 이 무예서는 전 4권 4책에 諺解를 덧붙여 간행한 것이다. 이 책의 방대함이나 소상함은 동양에서 타의 추종을 불허한다. 조선 시대의 正祖가 이 사업에 마음을 갖게 된 데에는 끊임없는 외침에서 이 땅을 지키려는 애절한 마음이 있었기 때문이다.

왜란과 호란을 겪으면서 편찬한 이 무예서의 내용을 살펴보면 비단 우리의 것에만 그치질 않는다. 중국과 일본의 것일지라도 배워서 우리의 것으로 수용될 수 있는 것이면 과감하게 수합하고 있는 것이다. 그러니까 어느 면으로 보면 동양 무술을 망라했다 해도 과언이 아니다. 실상 동양 3국은 무술에서뿐만 아니라 문화 전반에서 서로 습합, 교류하면서 발전해 온 터이고 보면 당연한 결과라고 볼 수 있다.

내 나이 16세에 晤空 尹明德 선생님 문하에 들어서면서 엄격과 사랑의 나날을 통한 수련과정에서 때때로 익힌 무예들은 실상 하나에서 열까지 자기 수련의 방편이었지 무술 그 자체는 아니었다. 「무예도보통지」라는 무술서를 놓고 배운 것도 아니요, 다만 선생님의 가르침 가운데 그와 같은 무예들이 포함되어 있었을 뿐이다. 그런데 어느 날 「무예도보통지」를 직접 대하게 되면서 바로 이 책에 그 실기들이 게재되어 있음을 알게 되었다. 곰곰이 생각해 보면 우연한 일치는 아니었다. 스승께서는 평소에 다음과 같은 말씀을 하신 적이 있음을 지금도 생생히 기억하고 있기 때문이다.

「자고로 무술에는 兵仗武術, 道家武術, 佛家, 仙家의 무술 등이 있지. 그러나 이렇게 다른 계통들도 일단 나라가 위기에 처했을 때에는 모두가 하나로 되니 그의 기능이 서로 섞이게도 되고 그러면서 발전도 했지……, 그러나 그 가운데서도 道家의 무술은 웬만한 위기상황이 아니고 보면 세상 밖에 나서지를 않았어. 하지만 마음이 있는 곳에 뜻이 있는 법이어서 도가무술이 모든 것의 바탕이 되었다 할 만하지.」

어찌하여 도가의 무술에 남달리 藝를 붙여 무예라 일컫게 되었는지를 짐작하게 하는 말씀이다. 정조도 당시의 무술을 한 권의 책으로 묶으면서 단순한 「術」보다는 「藝」로 승화되기를 바라는 마음에서 武藝라 하지 않았겠는가. 道家에서 스스로 수양하는 것을 道로도 표현하는데 이 道의 경지는 바로 藝와 한가지임을 50이 넘은 이제야 알 듯한 심사이다. 너무 늦었는지도 모른다. 지난해 12월 22일과 23일, 바탕골 소극장에서 한국민속극연구소의 沈雨晟씨 주선으로 「武藝圖譜通志」가운데 12종목(本國劍, 提督劍, 雙手刀, 銳刀, 雙劍, 月刀, 挾刀, 拳法, 長槍, 旗槍, 鐺鈀, 棍棒)의 발표회를 가지면서 더욱 스승님께 송구한 마음 금할 수가 없었다. 한 뼘도 못 되는 재간을 감히 어찌 대중 앞에 보이겠느냐는 생각이 든 것이다. 어쩌다 보니 「무예도보통지 실기해제본」에서 실기를 담당한 데서부터 이미 엎질러진 물이 되고 말았다. 이제 나의 외람됨을 다소라도 수습하는 길은 오직 가르침을 되새겨 옷깃을 가다듬는 일과, 배운 대로의 武藝之道를 정직하게 후학에게 전하는 일이 있을 뿐이다. 수양하는 법이 따로 있는 것이 아니다. 생활 속에 함께 하는 것이니 무예도 생활무예가 될 때 그 의미가 오늘날에 되살아나리라는 생각을 한다.

해범海帆 무예武藝의 계보

沈雨晟(문화재전문위원, 한국민속극연구소장)

누구나 "해범"을 처음 대하였을 때, 그를 무인武人으로 짐작하는 사람은 드물다. 본인에게는 대단히 실례이지만, 50이 넘은 그이지만 홍안 미소년이다. 공부 삼아 그의 무예 내력을 집요하게 물어보았더니 그저 웃기만 한다. 나의 성화에 견디다 못한 "해범"은 이렇게 불쑥 실마리를 풀어 놓는다.

"……나야 무예라기보다는 수양으로 시작된 일이지요. ……사람은 누구나 안으로는 오장육부(五臟六腑)와 밖으로는 사지백해(四肢百骸)로 이루어지는 것인데, 이를 활발하게 움직이게 하는 것은 기(氣)에 의존하는 것이다. 기(氣)에는 음기(陰氣)와 양기(陽氣)가 있다. 음기란 음식을 먹어 장에서 소화 시킨 영양의 기(氣)로서 폐(肺)로 올라온다. 양기란 대기권의 정기(精氣)를 호흡으로 당겨 폐로 받아들이는 기운을 말한다. 따라서 음기는 내적으로 오장육부를 다스리며 안으로 돌고, 양기는 외적인 것을 다스리며 밖으로 돈다. 이 두 기(氣)는 우리 몸을 50 주천(周天)한 후에 한 생명체의 흐름인 기(氣)로 변화하는데, 이를 원기(元氣)라 한다. 원기 이전의 기(氣)는 단지 육신을 보존하는 생기(生氣, 生神)로만 돌다가 원기가 되어서야 비로소 생명체의 힘이 되는 것이다. 이것을 영기(靈氣)라고도 한다. 예를 들면 나무는 생기만 있고 원기가 없기 때문에 힘이 없고, 움직임이 없고, 사고 능력이 없다……. (후략)

……무예의 모든 동작은 오법(五法: 眼法・手法・身法・步法・腿法)에 따르는 것인데, 눈은 마음을 의지하고, 마음은 기(氣)를 의지하고, 기(氣)는 몸을 의지하고, 몸은 손을 의지하고, 손과 몸은 발을 의지한다. 따라서 이 모든 움직임이 원칙에 맞아 한식(一式)에 일체화해야 된다. 다시 말하자면 율동은 삼절(三節)로 이루어지는데, "제1절"은 주먹이 나가면 팔꿈치와 어깨가 따라 나간다. "제2절"은 발이 나가면 무릎과 대퇴가 따라 나간다. "제3절"은 허리가 나가면

가슴이 따라 나가고, 가슴이 가면 곧 마음이 간다. 따라서 한 동작마다 전신이 움직이는데, 이때 반드시 "오법"에 맞게 율동해야 한다……. (후략)

……무예란 인체를 단련하여 심신을 철석같이 만드는 데에 있다. 외적으로는 근(筋)과 피(皮)와 육(肉)과 골(骨)과 뇌(腦)·막(膜)·경(勁) 등을 단련시키고, 내적으로는 생명의 흐름인 기(氣)를 한 숨에 이루는 공부(功夫)를 하여 마음이 있는 곳에 기(氣)가 흐르게 하고, 기(氣)가 흐르는 곳에 외적인 조건이 한꺼번에 따라 움직이게 해야 하는 것이다……. (후략)

……무예를 연마하는 데에는 강유(剛柔)가 하나이고, 쾌(快)와 만(慢)이 상간(相間)되어야 하며, 허(虛)와 실(實)이 서로 조화를 이루어 거미줄이 연결되듯 동작이 연결되어야 하며, 힘은 부(浮)와 침(沈)이 편중(偏重)되거나 편부(偏浮)되지 않는 가운데 자유롭게 활용될 수 있어야 한다……. (후략)

……또 무예를 수련하는 공법(功法)에는 크게 동공(動功)·역근공(易筋功)·정공(靜功)으로 나눈다. 동공이라 함은 글자 그대로 움직여서 공을 이루는 것을 말하는데, 이 움직임은 반드시 그에 맞는 원칙에 의한 자세와 힘과 동작과 시간으로 움직여야 한다. 역근공 또한 그에 맞는 원칙적인 움직임과 호흡에 의해 이루어진다. 또 정공이란 수단지도(修丹之道)의 정(情)·기(氣)·신(神)을 단련하는 것이다. 이를 위해 먼저 알아두어야 할 것은…… 천하의 모든 생물은 음·양의 이치에 따라 생장하는데, 사람은 더 말할 나위 없을뿐더러 수련하는 데에는 더욱더 중요한 것이다. 정·기·신은 무형지물(無形之物)이지만 근골(筋骨)은 유형지물(有形之物)이다. 그래서 반드시 먼저 유형자(有形者)를 수련하여 무형의 좌배(佐培)로 삼고, 무형자(無形者)를 유형의 보필로 삼아야 하며, 이로써 하나가 둘로, 둘이 하나가 되는 법이다. 만약 무형만 배양하고 유형을 버리면 안 된다. 또 유형만 수련하고 무형을 버린다면 더욱 안 되는 것이다. 그래서 유형지신(有形之身)은 반드시 무형지기(無形之氣)의 의지를 얻어야 하며, 서로 엇갈리지 않아야만 부양지체(不壞之體)가 되는 것이다. 만약 서

로 엇갈려 의지하지 않는다면 유형도 역시 무형으로 화하게 되는 것이다. 그러므로 근골(筋骨)을 연마하려면 반드시 기(氣)를 수련해야 된다. 하지만 근골을 수련하기는 쉬워도 막(膜)을 수련하기는 매우 어렵다. 더하여 기(氣)를 연마하기는 더욱 어려운 것이다. 그래서 먼저 극히 어렵고 난잡한 곳에서부터 확고한 기초를 세워 놓아야만 훗날 동요가 일어나지 않는다. 이를 진법(眞法)으로 삼아 지기(之氣)를 배양하여 중기(中氣)를 지키고 정기(正氣)를 보호해야 한다……. (후략)

……흔히 말하는 건강 호흡은 인간이 인위적으로 심호흡을 하여 폐활량을 늘이고, 신경총을 원활케 하고, 횡경막을 발달시키는 것이다. 그리하여 신체의 순환 기능을 발달시켜 각 기능을 윤활케 해주는 의료적인 호흡이라 할 수 있겠다. 수단지도(修丹之道)를 이루는 정공(靜功)은 삼궁(三宮: 精·氣·神)을 단련시키는 것으로 이와는 달리 매우 어렵고 깊다……. (후략)

……무예를 오래 수련하면 정신수계(精神修界)의 극치인 도(道)에 이르게 되는 것이다. 물론 무예를 익힘으로써 신체가 단련되고 무술도 얻게 되는 것이다. 하지만 무엇보다 먼저 인간이 되어야 하는 것이다. 이렇게 되고 보면 자연히 정(精)과 기(氣)와 신(神)이 단련됨으로써 신체 조건이 원활해져 쾌식(快食)·쾌변(快便)·쾌면(快眠)을 하게 되니 심신이 맑고 건강해지는 것이다……. (후략)

……지금 내가 지니고 있는 무예란 소시(少時)로부터 스승의 가르침에 따라 사람 됨됨이를 수양하는 가운데 함께 배운 것이니……."

한번 입이 열리고 보니 해범의 이야기는 끊일 줄을 모르고 갈수록 그 깊이를 헤아릴 길 없다. 다른 기회에 그의 인생관과 무예관을 함께 정리하여 보고 싶은 욕심이다. 각설하고, 우리나라의 전래(傳來) 무술은 병장무예(兵將武藝)와 도가무예(道家武藝)로 크게 나뉘고 있다. 물론 이밖에도 불가무예(佛家武藝)를 비롯하여 여러 갈래의 자취가 없는 것은 아니다. 병장무예가 병장기(兵仗器)를 주로 하면서 실제 전쟁에 활용된 것이라면, 도가무술은 심법(心法)에 의한 권장술(拳掌術)을 위주로 하며 심신의 수련으로 그 맥을 이었다 하겠다. 실상 이렇게 나누기는 하였지만, 실제로 위의 두 무술은 필요에 따라서는 서로 밀접히 왕래하기도 하였음이 우리의 무예사(武藝史)나 종교사(宗敎史)를 통해 짐작하게 되는 것이다. 예로부터 이 땅에 전해 내려온 '도(道)는 주체적인 종교 내지는 사상으로 수용되면서 도가(道家)라는 이름으로 독자적인 맥락을 이룩하고 있음을 우리는 알고 있다. 현실을 극복하는 데 앞장서기보다는 한걸음 뒷전에서 응시한 것으로 해석하는 것이 보통의 인식이지만, 실제로는 삼국시대 이래 고려, 조선 왕조, 그리고 현재에 이르기까지 사상과 무예 양면에서 단단한 뒷받침을 하고 있음을 발견하게 되는 것이다. 해범의 스승이신 오공(晤空) 윤명덕(尹明德) 선생을 비롯하여 이분들의 인맥이 다행히도 《무예도보통지》의 실기를 재현하는 데 큰 공헌을 하고 있음을 미루어 이러한 생각이 더욱 굳어지는 것이다. 매사에 서두르기를 싫어하는 해범을 부추겨 〈해범 김광석 한국무예〉라는 발표회를 가지면서 이 자리가 우리 무예의 줄기를 세워가고, 아울러 전통 예능 가운데서 특히 춤과 놀이들의 본디를 살필 수 있었으면 하는 욕심이다……

＊＊

필자가 해범海帆 선생의 무예어록武藝語錄을 집필한 것은, 해범 문중의 무예武藝를 수련해 온 사람이 단순히 그 얻은 바를 남기려고 한 것은 아니다. 무武를 경시한 조선朝鮮이라는 국가를 통해 우리나라는 마치 무武가 없는 것처럼 외세에 침략당하다가 뒤늦게 《무예도보통지》를 찬술하였지만, 그마저도 근대 이후 그 실재가 사라져 버렸기에, 오늘날 해범 선생에 의해 우리 무예武藝의 발견과 창달暢達이 다시 이루어진 것은 역사적으로 중요한 사건이다. 그 과정에서 비전으로만 전해져 온, 수양을 위한 도가무예道家武藝가 대강이라도 드러난 것은 역시 고무할 만한 것이라 하겠다.

　　역사를 돌아보면, 한 국가가 그 영역을 분명히 하고, 겉으로는 부드러움을 표방하며 속으로 힘을 갖춘 이후에 평화를 구가해 온 이면에는 언제나 생존과 번영을 담보하는 절대적 도구로써 무예武藝가 있었다. 무예武藝는 국가의 호위와 개인의 안전이라는 확실한 명분으로 인해 그 가치를 인정받아 왔음에도, 살상의 도구라는 무예武藝가 가진 일면으로 인해 사람들이 널리 취할 바가 되지 못했고 오히려 억압되어 온 바가 적지 않았다. 그런 이유로 인해 전승傳承의 문제 역시 안으로는 비전祕傳으로 흐르고, 밖으로는 단절이 거듭되어 온 가운데 진체眞體는 사라지고 잔편殘編들만 남아, 오늘날 사람들이 무예武藝에 대한 잘못된 선입견과 이해 부족으로 인해 올바른 무예관武藝觀을 가질 수 없게 된 것은 어찌 보면 당연한 것이라 할 수 있다. 이제 해범 선생의 가르침을 통해 우리 선조들로부터 내려온 한국무예韓國武藝의 본 모습과 그에 내포된 사상과 삶의 철학, 수양의 도구로서의 무예武藝, 그리고 고대로부터 전해진 무예학武藝學의 근본 이론과 수련법 등을 만날 수 있게 되었다. 이는 모두가 처음 드러나는 것으로, 그것은 '바른 동기 · 바른 지식 · 바른 수련'으로써 몸과 마음이 함께 얻을 수 있는 것들을 통해, 본래의 무예武藝가 추구하는 정신과 목적을 밝히고 그 길을 제대로 보여준 것이라 할 수 있을 것이다.

　　낮은 곳이 있기에 높은 곳이 있음을 알 수 있듯이, 필자는 다만 귀貴한 것을 귀한 것으로 생각하는 사람일 뿐이다. 오늘날 시대가 요구하지 않는다고 무예武藝의 의미가 사라진 것은 아니다. 인류가 몸을 가지고 건강과 자기보호를 추구해 온 것은 어제오늘의 일이 아니다. 양생養生이란 개념은 '건강한 마음과 몸을 추구한다'는 뜻이다. 과거 심신心身을 강건하게 만드는 도구는 자연의학自然醫學과 무예武藝 운동이 전부였기에 무예의 특징인 격투를 차치하고서라도, 무예는 일신一身의 소망을 충족시켜 온 도구였다. 다만 무예가 공방攻防의 특점을 먼저 강조했던 이유는, 무武는 힘이 곧 평화라는 경험칙經驗則에서, 약자가 강자의 횡포에 스러져서는 안 된다는, 평화를 소망하는 보편적 인간 본성에서 비롯되어 자신과 민족, 나아가서 나라를 지키는 수단으로써 절대적인 역할을 했기 때문이다.

지금에 와서 무예武藝를 지나간 역사의 유물로 보는 것은 잘못된 생각이다. 무예가 사라진 이 시대에 옛것을 고집하는 것처럼 보일 수도 있으나 과거와 마찬가지로 오늘날에도 무예의 가치는, 밖으로는 건강과 자기보호, 안으로는 자기를 찾아가는 길에서 여전히 살아있기 때문이다. 몸과 정신의 이로움을 위한 정밀한 도구가 바로 무예문화武藝文化다. 그 안에는 시간을 두고 쌓아 온 선조先祖들의 지혜가 있다. 따라서 한국무예韓國武藝는 소중한 우리의 유산이며 다시는 잃어버리지 않아야 할 것이다.

헤아려 보면, 해범 선생께서 한국무예韓國武藝를 펼치신 뜻은, 단지 역사에서 사라져 버린 우리 무예 유산을 드러내는 데 머물지 않고, 국가와 민족이 존속하고 발전하는 힘이 개인의 강건한 몸과 올바른 정신에 달려있다는 것을 밝혀, 무예를 익히는 후학들에게 건전한 국가관과 함께 덕德에 기반한 사회적 가치관을 심어, 우리 사회가 내일의 발전과 평화를 담보하는 몸과 마음의 목적을 구하도록 하는 계기가 되기를 바라셨기 때문이다. 삶의 의미를 눈에 보이는 것에서 구하는 것이 아닌, 사람이 가진 본래 성품의 수양을 통해 밝은 미래를 개척해 나가는 데서 찾아야 한다는 것이 해범 선생의 일관된 가르침이었다.

무언武諺에 이르길, 『제자의 기예가 높아도 사부師父의 은혜를 잊어서는 안 된다.』라고 했다. 오늘의 내가 있기까지 스승의 노고가 있었다는 사실을 잊지 않아야 한다는 말이다. 선배들의 가르침으로 인해 비로소 학문이 향상되고 사회가 발전하게 된다는 것은 천고千古의 변하지 않는 진리다.

뜻한 바 있어, 후학들을 위해 오래도록 헌신하신 선생님께 감사하는 마음이 이제 하나의 책자로 만들어진 것에 대해 어찌 작은 보람이나마 없다고 하겠는가. 하지만 감히 측량할 수 없는 선생님의 무예武藝 세계를 기록으로 남기려고 한 것은, 참으로 계란으로 바위를 치는 것과 진배없는 것이리라.

돌이켜 보면, 겨레의 혼이 녹아있는 선인先人들의 무예武藝와 정신을 미래 세대들에게 온전하게 전하려 하신 해범 선생의 고심苦心이, 필자로 하여금 "이것이 헛된 일은 아닌가…?" 하는 질문을 스스로 던지면서도, 무모하게만 보이는 지난한 집필 작업을 끝까지 마무리할 수 있도록 해준 힘이 되었다고 믿는다. 또 생각해 보면, 오늘날 해범 선생께서 어렵게 펼친 한국무예韓國武藝의 전형全形이 내일 다시 사라지더라도, 일찍이 청년들을 향하여 『…세상이 아무리 혼란하고 두서를 잃고 있다 해도 그것은 잠시의 방황일 뿐, 본디의 진리가 바뀌는 것은 아니다….』, 일갈一喝하신 선생의 말씀에서, 먼 훗날 다시 오는 현인賢人이 있어 더 없는 밝은 미래세계를 개척해 나가기를 소망하는 마음 때문이 아니겠는가.

산천은 유구悠久하고 진리는 영원한데, 인간의 한계는 과연 '풀잎 끝의 이슬이요, 바람 앞의 등불!'이라고 하신 선생님의 마음을 이제는 조금 알 수도 있을 것 같은데…, 선생님께서는 "스승이 옆에 있는 것이 가장 큰 복이다."라고 하셨지만, 어느덧 오랜 세월의 선생님과의 인연은, '존사중도尊師重道', 이 한마디 말씀에 오롯할 따름이다.

밤하늘의 달은 만억 년이 지나도 사라지지 않을진대, 달을 가리키는 손가락은 언제나 잊혀져 가는 법…, "무예는 끝없는 수양이다."라는 말씀대로, 가르침을 닦고 깨우침을 밝히는 진실이 이 한 권으로 하여 변함없으리니, 다시 무예武藝의 도道에 첫걸음을 내딛는 심정으로 지금《해범 김광석선생 어록》을 펴는 소이所以를 여기에 밝힌다고 하겠다.

檀紀 4355年 개천절

海帆 金光錫 先生之影

李 一 炯